Japanese
Guidelines

脳卒中治療ガイドライン **2021**

for the

Management

of Stroke **2021**

編集 日本脳卒中学会 脳卒中ガイドライン委員会

協和企画

脳卒中治療ガイドライン 2021

序 文

　脳卒中治療ガイドラインは、2015版より一般社団法人日本脳卒中学会 脳卒中ガイドライン委員会により作成され、2年ごとに新たな知見を追加した改訂が行われて（追補2017対応、および追補2019対応）きた。今回の2021版は6年ごとに行うことになっている全面改訂版である。作成にあたってご協力をいただいた日本脳神経外科学会、日本神経学会、日本リハビリテーション医学会、日本神経治療学会、日本脳卒中の外科学会、日本脳神経血管内治療学会をはじめとする多くの学会に深謝申し上げる。

　はじめに、『脳卒中治療ガイドライン 2021』の策定目的を明らかにしておく。
　一般に学会が診療ガイドラインを策定する目的は、臨床で遭遇する様々な病態に対して、臨床医が判断を行うための目安を示すことであり、これを参照することによって適切な判断を行うことができるように支援することである。その意味で、診療ガイドラインは臨床において判断の際に参考にすべき重要な情報である。しかし、実際の臨床においては、患者の個別性に配慮した判断が必要とされることは多く、診療ガイドラインに記載されていない診療が、必ずしも否定されるものではない。診療ガイドラインが臨床現場における柔軟な個別判断を拘束することがあってはならない。
　一方で、診療ガイドラインは公開されるため、患者および家族などにとっては自らが受ける治療について期待する内容ともなり得るので、患者および家族などに対しては、診療ガイドラインで示されている標準的な診療の意味について説明するとともに、当該患者の個別性に配慮した判断に理解を求めることが必要である。
　なお、診療ガイドラインはしばしば本来の目的以外にも利用されることがある。例えば、医療水準に適合した診療を行ったか否かが争点となる係争において、司法は診療ガイドラインにその医療水準を示す指標を求めることがある。しかし、診療ガイドラインと医療水準とは別の概念である。
　本ガイドラインは、以上のような目的を持つものであり、脳卒中の臨床現場で治療にあたる際には、このガイドラインに示された内容を十分に理解して、個別の患者に適切な治療を行うよう求めるものである。

次に、本ガイドラインの策定にあたって、推奨の科学的合理性と妥当性をどのように担保したかを述べる。

診療ガイドラインは、科学的合理性を担保するために、エビデンスすなわち患者集団を対象にした過去の研究の結果に基づいて系統的に作成される。しかしながら、エビデンスの確立には現実的な限界がある。研究はその対象集団や治療介入の効果をできるだけ均一にしなければ、有意なエビデンスは導き出せない。しかし、実際の臨床では患者の臨床像は不均一であり、薬物療法の介入効果はアドヒアランスによって異なり、外科的治療の介入効果は施設や術者によって異なる。したがって、すべての診療行為に十分なエビデンスがあるわけではなく、またエビデンスのレベルが低くとも、推奨すべき診療行為は少なくない。たとえば、救命目的の救急医療がそれに相当する。また、明確な効果がある標準療法としてすでに世界的に行われている治療法であっても、エビデンスレベルは高くない場合もある。これは、エビデンスレベルは低いが、推奨すべき治療ということになる。このような場合に、高いエビデンスレベルを立証することを目的として、標準治療を行わない対照群を設定したランダム化比較試験を行うことは倫理的に問題である。

本ガイドラインでは、エビデンスレベルが低い項目に対する推奨については、執筆担当者と領域の責任者そしてガイドライン委員会が慎重に確認しあうことにより、その推奨の透明性と妥当性を担保するように心掛けた。なお、エビデンスレベルと推奨度については別項に記載している。

最後に、本ガイドラインは、脳卒中・循環器病対策基本法に基づく脳卒中対策が大きく前進する 2021 年に、時を同じくして全面改訂となった。これが、脳卒中診療の向上を進める大きなエンジンとなり、国民の健康福祉に大きく貢献することを期待する。

2021年7月

一般社団法人日本脳卒中学会
脳卒中ガイドライン委員会 (2021)
委員長　**宮本　享**

『脳卒中治療ガイドライン 2021』の
エビデンスレベルと推奨度

『脳卒中治療ガイドライン 2015［追補 2019 対応］』までは、Oxford Centre for Evidence-Based Medicine 2011 の Levels of Evidence を用いて引用文献のエビデンスレベル設定を行い、個々の文献エビデンスレベルをもとに推奨文の推奨グレード設定を行った。一方で、ガイドラインの作成方法として GRADE アプローチが知られており、それに基づいた Minds 診療ガイドライン作成マニュアルが存在する。今回の『脳卒中治療ガイドライン 2021』の作成にあたっては、2004 版から 2015［追補 2019 対応］版までの 5 つのガイドラインにおける掲載範囲、その作成過程、そして現状のリソースを考慮した結果、「Minds 診療ガイドライン作成マニュアル 2017」（https://minds.jcqhc.or.jp/s/guidance_2017_0_h）を部分的に取り入れて行う方針をとった。すなわち、本ガイドライン委員会は文献レビューを行う委員と推奨文作成を行う委員を区別しておらず、クリニカルクエスチョン方式は部分的導入とした。

以下にガイドライン作成過程の概略を示す。

1) 推奨文の対象となる内容の設定は、『脳卒中治療ガイドライン 2015［追補 2019 対応］』までの内容を踏まえて、ガイドライン委員会および各項目を担当する委員および実務担当者が行った。

2) 文献検索式の作成は、『脳卒中治療ガイドライン 2015［追補 2019 対応］』までの内容を踏まえて、各項目を担当する委員および実務担当者が行った。

3) 『脳卒中治療ガイドライン 2015［追補 2019 対応］』までに検索した文献（2017 年 12 月までに発表された論文）に加えて、2018 年 1 月から 2019 年 12 月までに発表された論文を新たに対象とし、一般財団法人国際医学情報センターに委託して文献検索を行った。この範囲外の論文でも、特に重要な内容と認めた論文であれば、委員会として妥当性を検討したうえで、ハンドサーチによる文献の追加を行った。

4) 各項目の委員および実務担当者により文献選択を行い、構造化抄録を作成した。

5) 各項目の委員および実務担当者により、『脳卒中治療ガイドライン 2015［追補 2019 対応］』までに使用した Oxford Centre for Evidence-Based Medicine 2011 の Levels of Evidence を用いて引用文献のエビデンスレベル設定を行った（表 1）。これらの文献エビデンスレベル設定においては、『脳卒中

治療ガイドライン2015［追補2019対応］』までに設定されたエビデンスレベルも含めて、各試験の質や内容を吟味した上で、適宜エビデンスレベルを変更した。

6) 各項目の委員および実務担当者により、これらの文献エビデンスをまとめて推奨文のエビデンス総体レベルの設定を行った（表2）。レベル1や複数のレベル2文献がある推奨文は初期評価をレベル「高」とし、レベル2文献が一つしかない推奨文は初期評価を「低」とした。複数のランダム化比較試験間での背景、結果、介入の差異を検討し、単独のランダム化比較試験しかない場合もその質を吟味した上で、エビデンス総体レベルの最終設定を行った。

7) 各項目の委員および実務担当者により、推奨文の推奨度を決定した（表3）。エビデンス総体レベルの強さ、「益」と「害」のバランス、患者の価値観などの影響、コストや医療資源の問題を考慮して総合的に決定した。よって、『脳卒中治療ガイドライン2021』ではエビデンスレベルと推奨度は解離し得る。

8) 『脳卒中治療ガイドライン2015［追補2019対応］』までの推奨文方式に加えて、クリニカルクエスチョン方式を一部に採用した。クリニカルクエスチョン方式の項目では、重要な臨床課題を対象とし、担当する委員および実務担当者によりPICOの抽出が行われ、最終的には委員会において採用するPICOを決定した。文献エビデンスレベル設定以下の作業は同様である。なお、本ガイドラインを使用する利便性を考慮し、敢えてクリニカルクエスチョン方式と従来の推奨文方式の両方にて記載した内容もある。

9) 各項目の委員および実務担当者により設定された推奨文のエビデンスレベル、そして推奨度に関しては、委員長、副委員長、事務局担当委員、臨床疫学担当委員、および各項目の委員・実務担当者を代表する各班の班長・副班長による代表委員会において複数回吟味し、最終稿を決定した。

10) 最終稿を公開しパブリックコメントを募集した上で、適宜内容の調整を行った。

一般社団法人日本脳卒中学会
脳卒中ガイドライン委員会（2021）
臨床疫学　板橋　亮

『脳卒中治療ガイドライン 2021』の
エビデンスレベルと推奨度

表 1　引用文献のエビデンスレベルに関する本委員会の分類（2021）
Oxford Centre for Evidence-Based Medicine 2011 Levels of Evidence ― 和訳

質問	ステップ1 （レベル1*）	ステップ2 （レベル2*）	ステップ3 （レベル3*）	ステップ4 （レベル4*）	ステップ5 （レベル5*）
その問題はどの程度よくあるのか？	特定の地域かつ最新のランダム化サンプル調査（または全数調査）	特定の地域での照合が担保された調査のシステマティックレビュー**	特定の地域での非ランダム化サンプル**	症例集積**	該当なし
この診断検査またはモニタリング検査は正確か？ （診断）	一貫した参照基準と盲検化を適用した横断研究のシステマティックレビュー	一貫した参照基準と盲検化を適用した個別の横断的研究	非連続的研究、または一貫した参照基準を適用していない研究**	症例対照研究、または質の低いあるいは非独立的な参照基準**	メカニズムに基づく推論
治療を追加しなければどうなるのか？ （予後）	発端コホート研究のシステマティックレビュー	発端コホート研究	コホート研究またはランダム化試験の比較対照群*	症例集積研究または症例対照研究、または質の低い予後コホート研究**	該当なし
この介入は役に立つのか？ （治療利益）	ランダム化試験またはn-of-1試験のシステマティックレビュー	ランダム化試験または劇的な効果のある観察研究	非ランダム化比較コホート／追跡研究**	症例集積研究、症例対照研究、またはヒストリカルコントロール研究**	メカニズムに基づく推論
よくある被害はどのようなものか？ （治療被害）	ランダム化試験のシステマティックレビュー、ネスティッド・ケース・コントロール研究のシステマティックレビュー、問題が提起されている患者でのn-of-1試験、または劇的な効果のある観察研究	個別のランダム化試験または（例外的に）劇的な効果のある観察研究	一般にみられる被害を特定するのに十分な症例数がある場合、非ランダム化比較コホート／追跡研究（市販後調査）（長期的被害については、追跡期間が十分でなければならない）**	症例集積研究、症例対照研究、またはヒストリカルコントロール研究**	メカニズムに基づく推論
まれにある被害はどのようなものか？ （治療被害）	ランダム化試験またはn-of-1試験のシステマティックレビュー	ランダム化試験または（例外的に）劇的な効果のある観察研究			
この（早期発見）試験は価値があるか？ （スクリーニング）	ランダム化試験のシステマティックレビュー	ランダム化試験	非ランダム化比較コホート／追跡研究**	症例集積研究、症例対照研究、またはヒストリカルコントロール研究**	メカニズムに基づく推論

＊ 試験間での不一致、または絶対的な効果量が極めて小さいと、レベルは試験の質、不正確さ、間接性（試験のPICOが質問のPICOに合致していない）に基づいて下がることがある。効果量が大きいか、または極めて大きい場合には、レベルは上がることがある。

＊＊ 従来通り、一般にシステマティックレビューのほうが個別試験よりも好ましい。

Oxford Centre for Evidence-Based Medicine 2011 Levels of Evidence.
http://www.cebm.net/wp-content/uploads/2014/06/12LPM0488_CEBM-LofE-2-1_和訳.pdf

〔引用文献〕
1) http://www.cebm.net/wp-content/uploads/2014/06/CEBM-Levels-of-Evidence-Introduction-2.1.pdf
2) http://www.cebm.net/wp-content/uploads/2014/06/CEBM-Levels-of-Evidence-Background-Document-2.1.pdf

表2　推奨文のエビデンスレベルに関する本委員会の分類 (2021)

エビデンスレベル	定義
高	良質な複数RCTによる一貫したエビデンス、もしくは観察研究などによる圧倒的なエビデンスがある。今後の研究により評価が変わることはまずない。
中	重要なlimitationのある(結果に一貫性がない、方法論に欠陥、非直接的である、不精確である)複数RCTによるエビデンス、もしくは観察研究などによる非常に強いエビデンスがある。もしさらなる研究が実施された場合、評価が変わる可能性が高い。
低	観察研究、体系化されていない臨床経験、もしくは重大な欠陥をもつ複数RCTによるエビデンス。あらゆる効果の推定値は不確実である。

〔引用文献〕
1) https://www.uptodate.com/ja/home/grading-tutorial#
2) Guyatt GH, Norris SL, Schulman S, et al. Methodology for the development of antithrombotic therapy and prevention of thrombosis guidelines: Antithrombotic Therapy and Prevention of Thrombosis, 9th ed: American College of Chest Physicians Evidence-Based Clinical Practice Guidelines. Chest 2012; 141: 53S-70S.

表3　推奨度に関する本委員会の分類 (2021)

推奨度	定義	内容
A	強い推奨	行うよう勧められる 行うべきである
B	中等度の推奨	行うことは妥当である
C	弱い推奨	考慮しても良い 有効性が確立していない
D	利益がない	勧められない 有効ではない
E	有害	行わないよう勧められる 行うべきではない

日本脳卒中学会 脳卒中ガイドライン委員会（2021） 担当一覧
＊五十音順に掲載、所属は2021年4月時点のもの。

委員長	宮本　　享	京都大学大学院医学研究科脳神経外科／教授

副委員長	安保　雅博	東京慈恵会医科大学リハビリテーション医学講座／主任教授
	鈴木　倫保	山口大学医学部先進温度神経生物学講座／特命教授
	冨本　秀和	三重大学大学院医学系研究科神経病態内科学／教授

臨床疫学
委員	板橋　　亮	岩手医科大学内科学講座脳神経内科・老年科分野／教授
実務担当者	遠藤　　薫	仙台市立病院脳神経内科／部長

事務局	黒田　　敏	富山大学脳神経外科／教授

脳卒中一般
班長	伊藤　義彰	大阪市立大学大学院医学研究科脳神経内科学／教授
委員	安部　貴人	東海大学医学部内科学系脳神経内科／教授
	北川　一夫	東京女子医科大学脳神経内科／教授
	髙尾　昌樹	国立精神・神経医療研究センター病院臨床検査部・総合内科／部長
	豊田　一則	国立循環器病研究センター／副院長
	中島　　誠	熊本大学病院脳血管障害先端医療寄附講座／特任教授
	西山　和利	北里大学医学部脳神経内科学／主任教授
	藤原　俊之	順天堂大学大学院医学研究科リハビリテーション医学／教授
	細見　直永	近森会近森病院脳神経内科／部長
	八木田佳樹	川崎医科大学脳卒中医学／教授
実務担当者	青木　志郎	広島大学病院脳神経内科／診療講師
	阿久津二夫	北里大学医学部脳神経内科学／講師
	石塚健太郎	東京女子医科大学脳神経内科／助教
	大山　直紀	川崎医科大学脳卒中医学／准教授
	白井　優香	東京女子医科大学脳神経内科／助教
	新藤恵一郎	医療法人光ヶ丘病院リハビリテーション科
	出口　一郎	埼玉医科大学国際医療センター脳神経内科・脳卒中内科／客員准教授
	遠井　素乃	東京女子医科大学脳神経内科／准講師
	徳永　　誠	熊本機能病院脳神経内科／部長
	長谷川　樹	大阪市立大学大学院医学研究科脳神経内科学
	福田　真弓	国立循環器病研究センターデータサイエンス部（脳血管内科併任）／室長
	補永　　薫	順天堂大学大学院医学研究科リハビリテーション医学／准教授
	三野　俊和	大阪市立大学脳神経内科／病院講師
	三輪　佳織	国立循環器病研究センター脳血管内科

脳梗塞・TIA
班長	井口　保之	東京慈恵会医科大学内科学講座脳神経内科／教授
副班長	塩川　芳昭	杏林大学脳神経外科／教授

委員	足立　智英	東京都済生会中央病院総合診療内科、脳神経内科
	阿部　康二	国立精神・神経医療研究センター病院／院長
	上野　祐司	順天堂大学医学部脳神経内科／准教授
	宇野　昌明	川崎医科大学脳神経外科／教授
	大浦　一雅	岩手医科大学内科学講座脳神経内科・老年科／講師
	大木　宏一	東京都済生会中央病院脳神経内科／医長
	岡田　　靖	九州医療センター脳血管・神経内科／副院長
	金澤　英明	慶應義塾大学医学部循環器内科／専任講師
	河野　浩之	杏林大学医学部脳卒中医学／講師
	北川　一夫	東京女子医科大学脳神経内科／教授
	小松　鉄平	東京慈恵会医科大学内科学講座脳神経内科／助教
	小柳　正臣	神戸市立医療センター中央市民病院脳神経外科／医長
	髙橋　　淳	近畿大学医学部脳神経外科／主任教授
	竹川　英宏	獨協医科大学病院脳卒中センター／教授、センター長
	寺田　友昭	昭和大学横浜市北部病院脳神経外科／特任教授
	豊田　一則	国立循環器病研究センター／副院長
	西山　康裕	日本医科大学付属病院脳神経内科／准教授
	長谷川泰弘	聖マリアンナ医科大学脳神経内科／特任教授、新百合ヶ丘総合病院／脳卒中センター長
	松薗　構佑	自治医科大学医学部内科学講座神経内科学部門／講師
	森　健太郎	総合東京病院脳神経外科／脳卒中センター長
	八木田佳樹	川崎医科大学脳卒中医学／教授
	山上　　宏	大阪医療センター脳卒中内科／科長
	山城　一雄	順天堂大学医学部附属浦安病院脳神経内科／先任准教授
実務担当者	秋山　久尚	聖マリアンナ医科大学内科学（脳神経内科）／教授
	飯塚賢太郎	獨協医科大学病院脳神経内科／助教
	大山　直紀	川崎医科大学脳卒中医学／准教授
	桑城　貴弘	九州医療センター脳血管・神経内科／医長
	鈴木健太郎	日本医科大学付属病院脳神経内科／助教
	高井　洋樹	川崎医科大学脳神経外科／助教
	高木　正仁	国立循環器病研究センター脳血管内科／医長
	竹内　　誠	防衛医科大学校脳神経外科／講師
	田中　優子	産業医科大学脳卒中血管内科学／教授
	濱野　栄佳	国立循環器病研究センター脳神経外科
	平　健一郎	順天堂大学医学部附属順天堂医院脳神経内科／助教
	星野　岳郎	東京女子医科大学脳神経内科／助教
	三浦光太郎	慶應義塾大学医学部循環器内科／助教
	南　　和志	東京歯科大学市川総合病院神経内科／助教
	三村　秀毅	東京慈恵会医科大学内科学講座脳神経内科／准教授
	薬師寺祐介	関西医科大学神経内科学講座／主任教授
	山下　　徹	岡山大学大学院医歯薬学総合研究科脳神経内科学／准教授

脳出血

班長	髙木 康志	徳島大学大学院医歯薬学研究部脳神経外科学／教授
副班長	大槻 俊輔	近畿大学病院脳卒中センター／脳卒中センター長、臨床教授
委員	吾郷 哲朗	九州大学大学院医学研究院病態機能内科学／准教授
	井上 亨	福岡大学医学部脳神経外科／教授
	岩間 亨	岐阜大学大学院医学系研究科脳神経外科学分野／教授
	宇野 昌明	川崎医科大学脳神経外科／教授
	大星 博明	福岡歯科大学総合医学講座内科学分野／教授
	古賀 政利	国立循環器病研究センター脳血管内科／部長
	後藤 聖司	公立学校共済組合九州中央病院脳神経内科／医長
	田宮 隆	香川大学医学部附属病院／病院長
	宮地 茂	愛知医科大学医学部脳神経外科／教授
実務担当者	安部 洋	福岡大学病院脳神経外科／診療教授
	井上 学	国立循環器病研究センター脳血管内科、脳卒中集中治療科／医長
	江頭 裕介	岐阜大学医学部脳神経外科／講師
	大島 共貴	愛知医科大学脳血管内治療センター
	岡内 正信	香川大学医学部脳神経外科／助教
	緒方 利安	福岡大学病院脳神経内科／准教授
	兼松 康久	徳島大学大学院医歯薬学研究部脳神経外科学／准教授
	中村 晋之	九州大学病院腎・高血圧・脳血管内科／助教
	平井 聡	川崎医科大学脳神経外科／講師
	脇坂 義信	九州大学病院腎・高血圧・脳血管内科／講師

くも膜下出血

班長	木内 博之	山梨大学医学部脳神経外科／教授
委員	石橋 敏寛	東京慈恵会医科大学脳神経外科学講座／准教授
	大熊 洋揮	弘前大学大学院医学研究科脳神経外科学講座／教授
	齊藤 延人	東京大学医学部脳神経外科／教授
	清水 宏明	秋田大学医学部脳神経外科／教授
	好本 裕平	群馬大学大学院医学系研究科脳神経外科学分野／教授
実務担当者	嶋村 則人	弘前大学大学院医学研究科脳神経血管内治療学講座／准教授
	清水 立矢	群馬大学医学部脳神経外科／講師
	仙北谷伸朗	山梨大学医学部脳神経外科
	高橋 佑介	秋田大学医学部脳神経外科
	舘岡 達	山梨大学医学部脳神経外科
	中冨 浩文	杏林大学医学部脳神経外科／教授
	菱川 朋人	岡山大学大学院医歯薬学総合研究科脳神経外科／講師
	吉岡 秀幸	山梨大学医学部脳神経外科／講師

無症候性脳血管障害

班長	小笠原邦昭	岩手医科大学脳神経外科／教授
委員	青木　淳哉	日本医科大学脳神経内科／講師
	井上　　敬	みやぎ県南中核病院／脳卒中センター長、脳神経外科主任部長
	猪原　匡史	国立循環器病研究センター脳神経内科／部長
	野崎　和彦	滋賀医科大学医学部脳神経外科学講座／教授
	森田　明夫	日本医科大学脳神経外科／大学院教授
	山上　　宏	大阪医療センター脳卒中内科／科長
実務担当者	井川　房夫	島根県立中央病院／医療局次長、脳神経外科部長
	金丸　拓也	NTT 東日本関東病院脳血管内科／医長
	田中　寛大	国立循環器病研究センター脳卒中集中治療科
	辻　　篤司	滋賀医科大学脳神経外科／准教授
	新妻　邦泰	東北大学大学院医工学研究科神経外科先端治療開発学分野／教授
	菱川　朋人	岡山大学大学院医歯薬学総合研究科脳神経外科／講師
	亦野　文宏	日本医科大学脳神経外科／助教
	村井　保夫	日本医科大学付属病院脳神経外科／准教授
	鷲田　和夫	国立循環器病研究センター脳神経内科／医長

その他の脳血管障害

班長	岡田　　靖	九州医療センター脳血管・神経内科／副院長
副班長	髙橋　　淳	近畿大学医学部脳神経外科／主任教授
	中瀬　裕之	奈良県立医科大学脳神経外科／教授
委員	足立　智英	東京都済生会中央病院総合診療内科、脳神経内科
	伊藤　康幸	熊本機能病院脳神経内科
	稲富雄一郎	済生会熊本病院脳神経内科／副部長
	植田　光晴	熊本大学大学院生命科学研究部脳神経内科学講座／教授
	江面　正幸	仙台医療センター／臨床研究部長
	大屋　祐輔	琉球大学大学院医学研究科循環器・腎臓・神経内科学／教授
	佐藤　健一	東北医科薬科大学脳神経外科／准教授
	下山　　隆	日本医科大学付属病院脳神経内科／病院講師
	髙橋　慎一	埼玉医科大学国際医療センター脳神経内科・脳卒中内科／教授
	冨本　秀和	三重大学大学院医学系研究科神経病態内科学／教授
	藤村　　幹	北海道大学大学院医学研究院脳神経外科学教室／教授
	間瀬　光人	名古屋市立大学大学院医学研究科脳神経外科学／教授
	吉田　和道	京都大学大学院医学研究科脳神経外科／准教授
実務担当者	植田　明彦	熊本大学病院脳神経内科／助教
	遠藤　英徳	広南病院脳神経外科／部長
	勝又　雅裕	慶應義塾大学医学部神経内科／助教
	菊池　隆幸	京都大学大学院医学研究科脳神経外科／講師
	木村　尚人	岩手県立中央病院／脳神経センター長
	崎間　洋邦	琉球大学大学院医学研究科循環器・腎臓・神経内科学／講師

新堂　晃大	三重大学医学部附属病院認知症センター／准教授
中川　一郎	奈良県立医科大学脳神経外科／准教授
長井弘一郎	日本医科大学脳神経内科
西川　祐介	名古屋市立大学脳神経外科／助教
濱野　栄佳	国立循環器病研究センター脳神経外科
本山　靖	大阪警察病院脳神経外科／部長、脳卒中・神経センター長

亜急性期以後のリハビリテーション診療

班長	角田　亘	国際医療福祉大学医学部リハビリテーション医学講座／主任教授
副班長	伊藤　義彰	大阪市立大学大学院医学研究科脳神経内科学／教授
委員	幸田　剣	和歌山県立医科大学リハビリテーション医学講座／講師
	小山　哲男	西宮協立脳神経外科病院リハビリテーション科／部長、兵庫医科大学リハビリテーション医学講座／特別招聘教授
	瀧澤　俊也	東海大学医学部附属大磯病院神経内科／特任教授
	西村　行秀	岩手医科大学リハビリテーション医学／教授
	東本　有司	近畿大学医学部リハビリテーション医学講座／教授
	平岡　崇	川崎医科大学リハビリテーション医学教室／准教授
	百崎　良	三重大学大学院医学系研究科リハビリテーション医学分野／教授
	横田　千晶	国立循環器病研究センター脳血管リハビリテーション科／医長
実務担当者	梅本　安則	和歌山県立医科大学みらい医療推進センター／講師
	尾川　貴洋	医療法人ちゅうざん会ちゅうざん病院／院長
	佐々木信幸	聖マリアンナ医科大学リハビリテーション医学講座／教授
	新見　昌央	東京慈恵会医科大学リハビリテーション医学講座／講師
	水間　敦士	東海大学医学部内科学系脳神経内科
	目谷　浩通	川崎医科大学リハビリテーション医学教室／准教授
	安永　雅	川崎医科大学附属病院リハビリテーション科／チーフレジデント

※日本脳卒中学会 脳卒中ガイドライン委員会(2021)の構成員は、日本医学会が定める診療ガイドライン策定参加資格基準ガイダンスに則り、conflict of interest(COI)に関する自己申告を行い、日本脳卒中学会ホームページ(https://www.jsts.gr.jp/)の〈脳卒中治療ガイドライン〉で公開しています。

『脳卒中治療ガイドライン 2021』策定協力

＊五十音順に掲載、所属は2021年4月時点のもの。

法律アドバイザー　位田　隆一　滋賀大学学長、京都大学名誉教授

医学専門家　卜部　貴夫　順天堂大学医学部附属浦安病院脳神経内科／教授、副院長
　　　　　　　川上　途行　慶應義塾大学医学部リハビリテーション医学教室／専任講師
　　　　　　　木村　和美　日本医科大学大学院医学研究科神経内科学分野／大学院教授
　　　　　　　坂井　信幸　神戸市立医療センター中央市民病院／主席副院長、脳神経外科部長
　　　　　　　伊達　　勲　岡山大学大学院医歯薬学総合研究科脳神経外科／教授
　　　　　　　寺山　靖夫　湘南慶育病院／副院長、脳神経センター長
　　　　　　　橋本洋一郎　熊本市民病院脳神経内科／首席診療部長
　　　　　　　平野　照之　杏林大学脳卒中医学／教授
　　　　　　　藤本　　茂　自治医科大学内科学講座神経内科学部門／主任教授
　　　　　　　星野　晴彦　東京都済生会中央病院脳神経内科／副院長
　　　　　　　松本　康史　広南病院血管内脳神経外科／部長
　　　　　　　村山　雄一　東京慈恵会医科大学脳神経外科／主任教授
　　　　　　　矢坂　正弘　九州医療センター脳血管・神経内科／臨床研究推進部長
　　　　　　　吉村　紳一　兵庫医科大学脳神経外科学講座／主任教授

日本脳卒中学会 ガイドライン改訂委員会

委員長　　黒田　　敏　富山大学脳神経外科／教授
副委員長　岡田　　靖　九州医療センター脳血管・神経内科／副院長
　　　　　　　中瀬　裕之　奈良県立医科大学脳神経外科／教授
委員　　　安保　雅博　東京慈恵会医科大学リハビリテーション医学講座／主任教授
　　　　　　　板橋　　亮　岩手医科大学内科学講座脳神経内科・老年科分野／教授
　　　　　　　卜部　貴夫　順天堂大学医学部附属浦安病院脳神経内科／教授、副院長
　　　　　　　大熊　洋揮　弘前大学大学院医学研究科脳神経外科学講座／教授
　　　　　　　小笠原邦昭　岩手医科大学脳神経外科／教授
　　　　　　　北園　孝成　九州大学大学院医学研究院病態機能内科学／教授
　　　　　　　木内　博之　山梨大学医学部脳神経外科／教授
　　　　　　　木村　和美　日本医科大学大学院医学研究科神経内科学分野／大学院教授
　　　　　　　髙木　康志　徳島大学大学院医歯薬学研究部脳神経外科学／教授
　　　　　　　髙橋　　淳　近畿大学医学部脳神経外科／主任教授
　　　　　　　吉村　紳一　兵庫医科大学脳神経外科学講座／主任教授

顧問　　　小川　　彰　岩手医科大学理事長
　　　　　　　森　　悦朗　大阪大学大学院連合小児発達学研究科行動神経学・神経精神医学寄附講座／教授

編集協力　　一般財団法人国際医学情報センター

Japanese Guidelines for the Management of Stroke 2021

脳卒中治療ガイドライン 2021
CONTENTS

序文 ⋯⋯⋯⋯⋯⋯⋯⋯⋯⋯⋯⋯⋯⋯⋯⋯⋯⋯⋯⋯⋯⋯⋯⋯⋯⋯⋯⋯⋯⋯⋯⋯⋯⋯⋯⋯⋯⋯⋯ ii
『脳卒中治療ガイドライン2021』のエビデンスレベルと推奨度 ⋯⋯⋯⋯⋯⋯⋯⋯⋯⋯⋯ iv
日本脳卒中学会 脳卒中ガイドライン委員会(2021) 担当一覧 ⋯⋯⋯⋯⋯⋯⋯⋯⋯⋯ viii
『脳卒中治療ガイドライン2021』策定協力 ⋯⋯⋯⋯⋯⋯⋯⋯⋯⋯⋯⋯⋯⋯⋯⋯⋯⋯⋯ xiii

I 脳卒中一般

CQ I-a 非弁膜症性心房細動(NVAF)による心原性脳塞栓症の一次予防に、直接阻害型経口抗凝固
薬(DOAC)は有用か? ⋯⋯⋯⋯⋯⋯⋯⋯⋯⋯⋯⋯⋯⋯⋯⋯⋯⋯⋯⋯⋯⋯⋯⋯⋯⋯ 2
CQ I-b 脳卒中急性期のリハビリテーションは、いつから開始することが推奨されるか? ⋯⋯⋯⋯ 4

1 脳卒中発症予防
1-1 危険因子の管理 (1)高血圧 ⋯⋯⋯⋯⋯⋯⋯⋯⋯⋯⋯⋯⋯⋯⋯⋯⋯⋯⋯⋯⋯⋯⋯ 6
1-1 危険因子の管理 (2)糖尿病 ⋯⋯⋯⋯⋯⋯⋯⋯⋯⋯⋯⋯⋯⋯⋯⋯⋯⋯⋯⋯⋯⋯⋯ 9
1-1 危険因子の管理 (3)脂質異常症 ⋯⋯⋯⋯⋯⋯⋯⋯⋯⋯⋯⋯⋯⋯⋯⋯⋯⋯⋯⋯⋯ 12
1-1 危険因子の管理 (4)飲酒・喫煙 ⋯⋯⋯⋯⋯⋯⋯⋯⋯⋯⋯⋯⋯⋯⋯⋯⋯⋯⋯⋯⋯ 14
1-1 危険因子の管理 (5)心疾患 ⋯⋯⋯⋯⋯⋯⋯⋯⋯⋯⋯⋯⋯⋯⋯⋯⋯⋯⋯⋯⋯⋯⋯ 16
1-1 危険因子の管理 (6)肥満・メタボリックシンドローム、睡眠時無呼吸症候群、末梢動脈疾患など ⋯⋯ 20
1-1 危険因子の管理 (7)慢性腎臓病(CKD) ⋯⋯⋯⋯⋯⋯⋯⋯⋯⋯⋯⋯⋯⋯⋯⋯⋯ 22
1-1 危険因子の管理 (8)血液バイオマーカー ⋯⋯⋯⋯⋯⋯⋯⋯⋯⋯⋯⋯⋯⋯⋯⋯⋯ 24

2 脳卒中急性期
2-1 全身管理 (1)呼吸 ⋯⋯⋯⋯⋯⋯⋯⋯⋯⋯⋯⋯⋯⋯⋯⋯⋯⋯⋯⋯⋯⋯⋯⋯⋯⋯⋯ 26
2-1 全身管理 (2)血圧、脈、心電図モニター ⋯⋯⋯⋯⋯⋯⋯⋯⋯⋯⋯⋯⋯⋯⋯⋯⋯ 27
2-1 全身管理 (3)体温 ⋯⋯⋯⋯⋯⋯⋯⋯⋯⋯⋯⋯⋯⋯⋯⋯⋯⋯⋯⋯⋯⋯⋯⋯⋯⋯⋯ 29
2-1 全身管理 (4)意識レベル、鎮静(せん妄対策) ⋯⋯⋯⋯⋯⋯⋯⋯⋯⋯⋯⋯⋯⋯⋯ 30
2-1 全身管理 (5)栄養など ⋯⋯⋯⋯⋯⋯⋯⋯⋯⋯⋯⋯⋯⋯⋯⋯⋯⋯⋯⋯⋯⋯⋯⋯⋯ 32
2-1 全身管理 (6)体位など ⋯⋯⋯⋯⋯⋯⋯⋯⋯⋯⋯⋯⋯⋯⋯⋯⋯⋯⋯⋯⋯⋯⋯⋯⋯ 34
2-2 合併症予防・治療 (1)感染症 ⋯⋯⋯⋯⋯⋯⋯⋯⋯⋯⋯⋯⋯⋯⋯⋯⋯⋯⋯⋯⋯⋯ 35
2-2 合併症予防・治療 (2)消化管出血 ⋯⋯⋯⋯⋯⋯⋯⋯⋯⋯⋯⋯⋯⋯⋯⋯⋯⋯⋯⋯ 36
2-2 合併症予防・治療 (3)痙攣 ⋯⋯⋯⋯⋯⋯⋯⋯⋯⋯⋯⋯⋯⋯⋯⋯⋯⋯⋯⋯⋯⋯⋯ 38
2-2 合併症予防・治療 (4)頭痛 ⋯⋯⋯⋯⋯⋯⋯⋯⋯⋯⋯⋯⋯⋯⋯⋯⋯⋯⋯⋯⋯⋯⋯ 39
2-2 合併症予防・治療 (5)深部静脈血栓症および肺塞栓症 ⋯⋯⋯⋯⋯⋯⋯⋯⋯⋯⋯ 40
2-3 Stroke Care Unit (SCU)・Stroke Unit (SU) ⋯⋯⋯⋯⋯⋯⋯⋯⋯⋯⋯⋯⋯⋯⋯ 42
2-4 リハビリテーション (1)評価(機能障害、活動制限、参加制約の評価) ⋯⋯⋯⋯⋯ 43
2-4 リハビリテーション (2)予後予測 ⋯⋯⋯⋯⋯⋯⋯⋯⋯⋯⋯⋯⋯⋯⋯⋯⋯⋯⋯⋯⋯ 46
2-4 リハビリテーション (3)急性期リハビリテーションの進め方 ⋯⋯⋯⋯⋯⋯⋯⋯⋯⋯ 48
2-5 地域連携 ⋯⋯⋯⋯⋯⋯⋯⋯⋯⋯⋯⋯⋯⋯⋯⋯⋯⋯⋯⋯⋯⋯⋯⋯⋯⋯⋯⋯⋯⋯⋯ 50

II 脳梗塞・TIA

CQ II-a 脳梗塞軽症例でも遺伝子組み換え組織型プラスミノゲン・アクティベータ(rt-PA、アル
テプラーゼ)は投与しても良いか? ⋯⋯⋯⋯⋯⋯⋯⋯⋯⋯⋯⋯⋯⋯⋯⋯⋯⋯⋯⋯ 54
CQ II-b 狭窄度が軽度の症候性頸動脈狭窄患者に対して頸動脈内膜剥離術(CEA)は推奨されるか? ⋯⋯⋯ 55

1 脳梗塞急性期
1-1 経静脈的線溶療法 ⋯⋯⋯⋯⋯⋯⋯⋯⋯⋯⋯⋯⋯⋯⋯⋯⋯⋯⋯⋯⋯⋯⋯⋯⋯⋯⋯ 57
1-2 経動脈的血行再建法 ⋯⋯⋯⋯⋯⋯⋯⋯⋯⋯⋯⋯⋯⋯⋯⋯⋯⋯⋯⋯⋯⋯⋯⋯⋯⋯ 60
1-3 抗血小板療法 ⋯⋯⋯⋯⋯⋯⋯⋯⋯⋯⋯⋯⋯⋯⋯⋯⋯⋯⋯⋯⋯⋯⋯⋯⋯⋯⋯⋯⋯ 64
1-4 抗凝固療法 ⋯⋯⋯⋯⋯⋯⋯⋯⋯⋯⋯⋯⋯⋯⋯⋯⋯⋯⋯⋯⋯⋯⋯⋯⋯⋯⋯⋯⋯⋯ 66
1-5 抗脳浮腫療法 ⋯⋯⋯⋯⋯⋯⋯⋯⋯⋯⋯⋯⋯⋯⋯⋯⋯⋯⋯⋯⋯⋯⋯⋯⋯⋯⋯⋯⋯ 69
1-6 脳保護薬 ⋯⋯⋯⋯⋯⋯⋯⋯⋯⋯⋯⋯⋯⋯⋯⋯⋯⋯⋯⋯⋯⋯⋯⋯⋯⋯⋯⋯⋯⋯⋯ 70
1-7 血液希釈療法 ⋯⋯⋯⋯⋯⋯⋯⋯⋯⋯⋯⋯⋯⋯⋯⋯⋯⋯⋯⋯⋯⋯⋯⋯⋯⋯⋯⋯⋯ 71

xiv

1-8	高圧酸素療法	72
1-9	その他の内科治療 (1)低体温療法	73
1-9	その他の内科治療 (2)脂質異常症治療	74
1-9	その他の内科治療 (3)神経再生療法	77
1-10	開頭外減圧術	78
1-11	その他の外科治療	79

2 TIA急性期・慢性期 ··········· 80

3 脳梗塞慢性期

3-1	非心原性脳梗塞 (1)抗血小板療法	84
3-1	非心原性脳梗塞 (2)頚動脈内膜剥離術(CEA)	88
3-1	非心原性脳梗塞 (3)経動脈的血行再建療法(頚部頚動脈)	90
3-1	非心原性脳梗塞 (4)経動脈的血行再建療法(頚部頚動脈以外)	92
3-1	非心原性脳梗塞 (5)EC-ICバイパス術	94
3-2	心原性脳塞栓症 (1)抗凝固療法	96
3-3	危険因子の管理 (1)高血圧	99
3-3	危険因子の管理 (2)糖尿病	101
3-3	危険因子の管理 (3)脂質異常症	103
3-3	危険因子の管理 (4)メタボリックシンドローム・肥満	105
3-4	塞栓源不明の脳塞栓症(ESUS、Cryptogenic stroke) (1)抗血栓療法	107
3-5	奇異性脳塞栓症(卵円孔開存を合併した塞栓源不明の脳塞栓症を含む)	109
3-6	その他の内科治療 (1)脳代謝改善薬、脳循環改善薬	112
3-6	その他の内科治療 (2)ヘマトクリット高値、フィブリノゲン高値	113
3-6	その他の内科治療 (3)神経再生療法	114

Ⅲ 脳出血

CQ Ⅲ-a 脳出血急性期における血圧高値に対する厳格な降圧療法は推奨されるか? ··········· 116

CQ Ⅲ-b 抗血栓療法(ビタミンK阻害薬、直接阻害型経口抗凝固薬、抗血小板薬、ヘパリン)中の
脳出血急性期における血液製剤・中和薬投与は推奨されるか? ··········· 118

1 脳出血の予防 ··········· 120

2 高血圧性脳出血の急性期治療

2-1	血圧の管理	121
2-2	止血薬の投与	124
2-3	脳浮腫・頭蓋内圧亢進の管理	125

3 高血圧性脳出血の慢性期治療

3-1	高血圧	127

4 高血圧性脳出血の手術適応

4-1	開頭手術、神経内視鏡手術	129

5 高血圧以外の原因による脳出血の治療

5-1	脳動静脈奇形	134
5-2	硬膜動静脈瘻	137
5-3	海綿状血管腫	141
5-4	静脈性血管腫	143
5-5	脳腫瘍に合併した脳出血	144
5-6	抗血栓療法に伴う脳出血	145
5-7	慢性腎疾患・腎不全・透析患者に伴う脳出血	148

Ⅳ くも膜下出血

CQ Ⅳ-a CTで脳槽の描出が不明瞭な軽症くも膜下出血症例では、腰椎穿刺を行うことが推奨
されるか? ··········· 150

XV

CQ Ⅳ-b くも膜下出血の遅発性脳血管攣縮の予防に持続髄液ドレナージ留置は推奨されるか? ············· 151

1 発症予防 ·· 152
2 初期治療 ·· 154
3 脳動脈瘤―治療法の選択 ·· 157
4 脳動脈瘤―外科的治療
　4-1 時期 ·· 160
　4-2 種類と方法 ·· 161
　4-3 周術期管理 ·· 163
5 脳動脈瘤―血管内治療
　5-1 時期 ·· 164
　5-2 種類と方法 ·· 165
　5-3 周術期管理 ·· 167
6 脳動脈瘤―保存的治療法など
　6-1 保存的治療法などの概略 ··· 169
7 遅発性脳血管攣縮
　7-1 遅発性脳血管攣縮の治療 ··· 171

Ⅴ　無症候性脳血管障害

CQ Ⅴ-a 無症候性脳梗塞に対して抗血小板療法は必要か? ·· 176

1 無症候性脳梗塞および大脳白質病変
　1-1 無症候性脳梗塞 ·· 177
　1-2 大脳白質病変 ·· 180
2 無症候性脳出血 ·· 183
3 無症候性頚部・頭蓋内動脈狭窄・閉塞
　3-1 無症候性頚部頚動脈狭窄・閉塞 ··· 186
　3-2 無症候性頭蓋内動脈狭窄・閉塞 ··· 189
4 未破裂脳動静脈奇形 ·· 191
5 未破裂脳動脈瘤
　5-1 診断とスクリーニング ·· 193
　5-2 発見された場合の対応 ·· 195
　5-3 治療 ·· 197

Ⅵ　その他の脳血管障害

CQ Ⅵ-a 動脈解離に対して抗血栓薬の投与は推奨されるか? ··· 202
CQ Ⅵ-b 出血発症の脳静脈洞血栓症に抗凝固療法は推奨されるか? ·································· 204

1 動脈解離
　1-1 内科的治療 ·· 205
　1-2 頭蓋内・外動脈解離の外科治療 ··· 208
　1-3 頭蓋内・外動脈解離の血管内治療 ··· 210
2 大動脈解離 ·· 212
3 もやもや病(Willis動脈輪閉塞症)
　3-1 外科治療 ·· 213
　3-2 内科治療 ·· 215
　3-3 出血発症例に対する治療 ··· 217
4 小児の脳血管障害(もやもや病を除く)
　4-1 頭蓋内狭窄・閉塞 ·· 218
　4-2 その他 ·· 220
5 妊娠・分娩に伴う脳血管障害 ··· 223
6 脳静脈・静脈洞閉塞症 ·· 225

7	可逆性脳血管攣縮症候群(RCVS)	228
8	片頭痛	230
9	高血圧性脳症	232
10	脳アミロイド血管症	233
11	血管性認知症	
	11-1 抗認知症薬	236
12	全身疾患に伴う脳血管障害	
	12-1 凝固亢進状態(Trousseau症候群ほか)	239
	12-2 遺伝性脳血管障害	241
	12-3 線維筋性形成異常症	243
	12-4 高安動脈炎	244
	12-5 血液造血器疾患(真性多血症、本態性血小板血症、血栓性血小板減少性紫斑病ほか)	246

Ⅶ　亜急性期以後のリハビリテーション診療

CQ Ⅶ-a 回復期リハビリテーション病棟からの退院時期は、どのようにして決定すべきか? …… 250
CQ Ⅶ-b 尖足もしくは下垂足に対する短下肢装具の作製は、どの時期に考慮すべきか? …………… 251
CQ Ⅶ-c 亜急性期以後の服薬アドヒアランスの低下は、脳卒中再発予防にどう影響するか? ……………… 252

1	亜急性期以後のリハビリテーション診療の進め方	
	1-1 回復期のリハビリテーション診療	254
	1-2 生活期のリハビリテーション診療	255
	1-3 機能改善と活動性維持のための患者および家族教育	257
2	亜急性期以後の障害に対するリハビリテーション診療	
	2-1 運動障害	259
	2-2 日常生活動作(ADL)障害	260
	2-3 歩行障害 (1)歩行訓練	263
	2-3 歩行障害 (2)装具療法	265
	2-4 上肢機能障害	266
	2-5 痙縮	268
	2-6 疼痛	271
	2-7 摂食嚥下障害	273
	2-8 低栄養	276
	2-9 排尿障害	277
	2-10 失語症および構音障害	279
	2-11 高次脳機能障害(失語症を除く)	282
	2-12 脳卒中後うつ	285
	2-13 精神症状(脳卒中後うつを除く)	288
	2-14 体力低下	290
	2-15 痙攣	292

付録

表1	Japan Coma Scale (JCS)	293
表2	Glasgow Coma Scale (GCS)	293
表3-1	National Institutes of Health Stroke Scale (NIHSS)	294
表3-2	National Institutes of Health Stroke Scale (NIHSS) 評価時の注意点	297
表4	日本版modified Rankin Scale (mRS) 判定基準書(mRS信頼性研究グループ)	297
表5	CHADS₂スコア	298
表6	modified Ashworth Scale (mAS)	298
表7	Brunnstrom Recovery Stage (BRS)	299

I
脳卒中一般

I 脳卒中一般

CQ I-a 非弁膜症性心房細動（NVAF）による心原性脳塞栓症の一次予防に、直接阻害型経口抗凝固薬（DOAC）は有用か？

▶ 非弁膜症性心房細動（NVAF）による心原性脳塞栓症の一次予防には、CHADS$_2$ スコア 1 点以上の場合は、直接阻害型経口抗凝固薬（DOAC）の投与が第一に勧められ（推奨度 A　エビデンスレベル高）、次いでワルファリンの投与も妥当である（推奨度 B　エビデンスレベル高）。
ワルファリン療法における prothrombin time-international normalized ratio（PT-INR）の目標値は、CHADS$_2$ スコア 1 点、2 点の場合は年齢によらず 1.6〜2.6 とし、CHADS$_2$ スコア 3 点以上の場合は 70 歳未満では 2.0〜3.0 で、70 歳以上では 1.6〜2.6 を考慮しても良い（推奨度 C　エビデンスレベル低）。CHADS$_2$ スコアが 0 点であっても心筋症、年齢 65〜74 歳、血管疾患の合併（心筋梗塞の既往、大動脈プラーク、末梢動脈疾患など）、持続性・永続性心房細動、腎機能障害、低体重（50 kg 以下）、左房径拡大（45 mm 超）のいずれかを満たす場合は、DOAC またはワルファリン（PT-INR1.6〜2.6）の投与を考慮しても良い（推奨度 C　エビデンスレベル中）。

解説

非弁膜症性心房細動（non-valvular atrial fibrillation：NVAF）では、脳卒中リスクの層別化に CHADS$_2$ スコアの使用が推奨される[1]。CHADS$_2$ スコアは、心不全、高血圧、年齢 75 歳以上、糖尿病（各 1 点）、脳卒中または一過性脳虚血発作（transient ischemic attack：TIA）の既往（2 点）からなる。CHADS$_2$ スコア 0、1、2、≧3 点での脳卒中発症率は、海外の大規模臨床試験では 1、1.5、2.5、≧5%/年[2]、日本人のレジストリーでは 0.5、0.9、1.5、≧2.7%/年とされている[3]。

NVAF 患者における心原性脳塞栓症の予防には、一次・二次予防を含めた大規模試験にて直接阻害型経口抗凝固薬（direct oral anticoagulant：DOAC）がワルファリンと同等もしくはそれを上回る抑制効果を有すること、しかもいずれの DOAC もワルファリンよりも頭蓋内出血率が有意に低いことが示されている[4-7]。

NVAF に対するダビガトランとワルファリンの塞栓症予防効果をランダム化比較試験（randomized controlled trial：RCT）にて比較した RE-LY では、脳卒中および TIA の既往についてのサブグループ解析で、一次予防の群では 110 mg×2 回/日ではワルファリンと同等、150 mg×2 回/日ではワルファリンよりも有意に脳卒中および全身性塞栓症を抑制した[4]。

リバーロキサバンをワルファリンと比較した ROCKET-AF[5] は対象者を CHADS$_2$ スコア 2 点以上に限定した大規模試験である。サブグループ解析では脳卒中、TIA、全身性塞栓症の既往がない集団において、リバーロキサバンはワルファリンよりも有意に高い効果、安全性を示した。さらに後方視的な医療保険データベースにて CHA$_2$DS$_2$-VASc スコア 1 点の一次予防群を検討した試験では、リバーロキサバンはワルファリンよりも有意に脳卒中および全身性塞栓症を抑制した[8]。

NVAF に対するアピキサバンとワルファリンの塞栓症予防効果を RCT にて比較した ARISTOTLE ではアピキサバンはワルファリンよりも有意に脳卒中および全身性塞栓症を抑制したが、脳卒中および TIA の既往についてのサブグループ解析ではこの交絡因子には有意差がなく、一次予防、二次予防とも同等にアピキサバンはワルファリンよりも脳卒中および全身性塞栓症を抑制した[6]。

ENGAGE AF-TIMI 48 は対象を CHADS$_2$ スコア 2 点以上に限定している。エドキサバン高用量群（60 mg、用量調整基準に該当する場合は 30 mg）、低用量群（30 mg、用量調整基準に該当する場合は 15 mg）をワルファリンと RCT にて比較し両群とも脳卒中および全身性塞栓症の発症率についての非劣性を示したが、脳卒中および TIA の

既往についてのサブグループ解析では、一次予防群、二次予防群ともにエドキサバンはワルファリンと同等の脳卒中および全身性塞栓症への抑制効果を認めている[7]。

　NVAF 患者の脳梗塞一次予防には、長らくワルファリンによる抗凝固療法が行われてきた。大規模 RCT のメタ解析では、ワルファリンはプラセボに対して脳卒中発症リスクをおよそ 6 割抑制した[9]。NVAF に対するワルファリン療法では、脳塞栓症を予防し、かつ重篤な出血合併症を最小限にする強度を prothrombin time–international normalized ratio（PT-INR）の目標値として設定すべきである。近年の日本人心房細動患者レジストリーの結果から、これまで高齢者のみに適用してきた PT-INR1.6〜2.6 が、年齢に関係なく至適治療域である可能性が示された[10,11]。わが国においては比較的低リスク（目安として CHADS$_2$ スコア≦2 点）の患者の一次予防では、PT-INR の治療域は年齢によらず 1.6〜2.6 とすることを考慮しても良いが、その場合もなるべく 2.0 に近づけることが望ましい。70 歳未満の高リスク（CHADS$_2$ スコア≧3 点）では PT-INR2.0〜3.0 も考慮できる[12]。

　CHADS$_2$ スコア 1 点以上の症例には DOAC による抗凝固療法が推奨される。CHADS$_2$ スコア 0 点であっても 65 歳以上や血管疾患、心筋症の合併などは他の危険因子と同等のリスクがある可能性があるため[13-16]、DOAC またはワルファリン（PT-INR1.6〜2.6）の投与を考慮しても良い。女性は単独では、心房細動に起因する脳梗塞のリスク因子とはならない[17,18]。

〔引用文献〕

1) Go AS, Hylek EM, Chang Y, et al. Anticoagulation therapy for stroke prevention in atrial fibrillation: how well do randomized trials translate into clinical practice? JAMA 2003; 290: 2685-2692.（レベル 2）
2) Wyse DG, Waldo AL, DiMarco JP, et al. A comparison of rate control and rhythm control in patients with atrial fibrillation. N Engl J Med 2002; 347: 1825-1833.（レベル 2）
3) Suzuki S, Yamashita T, Okumura K, et al. Incidence of ischemic stroke in Japanese patients with atrial fibrillation not receiving anticoagulation therapy--pooled analysis of the Shinken Database, J-RHYTHM Registry, and Fushimi AF Registry. Circ J 2015; 79: 432-438.（レベル 2）
4) Connolly SJ, Ezekowitz MD, Yusuf S, et al. Dabigatran versus warfarin in patients with atrial fibrillation. N Engl J Med 2009; 361: 1139-1151.（レベル 2）
5) Patel MR, Mahaffey KW, Garg J, et al. Rivaroxaban versus warfarin in nonvalvular atrial fibrillation. N Engl J Med 2011; 365: 883-891.（レベル 2）
6) Granger CB, Alexander JH, McMurray JJ, et al. Apixaban versus warfarin in patients with atrial fibrillation. N Engl J Med 2011; 365: 981-992.（レベル 2）
7) Giugliano RP, Ruff CT, Braunwald E, et al. Edoxaban versus warfarin in patients with atrial fibrillation. N Engl J Med 2013; 369: 2093-2104.（レベル 2）
8) Coleman CI, Turpie AGG, Bunz TJ, et al. Effectiveness and safety of rivaroxaban vs. warfarin in non-valvular atrial fibrillation patients with a non-sex-related CHA$_2$DS$_2$-VASc score of 1. Eur Heart J Cardiovasc Pharmacother 2019; 5: 64-69.（レベル 3）
9) Hart RG, Pearce LA, Aguilar MI. Meta-analysis: antithrombotic therapy to prevent stroke in patients who have nonvalvular atrial fibrillation. Ann Intern Med 2007; 146: 857-867.（レベル 1）
10) Inoue H, Okumura K, Atarashi H, et al. Target international normalized ratio values for preventing thromboembolic and hemorrhagic events in Japanese patients with non-valvular atrial fibrillation: results of the J-RHYTHM Registry. Circ J 2013; 77: 2264-2270.（レベル 3）
11) Yamashita T, Inoue H, Okumura K, et al. Warfarin anticoagulation intensity in Japanese nonvalvular atrial fibrillation patients: a J-RHYTHM Registry analysis. J Cardiol 2015; 65: 175-177.（レベル 3）
12) 日本循環器学会，日本不整脈心電学会．2020 年改訂版　不整脈薬物治療ガイドライン．2020. Available at https://j-circ.or.jp/old/guideline/pdf/JCS2020_Ono.pdf（レベル 5）
13) Olesen JB, Lip GY, Hansen ML, et al. Validation of risk stratification schemes for predicting stroke and thromboembolism in patients with atrial fibrillation: nationwide cohort study. BMJ 2011; 342: d124.（レベル 3）
14) Tomita F, Kohya T, Sakurai M, et al. Hokkaido Atrial Fibrillation Study Group. Prevalence and clinical characteristics of patients with atrial fibrillation: analysis of 20,000 cases in Japan. Jpn Circ J 2000; 64: 653-658.（レベル 3）
15) Yamamoto K, Ikeda U, Furuhashi K, et al. The coagulation system is activated in idiopathic cardiomyopathy. J Am Coll Cardiol 1995; 25: 1634-1640.（レベル 4）
16) Nozawa T, Inoue H, Hirai T, et al. D-dimer level influences thromboembolic events in patients with atrial fibrillation. Int J Cardiol 2006; 109: 59-65.（レベル 4）
17) Nielsen PB, Skjøth F, Overvad TF, et al. Female Sex Is a Risk Modifier Rather Than a Risk Factor for Stroke in Atrial Fibrillation: Should We Use a CHA2DS2-VA Score Rather Than CHA2DS2-VASc? Circulation 2018; 137: 832-840.（レベル 2）
18) Tomita H, Okumura K, Inoue H, et al. Validation of Risk Scoring System Excluding Female Sex From CHA2DS2-VASc in Japanese Patients With Nonvalvular Atrial Fibrillation - Subanalysis of the J-RHYTHM Registry. Circ J 2015; 79: 1719-1726.（レベル 3）

I 脳卒中一般

CQ I-b 脳卒中急性期のリハビリテーションは、いつから開始することが推奨されるか？

▶ 合併症を予防し、機能回復を促進するために、24〜48時間以内に病態に合わせたリハビリテーションの計画を立てることが勧められる（推奨度A　エビデンスレベル高）。

解説

長期臥床による静脈血栓症、誤嚥性肺炎、褥瘡を予防し、運動機能、生活能力を回復させるためには、早期からのリハビリテーションが有効である。一方、重症で呼吸、循環器動態が不安定である場合や、原疾患の病状が進行性、再発性であるために安静臥床を優先せざるを得ない場合がある。したがって遅くとも24〜48時間までには病態に合わせたリハビリテーションの計画を立て、安全性に配慮した上で早期からのリハビリテーションを実施する必要がある[1,2]。

AVERTは脳卒中患者において24時間以内の離床訓練（座位、立位、歩行訓練）開始の予後への効果を評価した最も大規模（2,104人参加）なランダム化比較試験（RCT）であるが、一次エンドポイントである3か月後のmodified Rankin Scale（mRS）0〜2の予後良好の割合はむしろ早期介入群で通常ケア群よりも有意に低下してしまった[1]。両群で死亡率は変わらず、安静による合併症の発症率も差がなかった。またサブグループ解析にて12か月後の生活の質を評価したAssessment of Quality of Life 4Dのスコアの改善も認めず[3]、3か月後のMontreal Cognitive Assessmentのスコアにも有意差は認めなかった[4]。

AVERTおよび小規模RCTを含めた9試験のCochraneのメタ解析でも、超急性期離床訓練により生存や予後良好な症例数の増加は認められなかった[2]。また超早期からのリハビリテーションでは、入院期間は1日ほど短くなる可能性が示唆されたが、脳卒中の病態によってはむしろ症状が増悪するリスクがあることが示された。

Morrealeらは340人を対象に、24時間以内のリハビリテーション開始と4日後開始を比較したところ、3か月後の予後（Barthel Index〔BI〕、mRS）は差がなかったが、12か月後のBIを有意に改善した[5]。

SEVELは脳卒中発症後24時間以内に座位訓練を始める小規模RCT（167人参加）であるが、介入により一次エンドポイントである3か月後のmRS 0〜2の割合を改善しなかった（76.2％ vs. 77.3％）[6]。

Chippalaらは小規模（86人参加）の単盲検RCT試験ではあるが、24時間以内に5〜30分の離床訓練を毎日2回で開始することで、退院時および3か月後のBIを有意に改善したと報告した[7]。

Sundsethらは52人を対象とした小規模RCT試験にて、リハビリテーションを24時間以内に開始した群と、24〜48時間以内に開始した群の3か月後のmRS 0〜2を比較し、有意差を認めなかった[8]。

Langhornらは小規模（32人）のRCTにて36時間までにリハビリテーションを開始すると、5日目での歩行率が有意に高く、安静臥床に伴う合併症の発症率が低いことを報告した[9]。

上記のAVERT（第Ⅲ相）に先行した第Ⅱ相AVERTでは、少人数（71人）のRCTにて24時間以内の離床訓練開始により50メートル歩行が可能となる日数が短縮されたこと[10]、安静臥床に伴う合併症には二群間で有意差はなかったことを報告している[11]。

主として安全性を確認するために、Polettoらは37人を発症48時間以内のリハビリテーションプログラムと通常治療群（26％のみが入院中リハビリテーションを行った）をRCTにて比較したところ、安全性に問題ないこと、3か月後のmodified BIに差がないことを報告している[12]。

脳出血だけを対象にした台湾の1センターで施行されたRCTの結果では、脳出血患者60人を対象に24〜72時間の間に離床訓練を開始した群と通

常リハビリテーションを施行した群では、一次エンドポイントである Functional Independent Measure（FIM）の運動スコアが 2 週後より 3 か月後まで有意に良好で、入院期間は有意に短期間であったと報告された[13]。

くも膜下出血急性期の早期からのリハビリテーションについてのエビデンスレベルの高い検討は報告されていない。

〔引用文献〕

1) Efficacy and safety of very early mobilisation within 24 h of stroke onset (AVERT): a randomised controlled trial. Lancet 2015; 386: 46-55.（レベル 2）
2) Langhorne P, Collier JM, Bate PJ, et al. Very early versus delayed mobilisation after stroke. Cochrane Database Syst Rev 2018: CD006187.（レベル 1）
3) Cumming TB, Churilov L, Collier J, et al. Early mobilization and quality of life after stroke: Findings from AVERT. Neurology 2019; 93: e717-e728.（レベル 2）
4) Cumming TB, Bernhardt J, Lowe D, et al. Early Mobilization After Stroke Is Not Associated With Cognitive Outcome. Stroke 2018; 49: 2147-2154.（レベル 2）
5) Morreale M, Marchione P, Pili A, et al. Early versus delayed rehabilitation treatment in hemiplegic patients with ischemic stroke: proprioceptive or cognitive approach? Eur J Phys Rehabil Med 2016; 52: 81-89.（レベル 2）
6) Herisson F, Godard S, Volteau C, et al. Early Sitting in Ischemic Stroke Patients (SEVEL): A Randomized Controlled Trial. PLoS One 2016; 11: e0149466.（レベル 2）
7) Chippala P, Sharma R. Effect of very early mobilisation on functional status in patients with acute stroke: a single-blind, randomized controlled trail. Clin Rehabil 2016; 30: 669-675.（レベル 2）
8) Sundseth A, Thommessen B, Rønning OM. Early mobilization after acute stroke. J Stroke Cerebrovasc Dis 2014; 23: 496-499.（レベル 2）
9) Langhorne P, Stott D, Knight A, et al. Very early rehabilitation or intensive telemetry after stroke: a pilot randomised trial. Cerebrovasc Dis 2010; 29: 352-360.（レベル 2）
10) Cumming TB, Thrift AG, Collier JM, et al. Very early mobilization after stroke fast-tracks return to walking: further results from the phase II AVERT randomized controlled trial. Stroke 2011; 42: 153-158.（レベル 2）
11) Sorbello D, Dewey HM, Churilov L, et al. Very early mobilisation and complications in the first 3 months after stroke: further results from phase II of A Very Early Rehabilitation Trial (AVERT). Cerebrovasc Dis 2009; 28: 378-383.（レベル 2）
12) Poletto SR, Rebello LC, Valens MJM, et al. Early mobilization in ischemic stroke: a pilot randomized trial of safety and feasibility in a public hospital in Brazil. Cerebrovasc Dis Extra 2015; 5: 31-40.（レベル 2）
13) Yen HC, Jeng JS, Chen WS, et al. Early Mobilization of Mild-Moderate Intracerebral Hemorrhage Patients in a Stroke Center: A Randomized Controlled Trial. Neurorehabil Neural Repair 2020; 34: 72-81.（レベル 2）

I 脳卒中一般

1 脳卒中発症予防

1-1 危険因子の管理
（1）高血圧

推奨

1. 脳卒中発症予防のため高血圧患者では降圧治療を行うよう勧められる（推奨度A　エビデンスレベル高）。

2. 降圧目標として、75歳未満、冠動脈疾患、CKD（蛋白尿陽性）、糖尿病、抗血栓薬服用中の場合は、130/80 mmHg未満が妥当である（推奨度B　エビデンスレベル中）。

3. 一方、75歳以上、両側頸動脈狭窄や主幹動脈閉塞がある場合、CKD（蛋白尿陰性）では降圧目標は140/90 mmHg未満が妥当である（推奨度B　エビデンスレベル低）。

4. 降圧薬の選択としては、カルシウム拮抗薬、利尿薬、アンジオテンシン変換酵素（ACE）阻害薬、アンジオテンシンII受容体拮抗薬（ARB）などが勧められる（推奨度A　エビデンスレベル高）。

解　説

　疫学的に高血圧は脳卒中および脳卒中を含めた心血管イベントの最大の危険因子である[1-3]。血圧値と脳卒中発症率との関係は直線的な正の相関関係にあり、血圧が高いほど脳卒中および心血管イベントの発症率は高くなる[2-4]。

　高血圧治療は脳卒中の予防にきわめて有効であることが示されている[5,6]。降圧薬投与をプラセボ投与と比較したランダム化比較試験（RCT）についてのCochraneのメタ解析では、降圧による脳血管障害の発症率低下（相対リスク〔RR〕0.66）は冠動脈疾患の低下よりも大きかった[5]。また年齢別では、60～79歳での降圧による脳卒中抑制効果は80歳以上よりも高く[5]、さらに18～59歳の若年ではより強く抑制された[6]。

　降圧目標値については、19件のRCTのメタ解析の結果、厳格降圧群（平均133/76 mmHg）は、標準降圧群（平均140/81 mmHg）よりも主要心血管イベントの発症率が14％低く、脳卒中も22％低いこと、特に高リスク群では降圧効果が大きいことが示された[7]。また、2015年までの降圧についてのRCT全123件のメタ解析では、得られた降圧の程度と主要心血管イベントの発症抑制には介入前血圧が＜130 mmHgに至るまで比例関係を認め、脳卒中の発症についてのサブグループ解析も介入前血圧が＜130 mmHgの群を除き全血圧で有意な抑制効果を認めた[8]。その後のSPRINTでは、収縮期血圧の標的を120 mmHg未満にした群は140 mmHg未満にした群よりも心血管イベントの発症率が25％低下したが脳卒中の発症率は変わらず、逆に厳格降圧群では低血圧による重篤な副作用が増加した[9]。

　高齢者では、血圧と心血管イベント発症率との相関はゆるやかになり、一方で無症候性の臓器障害を複数有することが多いため、注意して降圧する必要がある[3,10]。Cochraneのメタ解析では、65歳以上の高齢者では140/90 mmHg以下の降圧群と150～160/95～105 mmHg以下への降圧群とを比較して心血管イベントの発生に有意差は認められなかった[11]。日本のJATOSでも上記のメタ解析と同様に高齢者での積極治療群と標準治療群とで脳卒中、心血管イベントの発生に差は認めていない[12]。80歳以上の高齢者を対象に150/80 mmHg未満を降圧目標としたHYVETでも一次エンドポイントである脳卒中の年間発症率は30％減少したが有意差はなかった[13]。

　一般的に血圧以外にも心疾患、腎疾患、糖尿病などの心血管リスク因子の合併が増えるほど心血管病を発症するリスクが高くなるため、積極的な降圧が望ましいと考えられる[14]。120 mmHg未満を目標としたSPRINT[9]や130 mmHg未満を目標としたCardio-Sis[15]、介入群の達成血圧が平均128/76 mmHgであったHOPE-3[16]は、いずれも危険因子や合併

症を有する症例を対象として厳格降圧の効果が認められている。Cochrane では SPRINT を含めた 6 件の RCT を対象に心血管疾患の既往のある高血圧患者において 135/85 mmHg 以下の低値目標群と 140〜160/90〜100 mmHg 以下の標準目標群をメタ解析したところ、心血管イベントの発症は RR 0.89 と低下したが有意差は認めなかった[17]。

両側頚動脈狭窄症や主幹動脈狭窄症についての血圧とイベント発生については、病態に基づき、かつ多数の経験的な報告から過度な降圧を避けることが強く推奨されるが、質の高い大規模な RCT はほとんどみられない。

高血圧は腎硬化症などの腎障害を引き起こして慢性腎臓病（chronic kidney disease：CKD）の原因となり、いったん CKD が発症すると高血圧が重症化するという悪循環となる。特に軽度な腎機能障害であっても蛋白尿陽性の場合、脳卒中などの心血管病を高率に発症することがコホート研究のメタ解析で明らかとなっており、130/80 mmHg 未満の血圧管理が推奨される[18]。一方、尿蛋白陰性の場合は厳格な降圧が心血管病発症予防に有用であるというエビデンスは乏しい。

また抗血栓薬は脳出血のリスクを高めるため、130/80 mmHg 未満の厳格な血圧管理により脳出血の発症を抑制できることが大規模 RCT にて報告されている（SPS3、詳細は「III 脳出血　3 高血圧性脳出血の慢性期治療　3-1 高血圧」の項を参照）。

降圧薬の心血管病抑制効果の大部分は、その種類よりも降圧度によって規定されていることが、大規模臨床試験のメタ解析から示されている[19]。カルシウム拮抗薬、利尿薬、アンジオテンシン変換酵素（angiotensin converting enzyme：ACE）阻害薬、アンジオテンシン II 受容体拮抗薬（angiotensin II receptor blocker：ARB）、β 遮断薬の 5 種類の主要降圧薬は、いずれも心血管病抑制効果が証明されている[19,20]。一方で各降圧薬にはそれぞれ積極的適応、禁忌、慎重投与となる病態があり、それらの病態を合併している場合はそれに合致した降圧薬を選択する。一般的に最初に投与すべき降圧薬としては、カルシウム拮抗薬、利尿薬、ACE 阻害薬、ARB が挙げられる[19,20]。第一選択薬として β 遮断薬を他の降圧薬と比較した Cochrane のメタ解析では、脳卒中発症率、死亡率などで β 遮断薬は他薬よりも劣った[21]。世界保健機関／国際高血圧学会によるメタ解析では利尿薬あるいは β 遮断薬に比してカルシウム拮抗薬は脳卒中発症リスクの低減効果が有意に優れていた[22]。

第一選択薬で降圧が不十分な場合の併用薬について質の高いエビデンスは少ない[23]。ASCOT-BPLA では、β 遮断薬とサイアザイド系利尿薬の併用群よりも、カルシウム拮抗薬と ACE 阻害薬の併用群では脳卒中発症が有意に少なかった[24]。日本での COPE ではカルシウム拮抗薬との併用薬として β 遮断薬よりも利尿薬の脳卒中リスク抑制効果が示されている[25]。

〔引用文献〕

1) Yusuf S, Joseph P, Rangarajan S, et al. Modifiable risk factors, cardiovascular disease, and mortality in 155 722 individuals from 21 high-income, middle-income, and low-income countries (PURE): a prospective cohort study. Lancet 2020; 395: 795-808.（レベル 3）
2) Flint AC, Conell C, Ren X, et al. Effect of Systolic and Diastolic Blood Pressure on Cardiovascular Outcomes. N Engl J Med 2019; 381: 243-251.（レベル 3）
3) Fujiyoshi A, Ohkubo T, Miura K, et al. Blood pressure categories and long-term risk of cardiovascular disease according to age group in Japanese men and women. Hypertens Res 2012; 35: 947-953.（レベル 3）
4) MacMahon S, Peto R, Cutler J, et al. Blood pressure, stroke, and coronary heart disease. Part 1, Prolonged differences in blood pressure: prospective observational studies corrected for the regression dilution bias. Lancet 1990; 335: 765-774.（レベル 2）
5) Musini VM, Tejani AM, Bassett K, et al. Pharmacotherapy for hypertension in adults 60 years or older. Cochrane Database Syst Rev 2019: CD000028.（レベル 1）
6) Musini VM, Gueyffier F, Puil L, et al. Pharmacotherapy for hypertension in adults aged 18 to 59 years. Cochrane Database Syst Rev 2017: CD008276.（レベル 1）
7) Xie X, Atkins E, Lv J, et al. Effects of intensive blood pressure lowering on cardiovascular and renal outcomes: updated systematic review and meta-analysis. Lancet 2016; 387: 435-443.（レベル 1）
8) Ettehad D, Emdin CA, Kiran A, et al. Blood pressure lowering for prevention of cardiovascular disease and death: a systematic review and meta-analysis. Lancet 2016; 387: 957-967.（レベル 1）
9) Wright JT Jr, Williamson JD, Whelton PK, et al. A Randomized Trial of Intensive versus Standard Blood-Pressure Control. N Engl J Med 2015; 373: 2103-2116.（レベル 2）
10) Port S, Demer L, Jennrich R, et al. Systolic blood pressure and mortality. Lancet 2000; 355: 175-180.（レベル 3）
11) Garrison SR, Kolber MR, Korownyk CS, et al. Blood pressure targets for hypertension in older adults. Cochrane Database Syst Rev 2017: CD011575.（レベル 1）
12) Principal Results of the Japanese Trial to Assess Optimal Systolic Blood Pressure in Elderly Hypertensive Patients (JATOS). Hypertens Res 2008; 31: 2115-2127.（レベル 2）
13) Beckett NS, Peters R, Fletcher AE, et al. Treatment of hypertension in patients 80 years of age or older. N Engl J Med 2008; 358: 1887-1898.（レベル 2）
14) Harada A, Ueshima H, Kinoshita Y, et al. Absolute risk score for stroke, myocardial infarction, and all cardiovascular disease: Japan Arteriosclerosis Longitudinal Study. Hypertens Res 2019; 42: 567-579.（レベル 3）
15) Verdecchia P, Staessen JA, Angeli F, et al. Usual versus tight control of systolic blood pressure in non-diabetic patients with hypertension (Cardio-Sis): an open-label randomised trial. Lancet 2009; 374: 525-533.（レベル 2）
16) Lonn EM, Bosch J, López-Jaramillo P, et al. Blood-Pressure Lowering in Intermediate-Risk Persons without Cardiovascular Disease. N Engl J Med 2016; 374: 2009-2020.（レベル 2）

17) Saiz LC, Gorricho J, Garjón J, et al. Blood pressure targets for the treatment of people with hypertension and cardiovascular disease. Cochrane Database Syst Rev 2018: CD010315. （レベル 1）

18) Matsushita K, van der Velde M, Astor BC, et al. Association of estimated glomerular filtration rate and albuminuria with all-cause and cardiovascular mortality in general population cohorts: a collaborative meta-analysis. Lancet 2010; 375: 2073–2081. （レベル 3）

19) Law MR, Morris JK, Wald NJ. Use of blood pressure lowering drugs in the prevention of cardiovascular disease: meta-analysis of 147 randomised trials in the context of expectations from prospective epidemiological studies. BMJ 2009; 338: b1665. （レベル 1）

20) Wright JM, Musini VM, Gill R. First-line drugs for hypertension. Cochrane Database Syst Rev 2018: CD001841. （レベル 1）

21) Wiysonge CS, Bradley HA, Volmink J, et al. Beta-blockers for hypertension. Cochrane Database Syst Rev 2017: CD002003. （レベル 1）

22) Neal B, MacMahon S, Chapman N. Effects of ACE inhibitors, calcium antagonists, and other blood-pressure-lowering drugs: results of prospectively designed overviews of randomised trials. Blood Pressure Lowering Treatment Trialists' Collaboration. Lancet 2000; 356: 1955–1964. （レベル 1）

23) Garjón J, Saiz LC, Azparren A, et al. First-line combination therapy versus first-line monotherapy for primary hypertension. Cochrane Database Syst Rev 2017: CD010316. （レベル 1）

24) Dahlof B, Sever PS, Poulter NR, et al. Prevention of cardiovascular events with an antihypertensive regimen of amlodipine adding perindopril as required versus atenolol adding bendroflumethiazide as required, in the Anglo-Scandinavian Cardiac Outcomes Trial-Blood Pressure Lowering Arm (ASCOT-BPLA): a multicentre randomised controlled trial. Lancet 2005; 366: 895–906. （レベル 2）

25) Ogihara T, Matsuzaki M, Umemoto S, et al. Combination therapy for hypertension in the elderly: a sub-analysis of the Combination Therapy of Hypertension to Prevent Cardiovascular Events (COPE) Trial. Hypertens Res 2012; 35: 441–448. （レベル 3）

Ⅰ 脳卒中一般

1 脳卒中発症予防

1-1 危険因子の管理 （2）糖尿病

推奨

1. 2型糖尿病では、脳卒中を含めた心血管イベントの抑制に食事療法、運動療法と合わせて薬物治療を行うよう勧められる（推奨度A　エビデンスレベル高）。

2. 成人2型糖尿病における血糖コントロールおよび心血管イベントの抑制に、メトホルミンは第一選択薬として妥当である（推奨度B　エビデンスレベル中）。さらに血糖コントロール不良な場合には、glucagon-like peptide 1（GLP-1）受容体作動薬またはsodium-glucose cotransporter 2（SGLT-2）阻害薬の投与を考慮しても良い（推奨度C　エビデンスレベル中）。

3. 2型糖尿病では、血圧や脂質異常症などの心血管リスク因子の厳格な管理が勧められる（推奨度A　エビデンスレベル高）。

解 説

多数のコホート研究およびそのメタ解析により、糖尿病は脳卒中を含めた心血管イベントの主要リスク因子であることが確立している[1]。

食事療法は2型糖尿病の中心となる治療法であり、減量を促し、血糖コントロールを改善する。1万人ほどの2型糖尿病患者を対象としたコホート研究で、良質な食事、禁煙、運動療法を守った群では、守らなかった群と比較して心血管イベントの発症率、死亡率が低かった[2]。さらに食物繊維の豊富な炭水化物を摂取すること、赤み肉を避けることが2型糖尿病における心血管イベントの抑制につながるとされる[3]。

適切な運動療法は血糖コントロールを改善し、心血管イベントの発症を抑制する[2,4]。

薬剤治療による血糖コントロールと心血管イベントの抑制を検討したランダム化比較試験（RCT）のうち、UKPDSでは5年間の厳格血糖コントロール vs. 従来型の血糖コントロール後に10年間の経過観察を行ったところ、心筋梗塞発症が有意に抑制され、脳卒中発症もメトホルミン治療群で相対リスク（RR）0.80、スルホニル尿素−インスリン群でRR0.91の低下傾向を示した[5]。VADTでは、介入開始5年後では厳格血糖コントロールによる心血管イベントの抑制効果を認めなかったが[6]、さらに10年間の経過観察では有意な抑制効果が認めら

れ[7]、その後15年経つと有意差は消失した[8]。一方、ACCORDでは過度に厳格な血糖コントロールでは脳卒中発症を抑制せずに死亡率を上昇させることが示された[9]。

薬剤の選択としては、成人2型糖尿病においてメトホルミンがスルホニル尿素よりも心血管イベントの発症率を低下させ、血糖コントロール、体重管理の面でも優れるとのメタ解析があり、第一選択薬として考慮しても良い[10]。また、メトホルミンでコントロール不良の2型糖尿病患者において、リナグリプチン（dipeptidyl peptidase-4〔DPP-4〕阻害薬）とグリメピリド（スルホニル尿素）の効果を検討したRCTでは、二次エンドポイントではあるが前者で心血管イベントの発症率は有意に低かった[11]。

新規糖尿病治療薬のうちglucagon-like peptide 1（GLP-1）受容体作動薬についてセマグルチド[12]、リラグルチド[13]、albiglutide[14]（本邦未承認）、デュラグルチド[15]は脳卒中を含めた主要な心血管イベント（major adverse cardiovascular events：MACE）の発症を有意に抑制した。このうちセマグルチドおよびデュラグルチドは非致死的脳卒中の発症をも有意に抑制したが、リラグルチドおよびalbiglutideではプラセボと有意な差は認められなかった。一方、リキシセナチド[16]、エキセナチド[17]、経口セマグルチド[18]は、MACEの発症を抑制しなかった。

脳卒中治療ガイドライン 2021　9

また sodium-glucose cotransporter 2（SGLT-2）阻害薬であるエンパグリフロジン（EMPA-REG OUTCOME）[19]およびカナグリフロジン（CANVAS Program）[20]はいずれも MACE を抑制したが非致死的脳卒中の発症については有意差がなかった。ダパグリフロジン（DECLARE-TIMI 58）[21]では有意な MACE の発症抑制は認めなかった。これら 3 試験のメタ解析では、アテローム硬化性心血管イベントの既往のある症例群では SGLT-2 阻害薬は有意にさらなる心血管イベントの発症を抑制するが、リスク因子を有するのみの症例群では心血管イベントの発症抑制は認めなかった[22]。SGLT-2 阻害薬はいずれも心不全による入院の頻度、腎機能障害の進展を抑制するが、脱水およびそれに引き続き脳梗塞が起きた症例が報告されており注意が必要である[22]。

インスリン抵抗性改善薬ピオグリタゾンは、一次エンドポイントであるすべての大血管イベントの発症を抑制しなかったが、「全死亡、非致死的心筋梗塞、脳卒中」からなる二次エンドポイントを有意に低下した（PROactive）[23]。

脳卒中の発症予防には、糖尿病を含む危険因子（高血圧、脂質異常症、肥満、喫煙）を包括的にコントロールすることが必要である[24,25]。UKPDS 38 試験は 2 型糖尿病を合併した高血圧患者の血圧コントロールについての RCT であり、厳格血圧コントロール群では標準血圧コントロール群に比較して脳卒中発症率は 44 ％低かった[26]。また 2 型糖尿病における脂質管理として HMG-CoA 還元酵素阻害薬（スタチン）をプラセボと比較した RCT としては MRC/BHF Heart Protection Study[27]および Collaborative Atorvastatin Diabetes Study[28]があるが、いずれもスタチンにより脳卒中発症率が抑制された。さらにスタチンと心血管イベントについての 14 件の RCT をメタ解析した研究（CTT）では、血管病変の有無や試験開始時の LDL-コレステロールの値に関係なく、2 型糖尿病を有する症例でスタチンは脳卒中および脳卒中を含めた心血管イベントの発症率を低下させた[29]。

〔引用文献〕

1) Sarwar N, Gao P, Seshasai SR, et al. Diabetes mellitus, fasting blood glucose concentration, and risk of vascular disease: a collaborative meta-analysis of 102 prospective studies. Lancet 2010; 375: 2215-2222.（レベル 3）
2) Liu G, Li Y, Hu Y, et al. Influence of Lifestyle on Incident Cardiovascular Disease and Mortality in Patients With Diabetes Mellitus. J Am Coll Cardiol 2018; 71: 2867-2876.（レベル 3）
3) Micha R, Wallace SK, Mozaffarian D. Red and processed meat consumption and risk of incident coronary heart disease, stroke, and diabetes mellitus: a systematic review and meta-analysis. Circulation 2010; 121: 2271-2283.（レベル 3）
4) Boulé NG, Haddad E, Kenny GP, et al. Effects of exercise on glycemic control and body mass in type 2 diabetes mellitus: a meta-analysis of controlled clinical trials. JAMA 2001; 286: 1218-1227.（レベル 3）
5) Holman RR, Paul SK, Bethel MA, et al. 10-year follow-up of intensive glucose control in type 2 diabetes. N Engl J Med 2008; 359: 1577-1589.（レベル 2）
6) Duckworth W, Abraira C, Moritz T, et al. Glucose control and vascular complications in veterans with type 2 diabetes. N Engl J Med 2009; 360: 129-139.（レベル 2）
7) Hayward RA, Reaven PD, Wiitala WL, et al. Follow-up of glycemic control and cardiovascular outcomes in type 2 diabetes. N Engl J Med 2015; 372: 2197-2206.（レベル 2）
8) Reaven PD, Emanuele NV, Wiitala WL, et al. Intensive Glucose Control in Patients with Type 2 Diabetes - 15-Year Follow-up. N Engl J Med 2019; 380: 2215-2224.（レベル 2）
9) Gerstein HC, Miller ME, Genuth S, et al. Long-term ffects of intensive glucose lowering on cardiovascular outcomes. N Engl J Med 2011; 364: 818-828.（レベル 2）
10) Griffin SJ, Leaver JK, Irving GJ. Impact of metformin on cardiovascular disease: a meta-analysis of randomised trials among people with type 2 diabetes. Diabetologia 2017; 60: 1620-1629.（レベル 1）
11) Gallwitz B, Rosenstock J, Rauch T, et al. 2-year efficacy and safety of linagliptin compared with glimepiride in patients with type 2 diabetes inadequately controlled on metformin: a randomised, doubleblind, non-inferiority trial. Lancet 2012; 380: 475-483.（レベル 2）
12) Marso SP, Bain SC, Consoli A, et al. Semaglutide and Cardiovascular Outcomes in Patients with Type 2 Diabetes. N Engl J Med 2016; 375: 1834-1844.（レベル 2）
13) Marso SP, Daniels GH, Brown-Frandsen K, et al. Liraglutide and Cardiovascular Outcomes in Type 2 Diabetes. N Engl J Med 2016; 375: 311-322.（レベル 2）
14) Hernandez AF, Green JB, Janmohamed S, et al. Albiglutide and cardiovascular outcomes in patients with type 2 diabetes and cardiovascular disease (Harmony Outcomes): a double-blind, randomised placebo-controlled trial. Lancet 2018; 392: 1519-1529.（レベル 2）
15) Gerstein HC, Colhoun HM, Dagenais GR, et al. Dulaglutide and cardiovascular outcomes in type 2 diabetes (REWIND): a double-blind, randomised placebo-controlled trial. Lancet 2019; 394: 121-130.（レベル 2）
16) Pfeffer MA, Claggett B, Diaz R, et al. Lixisenatide in Patients with Type 2 Diabetes and Acute Coronary Syndrome. N Engl J Med 2015; 373: 2247-2257.（レベル 2）
17) Holman RR, Bethel MA, Mentz RJ, et al. Effects of Once-Weekly Exenatide on Cardiovascular Outcomes in Type 2 Diabetes. N Engl J Med 2017; 377: 1228-1239.（レベル 2）
18) Husain M, Birkenfeld AL, Donsmark M, et al. Oral Semaglutide and Cardiovascular Outcomes in Patients with Type 2 Diabetes. N Engl J Med 2019; 381: 841-851.（レベル 2）
19) Zinman B, Wanner C, Lachin JM, et al. Empagliflozin, Cardiovascular Outcomes, and Mortality in Type 2 Diabetes. N Engl J Med 2015; 373: 2117-2128.（レベル 2）
20) Neal B, Perkovic V, Mahaffey KW, et al. Canagliflozin and Cardiovascular and Renal Events in Type 2 Diabetes. N Engl J Med 2017; 377: 644-657.（レベル 2）
21) Wiviott SD, Raz I, Bonaca MP, et al. Dapagliflozin and Cardiovascular Outcomes in Type 2 Diabetes. N Engl J Med 2019; 380: 347-357.（レベル 2）
22) Zelniker TA, Wiviott SD, Raz I, et al. SGLT2 inhibitors for primary and secondary prevention of cardiovascular and renal outcomes in type 2 diabetes: a systematic review and meta-analysis of cardiovascular outcome trials. Lancet 2019; 393: 31-39.（レベル 2）
23) Dormandy JA, Charbonnel B, Eckland DJ, et al. Secondary prevention of macrovascular events in patients with type 2 diabetes in the PROactive Study (PROspective pioglitAzone Clinical Trial In macroVascular Events): a randomised controlled trial. Lancet 2005; 366: 1279-1289.（レベル 3）
24) Ueki K, Sasako T, Okazaki Y, et al. Effect of an intensified mul-

tifactorial intervention on cardiovascular outcomes and mortality in type 2 diabetes (J-DOIT3): an open-label, randomised controlled trial. Lancet Diabetes Endocrinol 2017; 5: 951-964. （レベル 2）

25) Harada A, Ueshima H, Kinoshita Y, et al. Absolute risk score for stroke, myocardial infarction, and all cardiovascular disease: Japan Arteriosclerosis Longitudinal Study. Hypertens Res 2019; 42: 567-579. （レベル 3）

26) Tight blood pressure control and risk of macrovascular and microvascular complications in type 2 diabetes: UKPDS 38. UK Prospective Diabetes Study Group. BMJ 1998; 317: 703-713. （レベル 2）

27) Collins R, Armitage J, Parish S, et al, Peto R. MRC/BHF Heart Protection Study of cholesterol-lowering with simvastatin in 5963 people with diabetes: a randomised placebo-controlled trial. Lancet 2003; 361: 2005-2016. （レベル 2）

28) Colhoun HM, Betteridge DJ, Durrington PN, et al. Primary prevention of cardiovascular disease with atorvastatin in type 2 diabetes in the Collaborative Atorvastatin Diabetes Study (CARDS): multicentre randomised placebo-controlled trial. Lancet 2004; 364: 685-696. （レベル 2）

29) Kearney PM, Blackwell L, Collins R, et al. Efficacy of cholesterol-lowering therapy in 18,686 people with diabetes in 14 randomised trials of statins: a meta-analysis. Lancet 2008; 371: 117-125. （レベル 1）

I 脳卒中一般

1 脳卒中発症予防

1-1 危険因子の管理
（3）脂質異常症

推奨

1. 脂質異常症患者には LDL-コレステロールをターゲットとした、HMG-CoA 還元酵素阻害薬（スタチン）の投与が勧められる（推奨度 A　エビデンスレベル高）。

2. スタチンの効果が不十分な場合、エゼチミブや proprotein convertase subtilisin-kexin type 9 （PCSK9）阻害薬の併用は妥当である（推奨度 B　エビデンスレベル中）。

3. 高トリグリセライド血症に対する薬物療法の脳卒中予防効果は、有効性が確立していない（推奨度 C　エビデンスレベル低）。

解説

アジアを含む海外の研究では高コレステロール血症は脳梗塞の危険因子であることが報告されている[1-5]。日本人を対象とした脳梗塞を病型別に検討した研究では、動脈硬化との関連が強いアテローム血栓性脳梗塞においては血清総コレステロール値と脳梗塞発症リスクが相関するが、その他の病型では関連が弱いことが示されている[6]。脂質に関与する遺伝子の影響をランダム化しても、LDL-コレステロール値の上昇は脳梗塞、特にアテローム血栓性脳梗塞のイベントリスクを上昇させることが示された[7]。

スタチンを用いた LDL-コレステロール低下療法による脳卒中発症リスク低下に関するメタ解析はこれまでにいくつか行われ、すべてにおいて出血性脳卒中を増加させることなく、脳梗塞および脳卒中全体の抑制効果が示されている[8-11]。また、2017 年末までに報告されたスタチンを用いた大規模臨床試験を集めたメタ解析の結果では、スタチンの脳卒中イベント抑制効果は 75 歳より高齢でもそれ以下の年齢と変わらず効果が見られるが、このうち血管疾患の既往のない患者ではその効果は減弱していた[12]。また、スタチンによる主要血管イベントの抑制効果には、性差を認めないことが報告されている[13]。

スタチン以外の薬剤による LDL-コレステロールの低下に伴う脳卒中抑制効果が報告されている。IMPROVE-IT では、スタチンにエゼチミブを追加することで主要血管イベントの抑制が示され、脳梗塞発症率も 21％と有意に低下した[14]。エゼチミブのシステマティックレビューでも有意な脳卒中イベント抑制効果が報告されている[15,16]。

Proprotein convertase subtilisin-kexin type 9 （PCSK9）阻害薬であるエボロクマブをスタチンに併用する効果を検討した FOURIER では、LDL-コレステロールを平均 92 mg/dL から 30 mg/dL へと減少させ、脳卒中イベントを 21％、脳梗塞イベントを 25％抑制した[17]。同様にアリロクマブも脳梗塞イベントを抑制した（特許問題で販売停止）[18]。PCSK9 阻害薬のシステマティックレビューでは有意な脳卒中イベント抑制効果が報告された[19]。

スタチン以外の薬剤をスタチンと比較したメタ解析にて、LDL-コレステロール低下作用と主要血管疾患イベント抑制効果は直線相関すること、すなわち LDL-コレステロール低下作用が同等ならば主要血管イベント抑制効果は同程度期待できる可能性が示された[20]。

トリグリセライドと心血管リスクは相関することが疫学的に示されている[21]。主作用としてトリグリセライドを低下させる薬剤は、フィブラート、ナイアシン、オメガ 3 脂肪酸の 3 種類あるが、REDUCE-IT 以外にトリグリセライドの低下作用による心血管イベントの一次予防効果を示すエビデンスは乏しい[22]。これらの薬剤の LDL-コレステロール低下作用や脂質プロファイル改善以外の効果が大きく影響するためかもしれない[21]。

〔引用文献〕

1) Boysen G, Nyboe J, Appleyard M, et al. Stroke incidence and risk factors for stroke in Copenhagen, Denmark. Stroke 1988; 19: 1345-1353.（レベル 4）

2) Iso H, Jacobs DR Jr, Wentworth D, et al. Serum cholesterol levels and six-year mortality from stroke in 350,977 men screened for the multiple risk factor intervention trial. N Engl J Med 1989; 320: 904-910.（レベル 4）

3) Blood pressure, cholesterol, and stroke in eastern Asia. Eastern Stroke and Coronary Heart Disease Collaborative Research Group. Lancet 1998; 352: 1801-1807.（レベル 3）

4) Zhang X, Patel A, Horibe H, et al. Cholesterol, coronary heart disease, and stroke in the Asia Pacific region. Int J Epidemiol 2003; 32: 563-572.（レベル 3）

5) Ebrahim S, Sung J, Song YM, et al. Serum cholesterol, haemorrhagic stroke, ischaemic stroke, and myocardial infarction: Korean national health system prospective cohort study. BMJ 2006; 333: 22.（レベル 4）

6) Cui R, Iso H, Yamagishi K, et al. High serum total cholesterol levels is a risk factor of ischemic stroke for general Japanese population: the JPHC study. Atherosclerosis 2012; 221: 565-569.（レベル 3）

7) Hindy G, Engström G, Larsson SC, et al. Role of Blood Lipids in the Development of Ischemic Stroke and its Subtypes: A Mendelian Randomization Study. Stroke 2018; 49: 820-827.（レベル 2）

8) Briel M, Studer M, Glass TR, et al. Effects of statins on stroke prevention in patients with and without coronary heart disease: a meta-analysis of randomized controlled trials. Am J Med 2004; 117: 596-606.（レベル 1）

9) Baigent C, Keech A, Kearney PM, et al. Efficacy and safety of cholesterol-lowering treatment: prospective meta-analysis of data from 90,056 participants in 14 randomised trials of statins. Lancet 2005; 366: 1267-1278.（レベル 1）

10) Baigent C, Blackwell L, Emberson J, et al. Efficacy and safety of more intensive lowering of LDL cholesterol: a meta-analysis of data from 170,000 participants in 26 randomised trials. Lancet 2010; 376: 1670-1681.（レベル 1）

11) Chou R, Dana T, Blazina I, et al. Statins for Prevention of Cardiovascular Disease in Adults: Evidence Report and Systematic Review for the US Preventive Services Task Force. JAMA 2016; 316: 2008-2024.（レベル 1）

12) Efficacy and safety of statin therapy in older people: a meta-analysis of individual participant data from 28 randomised controlled trials. Lancet 2019; 393: 407-415.（レベル 1）

13) Fulcher J, O'Connell R, Voysey M, et al. Efficacy and safety of LDL-lowering therapy among men and women: meta-analysis of individual data from 174,000 participants in 27 randomised trials. Lancet 2015; 385: 1397-1405.（レベル 1）

14) Cannon CP, Blazing MA, Giugliano RP, et al. Ezetimibe Added to Statin Therapy after Acute Coronary Syndromes. N Engl J Med 2015; 372: 2387-2397.（レベル 2）

15) Savarese G, De Ferrari GM, Rosano GM, et al. Safety and efficacy of ezetimibe: a meta-analysis. Int J Cardiol 2015; 201: 247-252.（レベル 1）

16) Zhan S, Tang M, Liu F, et al. Ezetimibe for the prevention of cardiovascular disease and all-cause mortality events. Cochrane Database Syst Rev 2018: CD012502.（レベル 1）

17) Sabatine MS, Giugliano RP, Keech AC, et al. Evolocumab and Clinical Outcomes in Patients with Cardiovascular Disease. N Engl J Med 2017; 376: 1713-1722.（レベル 2）

18) Schwartz GG, Steg PG, Szarek M, et al. Alirocumab and Cardiovascular Outcomes after Acute Coronary Syndrome. N Engl J Med 2018; 379: 2097-2107.（レベル 2）

19) Schmidt AF, Pearce LS, Wilkins JT, et al. PCSK9 monoclonal antibodies for the primary and secondary prevention of cardiovascular disease. Cochrane Database Syst Rev 2017: CD011748.（レベル 1）

20) Silverman MG, Ference BA, Im K, et al. Association Between Lowering LDL-C and Cardiovascular Risk Reduction Among Different Therapeutic Interventions: A Systematic Review and Meta-analysis. JAMA 2016; 316: 1289-1297.（レベル 1）

21) Marston NA, Giugliano RP, Im K, et al. Association Between Triglyceride Lowering and Reduction of Cardiovascular Risk Across Multiple Lipid-Lowering Therapeutic Classes: A Systematic Review and Meta-Regression Analysis of Randomized Controlled Trials. Circulation 2019; 140: 1308-1317.（レベル 1）

22) Bhatt DL, Steg PG, Miller M, et al. Cardiovascular Risk Reduction with Icosapent Ethyl for Hypertriglyceridemia. N Engl J Med 2019; 380: 11-22.（レベル 2）

Ⅰ 脳卒中一般

1 脳卒中発症予防

1-1 危険因子の管理
（4）飲酒・喫煙

推奨

1. 脳卒中発症予防のためには、大量の飲酒を避けることが勧められる（推奨度A　エビデンスレベル中）。

2. 脳卒中発症予防のためには、禁煙が勧められる（推奨度A　エビデンスレベル中）。喫煙者には禁煙教育、ニコチン置換療法、経口禁煙薬の投与を行うことは妥当である（推奨度B　エビデンスレベル中）。

3. 受動喫煙も脳卒中の危険因子になりうるので、受動喫煙を回避することは妥当である（推奨度B　エビデンスレベル中）。

4. 電子タバコは従来のタバコよりも脳卒中のリスクが低い可能性があるが、十分なエビデンスがないため勧められない（推奨度D　エビデンスレベル低）。

解説

出血性脳卒中（脳出血やくも膜下出血）の発症率と飲酒量との間には直接的な正の相関関係がある[1-6]。一方、虚血性脳卒中の発症率と飲酒量との間にはJカーブ現象が見られ、非飲酒者と比べ、少量から中等量の飲酒者では虚血性脳卒中の発症率は低く、大量飲酒者では高い[3-8]。最近のシステマティックレビューでは、少量から中等量の飲酒（エタノール24 g/日以下）は虚血性脳卒中の発症と逆相関を示したが、大量の飲酒（エタノール48 g/日以上）ではすべての脳卒中病型の発症リスク上昇と関連し、特に脳出血とくも膜下出血の発症により強く関連していることを示している[9]。

喫煙が脳卒中の危険因子であることはこれまでに数多く報告されており[10,11]、日本を含む各国で行われたコホート研究のメタ解析でも喫煙は脳卒中の有意な危険因子であることが示されている[12]。このメタ解析の病型別解析では、喫煙は脳梗塞とくも膜下出血の有意な危険因子ではあるが脳出血の有意な危険因子ではなかったとされている[12]。しかし、一方で中国人を対象としたコホート研究では喫煙は脳梗塞とともに脳出血の発症リスクを高めることが示されており[13]、本邦の非弁膜症性心房細動患者を対象としたコホート研究でも、継続した喫煙は脳出血発症の独立した因子であることが報告されている[14]。喫煙により致死性脳卒中の発症リスクが高くなる

が、高血圧患者ではさらに高くなる[15]。脳卒中のリスクは喫煙本数が多いほど大きくなるが、1日1本の喫煙でも1日20本喫煙する場合の半分程度の脳卒中発症リスクがあることが最近のメタ解析で示されている[16]。5～10年の禁煙により脳卒中の発症リスクは低下する[17]。

禁煙を継続するためのニコチン置換療法、社会的禁煙教育の組み合わせは、禁煙に有効なアプローチである[18]。経口禁煙薬バレニクリンは、プラセボ群に対して禁煙の達成率が有意に高かった[19]。

受動喫煙も心血管疾患の危険因子になることが知られており、いくつかの研究では脳卒中の危険因子にもなるとする報告がある[20,21]。受動喫煙を避けることにより脳卒中と他の心血管疾患の発症リスクは減少する[22,23]。

近年普及している電子タバコは従来のタバコよりも脳卒中発症リスクが低い可能性があるという報告があるが[24,25]、いまだ十分なエビデンスがないため現段階では勧められない。

〔引用文献〕

1) Donahue RP, Abbott RD, Reed DM, et al. Alcohol and hemorrhagic stroke. The Honolulu Heart Program. JAMA 1986; 255: 2311-2314.（レベル3）

2) Camargo CA Jr. Moderate alcohol consumption and stroke. The epidemiologic evidence. Stroke 1989; 20: 1611-1626.（レベル3）

3) Kiyohara Y, Kato I, Iwamoto H, et al. The impact of alcohol and hypertension on stroke incidence in a general Japanese population. The Hisayama Study. Stroke 1995; 26: 368-372.（レ

ベル 3）

4) Iso H, Kitamura A, Shimamoto T, et al. Alcohol intake and the risk of cardiovascular disease in middle-aged Japanese men. Stroke 1995; 26: 767–773.（レベル 3）

5) Gill JS, Zezulka AV, Shipley MJ, et al. Stroke and alcohol consumption. N Engl J Med 1986; 315: 1041–1046.（レベル 2）

6) Gorelick PB, Sacco RL, Smith DB, et al. Prevention of a first stroke: a review of guidelines and a multidisciplinary consensus statement from the National Stroke Association. JAMA 1999; 281: 1112–1120.（レベル 2）

7) Reynolds K, Lewis B, Nolen JD, et al. Alcohol consumption and risk of stroke: a meta-analysis. JAMA 2003; 289: 579–588.（レベル 2）

8) Di Castelnuovo A, Rotondo S, Iacoviello L, et al. Meta-analysis of wine and beer consumption in relation to vascular risk. Circulation 2002; 105: 2836–2844.（レベル 2）

9) Larsson SC, Wallin A, Wolk A, et al. Differing association of alcohol consumption with different stroke types: a systematic review and meta-analysis. BMC Med 2016; 14: 178.（レベル 2）

10) Abbott RD, Yin Y, Reed DM, et al. Risk of stroke in male cigarette smokers. N Engl J Med 1986; 315: 717–720.（レベル 3）

11) Wolf PA, D'Agostino RB, Kannel WB, et al. Cigarette smoking as a risk factor for stroke. The Framingham Study. JAMA 1988; 259: 1025–1029.（レベル 3）

12) Shinton R, Beevers G. Meta-analysis of relation between cigarette smoking and stroke. BMJ 1989; 298: 789–794.（レベル 2）

13) Kelly TN, Gu D, Chen J, et al. Cigarette smoking and risk of stroke in the chinese adult population. Stroke 2008; 39: 1688–1693.（レベル 3）

14) Nakagawa K, Hirai T, Ohara K, et al. Impact of persistent smoking on long-term outcomes in patients with nonvalvular atrial fibrillation. J Cardiol 2015; 65: 429–433.（レベル 4）

15) Nakamura K, Nakagawa H, Sakurai M, et al. Influence of smoking combined with another risk factor on the risk of mortality from coronary heart disease and stroke: pooled analysis of 10 Japanese cohort studies. Cerebrovasc Dis 2012; 33: 480–491.（レベル 3）

16) Hackshaw A, Morris JK, Boniface S, et al. Low cigarette consumption and risk of coronary heart disease and stroke: meta-analysis of 141 cohort studies in 55 study reports. BMJ 2018; 360: j5855.（レベル 2）

17) Wannamethee SG, Shaper AG, Whincup PH, et al. Smoking cessation and the risk of stroke in middle-aged men. JAMA 1995; 274: 155–160.（レベル 3）

18) Silagy C, Lancaster T, Stead L, et al. Nicotine replacement therapy for smoking cessation. Cochrane Database Syst Rev 2004: CD000146.（レベル 2）

19) Tonstad S, Tonnesen P, Hajek P, et al. Effect of maintenance therapy with varenicline on smoking cessation: a randomized controlled trial. JAMA 2006; 296: 64–71.（レベル 2）

20) Bonita R, Duncan J, Truelsen T, et al. Passive smoking as well as active smoking increases the risk of acute stroke. Tob Control 1999; 8: 156–160.（レベル 4）

21) You RX, Thrift AG, McNeil JJ, et al. Ischemic stroke risk and passive exposure to spouses' cigarette smoking. Melbourne Stroke Risk Factor Study (MERFS) Group. Am J Public Health 1999; 89: 572–575.（レベル 4）

22) Fagerstrom K. The epidemiology of smoking: health consequences and benefits of cessation. Drugs 2002; 62 Suppl 2: 1–9.（レベル 3）

23) Robbins AS, Manson JE, Lee IM, et al. Cigarette smoking and stroke in a cohort of U.S. male physicians. Ann Intern Med 1994; 120: 458–462.（レベル 3）

24) Skotsimara G, Antonopoulos AS, Oikonomou E, et al. Cardiovascular effects of electronic cigarettes: A systematic review and meta-analysis. Eur J Prev Cardiol 2019; 26: 1219–1228.（レベル 3）

25) George J, Hussain M, Vadiveloo T, et al. Cardiovascular Effects of Switching From Tobacco Cigarettes to Electronic Cigarettes. J Am Coll Cardiol 2019; 74: 3112–3120.（レベル 3）

Ⅰ 脳卒中一般

1 脳卒中発症予防

1-1 危険因子の管理
（5）心疾患

推 奨

1. 非弁膜症性心房細動（NVAF）による心原性脳塞栓症の一次予防には、CHADS$_2$スコア1点以上の場合は、直接阻害型経口抗凝固薬（DOAC）の投与が第一に勧められ（推奨度A　エビデンスレベル高）、次いでワルファリンの投与も妥当である（推奨度B　エビデンスレベル高）。
   ワルファリン療法における prothrombin time-international normalized ratio（PT-INR）の目標値は、CHADS$_2$スコア1点、2点の場合は年齢によらず1.6〜2.6とし、CHADS$_2$スコア3点以上の場合は70歳未満では2.0〜3.0で、70歳以上では1.6〜2.6を考慮しても良い（推奨度C　エビデンスレベル低）。CHADS$_2$スコアが0点であっても心筋症、年齢65〜74歳、血管疾患の合併（心筋梗塞の既往、大動脈プラーク、末梢動脈疾患など）、持続性・永続性心房細動、腎機能障害、低体重（50kg以下）、左房径拡大（45mm超）のいずれかを満たす場合は、DOACまたはワルファリン（PT-INR1.6〜2.6）の投与を考慮しても良い（推奨度C　エビデンスレベル中）。

2. 弁膜症性心房細動（中等度から重度の僧帽弁狭窄症を伴う心房細動、機械弁置換術後の心房細動）では、ワルファリン（PT-INR2.0〜3.0）の投与が勧められる（推奨度A　エビデンスレベル中）が、DOACには科学的な根拠がなく勧められない（推奨度D　エビデンスレベル中）。生体弁術後の心房細動は術後3か月間はワルファリン、その後はDOACの投与を考慮しても良い（推奨度C　エビデンスレベル低）。

3. 脳卒中のリスクが高いNVAF患者で出血の危険性が高い場合は、長期的抗凝固療法の代替として左心耳閉鎖システムによる治療を考慮しても良い（推奨度C　エビデンスレベル中）。心房細動を伴う症例で、心臓手術施行時に左心耳閉鎖または切除術の追加を考慮しても良い（推奨度C　エビデンスレベル低）。

4. 虚血性心疾患合併心房細動では経皮的冠動脈インターベンション（PCI）施行後の時期に合わせて、DOACをベースに抗血小板薬の併用が勧められる（推奨度A　エビデンスレベル高）。慢性期の安定冠動脈疾患を有する心房細動患者には抗凝固薬単独療法が勧められる（推奨度A　エビデンスレベル中）。

5. 洞調律の心不全患者において心血管イベントの抑制のために経口抗凝固薬の投与は科学的な根拠がなく勧められない（推奨度D　エビデンスレベル中）。

6. 脳卒中の一次予防としての経皮的卵円孔開存閉鎖術には科学的な根拠がなく、勧められない（推奨度D　エビデンスレベル低）。

解 説

1．心房細動

心房細動は脳梗塞の危険因子であるため[1-3]、血栓塞栓症および出血合併症のリスク評価を行い、適切に抗凝固療法を実施することが重要である。心房細動は、抗凝固療法選択の観点から「弁膜症性」と「非弁膜症性」に分類される。

2．非弁膜症性心房細動

非弁膜症性心房細動（NVAF）では、脳卒中リスクの層別化にCHADS$_2$スコアの使用が推奨される[4]。CHADS$_2$スコアは、心不全、高血圧、年齢75歳以上、糖尿病（各1点）、脳卒中または一過性脳虚血発作（TIA）の既往（2点）からなる。CHADS$_2$スコア0、1、2、≧3点での脳卒中発症率は、海外の大規模臨床試験では1、1.5、2.5、≧

5%/年[5]、日本人のレジストリーでは 0.5、0.9、1.5、≧2.7%/年とされている[6]。

NVAF 患者における心原性脳塞栓症の予防には、一次・二次予防を含めた大規模試験にて直接阻害型経口抗凝固薬（DOAC）がワルファリンと同等もしくはそれを上回る抑制効果を有すること、しかもいずれの DOAC もワルファリンよりも頭蓋内出血率が有意に低いことが示されている[7-10]。

NVAF に対するダビガトランとワルファリンの塞栓症予防効果をランダム化比較試験（RCT）にて比較した RE-LY では、脳卒中および TIA の既往についてのサブグループ解析で、一次予防の群では 110 mg×2 回/日ではワルファリンと同等、150 mg×2 回/日ではワルファリンよりも有意に脳卒中および全身性塞栓症を抑制した[7]。

リバーロキサバンをワルファリンと比較した ROCKET-AF[8] は、対象者を $CHADS_2$ スコア 2 点以上に限定した大規模試験である。サブグループ解析では脳卒中、TIA、全身性塞栓症の既往がない集団において、リバーロキサバンはワルファリンよりも有意に高い効果、安全性を示した。さらに後方視的な医療保険データベースにて CHA_2DS_2-VASc スコア 1 点の一次予防群を検討した試験では、リバーロキサバンはワルファリンよりも有意に脳卒中および全身性塞栓症を抑制した[11]。

NVAF に対するアピキサバンとワルファリンの塞栓症予防効果を RCT にて比較した ARISTOTLE ではアピキサバンはワルファリンよりも有意に脳卒中および全身性塞栓症を抑制したが、脳卒中および TIA の既往についてのサブグループ解析ではこの交絡因子には有意差がなく、一次予防、二次予防とも同等にアピキサバンはワルファリンよりも脳卒中および全身性塞栓症を抑制した[9]。

ENGAGE AF-TIMI 48 は対象を $CHADS_2$ スコア 2 点以上に限定している。エドキサバン高用量群（60 mg、用量調整基準に該当する場合は 30 mg）、低用量群（30 mg、用量調整基準に該当する場合は 15 mg）をワルファリンと RCT にて比較し両群とも脳卒中および全身性塞栓症の発症率についての非劣性を示したが、脳卒中および TIA の既往についてのサブグループ解析では、一次予防群、二次予防群ともにエドキサバンはワルファリンと同等の脳卒中および全身性塞栓症への抑制効果を認めている[10]。

NVAF 患者の脳梗塞一次予防には、長らくワルファリンによる抗凝固療法が行われてきた。大規模 RCT のメタ解析では、ワルファリンはプラセボに対して脳卒中発症リスクをおよそ 6 割抑制した[12]。NVAF に対するワルファリン療法では、脳塞栓症を予防し、かつ重篤な出血合併症を最小限にする強度を prothrombin time-international normalized ratio（PT-INR）の目標値として設定すべきである。近年の日本人心房細動患者レジストリーの結果から、これまで高齢者のみに適用してきた PT-INR 1.6～2.6 が、年齢に関係なく至適治療域である可能性が示された[13,14]。わが国においては比較的低リスク（目安として $CHADS_2$ スコア≦2 点）の患者の一次予防では、PT-INR の治療域は年齢によらず 1.6～2.6 とすることを考慮しても良いが、その場合もなるべく 2.0 に近づけることが望ましい。70 歳未満の高リスク（$CHADS_2$ スコア≧3 点）では PT-INR 2.0～3.0 も考慮できる[15]。

$CHADS_2$ スコア 1 点以上の症例には DOAC による抗凝固療法が推奨される。$CHADS_2$ スコア 0 点であっても 65 歳以上や血管疾患、心筋症の合併などは他の危険因子と同等のリスクがある可能性があるため[16-19]、DOAC またはワルファリン（PT-INR 1.6～2.6）の投与を考慮しても良い。女性は単独では、心房細動に起因する脳梗塞のリスク因子とはならない[20,21]。

3. 弁膜症性心房細動

国内外の他のガイドライン[15,22-23] に準じ、「弁膜症性」とはリウマチ性僧帽弁疾患（主に中等度から重度の僧帽弁狭窄症）および機械弁置換術後を指す。弁膜症性心房細動の抗凝固療法としては、DOAC の有効性および安全性は証明されていない。特にダビガトランは機械弁置換術後患者に対する有用性を示すことができず[24]、Xa 因子阻害薬は臨床試験が実施されていない。PT-INR 2.0～3.0 のワルファリン療法が推奨される。

一方、生体弁術後は術後 3 か月間を除き DOAC の有効性、安全性が少数例で報告された[25-27]。

4. 出血高リスク心房細動例での左心耳閉鎖

心房細動患者の出血リスクを予測するスコアとして、一般に HAS-BLED スコアがよく用いられ[28]、3 点以上が高リスクとなる。出血高リスク例での塞栓症予防について、PROTECT AF[29]、PREVAIL[30] およびこれらの統合解析[31] において、NVAF に対する左心耳閉鎖システムの使用が抗凝固療法と同等の塞栓症予防効果を示し、出血イベントや死亡は抗

凝固療法よりも少なかった。わが国では2019年、NVAF患者のうち、脳卒中・全身性塞栓症のリスクが高いが長期間の抗凝固療法が困難である患者を対象に、左心耳閉鎖システムが初めて承認された。本治療法を考慮する際は日本循環器学会の定める「左心耳閉鎖システムに関する適正使用指針」[32]も参照すること。

5. 弁膜症手術時の左心耳閉鎖・切除術

弁膜症手術における外科的左心耳閉鎖・切除術（胸腔鏡下手術を含む）の効果を評価した大規模RCTはない。近年のメタ解析や大規模観察研究にて外科的左心耳閉鎖・切除術による術後塞栓症イベント抑制効果が示唆された[33-36]。心房細動を伴う症例で心臓手術施行時に左心耳閉鎖または切除術を考慮できる。

6. 冠動脈疾患合併心房細動

心房細動合併冠動脈インターベンション（percutaneous coronary intervention：PCI）施行患者の抗血栓療法は、DOAC＋P2Y12受容体拮抗薬の2剤投与は、抗凝固薬とdual antiplatelet therapy（DAPT）の3剤併用療法と比較し、虚血性イベントを増やすことなく出血合併症を減少させる点から勧められる[37]。慢性期の安定冠動脈疾患を有する心房細動患者の抗血栓療法について、過去のレジストリー研究および2019年にわが国より発表された2つのRCT（OAC-ALONE、AFIRE）で、抗凝固療法単独群が有効性と安全性で抗血小板薬併用群より優れる可能性を示した[38-40]。

7. 心不全

心房細動の認められない心不全患者を対象としたメタ解析にて、経口抗凝固薬は脳卒中を有意に抑制したが、出血のリスクも増加し、総死亡率は変わらなかった[41,42]。

8. 卵円孔開存

経皮的卵円孔開存閉鎖術に関する近年の3つのRCT（RESPECT[43]、REDUCE[44]、CLOSE[45]）は、いずれも潜因性脳梗塞を発症した例を対象としており、脳梗塞の一次予防に本治療を用いることについては科学的根拠がない。

〔引用文献〕

1) Wolf PA, Abbott RD, Kannel WB. Atrial fibrillation as an independent risk factor for stroke: the Framingham Study. Stroke 1991; 22: 983-988. （レベル4）
2) Krahn AD, Manfreda J, Tate RB, et al. The natural history of atrial fibrillation: incidence, risk factors, and prognosis in the Manitoba Follow-Up Study. Am J Med 1995; 98: 476-484. （レベル4）

3) Levy S, Maarek M, Coumel P, et al. Characterization of different subsets of atrial fibrillation in general practice in France: the ALFA study. The College of French Cardiologists. Circulation 1999; 99: 3028-3035. （レベル4）
4) Go AS, Hylek EM, Chang Y, et al. Anticoagulation therapy for stroke prevention in atrial fibrillation: how well do randomized trials translate into clinical practice? JAMA 2003; 290: 2685-2692. （レベル2）
5) Wyse DG, Waldo AL, DiMarco JP, et al. A comparison of rate control and rhythm control in patients with atrial fibrillation. N Engl J Med 2002; 347: 1825-1833. （レベル2）
6) Suzuki S, Yamashita T, Okumura K, et al. Incidence of ischemic stroke in Japanese patients with atrial fibrillation not receiving anticoagulation therapy--pooled analysis of the Shinken Database, J-RHYTHM Registry, and Fushimi AF Registry. Circ J 2015; 79: 432-438. （レベル2）
7) Connolly SJ, Ezekowitz MD, Yusuf S, et al. Dabigatran versus warfarin in patients with atrial fibrillation. N Engl J Med 2009; 361: 1139-1151. （レベル2）
8) Patel MR, Mahaffey KW, Garg J, et al. Rivaroxaban versus warfarin in nonvalvular atrial fibrillation. N Engl J Med 2011; 365: 883-891. （レベル2）
9) Granger CB, Alexander JH, McMurray JJ, et al. Apixaban versus warfarin in patients with atrial fibrillation. N Engl J Med 2011; 365: 981-992. （レベル2）
10) Giugliano RP, Ruff CT, Braunwald E, et al. Edoxaban versus warfarin in patients with atrial fibrillation. N Engl J Med 2013; 369: 2093-2104. （レベル2）
11) Coleman CI, Turpie AGG, Bunz TJ, et al. Effectiveness and safety of rivaroxaban vs. warfarin in non-valvular atrial fibrillation patients with a non-sex-related CHA2DS2-VASc score of 1. Eur Heart J Cardiovasc Pharmacother 2019; 5: 64-69. （レベル3）
12) Hart RG, Pearce LA, Aguilar MI. Meta-analysis: antithrombotic therapy to prevent stroke in patients who have nonvalvular atrial fibrillation. Ann Intern Med 2007; 146: 857-867. （レベル1）
13) Inoue H, Okumura K, Atarashi H, et al. Target international normalized ratio values for preventing thromboembolic and hemorrhagic events in Japanese patients with non-valvular atrial fibrillation: results of the J-RHYTHM Registry. Circ J 2013; 77: 2264-2270. （レベル3）
14) Yamashita T, Inoue H, Okumura K, et al. Warfarin anticoagulation intensity in Japanese nonvalvular atrial fibrillation patients: a J-RHYTHM Registry analysis. J Cardiol 2015; 65: 175-177. （レベル3）
15) 日本循環器学会，日本不整脈心電学会．2020年改訂版 不整脈薬物治療ガイドライン．2020．Available at https://j-circ.or.jp/old/guideline/pdf/JCS2020_Ono.pdf （レベル5）
16) Olesen JB, Lip GY, Hansen ML, et al. Validation of risk stratification schemes for predicting stroke and thromboembolism in patients with atrial fibrillation: nationwide cohort study. BMJ 2011; 342: d124. （レベル3）
17) Tomita F, Kohya T, Sakurai M, et al. Hokkaido Atrial Fibrillation Study Group. Prevalence and clinical characteristics of patients with atrial fibrillation: analysis of 20,000 cases in Japan. Jpn Circ J 2000; 64: 653-658. （レベル3）
18) Yamamoto K, Ikeda U, Furuhashi K. The coagulation system is activated in idiopathic cardiomyopathy. J Am Coll Cardiol 1995; 25: 1634-1640. （レベル4）
19) Nozawa T, Inoue H, Hirai T, et al. D-dimer level influences thromboembolic events in patients with atrial fibrillation. Int J Cardiol 2006; 109: 59-65. （レベル4）
20) Nielsen PB, Skjøth F, Overvad TF, et al. Female Sex Is a Risk Modifier Rather Than a Risk Factor for Stroke in Atrial Fibrillation: Should We Use a CHA2DS2-VA Score Rather Than CHA2DS2-VASc? Circulation 2018; 137: 832-840. （レベル2）
21) Tomita H, Okumura K, Inoue H, et al. Validation of Risk Scoring System Excluding Female Sex From CHA2DS2-VASc in Japanese Patients With Nonvalvular Atrial Fibrillation - Subanalysis of the J-RHYTHM Registry. Circ J 2015; 79: 1719-1726. （レベル3）
22) Lip GYH, Collet JP, Caterina R, et al. Antithrombotic therapy in atrial fibrillation associated with valvular heart disease: a joint consensus document from the European Heart Rhythm Association (EHRA) and European Society of Cardiology

Working Group on Thrombosis, endorsed by the ESC Working Group on Valvular Heart Disease, Cardiac Arrhythmia Society of Southern Africa (CASSA), Heart Rhythm Society (HRS), Asia Pacific Heart Rhythm Society (APHRS), South African Heart (SA Heart) Association and Sociedad Latinoamericana de Estimulación Cardíaca y Electrofisiología (SOLEACE). Europace 2017; 19: 1757-1758. (レベル 1)

23) January CT, Wann LS, Calkins H, et al. 2019 AHA/ACC/HRS Focused Update of the 2014 AHA/ACC/HRS Guideline for the Management of Patients With Atrial Fibrillation: A Report of the American College of Cardiology/American Heart Association Task Force on Clinical Practice Guidelines and the Heart Rhythm Society. J Am Coll Cardiol 2019; 74: 104-132. (レベル 5)

24) Eikelboom JW, Connolly SJ, Brueckmann M, et al. Dabigatran versus warfarin in patients with mechanical heart valves. N Engl J Med 2013; 369: 1206-1214. (レベル 2)

25) Carnicelli AP, De Caterina R, Halperin JL, et al. Edoxaban for the Prevention of Thromboembolism in Patients With Atrial Fibrillation and Bioprosthetic Valves. Circulation 2017; 135: 1273-1275. (レベル 2)

26) Durães AR, de Souza Roriz P, de Almeida Nunes B, et al. Dabigatran Versus Warfarin After Bioprosthesis Valve Replacement for the Management of Atrial Fibrillation Postoperatively: DAWA Pilot Study. Drugs R D 2016; 16: 149-154. (レベル 2)

27) Yadlapati A, Groh C, Malaisrie SC, et al. Efficacy and safety of novel oral anticoagulants in patients with bioprosthetic valves. Clin Res Cardiol 2016; 105: 268-272. (レベル 4)

28) Pisters R, Lane DA, Nieuwlaat R, et al. A novel user-friendly score (HAS-BLED) to assess 1-year risk of major bleeding in patients with atrial fibrillation: the Euro Heart Survey. Chest 2010; 138: 1093-1100. (レベル 3)

29) Holmes DR, Reddy VY, Turi ZG, et al. Percutaneous closure of the left atrial appendage versus warfarin therapy for prevention of stroke in patients with atrial fibrillation: a randomised non-inferiority trial. Lancet 2009; 374: 534-542. (レベル 2)

30) Holmes DR Jr, Kar S, Price MJ, et al. Prospective randomized evaluation of the Watchman Left Atrial Appendage Closure device in patients with atrial fibrillation versus long-term warfarin therapy: the PREVAIL trial. J Am Coll Cardiol 2014; 64: 1-12. (レベル 2)

31) Reddy VY, Doshi SK, Kar S, et al. 5-Year Outcomes After Left Atrial Appendage Closure: From the PREVAIL and PROTECT AF Trials. J Am Coll Cardiol 2017; 70: 2964-2975. (レベル 2)

32) 日本循環器学会. 左心耳閉鎖システムに関する適正使用指針. Available at: http://www.j-circ.or.jp/WatchMan/wm_tekisei_shishin.pdf. (レベル 5)

33) Lee CH, Kim JB, Jung SH, et al. Left atrial appendage resection versus preservation during the surgical ablation of atrial fibrillation. Ann Thorac Surg 2014; 97: 124-132. (レベル 4)

34) Melduni RM, Schaff HV, Lee HC, et al. Impact of Left Atrial Appendage Closure During Cardiac Surgery on the Occurrence of Early Postoperative Atrial Fibrillation, Stroke, and Mortality: A Propensity Score-Matched Analysis of 10 633 Patients. Circulation 2017; 135: 366-378. (レベル 3)

35) Yao X, Gersh BJ, Holmes DR Jr, et al. Association of Surgical Left Atrial Appendage Occlusion With Subsequent Stroke and Mortality Among Patients Undergoing Cardiac Surgery. JAMA 2018; 319: 2116-2126. (レベル 3)

36) Friedman DJ, Piccini JP, Wang T, et al. Association Between Left Atrial Appendage Occlusion and Readmission for Thromboembolism Among Patients With Atrial Fibrillation Undergoing Concomitant Cardiac Surgery. JAMA 2018; 319: 365-374. (レベル 3)

37) Lopes RD, Hong H, Harskamp RE, et al. Safety and Efficacy of Antithrombotic Strategies in Patients With Atrial Fibrillation Undergoing Percutaneous Coronary Intervention: A Network Meta-analysis of Randomized Controlled Trials. JAMA Cardiol 2019; 4: 747-755. (レベル 1)

38) Lamberts M, Gislason GH, Lip GY, et al. Antiplatelet therapy for stable coronary artery disease in atrial fibrillation patients taking an oral anticoagulant: a nationwide cohort study. Circulation 2014; 129: 1577-1585. (レベル 3)

39) Matsumura-Nakano Y, Shizuta S, Komasa A, et al. Open-Label Randomized Trial Comparing Oral Anticoagulation With and Without Single Antiplatelet Therapy in Patients With Atrial Fibrillation and Stable Coronary Artery Disease Beyond 1 Year After Coronary Stent Implantation. Circulation 2019; 139: 604-616. (レベル 3)

40) Yasuda S, Kaikita K, Akao M, et al. Antithrombotic Therapy for Atrial Fibrillation with Stable Coronary Disease. N Engl J Med 2019; 381: 1103-1113. (レベル 2)

41) Lip GY, Shantsila E. Anticoagulation versus placebo for heart failure in sinus rhythm. Cochrane Database Syst Rev 2014: CD003336. (レベル 1)

42) Ntaios G, Vemmos K, Lip GY. Oral anticoagulation versus antiplatelet or placebo for stroke prevention in patients with heart failure and sinus rhythm: Systematic review and meta-analysis of randomized controlled trials. Int J Stroke 2019; 14: 856-861. (レベル 1)

43) Saver JL, Carroll JD, Thaler DE, et al. Long-Term Outcomes of Patent Foramen Ovale Closure or Medical Therapy after Stroke. N Engl J Med 2017; 377: 1022-1032. (レベル 2)

44) Søndergaard L, Kasner SE, Rhodes JF, et al. Patent Foramen Ovale Closure or Antiplatelet Therapy for Cryptogenic Stroke. N Engl J Med 2017; 377: 1033-1042. (レベル 2)

45) Mas JL, Derumeaux G, Guillon B, et al. Patent Foramen Ovale Closure or Anticoagulation vs. Antiplatelets after Stroke. N Engl J Med 2017; 377: 1011-1021. (レベル 2)

Ⅰ 脳卒中一般

1 脳卒中発症予防

1-1 危険因子の管理
（6）肥満・メタボリックシンドローム、睡眠時無呼吸症候群、末梢動脈疾患など

推 奨

1. 脳卒中の予防のため肥満の改善を考慮しても良い（推奨度C　エビデンスレベル低）。

2. メタボリックシンドロームに対しては、運動・食事療法による適切な減量や内臓脂肪の軽減に努めるとともに、脂質異常症、高血圧、糖尿病への薬物療法を考慮しても良い（推奨度C　エビデンスレベル低）。

3. 脳卒中の予防を目的として睡眠時無呼吸症候群の治療を考慮しても良い（推奨度C　エビデンスレベル低）。

4. 末梢動脈疾患は脳梗塞のリスクを高めるため、共通の危険因子である喫煙、高血圧、糖尿病、脂質異常症などのリスク因子をより厳格にコントロールすることが勧められる（推奨度A　エビデンスレベル高）。症候性末梢動脈疾患に対して脳卒中予防のために抗血小板薬を投与することは妥当である（推奨度B　エビデンスレベル中）。

解 説

1. 肥満・メタボリックシンドローム

肥満には内臓脂肪型と皮下脂肪型がある。メタボリックシンドローム（Met S）の主徴である内臓脂肪型肥満はインスリン抵抗性を高め、糖尿病、脂質異常症、高血圧を引き起こし、心血管イベントの発症リスクを高めるが[1]、肥満そのものが脳卒中リスクであるとの報告も多い[2-6]。22の追跡研究のメタ解析では、Met Sを合併しない肥満は正常体重に比べ、脳卒中を含む心血管イベント発症を1.50倍高めた[7]。97の観察研究のメタ解析では、body mass index（BMI）値が5上昇するごとに脳卒中発症が4％増え、BMI 30以上は脳卒中リスクを1.14倍高めることを示した[8]。

多数の観察研究がMet Sは脳卒中発症の独立した危険因子であることを示している[9-12]。特に複数の観察研究が、Met Sによる脳卒中発症は女性のほうが男性よりもリスクが高いことを報告している[13-15]。Met Sの各要因に対する薬物療法を必要に応じて行うことは妥当であるが[16]、Met Sの改善による脳卒中発症予防効果は十分に証明されていない。

2. 睡眠時無呼吸症候群

睡眠時無呼吸症候群は脳梗塞の合併頻度が高い。5つの観察研究のメタ解析では、睡眠時無呼吸症候群は脳卒中発症リスクを2.24倍高め、特に男性で発症リスクを高めた[17]。大規模観察研究では睡眠時無呼吸症候群は持続的気道陽圧（continuous positive airway pressure：CPAP）の有無にかかわらず、脳梗塞発症リスクと関連した[18]。CPAP治療による脳卒中発症予防効果は証明されていない。2つのランダム化比較試験（RCT）ではCPAP治療の介入群と非介入群において、脳卒中を含めた心血管イベント新規発症に差はなかった[19,20]。

3. 末梢動脈疾患

末梢動脈疾患は症候の有無にかかわらず脳卒中のハイリスク群であり、リスク管理が必要である。脳卒中と共通の血管危険因子を有し、下肢症状の有無にかかわらず血管危険因子に対して適切な管理を受けるべきである[21]。43の観察研究のメタ解析から、末梢動脈疾患は脳血管障害を2.17倍、致死的脳卒中を2.28倍高め、無症候性末梢動脈疾患でも同様に脳卒中発症リスクを高めた[22]。システマティックレビューでは、末梢動脈疾患患者におけるリスク管理（禁煙、血圧管理、スタチン、アスピリンまたはクロピドグレル）を脳卒中発症予防の上で

推奨する[23]。

　末梢動脈疾患は抗血小板薬の投与が勧められる。末梢動脈疾患患者における脳卒中発症予防において、RCTのメタ解析では、アスピリン投与は非致死的脳卒中の発症予防効果を示した（相対リスク0.64、95％信頼区間0.42〜0.99）[24]。多施設共同無作為化試験（CAPRIE）のサブグループ解析では、クロピドグレルはアスピリンよりも脳卒中を含む心血管イベント抑制効果（相対リスク減8.7％）を示した[25]。CASTLEの事後解析では、シロスタゾールは間欠性跛行を改善するだけでなく、脳卒中の発症抑制効果を示した[26]。

〔引用文献〕

1) メタボリックシンドローム診断基準検討委員会. メタボリックシンドロームの定義と診断基準. 日内会誌　2005；94：794-809.（レベル5）

2) Ohashi Y, Shimamoto K, Sato S, et al. [Association of obesity and other cardiovascular risk factors with stroke the Japan Arteriosclerosis Longitudinal Study-- Existing Cohorts Combined（JALS-ECC）]. Nihon Koshu Eisei Zasshi 2011; 58: 1007-1015.（レベル3）

3) Andersen SS, Andersson C, Berger SM, et al. Impact of metabolic disorders on the relation between overweight/obesity and incident myocardial infarction and ischaemic stroke in fertile women: a nationwide cohort study. Clin Obes 2015; 5: 127-135.（レベル3）

4) Mitchell AB, Cole JW, McArdle PF, et al. Obesity increases risk of ischemic stroke in young adults. Stroke 2015; 46: 1690-1692.（レベル4）

5) Schmiegelow MD, Andersson C, Køber L, et al. Prepregnancy obesity and associations with stroke and myocardial infarction in women in the years after childbirth: a nationwide cohort study. Circulation 2014; 129: 330-337.（レベル3）

6) Colpani V, Baena CP, Jaspers L, et al. Lifestyle factors, cardiovascular disease and all-cause mortality in middle-aged and elderly women: a systematic review and meta-analysis. Eur J Epidemiol 2018; 33: 831-845.（レベル2）

7) Zheng R, Zhou D, Zhu Y. The long-term prognosis of cardiovascular disease and all-cause mortality for metabolically healthy obesity: a systematic review and meta-analysis. J Epidemiol Community Health 2016; 70: 1024-1031.（レベル2）

8) Lu Y, Hajifathalian K, Ezzati M, et al. Metabolic mediators of the effects of body-mass index, overweight, and obesity on coronary heart disease and stroke: a pooled analysis of 97 prospective cohorts with 1. cntdot. 8 million participants. Lancet 2014; 383: 970-983.（レベル2）

9) Ninomiya JK, L'Italien G, Criqui MH, et al. Association of the metabolic syndrome with history of myocardial infarction and stroke in the Third National Health and Nutrition Examination Survey. Circulation 2004; 109: 42-46.（レベル3）

10) Wannamethee SG. The metabolic syndrome and cardiovascular risk in the British Regional Heart Study. Int J Obes (Lond) 2008; 32: S25-S29.（レベル3）

11) Qiao Q, Laatikainen T, Zethelius B, et al. Comparison of definitions of metabolic syndrome in relation to the risk of developing stroke and coronary heart disease in Finnish and Swedish cohorts. Stroke 2009; 40: 337-343.（レベル3）

12) Iso H, Sato S, Kitamura A, et al. Metabolic syndrome and the risk of ischemic heart disease and stroke among Japanese men and women. Stroke 2007; 38: 1744-1751.（レベル3）

13) Takahashi K, Bokura H, Kobayashi S, et al. Metabolic syndrome increases the risk of ischemic stroke in women. Intern Med 2007; 46: 643-648.（レベル3）

14) Niwa Y, Ishikawa S, Gotoh T, et al. Association between stroke and metabolic syndrome in a Japanese population: Jichi Medical School (JMS) Cohort Study. J Epidemiol 2010; 20: 62-69.（レベル3）

15) Ballantyne CM, Hoogeveen RC, McNeill AM, et al. Metabolic syndrome risk for cardiovascular disease and diabetes in the ARIC study. Int J Obes(Lond) 2008; 32: S21-S24.（レベル3）

16) Meschia JF, Bushnell C, Boden-Albala B, et al. Guidelines for the primary prevention of stroke: a statement for healthcare professionals from the American Heart Association/American Stroke Association. Stroke 2014; 45: 3754-832.（レベル5）

17) Loke YK, Brown JW, Kwok CS, et al. Association of obstructive sleep apnea with risk of serious cardiovascular events: a systematic review and meta-analysis. Circ Cardiovasc Qual Outcomes 2012; 5: 720-728.（レベル3）

18) Molnar MZ, Mucsi I, Novak M, et al. Association of incident obstructive sleep apnea with outcomes in a large cohort of US veterans. Thorax 2015; 70: 888-895.（レベル3）

19) Barbé F, Durán-Cantolla J, Sánchez-de-la-Torre M, et al. Effect of continuous positive airway pressure on the incidence of hypertension and cardiovascular events in nonsleepy patients with obstructive sleep apnea: a randomized controlled trial. JAMA 2012; 307: 2161-2168.（レベル2）

20) Peker Y, Glantz H, Eulenburg C, et al. Effect of Positive Airway Pressure on Cardiovascular Outcomes in Coronary Artery Disease Patients with Nonsleepy Obstructive Sleep Apnea. The RICCADSA Randomized Controlled Trial. Am J Respir Crit Care Med 2016; 194: 613-620.（レベル2）

21) Steg PG, Bhatt DL, Wilson PW, et al. One-year cardiovascular event rates in outpatients with atherothrombosis. JAMA 2007; 297: 1197-1206.（レベル1）

22) Hajibandeh S, Hajibandeh S, Shah S, et al. Prognostic significance of ankle brachial pressure index: A systematic review and meta-analysis. Vascular 2017; 25: 208-224.（レベル2）

23) Hankey GJ, Norman PE, Eikelboom JW. Medical treatment of peripheral arterial disease. JAMA 2006; 295: 547-553.（レベル1）

24) Berger JS, Krantz MJ, Kittelson JM, et al. Aspirin for the prevention of cardiovascular events in patients with peripheral artery disease: a meta-analysis of randomized trials. JAMA 2009; 301: 1909-1919.（レベル1）

25) A randomised, blinded, trial of clopidogrel versus aspirin in patients at risk of ischaemic events (CAPRIE). CAPRIE Steering Committee. Lancet 1996; 348: 1329-1339.（レベル2）

26) Stone WM, Demaerschalk BM, Fowl RJ, et al. Type 3 phosphodiesterase inhibitors may be protective against cerebrovascular events in patients with claudication. J Stroke Cerebrovasc Dis 2008; 17: 129-133.（レベル2）

Ⅰ 脳卒中一般

1 脳卒中発症予防

1-1 危険因子の管理 (7) 慢性腎臓病（CKD）

推奨

1. 慢性腎臓病（CKD）で蛋白尿を認める場合は、脳卒中発症予防のための降圧目標として130/80 mmHg 未満が妥当である（推奨度B　エビデンスレベル中）。降圧薬としてアンジオテンシン変換酵素（ACE）阻害薬やアンジオテンシンⅡ受容体拮抗薬（ARB）を選択することは妥当である（推奨度B　エビデンスレベル中）。

2. CKD で2型糖尿病を有する場合、脳卒中予防のために厳格に血糖を管理する有効性は確立していない（推奨度C　エビデンスレベル低）。

3. CKD で脂質異常症を有する場合は、スタチン単独、もしくはエゼチミブ併用による脂質低下療法を行うことは妥当である（推奨度B　エビデンスレベル中）。

4. CKD に非弁膜症性心房細動（NVAF）が合併した場合、クレアチニンクリアランスが30 mL/分以上であれば、直接阻害型経口抗凝固薬（DOAC）またはワルファリンによる抗凝固療法を行うことは妥当である（推奨度B　エビデンスレベル中）。クレアチニンクリアランスが15〜30 mL/分である場合は、DOAC またはワルファリンによる抗凝固療法を行うことを考慮しても良い（推奨度C　エビデンスレベル低）。

5. 血液透析では脳出血、脳梗塞どちらのリスクも高まるが、高血圧や脂質異常症などのリスク管理や抗血栓療法による脳卒中一次予防の有効性は確立していない（推奨度C　エビデンスレベル低）。

解　説

慢性腎臓病（CKD）患者において、CKD 進行と脳卒中発症の予防には血圧の管理が重要である。管理目標として糖尿病あるいは蛋白尿を認める場合は130/80 mmHg 未満で脳卒中発症率が抑制されることが示されている[1-3]。一方、糖尿病非合併CKDで蛋白尿を認めない場合に、標準的な管理目標に比して130/80 mmHg 未満の厳格な降圧により脳卒中発症が抑制されることを示す報告はない。降圧薬としては糖尿病あるいは蛋白尿を認める場合は、アンジオテンシン変換酵素（ACE）阻害薬やアンジオテンシンⅡ受容体拮抗薬（ARB）が勧められる[1-3]。ただし重度の腎機能低下例では、さらなる腎機能低下や高カリウム血症に注意する必要がある。

糖尿病合併CKD では、厳格な血糖管理によりCKD 進行が抑制されることが示されている[4]。しかし脳卒中発症抑制効果については示されていない[4,5]。さらには、厳格な血糖管理では心血管死亡の上昇が示されており[5]、低血糖発作の点から注意

を要する。

CKD 患者におけるスタチンの脳心血管イベント抑制効果を検証したメタ解析では、スタチン療法による有意な脳卒中発症抑制効果は示されなかった[6]。一方、わが国で実施されたMEGA ではスタチンによる有意な脳卒中発症抑制効果が示されている[7]。またスタチンにエゼチミブを併用したSHARP でも有意な脳卒中発症抑制効果が報告されている[8]。

心房細動合併CKD では、塞栓症リスクが高い場合（CHA_2DS_2-VASc スコア2点以上）はワルファリンによる抗凝固療法が塞栓症予防のために有効であるが、出血性合併症を増加させるリスクもある[9]。さらに血液透析患者における心房細動では抗凝固療法の有用性は示されていない[10]。直接阻害型経口抗凝固薬（DOAC）のうちアピキサバンはクレアチニンクリアランス（Ccr）30 mL/分以上のCKD 例において、出血発症リスクはアスピリンと同程度と報告されている[11]。非弁膜症性心房細動（NVAF）合併CKD に対してワルファリンと

DOACの有効性と安全性を比較した研究のメタ解析では、ともにDOACのほうが有利であったと報告されている[12]。クレアチニンクリアランスが15〜30 mL/分である例についてはあまりデータがないが、アピキサバンはワルファリンに比して出血性合併症が少なかったと報告されている[13]。

血液透析は脳出血、脳梗塞のリスクを高めるが、一般的なリスク因子である高血圧や脂質異常症への介入や、抗血栓療法による脳卒中一次予防への有効性についてのエビデンスは乏しく、個々の症例で慎重に適応を考慮する必要がある[14]。

〔引用文献〕

1) Bakris GL, Williams M, Dworkin L, et al. Preserving renal function in adults with hypertension and diabetes: a consensus approach. National Kidney Foundation Hypertension and Diabetes Executive Committees Working Group. Am J Kidney Dis 2000; 36: 646-661.（レベル2）
2) Brenner BM, Cooper ME, de Zeeuw D, et al. Effects of losartan on renal and cardiovascular outcomes in patients with type 2 diabetes and nephropathy. N Engl J Med 2001; 345: 861-869.（レベル2）
3) Asselbergs FW, Diercks GF, Hillege HL, et al. Effects of fosinopril and pravastatin on cardiovascular events in subjects with microalbuminuria. Circulation 2004; 110: 2809-2816.（レベル3）
4) Intensive blood-glucose control with sulphonylureas or insulin compared with conventional treatment and risk of complications in patients with type 2 diabetes (UKPDS 33). UK Prospective Diabetes Study (UKPDS) Group. Lancet 1998;

352: 837-853.（レベル2）
5) Gerstein HC, Miller ME, Genuth S, et al. Long-term effects of intensive glucose lowering on cardiovascular outcomes. N Engl J Med 2011; 364: 818-828.（レベル2）
6) Palmer SC, Navaneethan SD, Craig JC, et al. HMG CoA reductase inhibitors (statins) for people with chronic kidney disease not requiring dialysis. Cochrane Database Syst Rev 2014: CD007784.（レベル1）
7) Nakamura H, Mizuno K, Ohashi Y, et al. Pravastatin and cardiovascular risk in moderate chronic kidney disease. Atherosclerosis 2009; 206: 512-517.（レベル2）
8) Baigent C, Landray MJ, Reith C, et al. The effects of lowering LDL cholesterol with simvastatin plus ezetimibe in patients with chronic kidney disease (Study of Heart and Renal Protection): a randomised placebo-controlled trial. Lancet 2011; 377: 2181-2192.（レベル2）
9) Olesen JB, Lip GY, Kamper AL, et al. Stroke and bleeding in atrial fibrillation with chronic kidney disease. N Engl J Med 2012; 367: 625-635.（レベル2）
10) Shah M, Avgil Tsadok M, Jackevicius CA, et al. Warfarin use and the risk for stroke and bleeding in patients with atrial fibrillation undergoing dialysis. Circulation 2014; 129: 1196-1203.（レベル2）
11) Eikelboom JW, Connolly SJ, Gao P, et al. Stroke risk and efficacy of apixaban in atrial fibrillation patients with moderate chronic kidney disease. J Stroke Cerebrovasc Dis 2012; 21: 429-435.（レベル3）
12) Malhotra K, Ishfaq MF, Goyal N, et al. Oral anticoagulation in patients with chronic kidney disease: A systematic review and meta-analysis. Neurology 2019; 92: e2421-e2431.（レベル1）
13) Kimachi M, Furukawa TA, Kimachi K, et al. Direct oral anticoagulants versus warfarin for preventing stroke and systemic embolic events among atrial fibrillation patients with chronic kidney disease. Cochrane Database Syst Rev 2017: CD011373.（レベル1）
14) Herrington W, Haynes R, Staplin N, et al. Evidence for the prevention and treatment of stroke in dialysis patients. Semin Dial 2015; 28: 35-47.（レベル3）

Ⅰ 脳卒中一般

1 脳卒中発症予防

1-1 危険因子の管理
（8）血液バイオマーカー

推奨

1. 高感度 C-reactive protein（hs-CRP）が高値の場合は、スタチンの投与を積極的に考慮しても良い（推奨度C　エビデンスレベル低）。

2. ヘマトクリット高値は脳梗塞のリスク因子であり、真性多血症、二次性多血症などを鑑別し、原因に応じた治療を行うことが妥当である（推奨度B　エビデンスレベル中）。

3. 凝固・線溶系の異常は脳梗塞、脳出血のリスク因子であり単独でも発症しうるため、原因となる遺伝子疾患、血栓形成疾患、感染症、腫瘍性疾患を鑑別し、原因に応じた治療を行うことが妥当である（推奨度B　エビデンスレベル中）。

解　説

The Emerging Risk Factors Collaboration による 54 のコホート研究、16 万人を平均 8.2 年追跡調査したメタ解析では、高感度 c-reactive protein（hs-CRP）値と虚血性脳卒中発症リスクとの関連が示されている[1]。わが国においても同様の知見が報告されている[2,3]。血管イベントと hs-CRP 値の関連性は頚動脈硬化が進展した例で明らかであり、頚動脈硬化がない例ではそのような関連は認められない[4]。治療について、JUPITER では LDL-コレステロール値が 130 mg/dL 未満かつ hs-CRP が高値の例に対してスタチンを導入し、プラセボ群と比較して虚血性脳卒中の発症抑制を認めたが[5]、hs-CRP 低値の症例におけるスタチンの効果は検討されておらず、薬剤効果を予測する上での hs-CRP 値の有用性は不明である。日本でも非心原性脳梗塞の既往のある例を対象とした J-STARS にて、hs-CRP 値は LDL-コレステロール値と独立して虚血性脳卒中発症と関連することが示されており、ともに低値の群では虚血性脳卒中発症率が最も低かった[6]。

ヘマトクリット高値は脳梗塞の発症リスクと関連し、特に女性においてその関連が強い[7]。多血症のうち、真性多血症では血栓症リスクが高く、瀉血やヒドロキシウレアによりヘマトクリット値を 45 ％未満となるようにコントロールする細胞減少療法が血栓症予防に有効である[8]。抗血栓療法としてはアスピリンの投与が選択される[9]。真性多血症ではほ

とんどの症例で JAK2 V617F 変異を伴っている。本遺伝子変異は血栓症と関連することが報告されており、本遺伝子変異が発症に関連する本態性血小板血症に対しても、血栓症リスクが高い例に対してアスピリンの投与が選択される。

凝固・線溶系の異常は脳梗塞、脳出血のリスク因子となる[10]。凝固活性の上昇と線溶活性の低下は凝固亢進状態をもたらし血栓症の原因となり、凝固活性の低下は出血傾向となる。このような状態をつくり得る原疾患は、播種性血管内凝固症候群（disseminated intravascular coagulation：DIC）や血液疾患、感染症、腫瘍性疾患など様々である。また遺伝子変異が関与する病態も多い[11]。血栓症や出血のマネジメントとともに原疾患への対応が必要であり、個別の病態により治療方針を考慮する。

〔引用文献〕

1) Kaptoge S, Di Angelantonio E, Lowe G, et al. C-reactive protein concentration and risk of coronary heart disease, stroke, and mortality: an individual participant meta-analysis. Lancet 2010; 375: 132-140.（レベル 1）
2) Wakugawa Y, Kiyohara Y, Tanizaki Y, et al. C-reactive protein and risk of first-ever ischemic and hemorrhagic stroke in a general Japanese population: the Hisayama Study. Stroke 2006; 37: 27-32.（レベル 3）
3) Makita S, Nakamura M, Satoh K, et al. Serum C-reactive protein levels can be used to predict future ischemic stroke and mortality in Japanese men from the general population. Atherosclerosis 2009; 204: 234-238.（レベル 3）
4) Cao JJ, Arnold AM, Manolio TA, et al. Association of carotid artery intima-media thickness, plaques, and C-reactive protein with future cardiovascular disease and all-cause mortality: the Cardiovascular Health Study. Circulation 2007; 116: 32-38.（レベル 3）
5) Everett BM, Glynn RJ, MacFadyen JG, et al. Rosuvastatin in the prevention of stroke among men and women with elevated levels of C-reactive protein: justification for the Use of Statins

in Prevention: an Intervention Trial Evaluating Rosuvastatin (JUPITER). Circulation 2010; 121: 143–150.（レベル2）

6) Kitagawa K, Hosomi N, Nagai Y, et al. Cumulative Effects of LDL Cholesterol and CRP Levels on Recurrent Stroke and TIA. J Atheroscler Thromb 2019; 26: 432–441.（レベル2）

7) Panwar B, Judd SE, Warnock DG, et al. Hemoglobin Concentration and Risk of Incident Stroke in Community-Living Adults. Stroke 2016; 47: 2017–2024.（レベル3）

8) Marchioli R, Finazzi G, Specchia G, et al. Cardiovascular events and intensity of treatment in polycythemia vera. N Engl J Med 2013; 368: 22–33.（レベル2）

9) Trifan G, Shafi N, Testai FD. Implications of Janus Kinase 2 Mutation in Embolic Stroke of Unknown Source. J Stroke Cerebrovasc Dis 2018; 27: 2572–2578.（レベル4）

10) Maino A, Rosendaal FR, Algra A, et al. Hypercoagulability Is a Stronger Risk Factor for Ischaemic Stroke than for Myocardial Infarction: A Systematic Review. PLoS One 2015; 10: e0133523.（レベル1）

11) Supanc V, Sonicki Z, Vukasovic I, et al. The role of classic risk factors and prothrombotic factor gene mutations in ischemic stroke risk development in young and middle-aged individuals. J Stroke Cerebrovasc Dis 2014; 23: e171-e176.（レベル4）

I 脳卒中一般

2 脳卒中急性期

2-1 全身管理
（1）呼吸

推奨

1. 急性期脳卒中の患者では呼吸状態、舌根沈下の有無、肺音を定期的に評価し、呼吸および経皮的動脈血酸素飽和度（SpO₂）を持続的にモニターすることが勧められる（推奨度A　エビデンスレベル高）。

2. 低酸素血症を認めない脳卒中急性期の患者に対して、ルーチンに低流量の酸素を投与することは勧められない（推奨度D　エビデンスレベル中）。一方、低酸素血症を認める急性期脳卒中患者に対しては、気道確保や人工呼吸管理、酸素投与を行うよう勧められる（推奨度A　エビデンスレベル低）。

3. 閉塞性睡眠時無呼吸を伴う急性期脳卒中患者では、非侵襲的換気療法の導入を考慮しても良い（推奨度C　エビデンスレベル中）。

解　説

脳卒中急性期患者では呼吸や動脈血の酸素飽和度に異常を来しやすい。Cochrane システマティックレビューでは、呼吸および経皮的動脈血酸素飽和度（SpO₂）の継続的なモニタリングは断続的なモニタリングと比較して、3 か月または退院時の死亡および高度な障害の発生を有意に減少させた（オッズ比〔OR〕0.27）[1]。

治療、処置としては、発症 24 時間以内の急性期脳卒中で、臨床的に酸素投与が必要でなく禁忌でもない患者において、低流量酸素を投与しても 90 日後の modified Rankin Scale（mRS）は改善しなかった（OR 0.97）[2]。これに対して脳梗塞急性期に SpO₂ が 90％未満の低酸素群では、低酸素血症の無い群と比較して 3 か月後の死亡率は倍であり[3]、気道確保や補助換気を施行し SpO₂ 94％以上を保つように推奨される[4]。

また急性期脳卒中患者の睡眠研究 29 件のメタ解析では、AHI（無呼吸低呼吸指数）＞5 の睡眠時呼吸障害を患者の 72％に、AHI＞10 を 63％に認め、特に AHI＞10 の睡眠時呼吸障害は男性に多かった[5]。閉塞性睡眠時無呼吸を伴う急性期脳梗塞患者に対し、4 つのランダム化比較試験（RCT）と 1 つの前向きコホート試験のメタ解析では、非侵襲的換気療法（NIV）群では未処置群に比較して 30

日以内の神経症状の改善が有意に認められたが、血管イベントの発症（再発性脳卒中、TIA、心筋梗塞、不安定狭心症）や死亡率には有意差を認めなかった[6]。また発症 1 週間以内の急性期脳卒中で閉塞性睡眠時無呼吸を伴っている患者の RCT では、持続陽圧呼吸（CPAP）の使用により有意に神経症状の改善（National Institute of Health Stroke Scale〔NIHSS〕の低下）や mRS の改善が認められた[7]。

〔引用文献〕

1) Ciccone A, Celani MG, Chiaramonte R, et al. Continuous versus intermittent physiological monitoring for acute stroke. Cochrane Database Syst Rev 2013: CD008444.（レベル 1）
2) Roffe C, Nevatte T, Sim J, et al. Effect of Routine Low-Dose Oxygen Supplementation on Death and Disability in Adults With Acute Stroke: The Stroke Oxygen Study Randomized Clinical Trial. JAMA 2017; 318; 1125-1135.（レベル 2）
3) Rowat AM, Dennis MS, Wardlaw JM. Hypoxaemia in acute stroke is frequent and worsens outcome. Cerebrovasc Dis 2006; 21: 166-172.（レベル 3）
4) Rajajee V, Riggs B, Seder DB. Emergency Neurological Life Support: Airway, Ventilation, and Sedation. Neurocrit Care 2017; 27: 4-28.（レベル 5）
5) Johnson KG, Johnson DC. Frequency of sleep apnea in stroke and TIA patients: a meta-analysis. J Clin Sleep Med 2010; 6: 131-137.（レベル 2）
6) Tsivgoulis G, Alexandrov AV, Katsanos AH, et al. Noninvasive Ventilatory Correction in Patients With Acute Ischemic Stroke: A Systematic Review and Meta-Analysis. Stroke 2017; 48: 2285-2288.（レベル 2）
7) Yaggi HK, Sico J, Concato J, et al. Diagnosing and treating sleep apnea in patients with acute cerebrovascular disease: the sleep tight study. Sleep 2016; 39: A134.（レベル 2）

Ⅰ 脳卒中一般

2 脳卒中急性期

2-1 全身管理
（2）血圧、脈、心電図モニター

推奨

1. 急性期脳卒中の患者では血圧、脈、心電図を継続的にモニターすることが勧められる（推奨度A　エビデンスレベル高）。

2. 脳梗塞急性期の高血圧は降圧しないように勧められる（推奨A　エビデンスレベル高）。収縮期血圧>220 mmHg または拡張期血圧>120 mmHg の高血圧が持続する場合や、大動脈解離、急性心筋梗塞、心不全、腎不全などを合併している場合に限り、慎重な降圧療法を行うことを考慮しても良い（推奨度C　エビデンスレベル低）。

3. 血栓溶解療法を予定する患者で収縮期血圧 185 mmHg 以上または拡張期血圧 110 mmHg 以上の場合と、血栓溶解療法施行後 24 時間以内の患者において収縮期血圧 180 mmHg または拡張期血圧 105 mmHg を超えた場合、降圧療法が勧められる（推奨度A　エビデンスレベル低）。

4. 機械的血栓回収療法を施行する場合、血栓回収前の降圧は必ずしも必要ないが、血栓回収後には速やかな降圧を行うことは妥当である（推奨度B　エビデンスレベル中）。一方、血栓回収中および回収後の過度な血圧低下は、避けるよう勧められる（推奨度E　エビデンスレベル中）。

5. 神経症状が安定している高血圧合併症例では、禁忌などがない限り、発症前から用いている降圧薬を脳卒中発症後 24 時間以降に再開することを考慮しても良い（推奨度C　エビデンスレベル低）。

6. 著しい低血圧（ショック）は輸液、昇圧薬などで速やかに是正するよう勧められる（推奨度A　エビデンスレベル低）。

解　説

Cochrane レビューでは、脳卒中急性期における継続的な生理学的モニタリングが、予後の改善と合併症の防止に効果があることを示した[1]。特に脳卒中急性期の心電図モニターは心房細動を含め重要な不整脈の検出に有用であると多数報告されている[2,3]。

脳梗塞急性期に血圧を低下させた 22 試験のメタ解析では短期、長期ともに予後や死亡率を改善しなかった[4]。脳卒中初期の高血圧に対して nimodipine（本邦未承認）を用いて強力に降圧した検討では、死亡や重度後遺症は高用量群で多かった[5]。

米国の診療ガイドラインでは、発症 24 時間以内は血栓溶解療法を受けない場合、収縮期血圧>220 mmHg または拡張期血圧>120 mmHg の異常高値に限り 15％程度の降圧療法が推奨されてい

る[6]。

同ガイドラインでは、経静脈的血栓溶解療法（recombinant tissue-type plasminogen activator：rt-PA）の適応がある場合は、labetalol（本邦未承認）、ニカルジピン、clevidipine（本邦未承認）、ヒドララジン、enalaprilat（本邦未承認）などにて収縮期血圧 185 mmHg 以下、拡張期血圧 110 mmHg 以下に降圧すべきとしている[6,7]。rt-PA 療法とプラセボ投与の比較では血圧が 140〜170/80〜100 mmHg の群で「後遺症なし〜軽微」が最も多かった[8]。rt-PA 投与開始 24 時間以内の高血圧は転帰不良と関連するため[9,10]、180/105 mmHg 以下に保つようガイドラインで推奨されている[6]。一方、血栓溶解後の収縮期血圧を 140 mmHg 以下にコントロールした EN-CHANTED では、頭蓋内出血は減少したが 90 日後の機能予後は改善しなかった[11]。

脳卒中治療ガイドライン 2021　27

MR CLEAN の後ろ向き分析[12]や３つのランダム化比較試験の後ろ向きコホート研究[13]により、機械的血栓回収後の高血圧や低血圧は神経学的機能予後不良と相関を示した。

発症３日ほどで降圧薬を開始した13試験のメタ解析では、脳卒中を含めた血管イベントの再発、死亡率などを増加させなかった[14]。アンジオテンシン変換酵素（ACE）阻害薬、アンギオテンシンⅡ受容体拮抗薬（ARB）、経口および経静脈的カルシウム拮抗薬、ニトログリセリンはいずれも血圧を低下させたが、死亡および機能転帰に差は認めなかった[15]。脳梗塞急性期の一律な降圧療法に関する検討試験（ACCESS、SCAST、CHHIPS、COSSACS）の多くでも予後は改善していない[16-19]。日本でもラクナ梗塞急性期における厳格降圧の安全性の報告がある[20]。

一方、著しい低血圧は死亡リスクを大幅に増加させた[21]。また非心原性脳塞栓症の急性期脳梗塞患者に対して昇圧剤による意図的な高血圧の導入が予後を改善させたとの報告がある[22]。

脳出血、くも膜下出血の血圧管理については、「Ⅲ 脳出血　２ 高血圧性脳出血の急性期治療　2-1 血圧の管理」、「Ⅳ くも膜下出血　２ 初期治療」の項を参照。

〔引用文献〕

1) Ciccone A, Celani MG, Chiaramonte R, et al. Continuous versus intermittent physiological monitoring for acute stroke. Cochrane Database Syst Rev 2013: CD008444.（レベル 1）
2) Kallmünzer B, Breuer L, Kahl N, et al. Serious cardiac arrhythmias after stroke: incidence, time course, and predictors-a systematic, prospective analysis. Stroke 2012; 43: 2892-2897.（レベル 4）
3) Fernández-Menéndez S, García-Santiago R, Vega-Primo A, et al. [Cardiac arrhythmias in stroke unit patients. Evaluation of the cardiac monitoring data]. Arritmias cardiacas en la unidad de ictus: analisis de los datos de la monitorizacion cardiaca. Neurologia 2016; 31: 289-295.（レベル 4）
4) Zhao R, Liu FD, Wang S, et al. Blood Pressure Reduction in the Acute Phase of an Ischemic Stroke Does Not Improve Short- or Long-Term Dependency or Mortality: A Meta-Analysis of Current Literature. Medicine (Baltimore) 2015; 94: e896.（レベル 1）
5) Ahmed N, Nasman P, Wahlgren NG. Effect of intravenous nimodipine on blood pressure and outcome after acute stroke. Stroke 2000; 31: 1250-1255.（レベル 2）
6) Powers WJ, Rabinstein AA, Ackerson T, et al. Guidelines for the Early Management of Patients With Acute Ischemic Stroke: 2019 Update to the 2018 Guidelines for the Early Management of Acute Ischemic Stroke: a Guideline for Healthcare Professionals From the American Heart Association/American Stroke Association. Stroke 2019; 50: e344-e418.（レベル 5）
7) Brott T, Lu M, Kothari R, et al. Hypertension and its treatment in the NINDS rt-PA Stroke Trial. Stroke 1998; 29: 1504-1509.（レベル 2）
8) Yong M, Diener HC, Kaste M, et al. Long-term outcome as function of blood pressure in acute ischemic stroke and effects of thrombolysis. Cerebrovasc Dis 2007; 24: 349-354.（レベル 2）
9) Endo K, Kario K, Koga M, et al. Impact of early blood pressure variability on stroke outcomes after thrombolysis: the SAMURAI rt-PA Registry. Stroke 2013; 44: 816-818.（レベル 3）
10) Waltimo T, Haapaniemi E, Surakka IL, et al. Post-thrombolytic blood pressure and symptomatic intracerebral hemorrhage. Eur J Neurol 2016; 23: 1757-1762.（レベル 3）
11) Anderson CS, Huang Y, Lindley RI, et al. Intensive blood pressure reduction with intravenous thrombolysis therapy for acute ischaemic stroke (ENCHANTED): an international, randomised, open-label, blinded-endpoint, phase 3 trial. Lancet 2019; 393: 877-888.（レベル 2）
12) Mulder MJHL, Ergezen S, Lingsma HF, et al. Baseline Blood Pressure Effect on the Benefit and Safety of Intra-Arterial Treatment in MR CLEAN (Multicenter Randomized Clinical Trial of Endovascular Treatment of Acute Ischemic Stroke in the Netherlands). Stroke 2017; 48: 1869-1876.（レベル 2）
13) Rasmussen M, Schönenberger S, Hendèn PL, et al. Blood Pressure Thresholds and Neurologic Outcomes After Endovascular Therapy for Acute Ischemic Stroke: An Analysis of Individual Patient Data From 3 Randomized Clinical Trials. JAMA Neurol 2020; 77: 622-631.（レベル 3）
14) Lee M, Ovbiagele B, Hong KS, et al. Effect of Blood Pressure Lowering in Early Ischemic Stroke: Meta-Analysis. Stroke 2015; 46: 1883-1889.（レベル 1）
15) Geeganage C, Bath PM. Interventions for deliberately altering blood pressure in acute stroke. Cochrane Database Syst Rev 2008: CD000039.（レベル 1）
16) Schrader J, Luders S, Kulschewski A, et al. The ACCESS Study: evaluation of Acute Candesartan Cilexetil Therapy in Stroke Survivors. Stroke 2003; 34: 1699-1703.（レベル 2）
17) Sandset EC, Bath PM, Boysen G, et al. The angiotensin-receptor blocker candesartan for treatment of acute stroke (SCAST): a randomised, placebo-controlled, double-blind trial. Lancet 2011; 377: 741-750.（レベル 2）
18) Potter J, Mistri A, Brodie F, et al. Controlling hypertension and hypotension immediately post stroke (CHHIPS)--a randomised controlled trial. Health Technol Assess 2009; 13: iii-i73.（レベル 2）
19) Robinson TG, Potter JF, Ford GA, et al. Effects of antihypertensive treatment after acute stroke in the Continue or Stop Post-Stroke Antihypertensives Collaborative Study (COSSACS): a prospective, randomised, open, blinded-endpoint trial. Lancet Neurol 2010; 9: 767-775.（レベル 2）
20) Yamamoto Y, Nagakane Y, Ohara T, et al. Intensive blood pressure-lowering treatment in patients with acute lacunar infarction. J Stroke Cerebrovasc Dis 2013; 22: 1273-1278.（レベル 4）
21) Wohlfahrt P, Krajcoviechova A, Jozifova M, et al. Low blood pressure during the acute period of ischemic stroke is associated with decreased survival. J Hypertens 2015; 33: 339-345.（レベル 3）
22) Bang OY, Chung JW, Kim SK, et al. Therapeutic-induced hypertension in patients with noncardioembolic acute stroke. Neurology 2019; 93: e1955-e1963.（レベル 2）

Ⅰ 脳卒中一般

2 脳卒中急性期

2-1 全身管理
（3）体温

推奨

1. 脳卒中急性期では定期的な体温測定が勧められる（推奨度A　エビデンスレベル中）。

2. 脳卒中急性期の体温上昇に対し、原因に応じた治療とともに解熱薬投与やクーリングによる体温低下は妥当である（推奨度B　エビデンスレベル中）。

3. 脳卒中（特に脳梗塞）急性期のルーチンの治療的低体温（軽度低体温療法）は、有効ではない（推奨度D　エビデンスレベル中）。

解　説

　脳卒中急性期の患者は体温などのパラメータを継続的にモニタリング可能な病棟で管理することにより、モニタリングのない病棟で管理するよりも退院時の転帰を改善させた[1]。

　脳卒中急性期の中枢性高熱は、転帰不良の因子である[2-3]。入院24時間以内の発熱は、急性期脳梗塞患者の短期死亡オッズ比（OR）を増加させた（OR 2.20、95％信頼区間〔CI〕1.59〜3.03、p＜0.00001）[3]。

　さらに体温が37〜39度の脳梗塞急性期の患者に対し、アセトアミノフェンによる治療は、3か月後の予後改善と関連した（OR 1.43、95% CI 1.02〜1.97）[4]。

　Acute stroke unit の看護師主導の患者管理プロトコールとして、発熱、高血糖チェック、嚥下評価の3項目への対応プログラムの有効性が検討された（QASC）[5]。このプログラムには看護師による入院後から72時間までの4時間おきの検温および37.5度以上の発熱時の解熱薬投与が含まれた。その結果、90日後のmodified Rankin Scale（mRS）および死亡率は改善し、また平均4年のフォローにおける死亡率も低下した。

　一方、急性期脳卒中のおけるアセトアミノフェンによるルーチンの軽度低体温療法は、臨床的効果がみられない[4,6-8]。

　低体温療法については、「Ⅱ 脳梗塞・TIA　1脳梗塞急性期　1-9 その他の内科治療　（1）低体温療法」の項を参照。

〔引用文献〕

1) Cavallini A, Micieli G, Marcheselli S, et al. Role of monitoring in management of acute ischemic stroke patients. Stroke 2003; 34: 2599-2603.（レベル3）
2) Hajat C, Hajat S, Sharma P. Effects of poststroke pyrexia on stroke outcome: a meta-analysis of studies in patients. Stroke 2000; 31: 410-414.（レベル3）
3) Prasad K, Krishnan PR. Fever is associated with doubling of odds of short-term mortality in ischemic stroke: an updated meta-analysis. Acta Neurol Scand 2010; 122: 404-408.（レベル3）
4) den Hertog HM, van der Worp HB, van Gemert HM, et al. The Paracetamol (Acetaminophen) In Stroke (PAIS) trial: a multicentre, randomised, placebo-controlled, phase III trial. Lancet Neurol 2009; 8: 434-440.（レベル1）
5) Middleton S, Coughlan K, Mnatzaganian G, et al. Mortality Reduction for Fever, Hyperglycemia, and Swallowing Nurse-Initiated Stroke Intervention: QASC Trial (Quality in Acute Stroke Care) Follow-Up. Stroke 2017; 48: 1331-1336.（レベル2）
6) Kasner SE, Wein T, Piriyawat P, et al. Acetaminophen for altering body temperature in acute stroke: a randomized clinical trial. Stroke 2002; 33: 130-134.（レベル2）
7) Fang J, Chen C, Cheng H, et al. Effect of paracetamol (acetaminophen) on body temperature in acute stroke: A meta-analysis. Am J Emerg Med 2017; 35: 1530-1535.（レベル2）
8) de Ridder IR, den Hertog HM, van Gemert HM, et al. PAIS 2 (Paracetamol [Acetaminophen] in Stroke 2): Results of a Randomized, Double-Blind Placebo-Controlled Clinical Trial. Stroke 2017; 48: 977-982.（レベル2）

Ⅰ 脳卒中一般

2 脳卒中急性期

2-1 全身管理
（4）意識レベル、鎮静（せん妄対策）

推 奨

1. 脳卒中患者に対しては、速やかに意識障害の評価を行い、その後も定期的に意識レベルの変化を観察すべきである（推奨度Ａ　エビデンスレベル低）。

2. すべての脳卒中患者に対して、入院時にせん妄のリスク評価を行い、高齢、認知症、アルコール多飲などのせん妄リスクが高い場合は、チューブ類の使用制限や身体拘束の工夫などによるせん妄の予防、定期的なせん妄症状の評価を行うことが勧められる（推奨度Ａ　エビデンスレベル中）。

3. せん妄に対して非定型抗精神病薬、α_2作動性鎮静薬（デクスメデトミジン）、定型抗精神病薬などの薬剤投与が勧められるが、環境調整を併用してなるべく短期間にとどめるべきである（推奨度Ａ　エビデンスレベル中）。

4. 脳梗塞超急性期の血栓回収療法時には、鎮静薬のみの意識下または全身麻酔のいずれかを考慮しても良い（推奨度Ｃ　エビデンスレベル低）。

解 説

　脳卒中は発症時および経過中に高率に意識障害を来す。入院時の意識障害は入院中、3か月後の死亡リスクと関連し、また、肺炎、尿路感染、消化管出血、急性腎不全などの合併症のリスクと関連していた[1,2]。さらに入院後の意識レベルの増悪は、30日後の死亡率の上昇に関係する[3]。改めてランダム化比較試験（RCT）を施行した報告はほとんどないが、脳卒中発作で入院したすべての患者で意識障害を評価して定期的に観察することは、迅速な病態変化への対処を可能にして予後を改善する。25％の脳卒中患者が、経過中に神経症状の増悪を認め、その原因の3分の1は脳卒中の増悪、3分の1は脳浮腫、10％は出血性変化、11％は虚血の再発であった[4]。

　せん妄は脳卒中の約13〜48％に認められ[5]、危険因子として、高齢、認知機能障害、アルコール依存、拘束具の使用などが挙げられる[6,7]。せん妄は点滴の自己抜去、処置に対する拒否、安静が保てないなどで治療の障害となり、転倒・転落のリスクにもなる。また看護師など病棟スタッフの負担も増大することから、急性期脳卒中患者の管理において非常に重要な問題である。せん妄を合併した急性期脳卒中患者では、入院中の死亡率の上昇、在院日数の

長期化、発症1年以内の死亡率の上昇、施設への転院が多いなど予後にも悪影響を与えており[8]、せん妄の予防、早期診断が重要である。入院中のせん妄発症要因として、感染、代謝性疾患、尿閉といった合併症や、チューブ類二本以上の使用、手術後、抗コリン薬の投与が関連することが報告されており[9]、特にリスクの高い症例ではこれらを避けることが望ましい。

　一般的にせん妄に対する薬物治療としては、ハロペリドール、リスペリドン、オランザピンなどの抗精神病薬、コリンエステラーゼ阻害剤などが使用される[5]が、脳卒中患者のせん妄に対する大規模研究はない。Intensive care unit（ICU）でせん妄が認められた成人重症患者の検討では、抗精神病薬、α_2作動性鎮静薬のデクスメデトミジン、スタチン系薬剤、オピオイド鎮痛薬、セロトニン拮抗薬、コリンエステラーゼ阻害薬の有効性が比較されたが、せん妄の期間の短縮にはα_2作動性鎮静薬のデクスメデトミジンが最も効果的であり、次いで非定型抗精神病薬が有効であった[10]。

　脳梗塞超急性期の血栓回収療法時のセデーションについては、治療開始までの時間が短い意識下鎮静、あるいは高い血流再開率が期待できる全身麻酔が用いられている。後方視的研究[11]や非ランダム化研究のメタ解析[12,13]では、全身麻酔下で脳梗塞の血

栓回収療法を受けた群は、鎮静を受けた群よりも機能的予後が悪いという結果であった。しかし、その後行われた3つのRCTのメタ解析では、3か月後のmodified Rankin Scale（mRS）が全身麻酔群で有意に良好であった[14]。しかしこの3試験はいずれも単施設で行われ、臨床転帰を主要評価項目としていたのは1試験のみであった。

〔引用文献〕

1) Li J, Wang D, Tao W, et al. Early consciousness disorder in acute ischemic stroke: incidence, risk factors and outcome. BMC Neurol 2016; 16: 140.（レベル3）

2) Hénon H, Godefroy O, Leys D, et al. Early predictors of death and disability after acute cerebral ischemic event. Stroke 1995; 26: 392-398.（レベル3）

3) Cucchiara BL, Kasner SE, Wolk DA, et al. Early impairment in consciousness predicts mortality after hemispheric ischemic stroke. Crit Care Med 2004; 32: 241-245.（レベル3）

4) Jauch EC, Saver JL, Adams HP, et al. Guidelines for early management of patients with acute ischemic stroke. A guideline for healthcare prfessionals from the American Heart Asssociation/American Stroke Association. Stroke 2013; 44: 870-947.（レベル5）

5) Oldenbeuving AW, de Kort PL, Jansen BP, et al. Delirium in acute stroke: a review. Int J Stroke 2007; 2: 270-275.（レベル5）

6) Nydahl P, Bartoszek G, Binder A, et al. Prevalence for delirium in stroke patients: A prospective controlled study. Brain Behav 2017; 7: e00748.（レベル3）

7) Herling SF, Greve IE, Vasilevskis EE, et al. Interventions for preventing intensive care unit delirium in adults. Cochrane Database Syst Rev 2018: CD009783.（レベル1）

8) Shi Q, Presutti R, Selchen D, et al. Delirium in acute stroke: a systematic review and meta-analysis. Stroke 2012; 43: 645-649.（レベル3）

9) 長尾雄太，山口千鶴，渡邊ありさ．急性期脳卒中患者のせん妄に関する文献レビュー．Brain Nursing 2016；32：301-309.（レベル3）

10) Burry L, Hutton B, Williamson DR, et al. Pharmacological interventions for the treatment of delirium in critically ill adults. Cochrane Database Syst Rev 2019: CD011749.（レベル1）

11) Abou-Chebl A, Lin R, Hussain MS, et al. Conscious sedation versus general anesthesia during endovascular therapy for acute anterior circulation stroke: preliminary results from a retrospective, multicenter study. Stroke 2010; 41: 1175-1179.（レベル3）

12) Jing R, Dai HJ, Lin F, et al. Conscious Sedation versus General Anesthesia for Patients with Acute Ischemic Stroke Undergoing Endovascular Therapy: A Systematic Review and Meta-Analysis. Biomed Res Int 2018; 2018: 2318489.（レベル3）

13) Brinjikji W, Murad MH, Rabinstein AA, et al. Conscious sedation versus general anesthesia during endovascular acute ischemic stroke treatment: a systematic review and meta-analysis. AJNR Am J Neuroradiol 2015; 36: 525-529.（レベル3）

14) Schönenberger S, Hendén PL, Simonsen CZ, et al. Association of General Anesthesia vs Procedural Sedation With Functional Outcome Among Patients With Acute Ischemic Stroke Undergoing Thrombectomy: A Systematic Review and Meta-analysis. JAMA 2019; 322: 1283-1293.（レベル1）

I
脳卒中一般

Ⅰ 脳卒中一般

2 脳卒中急性期

2-1 全身管理
（5）栄養など

推 奨

1. 脳卒中患者では入院時に、栄養状態、嚥下機能、血糖値を評価することが勧められる（推奨度A　エビデンスレベル高）。

2. 意識障害のある患者、嚥下障害のある患者、状態の不安定な患者では禁食にし、補液を行うことが勧められる（推奨度A　エビデンスレベル中）。

3. 低栄養状態にある患者や褥瘡のリスクが高い患者では、十分なカロリーの高蛋白食が妥当である（推奨度B　エビデンスレベル中）。栄養状態が良好な患者への高カロリー高蛋白食は勧められない（推奨度D　エビデンスレベル低）。

4. 飲食や経口服薬を開始する前には、嚥下機能を評価するよう勧められる（推奨度A　エビデンスレベル中）。ベッドサイドでの簡便なスクリーニング検査としては水飲みテストが有用であり、精密な検査が必要な場合には嚥下造影検査や内視鏡検査が妥当である（推奨度B　エビデンスレベル低）。

5. 脳卒中発症後7日以上にわたって十分な経口摂取が困難な患者では、経腸栄養（早期には経鼻胃管、長期にわたる場合は経皮的内視鏡的胃瘻）または中心静脈栄養を行うことは妥当である（推奨度B　エビデンスレベル中）。

6. 急性期脳卒中患者の口腔ケアは、誤嚥性肺炎のリスクを低下させる点から勧められる（推奨度A　エビデンスレベル中）。

7. 低血糖（60 mg/dL 以下）は直ちに補正すべきである（推奨度A　エビデンスレベル低）。脳卒中急性期には高血糖を是正し、低血糖を予防しながら 140〜180 mg/dL の範囲に血糖を保つことを考慮しても良い（推奨度C　エビデンスレベル低）。

8. 尿道カテーテルを一律に留置するのは尿路感染のリスクを上げるため、行うべきではない（推奨度E　エビデンスレベル低）。

解 説

　低栄養状態は脳卒中発作発症急性期の6〜60％に認められる[1]。脳卒中発症急性期の低栄養状態は独立した転帰不良因子であり[2]、脳卒中発作で入院したすべての患者で栄養状態を評価することが望ましい。Acute stroke unit の看護師主導の患者管理プロトコールとして行われた、発熱、高血糖チェック、嚥下評価の3項目への対応プログラムにより[3]、90日後の modified Rankin Scale（mRS）、死亡率および長期の死亡率が改善した。嚥下反射異常、自発的咳嗽の障害、発声障害、口唇閉鎖不全、National Institute of Health Stroke Scale（NIHSS）高値や脳神経麻痺は嚥下障害の警告要因で

ある[4]。このような患者では、まず禁食にし、補液を行いながら嚥下機能の評価を行うことが勧められる。

　入院時に低栄養があるが、嚥下障害はない患者では、経腸補助食で通常の食事より多くのカロリーや蛋白質を摂取したほうが3か月後の死亡率は低い傾向にある[5]。また、嚥下障害の有無に関係なく、入院時に低栄養がある患者では、標準の栄養補助剤よりも多くのカロリーや蛋白質を含む栄養を強化した栄養補助剤を用いたほうが機能転帰は良く、褥瘡の発症率も低い[6]。一方、栄養状態良好な患者では、栄養補助剤の一律補給は機能転帰を改善させないことが、FOOD Part1 で示されている[7]。

　ベッドサイドで実施する水飲みテストは簡便で有

益なスクリーニング検査である[8,9]。より精密な嚥下機能評価が必要な場合には、嚥下造影検査[10]や内視鏡検査[11]を適宜実施する。重度の嚥下障害患者に対しては、栄養補給と内服薬処方の目的で経鼻胃管（nasogastric tube：NGT）を挿入し[12]、長期間のNGT留置が必要であれば経皮内視鏡的胃瘻造設術（percutaneous endoscopic gastrostomy：PEG）によるチューブ栄養を考慮する[13]。嚥下障害のある脳卒中患者を対象にしたFOOD Part2では、発症1週以内の経腸栄養早期開始群と経腸栄養回避群を比較した試験と、PEGとNGTを比較した試験のいずれにおいても、死亡率、脳卒中再発率、神経症状の悪化、肺炎・尿路感染症あるいは静脈血栓症の合併率に両群で有意な差は認められなかった[14]。PEGとNGTを比較した5件の臨床試験のメタ解析では、死亡率に有意な差はなかったが、PEGのほうが経管栄養の失敗率と消化管の出血率は低く、栄養供給率も高く、血漿アルブミン濃度を高く維持できることが示された[15]。

　積極的な口腔ケアは誤嚥性肺炎のリスクを低下させるといわれており、多職種による口腔ケアの導入前後で比較すると脳卒中患者の肺炎のリスクが低下したとの報告がある[16,17]。またICU入院中の重症患者において、洗口剤、綿棒、歯ブラシ、あるいはその組み合わせによる口腔ケアが、人工呼吸器関連肺炎発症予防に有効であった[18]。

　重度の低血糖は永続的な神経障害を生じるため、60 mg/dL以下の低血糖は直ちに補正すべきである[19]。脳卒中発作急性期には血糖値を140～180 mg/dLに保つことが望ましいとされているが[19]、発症早期のインスリン持続静注による集中的インスリン療法（intensive insulin therapy：IIT）の安全性と有効性を示す十分なエビデンスは得られていない[20-22]。

　尿道留置カテーテルは尿路感染症のリスクになるため、可能な限り使用を避け、また早期抜去が推奨される[19]。間欠的導尿は尿道留置カテーテルの代用となり、また尿路感染症のリスクを低下させる可能性がある[19]。

〔引用文献〕

1) Foley NC, Salter KL, Robertson J, et al. Which reported estimate of the prevalence of malnutrition after stroke is valid? Stroke 2009; 40: e66-e74.（レベル3）

2) Yoo SH, Kim JS, Kwon SU, et al. Undernutrition as a predictor of poor clinical outcomes in acute ischemic stroke patients. Arch Neurol. 2008; 65: 39-43.（レベル2）

3) Middleton S, Coughlan K, Mnatzaganian G, et al. Mortality Reduction for Fever, Hyperglycemia, and Swallowing Nurse-Initiated Stroke Intervention: QASC Trial (Quality in Acute Stroke Care) Follow-Up. Stroke 2017; 48: 1331-1336.（レベル2）

4) Daniels SK, Ballo LA, Mahoney MC, et al. Clinical predictors of dysphagia and aspiration risk: outcome measures in acute stroke patients. Arch Phys Med Rehabil 2000; 81: 1030-1033.（レベル4）

5) Gariballa SE, Parker SG, Taub N, et al. A randomized, controlled, a single-blind trial of nutritional supplementation after acute stroke. JPEN J Parenter Enteral Nutr 1998; 22: 315-319.（レベル2）

6) Rabadi MH, Coar PL, Lukin M, et al. Intensive nutritional supplements can improve outcomes in stroke rehabilitation. Neurology 2008; 71: 1856-1861.（レベル2）

7) Dennis MS, Lewis SC, Warlow C. Routine oral nutritional supplementation for stroke patients in hospital (FOOD): a multicentre randomised controlled trial. Lancet 2005; 365: 755-763.（レベル2）

8) Martino R, Silver F, Teasell R, et al. The Toronto Bedside Swallowing Screening Test (TORBSST): development and validation of a dysphagia screening tool for patients with stroke. Stroke 2009; 40: 555-561.（レベル3）

9) Osawa A, Maeshima S, Tanahashi N. Water-swallowing test: screening for aspiration in stroke patients. Cerebrovas Dis 2013; 35: 276-281.（レベル3）

10) Singh S, Hamdy S. Dysphagia in stroke patients. Postgrad Med J 2006; 82: 383-391.（レベル4）

11) Warnecke T, Teismann I, Oelenberg S, et al. The safety of fiberoptic endoscopic evaluation of swallowing in acute stroke patients. Stroke 2009; 40: 482-486.（レベル4）

12) O'Mahony D, McIntyre AS. Artificial feeding for elderly patients after stroke. Age Ageing 1995; 24: 533-535.（レベル4）

13) Wijdicks EF, McMahon MM. Percutaneous endoscopic gastrostomy after acute stroke: complications and outcome. Cerebrovasc Dis 1999; 9: 109-111.（レベル4）

14) Dennis MS, Lewis SC, Warlow C. Effect of timing and method of enteral tube feeding for dysphagic stroke patients (FOOD): a multicentre randomised controlled trial. Lancet 2005; 365: 764-772.（レベル2）

15) Geeganage C, Beavan J, Ellender S, et al. Interventions for dysphagia and nutritional support in acute and subacute stroke. Cochrane Database Syst Rev 2012: CD000323.（レベル1）

16) Aoki S, Hosomi N, Hirayama J, et al. The Multidisciplinary Swallowing Team Approach Decreases Pneumonia Onset in Acute Stroke Patients. PLoS One 2016; 11: e0154608.（レベル4）

17) Wagner C, Marchina S, Deveau JA, et al. Risk of Stroke-Associated Pneumonia and Oral Hygiene. Cerebrovasc Dis 2016; 41: 35-39.（レベル3）

18) Shi Z, Xie H, Wang P, et al. Oral hygiene care for critically ill patients to prevent ventilator-associated pneumonia. Cochrane Database Syst Rev 2013: CD008367.（レベル1）

19) Jauch EC, Saver JL, Adams HP, et al. Guidelines for early management of patients with acute ischemic stroke. A guideline for healthcare professionals from the American Heart Association/American Stroke Association. Stroke 2013; 44: 870-947.（レベル5）

20) Gray CS, Hildreth AJ, Sandercock PA, et al. Glucose-potassium-insulin infusions in the management of post-stroke hyperglycaemia: the UK Glucose Insulin in Stroke Trial (GIST-UK). Lancet Neurol 2007; 6: 397-406.（レベル2）

21) Bellolio MF, Gilmore RM, Stead LG. Insulin for glycaemic control in acute ischaemic stroke. Cochrane Database Syst Rev 2011: CD005346.（レベル1）

22) Rosso C, Corvol JC, Pires C, et al. Intensive versus subcutaneous insulin in patients with hyperacute stroke. Results from the randomized INSULINFARCT trial. Stroke 2012; 43: 2343-2349.（レベル2）

Ⅰ 脳卒中一般

2 脳卒中急性期

2-1 全身管理
（6）体位など

推奨

1. 分泌物による気道閉塞や誤嚥の危険性のある場合あるいは頭蓋内圧亢進がある場合は、15〜30度の頭位挙上を考慮しても良い（推奨度C　エビデンスレベル中）。

2. 脳卒中入院後急性期に一律に頭部を水平位に保つことの有効性は確立していない（推奨度C　エビデンスレベル中）。

3. 症状が安定している軽症脳梗塞で頭蓋内血管に狭窄のない場合には、発症翌日より座位をとることを考慮しても良い（推奨度C　エビデンスレベル低）。

解　説

American Heart Association（AHA）/American Stroke Association（ASA）の脳梗塞ガイドラインでは、気道閉塞や誤嚥の危険性のある症例や、頭蓋内圧が亢進している症例では、頭位15〜30度に挙上すること、および体位変動の際には気道、酸素化および神経症状の変動を観察し、対処することが推奨されている[1]。

経頭蓋Doppler超音波検査やnear-infrared spectroscopy（NIRS）を用いて、体位が中大脳動脈の血流に及ぼす影響を検討した報告の結果は一定せず、転帰に関する検討はほとんどなされていない[2-5]。その他の主幹動脈の影響に関しての検討はほとんどみられない。

システマティックレビューでは、呼吸器系の合併症がない急性期脳卒中患者では体位は酸素化に影響しないが、呼吸器系合併症がある場合には起座位が酸素化に有用であると報告された[6]。また発症7日以内の脳卒中症例の検討では、軽症例では座位で平均酸素飽和度が有意に高かったが、呼吸器疾患合併例では特定の体位で酸素飽和度が低下するため要注意と報告された[7]。

入院後24時間の頭部水平位群を30度以上の頭位挙上群と比較したHeadPostでは、90日後のmodified Rankin Scale（mRS）で有意差はなく、誤嚥性肺炎や重篤な合併症の発症率にも差はなかった[8]。

早期座位でのリハビリテーションプログラムの有効性を検討したSEVELでは、50％以上の頭蓋内動脈狭窄のない軽症急性期脳梗塞患者を対象として、発症後、遅くとも翌日までに座位をとる早期座位群と段階的に座位をとる対照群を比較したところ、3か月後のBarthel Indexは早期座位群にて良好であったが、mRSに有意差は認めなかった[9]。

〔引用文献〕

1) Jauch EC, Saver JL, Adams HP Jr, et al. Guidelines for the early management of patients with acute ischemic stroke: a guideline for healthcare professionals from the American Heart Association/ American Stroke Association. Stroke 2013; 44: 870-947.（レベル5）

2) Schwarz S, Georgiadis D, Aschoff A, et al. Effects of body position on intracranial pressure and cerebral perfusion in patients with large hemispheric stroke. Stroke 2002; 33: 497-501.（レベル4）

3) Durduran T, Zhou C, Edlow BL, et al. Transcranial optical monitoring of cerebrovascular hemodynamics in acute stroke patients. Opt Express 2009; 17: 3884-3902.（レベル4）

4) Wojner-Alexander AW, Garami Z, Chernyshev OY, et al. Heads down: flat positioning improves blood flow velocity in acute ischemic stroke. Neurology 2005; 64: 1354-1357.（レベル4）

5) Elizabeth J, Singarayar J, Ellul J, et al. Arterial oxygen saturation and posture in acute stroke. Age Ageing 1993; 22: 269-272.（レベル4）

6) Tyson SF, Nightingale P. The effects of position on oxygen saturation in acute stroke: a systematic review. Clin Rehabil 2004; 18: 863-871.（レベル1）

7) Rowat AM, Wardlaw JM, Dennis MS, et al. Patient positioning influences oxygen saturation in the acute phase of stroke. Cerebrovasc Dis 2001; 12: 66-72.（レベル4）

8) Anderson CS, Arima H, Lavados P, et al. Cluster-Randomized, Crossover Trial of Head Positioning in Acute Stroke. N Engl J Med 2017; 376: 2437-2447.（レベル3）

9) Herisson F, Godard S, Volteau C, et al. Early Sitting in Ischemic Stroke Patients (SEVEL): A Randomized Controlled Trial. PLoS One 2016; 11: e0149466.（レベル2）

Ⅰ 脳卒中一般

2 脳卒中急性期

2-2 合併症予防・治療
（1）感染症

推奨

1. 脳卒中患者では一般に呼吸器感染、尿路感染などを合併する頻度が高いため、入院時から合併症のリスクを評価し、積極的に合併症予防と治療に取り組むよう勧められる（推奨度A　エビデンスレベル中）。

2. 急性期から理学療法や嚥下評価、呼吸リハビリテーションなどを積極的に行うことは、肺炎の発症を少なくするため妥当である（推奨度B　エビデンスレベル中）。

3. 感染症予防を目的とした抗菌薬の投与は、脳卒中の機能予後、死亡率を改善する科学的な根拠がなく勧められない（推奨度D　エビデンスレベル高）。

解　説

　脳卒中急性期では感染症の合併頻度が高いため[1-3]、合併する感染症の種類、時期、危険度の高い患者に合わせた対応が必要である[2]。

　脳卒中後の感染症合併は急性期症例の30〜60％に認められ、尿路感染症（10〜24％）、呼吸器感染症（10〜22％）が多い[2-7]。また87研究（137,817症例）を対象としたメタ解析で肺炎は入院中死亡と有意に相関した[7]。感染症の発症率は脳卒中後1週間以内が高く、脳卒中の重症度、機能障害度、死亡率、高齢、男性、嚥下障害、心房細動の合併などと相関し、感染症のコントロールは死亡率を含めた機能予後に大きく影響することが数多くの報告で示されている[1-6]。

　脳卒中急性期の感染症の予防法としては、早期運動療法（入院初日〜48時間以内）およびStroke Unit（SU）への早期入室などがある[8,9]。12研究（87,824症例）を対象とした嚥下障害と脳卒中関連肺炎に関するレビューでは、72時間以内の早期嚥下障害スクリーニングと専門家による評価は肺炎のリスクを低下すると報告された[10]。

　脳卒中急性期の予防的な抗菌薬の投与に関するシステマティックレビューでは、抗菌薬の予防投与は急性期の感染症を大幅（治療群26％、対照群19％）に減少させたが、主には尿路感染症に対する効果であり（治療群4％、対象群10％）、死亡率および90日後の機能予後に対して有意差は見られず、肺炎の予防効果（10％対11％）もなかった[11]。一方、modified Rankin Scale（mRS）3

以上の脳梗塞症例に対する予防的抗菌薬投与は発熱、早期の感染症を減らし、90日の時点の転帰を有意に改善したという報告もある[12]。

〔引用文献〕

1) Johnston KC, Li JY, Lyden PD, et al. Medical and neurological complications of ischemic stroke: experience from the RANT-TAS trial. RANTTAS Investigators. Stroke 1998; 29: 447-453. （レベル3）
2) Davenport RJ, Dennis MS, Wellwood I, et al. Complications after acute stroke. Stroke 1996; 27: 415-420. （レベル4）
3) Langhorne P, Stott DJ, Robertson L, et al. Medical complications after stroke: a multicenter study. Stroke 2000; 31: 1223-1229. （レベル4）
4) Indredavik B, Rohweder G, Naalsund E, et al. Medical complications in a comprehensive stroke unit and an early supported discharge service. Stroke 2008; 39: 414-420. （レベル3）
5) Langdon PC, Lee AH, Binns CW. High incidence of respiratory infections in 'nil by mouth' tube-fed acute ischemic stroke patients. Neuroepidemiology 2009; 32: 107-113. （レベル3）
6) Hoffmann S, Malzahn U, Harms H, et al. Development of a clinical score (A2DS2) to predict pneumonia in acute ischemic stroke. Stroke 2012; 43: 2617-2623. （レベル3）
7) Westendorp WF, Nederkoorn PJ, Vermeij JD, et al. Post-stroke infection: a systematic review and meta-analysis. BMC Neurol 2011; 11: 110. （レベル1）
8) Ingeman A, Andersen G, Hundborg HH, et al. Processes of care and medical complications in patients with stroke. Stroke 2011; 42: 167-172. （レベル3）
9) Cuesy PG, Sotomayor PL, Pina JO. Reduction in the incidence of poststroke nosocomial pneumonia by using the "turn-mob" program. J Stroke Cerebrovasc Dis 2010; 19: 23-28. （レベル2）
10) Eltringham SA, Kilner K, Gee M, et al. Impact of Dysphagia Assessment and Management on Risk of Stroke-Associated Pneumonia: A Systematic Review. Cerebrovasc Dis 2018; 46: 99-107. （レベル3）
11) Vermeij JD, Westendorp WF, Dippel DW, et al. Antibiotic therapy for preventing infections in people with acute stroke. Cochrane Database Syst Rev 2018: CD008530. （レベル1）
12) Schwarz S, Al-Shajlawi F, Sick C, et al. Effects of prophylactic antibiotic therapy with mezlocillin plus sulbactam on the incidence and height of fever after severe acute ischemic stroke: the Mannheim infection in stroke study (MISS). Stroke 2008; 39: 1220-1227. （レベル2）

脳卒中治療ガイドライン 2021

I 脳卒中一般

2 脳卒中急性期

2-2 合併症予防・治療 (2) 消化管出血

推奨

▶ 高齢や重症の脳卒中患者、アスピリンや直接阻害型経口抗凝固薬（DOAC）などの抗血栓薬を投与している患者では上部消化管出血のリスクが高く、誤嚥性肺炎の可能性を配慮した上での抗胃潰瘍薬（プロトンポンプ阻害薬〔PPI〕またはH$_2$受容体拮抗薬）の予防的投与は妥当である（推奨度B　エビデンスレベル中）。

解　説

欧米では急性期脳卒中の1.5〜3%が消化管出血を起こしたのに対し[1-3]、アジアでは7.8%とアジア人では消化管出血の頻度が高い[4]。高齢者、脳卒中の重症度、腎機能、冠動脈疾患、心房細動、心不全、脂質異常、前方循環障害、および消化管出血の既往は、消化管出血の頻度および死亡を含めた予後不良となる頻度を高める危険因子であった[5]。またアスピリンなどの抗血小板薬や直接阻害型経口抗凝固薬（DOAC）などの抗凝固薬は、上部消化管出血のリスクを高めることが多くの大規模試験で示されている。（「II 脳梗塞・TIA　3 脳梗塞慢性期 3-1 非心原性脳梗塞　（1）抗血小板療法」、「II 脳梗塞・TIA　3 脳梗塞慢性期　3-2 心原性脳塞栓症 （1）抗凝固療法」の項を参照）。

脳卒中および頭部外傷の救急症例における消化管出血に対し、H$_2$受容体拮抗薬は抑制効果を示した[6-9]。一方、4,881人の軽症脳卒中患者を対象とした抗血小板薬のランダム化比較試験では、プロトンポンプ阻害薬（proton pump inhibitor：PPI）使用の有無にかかわらず消化管出血が増加していた[10]。さらに脳出血急性期における6時間ごとのスクラルファート内服の胃出血予防効果はプラセボと有意差なく、また8時間ごとのH$_2$受容体拮抗薬ラニチジン50 mgの静注にも、有効性はみられなかった[11]。

一方、抗潰瘍薬は、殺菌作用を有する胃酸を抑制するため誤嚥性肺炎を発症しやすくする可能性がある。米国の研究では、制酸薬投与により院内肺炎の発生率は、オッズ比（OR）2.3と増加し、特にPPIでOR 2.7と有意に高かった[12]。日本の報告では、肺炎発症リスクはH$_2$受容体拮抗薬で1.22、PPIで2.07であり[13]、アジア人を対象としたコホート研究でもほぼ同様であった[14]。肺炎のリスクが高い脳卒中患者への抗胃潰瘍薬の投与は注意する必要がある。

注：PPIのみが低用量アスピリン投与時における胃潰瘍または十二指腸潰瘍の再発抑制に対する保険適用がある。

〔引用文献〕

1) O'Donnell MJ, Kapral MK, Fang J, et al. Gastrointestinal bleeding after acute ischemic stroke. Neurology 2008; 71: 650-655. （レベル4）
2) Davenport RJ, Dennis MS, Warlow CP. Gastrointestinal hemorrhage after acute stroke. Stroke 1996; 27: 421-424. （レベル4）
3) Rumalla K, Mittal MK. Gastrointestinal Bleeding in Acute Ischemic Stroke: A Population-Based Analysis of Hospitalizations in the United States. J Stroke Cerebrovasc Dis 2016; 25: 1728-1735. （レベル4）
4) Hsu HL, Lin YH, Huang YC, et al. Gastrointestinal hemorrhage after acute ischemic stroke and its risk factors in Asians. Eur Neurol 2009; 62: 212-218. （レベル4）
5) Chou YF, Weng WC, Huang WY. Association between gastrointestinal bleeding and 3-year mortality in patients with acute, first-ever ischemic stroke. J Clln Neurosci 2017; 44: 289-293. （レベル4）
6) 大塚敏文，八木義弘，島崎修次，他．脳血管障害，頭部外傷による胃酸分泌亢進に対するファモチジン（F）注の抑制効果の検討　プラセボ（P）を対照とした二重盲検比較試験．診療と新薬 1991；28：1-12．（レベル4）
7) 天羽敬祐，大塚敏文，角田幸雄，他．救急患者の過大侵襲ストレスによる胃酸分泌亢進に対するRanitidine注射液の臨床用量および有用性に関する予備的検討．臨床成人病　1993；23：243-258．（レベル4）
8) 石山憲雄，永田淳二，佐野公俊．脳血管障害に合併せる中枢性消化管出血に対するcimetidineの効果　とくに予防薬について．救急医学　1984；8：1705-1709．（レベル4）
9) 杉山貢，芦川和高，上田守三，他．救急領域における過大ストレス状態下でのシメチジンの胃酸分泌抑制効果．消化器科　1991；15：289-299．（レベル4）
10) Tillman H, Johnston SC, Farrant M, et al. Risk for major hemorrhages in patients receiving clopidogrel and aspirin compared with aspirin alone after TIA or minor ischemic stroke in the point trial. Int J Stroke 2018; 13: 236. （レベル3）
11) Misra UK, Kalita J, Pandey S, et al. A randomized placebo con-

trolled trial of ranitidine versus sucralfate in patients with spontaneous intracerebral hemorrhage for prevention of gastric hemorrhage. J Neurol Sci 2005; 239: 5-10. （レベル 3）

12) Herzig SJ, Doughty C, Lahoti S, et al. Acid-suppressive medication use in acute stroke and hospital-acquired pneumonia. Ann Neurol 2014; 76: 712-718. （レベル 3）

13) Arai N, Nakamizo T, Ihara H, et al. Histamine H2-Blocker and Proton Pump Inhibitor Use and the Risk of Pneumonia in Acute Stroke: A Retrospective Analysis on Susceptible Patients. PLoS One 2017; 12: e0169300. （レベル 3）

14) Song TJ, Kim J. Risk of post-stroke pneumonia with proton pump inhibitors, H2 receptor antagonists and mucoprotective agents: A retrospective nationwide cohort study. PLoS One 2019; 14: e0216750. （レベル 3）

Ⅰ 脳卒中一般

2 脳卒中急性期

2-2 合併症予防・治療
（3）痙攣

推奨

1. 脳卒中患者に対するルーチンでの抗てんかん薬による予防的投与は勧められない（推奨度D　エビデンスレベル低）。

2. 高齢者の皮質下出血では急性期の痙攣発作は予後不良であり、抗てんかん薬による予防的治療を考慮しても良い（推奨度C　エビデンスレベル低）。

3. 急性期に症候性発作に対して投与が開始された抗てんかん薬は、その後の発作の有無や脳波異常を評価しながら、漸減中止を検討することが妥当である（推奨度B　エビデンスレベル低）。

解　説

　脳卒中後痙攣は約10％とまれではなく[1]、出血性脳卒中でやや多い[1,2]が病型により頻度は大きく異なる。病型以外の危険因子としては、皮質を含む病巣、高齢、錯乱、身体合併症などが知られている[1-3]。痙攣は入院中死亡[2]および機能転帰不良[1]に関連する独立因子である。脳卒中後痙攣のうち症候性てんかんに発展する症例は脳卒中発症早期よりも発症後期（遅発性）に多い[1,4]。予防的抗てんかん薬投与について、特発性脳内出血ではバルプロ酸投与が痙攣発作を抑制し転帰を改善したとの小規模臨床試験があるが[4]、その他の抗てんかん薬で短期および長期機能予後改善との関連性を認めたものはない[5,6]。くも膜下出血では、予防的抗てんかん薬投与を支持する根拠となりうる研究はみられない[7]。虚血性脳卒中後に予防的抗てんかん薬を使用するメリットがあることを示す研究は現在までみられない。痙攣後長期間にわたる抗てんかん薬を使用する適応についての情報はほとんどない[8]。

〔引用文献〕

1) Bladin CF, Alexandrov AV, Bellavance A, et al. Seizures after stroke: a prospective multicenter study. Arch Neurol 2000; 57: 1617-1622.（レベル4）

2) Arboix A, Comes E, Massons J, et al. Relevance of early seizures for in-hospital mortality in acute cerebrovascular disease. Neurology 1996; 47: 1429-1435.（レベル4）

3) Kilpatrick CJ, Davis SM, Tress BM, et al. Epileptic seizures in acute stroke. Arch Neurol 1990; 47: 157-160.（レベル4）

4) Burn J, Dennis M, Bamford J, et al. Epileptic seizures after a first stroke: the Oxfordshire Community Stroke Project. BMJ 1997; 315: 1582-1587.（レベル4）

5) Sykes L, Wood E, Kwan J. Antiepileptic drugs for the primary and secondary prevention of seizures after stroke. Cochrane Database Syst Rev 2014: CD005398.（レベル3）

6) Spoelhof B, Sanchez-Bautista J, Zorrilla-Vaca A, et al. Impact of antiepileptic drugs for seizure prophylaxis on short and long-term functional outcomes in patients with acute intracerebral hemorrhage: A meta-analysis and systematic review. Seizure 2019; 69: 140-146.（レベル3）

7) Marigold R, Günther A, Tiwari D, et al. Antiepileptic drugs for the primary and secondary prevention of seizures after subarachnoid haemorrhage. Cochrane Database Syst Rev 2013: CD008710.（レベル5）

8) Kwan J, Wood E. Antiepileptic drugs for the primary and secondary prevention of seizures after stroke. Cochrane Database Syst Rev 2010: CD005398.（レベル3）

Ⅰ 脳卒中一般

2 脳卒中急性期

2-2　合併症予防・治療
（4）頭痛

推 奨

1. 脳卒中ではさまざまな原因で頭痛が生じるため、急な頭痛の出現や増悪の場合は、必ず診察や検査によって評価を行うよう勧められる（推奨度A　エビデンスレベル低）。

2. 原因に対する治療とともに、軽度な頭痛に対しては非オピオイド鎮痛薬（NSAIDs やアセトアミノフェン）を使用することを考慮しても良い（推奨度C　エビデンスレベル低）。

解　説

　頭痛は脳卒中急性期のおよそ3分の1程度にみられ、出血性脳卒中で頻度が高く半数以上に認められる[1,2]。虚血性脳卒中に関連する急性期の頭痛は神経学的局所徴候と同時に出現、緊張型の特徴を持ち、軽度から中等度の痛みが平均持続時間3〜4日間とされる。頭痛に関連する要因としては、若年、女性、頭痛の既往、椎骨脳底動脈系脳卒中である[3]。一方、非外傷性脳内出血に関連する急性期の頭痛は、神経学的局所徴候が出現する前に、中等度から重度の激しい頭痛を認めるとされる。持続時間は虚血性脳卒中と同程度である。頭痛に関連する要因としては、若年、女性、血腫量、小脳および脳葉出血である[3]。虚血性脳卒中の患者では、急性脳卒中に起因する頭痛の場所は、内頚動脈系では病変部と同側、椎骨脳底動脈系では後頭部である[3]。頭痛と発症時重症度や機能的な転帰、死亡との有意な関連はないとされ[1]、虚血性脳卒中では発症時の頭痛はむしろ転帰良好と関連するとの報告もみられる[4]。頭痛は頭蓋外頚動脈解離、脳静脈洞血栓症、reversible cerebral vasoconstriction syndrome（RCVS）で合併頻度が高く、一方塞栓性脳梗塞では頭痛の頻度が少ない[3,5]。脳卒中後の持続性頭痛の治療に関するエビデンスはない。急性脳卒中に伴う頭痛は、通常、鎮痛薬（非オピオイド系）によく反応し、自然にも軽快する[3,6]。一方、頭痛が持続する場合は、再発性脳卒中、頭蓋内出血、脳静脈（洞）血栓症、血管解離、posterior reversible leukoencephalopathy（PRES）、RCVS、感染症などの二次的原因を考える必要がある[3]。また、非ステロイド性抗炎症薬（non-steroidal anti-inflammatory drugs：NSAIDs）の使用にあたっては、アスピリン服用が遺伝子組み換え組織型プラスミノゲン・アクティベータ（rt-PA）静注療法における脳出血合併の危険因子になることに留意する必要がある[7]。

〔引用文献〕

1) Jorgensen HS, Jespersen HF, Nakayama H, et al. Headache in stroke: the Copenhagen Stroke Study. Neurology 1994; 44: 1793-1797. （レベル 3）
2) Arboix A, Massons J, Oliveres M, et al. Headache in acute cerebrovascular disease: a prospective clinical study in 240 patients. Cephalalgia 1994; 14: 37-40. （レベル 3）
3) Lai J, Harrison RA, Plecash A, et al. A Narrative Review of Persistent Post-Stroke Headache - A New Entry in the International Classification of Headache Disorders, 3rd Edition. Headache 2018; 58: 1442-1453. （レベル 2）
4) Chen PK, Chiu PY, Tsai IJ, et al. Onset headache predicts good outcome in patients with first-ever ischemic stroke. Stroke 2013; 44: 1852-1858. （レベル 3）
5) Kumral E, Bogousslavsky J, Van Melle G, et al. Headache at stroke onset: the Lausanne Stroke Registry. J Neurol Neurosurg Psychiatry 1995; 58: 490-492. （レベル 3）
6) Balami JS, Chen RL, Grunwald IQ, et al. Neurological complications of acute ischaemic stroke. Lancet Neurol 2011; 10: 357-371. （レベル 5）
7) Larrue V, von Kummer RR, Muller A, et al. Risk factors for severe hemorrhagic transformation in ischemic stroke patients treated with recombinant tissue plasminogen activator: a secondary analysis of the European-Australasian Acute Stroke Study (ECASS II). Stroke 2001; 32: 438-441. （レベル 2）

Ⅰ 脳卒中一般

2 脳卒中急性期

2-2 合併症予防・治療
（5）深部静脈血栓症および肺塞栓症

推奨

1. 深部静脈血栓症予防のためには早期離床を行うよう勧められる（推奨度A　エビデンスレベル低）。早期離床が困難な脳卒中患者では、理学療法（下肢の挙上、マッサージ、自動的および他動的な足関節運動）を実施するよう勧められる（推奨度A　エビデンスレベル低）。

2. 体動困難な急性期脳卒中患者に対する深部静脈血栓症の予防として間欠的空気圧迫法の施行が勧められる（推奨度A　エビデンスレベル中）。段階的弾性ストッキングは深部静脈血栓症の予防効果はなく行うべきではない（推奨度E　エビデンスレベル中）。

3. 体動困難な脳梗塞急性期の患者では、深部静脈血栓症および肺塞栓症の予防に抗凝固療法（未分画ヘパリン皮下注、低分子ヘパリン）を考慮して良いが、原疾患への抗血栓療法に追加する場合は出血性梗塞や脳出血の発症リスクを高めるため、有効性は確立していない（推奨度C　エビデンスレベル低）。低分子デキストラン点滴は深部静脈血栓症の予防効果について、科学的根拠がないので勧められない（推奨度D　エビデンスレベル中）。

4. 脳出血、くも膜下出血、重篤な出血性梗塞では抗凝固療法は禁忌となるため、他の予防法を行うべきである（推奨度A　エビデンスレベル低）。

解　説

麻痺や臥床は深部静脈血栓症発症リスク因子である[1]。歩行困難な急性期脳卒中患者では、入院1か月以内の深部静脈血栓症の検出率は14.5％であり、約80％は10日以内に発症していた。約8割は片側性に発症、4分の3は麻痺側に発症していた[2]。

足関節の自動運動は同側下肢の静脈血流や静脈血流量を増加させる[3,4]。下肢麻痺を伴う亜急性期脳梗塞患者に対して、足関節他動運動を行ったところ、麻痺側下肢の大腿静脈速度が増加した[5]。早期離床が困難な患者では、下肢の挙上やマッサージ、自動的および他動的な足関節運動を実施することで静脈血栓症のリスクを減らせる[6]。

脳梗塞発症14日以内の抗凝固療法（未分画ヘパリン皮下注、低分子ヘパリンまたはヘパリノイド）の効果についてのCochraneのメタ解析では、抗凝固療法は深部静脈血栓症や症候性肺塞栓症のリスクを減少させたが、この効果は頭蓋外出血の増加によって相殺された[7]。同様な解析結果が欧州脳卒中学会のガイドラインでも紹介されている[8]。

急性期脳出血患者に対する早期抗凝固療法（未分画ヘパリン、低分子ヘパリン、ヘパリノイド）は、非薬物療法と比較して肺塞栓症は有意に減少したが、深部静脈血栓症の抑制、血種の増大に有意差は認めなかったとメタ解析で報告された[9]。

またアスピリンは、急性期脳梗塞を対象とした2件の大規模臨床研究[10,11]のプール分析では、肺塞栓症に対する有意な予防効果が認められたが、重大な頭蓋外出血が増加した[12]。低分子デキストランには深部静脈血栓症予防効果は認められていない[13]。

段階的弾性ストッキングの急性期脳卒中患者に対する深部静脈血栓症や肺塞栓症の予防効果は認められていない[14,15]。一方、段階的弾性ストッキングは皮膚損傷の頻度が高率であった[15]。また膝下のストッキング着用は、大腿部までのストッキング着用と比較し、深部静脈血栓症、特に近位部の深部静脈血栓が多かった[16]。急性期頭蓋内出血の患者に対して弾性ストッキングに間欠的空気圧迫法を併用することで無症候性深部静脈血栓症の発症率が大幅に減少した[17]。歩行困難な急性期脳梗塞患者に対して、ヘパリン皮下注に間欠的空気圧迫法を併用することで深部静脈血栓症および肺塞栓症の発症率が減少した[18]。体動困難な脳卒中急性期患者（くも膜下出血および皮膚炎、下腿潰瘍、重度浮腫、末梢血管疾患、うっ血性心不全などの間欠的空気圧迫禁忌患者

を除く）に対して間欠的空気圧迫法を行うことで中枢型の深部静脈血栓症の発症率が3分の1減少したが、皮膚損傷の頻度は間欠的空気圧迫法使用例で高く、6か月後の生存率は間欠的空気圧迫法使用例で高かった[19,20]。

〔引用文献〕

1) Wells PS, Owen C, Doucette S, et al. Does this patient have deep vein thrombosis? JAMA 2006; 295: 199-207.（レベル1）
2) Dennis M, Mordi N, Graham C, et al. The timing, extent, progression and regression of deep vein thrombosis in immobile stroke patients: observational data from the CLOTS multicenter randomized trials. J Thromb Haemost 2011; 9: 2193-2200.（レベル1）
3) McNally MA, Cooke EA, Mollan RA. The effect of active movement of the foot on venous blood flow after total hip replacement. J Bone Joint Surg Am 1997; 79: 1198-1201.（レベル2）
4) Sochart DH, Hardinge K. The relationship of foot and ankle movements to venous return in the lower limb. J Bone Joint Surg Br 1999; 81: 700-704.（レベル4）
5) 木内和江, 川西千恵美, 折部知子. 麻痺のある脳梗塞患者における深部静脈血栓症予防としての足関節底背屈運動の効果　運動前後の大腿静脈流速の変化より. 国立看護大学校研究紀要　2015; 14：11-19.（レベル4）
6) 日本循環器学会, 日本医学放射線学会, 日本胸部外科学会, 他. 肺血栓塞栓症および深部静脈血栓症の診断, 治療, 予防に関するガイドライン（2017年改訂版）. 2018. Available at https://j-circ.or.jp/old/guideline/pdf/JCS2017_ito_h.pdf（レベル5）
7) Sandercock PA, Counsell C, Kane EJ. Anticoagulants for acute ischaemic stroke. Cochrane Database Syst Rev 2015: CD000024.（レベル1）
8) Dennis M, Caso V, Kappelle LJ, et al. European Stroke Organisation (ESO) guidelines for prophylaxis for venous thromboembolism in immobile patients with acute ischaemic stroke. Eur Stroke J 2016; 1: 6-19.（レベル1）
9) Paciaroni M, Agnelli G, Venti M, et al. Efficacy and safety of anticoagulants in the prevention of venous thromboembolism in patients with acute cerebral hemorrhage: a meta-analysis of controlled studies. J Thromb Haemost 2011; 9: 893-898.（レベル1）
10) CAST: randomized placebo-controlled trial of early aspirin use in 20,000 patients with acute ischaemic stroke. CAST (Chinese Acute Stroke Trial) Collaborative Group. Lancet 1997; 349: 1641-1649.（レベル2）
11) The International Stroke Trial (IST): a randomized trial of aspirin, subcutaneous heparin, both, or neither among 19435 patients with acute ischaemic stroke. International Stroke Trial Collaborative Group. Lancet 1997; 349: 1569-1581.（レベル2）
12) Andre C, de Freitas GR, Fukujima MM. Prevention of deep venous thrombosis and pulmonary embolism following stroke: a systemic review of published articles. Eur J Neurol 2007; 14: 21-32.（レベル1）
13) Mellbring G, Strand T, Eriksson S. Venous thromboembolism after cerebral infarction and the prophylactic effect of dextran 40. Acta Med Scand 1986; 220: 425-429.（レベル2）
14) Naccarato M, Chiodo Grandi F, Dennis M, et al. Physical methods for preventing deep vein thrombosis in stroke. Cochrane Database Syst Rev 2010: CD001922.（レベル1）
15) Dennis M, Sandercock PA, Reid J, et al. Effectiveness of thigh-length graduated compression stockings to reduce the risk of deep vein thrombosis after stroke (CLOTS trial 1): a multicentre, randomised controlled trial. Lancet 2009; 373: 1958-1965.（レベル2）
16) Thigh-length versus below-knee stockings for deep venous thrombosis prophylaxis after stroke: a randomized trial. Ann Intern Med 2010; 153: 553-562.（レベル2）
17) Lacut K, Bressollette L, Le Gal G, et al. Prevention of venous thrombosis in patients with acute intracerebral hemorrhage. Neurology 2005; 65: 865-869.（レベル2）
18) Kamran SI, Downey D, Ruff RL. Pneumatic sequential compression reduces the risk of deep vein thrombosis in stroke patients. Neurology 1998; 50: 1683-1688.（レベル2）
19) Dennis M, Sandercock P, Reid J, Graham C, Forbes J, Murray G. Effectiveness of intermittent pneumatic compression in reduction of risk of deep vein thrombosis in patients who have had a stroke (CLOTS 3): a multicentre randomised controlled trial. Lancet 2013; 382: 516-524.（レベル2）
20) Dennis M, Sandercock P, Graham C, et al. The Clots in Legs or sTockings after Stroke (CLOTS) 3 trial: a randomised controlled trial to determine whether or not intermittent pneumatic compression reduces the risk of post-stroke deep vein thrombosis and to estimate its cost-effectiveness. Health Technol Assess 2015; 19: 1-90.（レベル2）

I 脳卒中一般

2 脳卒中急性期

2-3 Stroke Care Unit（SCU）・Stroke Unit（SU）

推奨

▶ 脳卒中急性期症例は、多職種で構成する脳卒中専門チームが、持続したモニター監視下で、集中的な治療と早期からのリハビリテーションを計画的かつ組織的に行うことのできる脳卒中専門病棟である Stroke Unit（SU）で治療することが勧められる（推奨度A　エビデンスレベル高）。

解　説

Stroke unit（SU）とは、多種職で構成する脳卒中専門チームが、脳卒中急性期から集中的な治療と早期からのリハビリテーションを計画的かつ組織的に行うことのできる脳卒中専門病棟である。本邦においては、Stroke Care Unit（SCU）が設置されSUの機能を担っているが、SCUは高度の脳卒中集中治療を行う役割も兼ねており、同一のものではない。脳卒中の初期治療をSUで行うことは一般病棟での治療と比べ、脳卒中の悪化や再発、肺炎などの感染症および死亡率が有意に低下、在宅復帰率の上昇、在院日数の短縮効果が得られる[1-5]。またSUでの治療を受けることにより、長期的にみても患者の生存率は高く、機能予後が良好であり、介護依存度も低く、自宅で生活している割合が高いことが示されており（施設入所の患者が少ない）、quality of life（QOL）も改善する[5-13]。SUによるこれらの効果は、年齢、性別、脳卒中重症度を問わず認められる[4]。本邦からの多施設観察研究として、脳卒中治療（くも膜下出血を除く）をSUで行うことで発症3か月後の転帰が改善したとする峰松らの報告[13]や脳梗塞患者、脳卒中患者ともにSCUで治療した群で有意に院内死亡が減少したが、患者の自立度と機能予後には差はなかったとする Diagnosis Procedure Combination（DPC）データを用いたInoue らの報告[14]がある。

〔引用文献〕

1) Govan L, Langhorne P, Weir CJ. Does the prevention of complications explain the survival benefit of organized inpatient (stroke unit) care?: further analysis of a systematic review. Stroke 2007; 38: 2536-2540.（レベル1）

2) How do stroke units improve patient outcomes? A collaborative systematic review of the randomized trials. Stroke Unit Trialists'Collaboration. Stroke 1997; 28: 2139-2144.（レベル1）

3) Zhu HF, Newcommon NN, Cooper ME, et al. Impact of a stroke unit on length of hospital stay and in-hospital case fatality. Stroke 2009; 40: 18-23.（レベル4）

4) Collaborative systematic review of the randomised trials of organized inpatient (stroke unit) care after stroke. Stroke Unit Trialists'Collaboration. BMJ 1997; 314: 1151-1159.（レベル1）

5) Turner M, Barber M, Dodds H, et al. The impact of stroke unit care on outcome in a Scottish stroke population, taking into account case mix and selection bias. J Neurol Neurosurg Psychiatry 2015; 86: 314-318.（レベル3）

6) Organised inpatient (stroke unit) care for stroke. Cochrane Database Syst Rev 2007: CD000197.（レベル1）

7) Indredavik B, Bakke F, Slordahl SA, et al. Stroke unit treatment improves long-term quality of life: a randomized controlled trial. Stroke 1998; 29: 895-899.（レベル2）

8) Indredavik B, Bakke F, Slordahl SA, et al. Stroke unit treatment. 10-year follow-up. Stroke 1999; 30: 1524-1527.（レベル2）

9) Indredavik B, Bakke F, Solberg R, et al. Benefit of a stroke unit: a randomized controlled trial. Stroke 1991; 22: 1026-1031.（レベル2）

10) Indredavik B, Slordahl SA, Bakke F, et al. Stroke unit treatment. Long-term effects. Stroke 1997; 28: 1861-1866.（レベル2）

11) Ronning OM, Guldvog B. Stroke units versus general medical wards, I: twelve- and eighteen-month survival: a randomized, controlled trial. Stroke 1998; 29: 58-62.（レベル3）

12) Ronning OM, Guldvog B. Stroke unit versus general medical wards, II: neurological deficits and activities of daily living: a quasi-randomized controlled trial. Stroke 1998; 29: 586-590.（レベル3）

13) 峰松一夫，上原敏志，安井信之，他．わが国における stroke unit の有効性について 「わが国における stroke unit の有効性に関する多施設共同前向き研究」（厚生労働科学研究費補助金長寿科学総合研究事業，主任研究者：峰松一夫）の中間解析結果を中心に．脳卒中　2007；29：59-64.（レベル4）

14) Inoue T, Fushimi K. Stroke care units versus general medical wards for acute management of stroke in Japan. Stroke 2013; 44: 3142-3147.（レベル4）

Ⅰ 脳卒中一般

2 脳卒中急性期

2-4 リハビリテーション
（1）評価（機能障害、活動制限、参加制約の評価）

推奨

▶ 汎用され、信頼性・妥当性が検証されている以下の評価尺度（**表**）を用いることが勧められる
（推奨度 A　エビデンスレベル中）。

表　推奨される評価法の内容要約

評価対象		評価尺度	詳細	文献
機能障害	総合評価	Fugl-Meyer Assessment (FMA)	上下肢運動機能、バランス機能、感覚、関節可動域・疼痛の各項目を、0～2点で評価する。	1)
		National Institutes of Health Stroke Scale (NIHSS)	意識、瞳孔反射、注視、視野、顔面神経、上下肢運動機能、足底反射、失調、感覚、無視、構音、失語症の各項目を、0点から2～4点で評価する。	2)
		Stroke Impairment Assessment Set (SIAS)	麻痺側運動機能、筋緊張、感覚、関節可動域、疼痛、体幹機能、高次脳機能、非麻痺側機能の各項目を、0点から3点あるいは5点で評価する。	3)
		脳卒中重症度スケール（JSS）	意識、言語、無視、視野、眼球運動、瞳孔、顔面麻痺、足底反射、感覚、運動の得点を、統計的に算出された重み付けにより合計して評価する。	4)
	麻痺	Brunnstrom Recovery Stage (BRS)	運動パターンに基づいた片麻痺の重症度評価法。上肢、手指、下肢各々を、Stage 1：完全麻痺、から、Stage 6：分離運動可能、までの6段階で評価する。	5)
	痙縮	(modified) Ashworth Scale (mAS)	筋緊張亢進を他動運動での抵抗感で評価する。筋緊張が亢進していない：0、から、屈曲伸展の不可能：4、までの5段階。modifiedでは1と2の間に1+がある。	6)
活動制限・参加制約	ADL	Functional Independence Measure (FIM)	運動項目13項目、認知項目5項目を、1点（全介助）から7点（自立）で評価する。FIM合計点やFIM利得（改善）、FIM効率（利得／日数）などが指標として用いられる。	7)
		Barthel Index (BI)	ADLの10項目を、2～4段階で評価し、100点が完全自立となる。各項目の自立の点数が異なることで、項目の経験的な重み付けがされている。	8)
	成果指標	modified Rankin Scale (mRS)	0：症状なし、から、6：死亡、までの7段階で評価する。	9)、10)
		Glasgow outcome scale (GOS)	1：発症前の活動を行える、から、5：死亡、までの5段階で評価する。	11)

解　説

　日本リハビリテーション医学会評価・用語委員会[12,13]とInternational Classification of Functioning、Disability and Health（ICF）に関するWHO関連調査グループ[14]が、既存論文中の頻用評価表を調査している。国内外リハビリテーション雑誌において脳卒中に関しては、Functional Independence Measure（FIM）、(modified) Ashworth Scale（mAS）、Barthel Index（BI）、Fugl-Meyer Assessment（FMA）、Brunnstrom Recovery Stage（BRS）、National Institutes of Health Stroke Scale（NIHSS）、modified Rankin Scale（mRS）、Stroke Impairment Assessment Set（SIAS）、Glasgow outcome scale（GOS）が使用されている[12-15]。

　以下、日本での使用状況を加味して評価法を選択して概観する。

　総合評価スケールでは、FMAの高い信頼性・他評価との比較による妥当性[16-19]が報告されており、短縮版[20]やコンピュータ適応型テスト版[21]も出ている。日本脳卒中学会のJapan Stroke Scale（JSS）は会議録での検証はあるが、原著論文が少なく[22-24]、追加検証を要する。SIASは信頼性と妥当性の裏付けが整っている[25]。NIHSS[2]では許容範囲の信頼性[26]、妥当性[26-27]、DVD教材の多検者信頼性[28]が報告されている。

　片麻痺の尺度として頻用されるBRSを主題とした検証は見当たらないが、BRSの基準がFMAの上肢肩／肘／前腕と下肢股／膝／足の項目に使われ

脳卒中治療ガイドライン 2021　43

ているため、FMA の評価法の信頼性・妥当性の高さが BRS の検証となる[16,17]。また、BRS は、SIAS 運動項目との相関の高さも示されている[25]。

mAS は筋緊張が各種要因で変化しやすいこともあり、信頼性が高いとする報告[6,29,30]と、検者間の完全一致はしにくいとする報告[31-33]とに評価が分かれている。

日常生活動作（activities of daily living：ADL）の尺度では、BI の高い信頼性[34,35]、妥当性[36,37]と FIM の高い信頼性・妥当性[37-40]が報告され、特に FIM の信頼性は、11 研究のメタ解析においても担保されている[38]。リハビリテーションの臨床指標として FIM を期間で割った FIM 効率が提唱されている[41]。どの ADL 評価法にも当てはまる内容であるが、FIM の項目難易度には文化による相違が認められ[42]、国際比較をする場合、注意が必要である。より簡略な指標である mRS は、高い信頼性[10,43]、FIM や BI との妥当性が検討されている[44,45]。また GOS は、信頼性[46]、mRS との妥当性[47]が検討されている。

〔引用文献〕

1) Fugl-Meyer AR, Jääskö L, Leyman I, et al. The post-stroke hemiplegic patient. 1. a method for evaluation of physical performance. Scand J Rehabil Med 1975; 7: 13-31.（レベル 5）

2) NIH Stroke Scale: Text Version [PDF]. Bethesda (MD): National Institute of Neurological Disorders and Stroke (NINDS) [cited 2009 Jan 29]. Available from: http://www.ninds.nih.gov/doctors/NIH_Stroke_Scale.pdf（レベル 5）

3) Chino N, Sonoda S, Domen K, et al. Stroke Impairment Assessment Set (SIAS): A new evaluation instrument for stroke patients. Jpn J Rehabil Med 1994; 31: 119-125.（レベル 5）

4) 後藤文男. 日本脳卒中学会・脳卒中重症度スケール（急性期）の発表にあたって. 脳卒中　1997；19：1-5.（レベル 5）

5) Brunnstrom S. Motor testing procedures in hemiplegia: based on sequential recovery stages. Phys Ther 1966; 46: 357-375.（レベル 5）

6) Bohannon RW, Smith MB. Interrater reliability of a modified Ashworth scale of muscle spasticity. Phys Ther 1987; 67: 206-207.（レベル 4）

7) Data management service of the Uniform Data System for Medical Rehabilitation and the Center for Functional Assessment Research. Guide for use of the Uniform Data Set for Medical Rehabilitation. version 3.1, State University of New York at Buffalo, Buffalo, 1990.（レベル 5）

8) Mahoney FI, Barthel DW. Functional evaluation: the Barthel Index. Md State Med J 1965; 14: 61-65.（レベル 5）

9) 篠原幸人，峰松一夫，天野隆弘，他. modified Rankin Scale の信頼性に関する研究　日本語版判定基準書および問診票の紹介. 脳卒中　2007；29：6-13.（レベル 4）

10) Shinohara Y, Minematsu K, Amano T, et al. Modified Rankin scale with expanded guidance scheme and interview questionnaire: interrater agreement and reproducibility of assessment. Cerebrovasc Dis 2006; 21: 271-278.（レベル 4）

11) Jennett B, Bond M. Assessment of outcome after severe brain damage. Lancet 1975; 1: 480-484.（レベル 5）

12) 佐浦隆一，才藤栄一，根本明宜，他. リハビリテーション関連雑誌における評価法使用動向調査（8）. The Japanese Journal of Rehabilitation Medicine　2012；49：57-61.（レベル 4）

13) 志波直人，水尻強志，太田喜久夫，他. リハニュース　リハビリテーション関連雑誌における評価法使用動向調査（9）. The Japa-

nese Journal of Rehabilitation Medicine　2017；54：158-166.（レベル 4）

14) Geyh S, Kurt T, Brockow T, et al. Identifying the concepts contained in outcome measures of clinical trials on stroke using the International Classification of Functioning, Disability and Health as a reference. J Rehabil Med 2004(44 Suppl): 56-62.（レベル 4）

15) Salter KL, Teasell RW, Foley NC, et al. Outcome assessment in randomized controlled trials of stroke rehabilitation. Am J Phys Med Rehabil 2007; 86: 1007-1012.（レベル 4）

16) Platz T, Pinkowski C, van Wijck F, et al. Reliability and validity of arm function assessment with standardized guidelines for the Fugl-Meyer Test, Action Research Arm Test and Box and Block Test: a multicentre study. Clin Rehabil 2005; 19: 404-411.（レベル 2）

17) Duncan PW, Propst M, Nelson SG. Reliability of the Fugl- Meyer assessment of sensorimotor recovery following cerebrovascular accident. Phys Ther 1983; 63: 1606-1610.（レベル 4）

18) Gladstone DJ, Danells CJ, Black SE. The fugl-meyer assessment of motor recovery after stroke: a critical review of its measurement properties. Neurorehabil Neural Repair 2002; 16: 232-240.（レベル 4）

19) Hsieh YW, Wu CY, Lin KC, et al. Responsiveness and validity of three outcome measures of motor function after stroke rehabilitation. Stroke 2009; 40: 1386-1391.（レベル 4）

20) Hsieh YW, Hsueh IP, Chou YT, et al. Development and validation of a short form of the Fugl-Meyer motor scale in patients with stroke. Stroke 2007; 38: 3052-3054.（レベル 3）

21) Hou WH, Shih CL, Chou YT, et al. Development of a computerized adaptive testing system of the Fugl-Meyer motor scale in stroke patients. Arch Phys Med Rehabil 2012; 93: 1014-1020.（レベル 4）

22) 日本脳卒中学会 Stroke Scale 委員会. 日本脳卒中学会・脳卒中重症度スケール（急性期）Japan Stroke Scale. 脳卒中　1997；19：2-5.（レベル 4）

23) Gotoh F, Terayama Y, Amano T. Development of a novel, weighted, quantifiable stroke scale: Japan stroke scale. Stroke 2001; 32: 1800-1807.（レベル 4）

24) Suyama T, Kusano S, Oi N, et al. Evaluation of Japan Stroke Scale of Motor (JSS-M): From Rehabilitative Viewpoint. Journal of Physical Therapy Science 2004; 16: 27-31.（レベル 4）

25) 道免和久. 脳卒中片麻痺患者の機能評価法 Stroke Impairment Assessment Set (SIAS) の信頼性および妥当性の検討（1）：麻痺側運動機能，筋緊張，腱反射，健側機能. リハビリテーション医学　1995；32：113-122.（レベル 4）

26) Brott T, Adams HP Jr, Olinger CP, et al. Measurements of acute cerebral infarction: a clinical examination scale. Stroke 1989; 20: 864-870.（レベル 4）

27) Heinemann AW, Harvey RL, McGuire JR, et al. Measurement properties of the NIH Stroke Scale during acute rehabilitation. Stroke 1997; 28: 1174-1180.（レベル 4）

28) Lyden P, Raman R, Liu L, et al. NIHSS training and certification using a new digital video disk is reliable. Stroke 2005; 36: 2446-2449.（レベル 4）

29) Gregson JM, Leathley M, Moore AP, et al. Reliability of the Tone Assessment Scale and the modified Ashworth scale as clinical tools for assessing poststroke spasticity. Arch Phys Med Rehabil 1999; 80: 1013-1016.（レベル 4）

30) Kaya T, Karatepe AG, Gunaydin R, et al. Inter-rater reliability of the Modified Ashworth Scale and modified Modified Ashworth Scale in assessing poststroke elbow flexor spasticity. Int J Rehabil Res 2011; 34: 59-64.（レベル 4）

31) Blackburn M, van Vliet P, Mockett SP. Reliability of measurements obtained with the modified Ashworth scale in the lower extremities of people with stroke. Phys Ther 2002; 82: 25-34.（レベル 2）

32) Gregson JM, Leathley MJ, Moore AP, et al. Reliability of measurements of muscle tone and muscle power in stroke patients. Age Ageing 2000; 29: 223-228.（レベル 4）

33) Platz T, Eickhof C, Nuyens G, et al. Clinical scales for the assessment of spasticity, associated phenomena, and function: a systematic review of the literature. Disabil Rehabil 2005; 27: 7-18.（レベル 4）

34) Green J, Forster A, Young J. A test-retest reliability study of the Barthel Index, the Rivermead Mobility Index, the Nottingham Extended Activities of Daily Living Scale and the Frenchay Activities Index in stroke patients. Disabil Rehabil 2001;

23: 670-676.（レベル 2）

35）Collin C, Wade DT, Davies S, et al. The Barthel ADL Index: a reliability study. Int Disabil Stud 1988; 10: 61-63.（レベル 4）

36）Laake K, Laake P, Ranhoff AH, et al. The Barthel ADL index: factor structure depends upon the category of patient. Age Ageing 1995; 24: 393-397.（レベル 4）

37）Gosman-Hedstrom G, Svensson E. Parallel reliability of the functional independence measure and the Barthel ADL index. Disabil Rehabil 2000; 22: 702-715.（レベル 2）

38）Ottenbacher KJ, Hsu Y, Granger CV, et al. The reliability of the functional independence measure: a quantitative review. Arch Phys Med Rehabil 1996; 77: 1226-1232.（レベル 1）

39）Hamilton BB, Laughlin JA, Fiedler RC, et al. Interrater reliability of the 7-level functional independence measure（FIM）. Scand J Rehabil Med 1994; 26: 115-119.（レベル 4）

40）Dodds TA, Martin DP, Stolov WC, et al. A validation of the functional independence measurement and its performance among rehabilitation inpatients. Arch Phys Med Rehabil 1993; 74: 531-536.（レベル 4）

41）Duncan PW, Zorowitz R, Bates B, et al. Management of Adult Stroke Rehabilitation Care: a clinical practice guideline. Stroke 2005; 36: e100-e143.（レベル 4）

42）Tennant A, Penta M, Tesio L, et al. Assessing and adjusting for cross-cultural validity of impairment and activity limitation scales through differential item functioning within the framework of the Rasch model: the PRO-ESOR project. Med Care 2004; 42: I37-I48.（レベル 4）

43）Wilson JT, Hareendran A, Hendry A, et al. Reliability of the modified Rankin Scale across multiple raters: benefits of a structured interview. Stroke 2005; 36: 777-781.（レベル 3）

44）Kwon S, Hartzema AG, Duncan PW, et al. Disability measures in stroke: relationship among the Barthel Index, the Functional Independence Measure, and the Modified Rankin Scale. Stroke 2004; 35: 918-923.（レベル 3）

45）Uyttenboogaart M, Luijckx GJ, Vroomen PC, et al. Measuring disability in stroke: relationship between the modified Rankin scale and the Barthel index. J Neurol 2007; 254: 1113-1117.（レベル 3）

46）Wilson JT, Pettigrew LE, Teasdale GM. Structured interviews for the Glasgow Outcome Scale and the extended Glasgow Outcome Scale: guidelines for their use. J Neurotrauma 1998; 15: 573-585.（レベル 3）

47）Tilley BC, Marler J, Geller NL, et al. Use of a global test for multiple outcomes in stroke trials with application to the National Institute of Neurological Disorders and Stroke t-PA Stroke Trial. Stroke 1996; 27: 2136-2142.（レベル 3）

Ⅰ 脳卒中一般

2 脳卒中急性期

2-4 リハビリテーション (2) 予後予測

推奨

▶ リハビリテーションプログラムは、脳卒中の病態、個別の機能障害、日常生活動作（ADL）の障害、社会生活上の制限などの評価およびその予後予測に基づいて計画することが勧められる（推奨度 A　エビデンスレベル中）。

解　説

　転帰予想の論文は多数あるが、提示された予測率はあまり高くない、検証群を用いた予測精度検討が少ない、予測に用いる変数の信頼性が不十分であるなどの理由から活用には注意が必要である[1-3]。検証群または複数の予測方法を比較した予測方法のうち、予測法作成に使われた患者を含まない検証群を用いた研究としては、入院時の日常生活動作（ADL）などから在院日数の予測[4]、最終 Functional Independence Measure（FIM）[5-9]や FIM 利得の予測[10]、6 か月後の modified Rankin Scale（mRS）の予測[11]、発症後 1 か月時点から 6 か月時点の Fugl-Meyer Assessment（FMA）の予測[12]、発症翌日の National Institutes of Health Stroke Scale（NIHSS）と MRI 所見の組み合わせから発症 3 か月後の Barthel Index（BI）の予測[13]、入院時 FIM と Trunk Control Test の組み合わせから退院時の FIM の予測[14]、総合的帰結の判定[15]、発症時の所見から 3 か月以降の ADL 自立の判定[16-18]を行った研究などがある。検証群はないものの ADL[19-22]や在院日数[23]を予測する複数の方式を比較している研究もある。

　総じて ADL を予測するための変数を入れたほうが予測精度は高い。また、単に予測に用いる変数の種類を増やしても必ずしも予測精度は上がらず[24,25]なるべく簡単な予測方法を用いることの利点も示されている[26]。

〔引用文献〕

1) Kwakkel G, Wagenaar RC, Kollen BJ, et al. Predicting disability in stroke--a critical review of the literature. Age Ageing 1996; 25: 479-489.（レベル 4）
2) Heinemann AW, Linacre JM, Wright BD, et al. Prediction of rehabilitation outcomes with disability measures. Arch Phys Med Rehabil 1994; 75: 133-143.（レベル 4）
3) Meijer R, Ihnenfeldt DS, de Groot IJ, et al. Prognostic factors for ambulation and activities of daily living in the subacute phase after stroke. A systematic review of the literature. Clin Rehabil 2003; 17: 119-129.（レベル 4）
4) Stineman MG, Hamilton BB, Granger CV, et al. Four methods for characterizing disability in the formation of function related groups. Arch Phys Med Rehabil 1994; 75: 1277-1283.（レベル 2）
5) Sonoda S, Saitoh E, Nagai S, et al. Stroke outcome prediction using reciprocal number of initial activities of daily living status. J Stroke Cerebrovasc Dis 2005; 14: 8-11.（レベル 2）
6) Stineman MG, Granger CV. Outcome, efficiency, and time-trend pattern analyses for stroke rehabilitation. Am J Phys Med Rehabil 1998; 77: 193-201.（レベル 4）
7) 園田茂, 才藤栄一, 辻内和人, 他. 脳卒中帰結予測におけるニューラルネットの応用. 総合リハビリテーション　1995；23：499-504.（レベル 4）
8) Tilling K, Sterne JA, Rudd AG, et al. A new method for predicting recovery after stroke. Stroke 2001; 32: 2867-2873.（レベル 4）
9) Tsuji T, Liu M, Sonoda S, et al. The stroke impairment assessment set: its internal consistency and predictive validity. Arch Phys Med Rehabil 2000; 81: 863-868.（レベル 4）
10) Brown AW, Therneau TM, Schultz BA, et al. Measure of functional independence dominates discharge outcome prediction after inpatient rehabilitation for stroke. Stroke 2015; 46: 1038-1044.（レベル 4）
11) Hofstad H, Naess H, Gjelsvik BE, et al. Subjective health complaints predict functional outcome six months after stroke. Acta Neurol Scand 2017; 135: 161-169.（レベル 4）
12) Duncan PW, Goldstein LB, Matchar D, et al. Measurement of motor recovery after stroke. Outcome assessment and sample size requirements. Stroke 1992; 23: 1084-1089.（レベル 4）
13) Baird AE, Dambrosia J, Janket S, et al. A three-item scale for the early prediction of stroke recovery. Lancet 2001; 357: 2095-2099.（レベル 4）
14) Sebastia E, Duarte E, Boza R, et al. Cross-validation of a model for predicting functional status and length of stay in patients with stroke. J Rehabil Med 2006; 38: 204-206.（レベル 4）
15) Falconer JA, Naughton BJ, Dunlop DD, et al. Predicting stroke inpatient rehabilitation outcome using a classification tree approach. Arch Phys Med Rehabil 1994; 75: 619-625.（レベル 4）
16) Rost NS, Smith EE, Chang Y, et al. Prediction of functional outcome in patients with primary intracerebral hemorrhage: the FUNC score. Stroke 2008; 39: 2304-2309.（レベル 4）
17) Reid JM, Gubitz GJ, Dai D, et al. Predicting functional outcome after stroke by modelling baseline clinical and CT variables. Age Ageing 2010; 39: 360-366.（レベル 4）
18) Papavasileiou V, Milionis H, Michel P, et al. ASTRAL score predicts 5-year dependence and mortality in acute ischemic stroke. Stroke 2013; 44: 1616-1620.（レベル 4）
19) Inouye M. Predicting outcomes of patients in Japan after first acute stroke using a simple model. Am J Phys Med Rehabil 2001; 80: 645-649.（レベル 4）

20) Lai SM, Duncan PW, Keighley J. Prediction of functional outcome after stroke: comparison of the Orpington Prognostic Scale and the NIH Stroke Scale. Stroke 1998; 29: 1838-1842. （レベル 4）

21) Wade DT, Hewer RL. Functional abilities after stroke: measurement, natural history and prognosis. J Neurol Neurosurg Psychiatry 1987; 50: 177-182. （レベル 4）

22) Li CC, Chen YM, Tsay SL, et al. Predicting functional outcomes in patients suffering from ischaemic stroke using initial admission variables and physiological data: a comparison between tree model and multivariate regression analysis. Disabil Rehabil 2010; 32: 2088-2096. （レベル 4）

23) Lin CL, Lin PH, Chou LW, et al. Model-based prediction of length of stay for rehabilitating stroke patients. J Formos Med Assoc 2009; 108: 653-662. （レベル 4）

24) Gladman JR, Harwood DM, Barer DH. Predicting the outcome of acute stroke: prospective evaluation of five multivariate models and comparison with simple methods. J Neurol Neurosurg Psychiatry 1992; 55: 347-351. （レベル 2）

25) Barer DH, Mitchell JR. Predicting the outcome of acute stroke: do multivariate models help? Q J Med 1989; 70: 27-39. （レベル 4）

26) Counsell C, Dennis M, McDowall M. Predicting functional outcome in acute stroke: comparison of a simple six variable model with other predictive systems and informal clinical prediction. J Neurol Neurosurg Psychiatry 2004; 75: 401-405. （レベル 2）

Ⅰ 脳卒中一般

2 脳卒中急性期

2-4 リハビリテーション
（3）急性期リハビリテーションの進め方

推奨

1. 十分なリスク管理のもとに、早期座位・立位、装具を用いた早期歩行訓練、摂食・嚥下訓練、セルフケア訓練などを含んだ積極的なリハビリテーションを、発症後できるだけ早期から行うことが勧められる（推奨度A　エビデンスレベル中）。

2. 脳卒中急性期リハビリテーションは、血圧、脈拍、呼吸、経皮的動脈血酸素飽和度、意識、体温などのバイタル徴候に配慮して行うよう勧められる（推奨度A　エビデンスレベル中）。

3. 早期離床を行う上では、病型ごとに注意すべき病態を考慮しても良い（推奨度C　エビデンスレベル中）。

解　説

　不動により深部静脈血栓症や沈下性肺炎などが起こり、安静臥床により廃用性筋萎縮が進行するため、可能な限り早期からリハビリテーションを開始する必要がある。脳卒中患者の非麻痺側上下肢は発症からリハビリテーション開始までの期間が長くなるほど廃用性筋萎縮が著しく[1]、歩行不能なものほど筋萎縮が進行した[2]。早期離床により、深部静脈血栓症、褥瘡、関節拘縮、沈下性肺炎など不動・臥床で起こる合併症は予防可能と考えられている[3]。

　リハビリテーションの開始は患者の状態により決定される。Agency for Health Care Policy and Research（AHCPR）guideline によると、医学的に可能なら発症から24〜48時間以内に寝返り、座位、セルフケアなどの自動運動を開始する。昏睡、神経徴候の進行、くも膜下出血、脳内出血、重度の起立性低血圧、急性心筋梗塞がある場合にはリハビリテーションの開始を遅らせる[4]。

　早期にリハビリテーションを開始することにより、体幹機能を良好に保ち、機能転帰が良好で、再発リスクの増加もみられず[5]、日常生活動作（ADL）の退院時到達レベルを犠牲にせずに入院期間が短縮された[6]。発症から52時間以内の脳梗塞例にリハビリテーションを開始しても脳血流量への影響はなく、重症合併症が有意に少なかった[7]。

　近年では超早期（発症後24時間以内）のリハビリテーションの効果検証も多く報告されており、脳卒中発症後24時間以内の超急性期から座位、起立

などの離床訓練を含む運動機能訓練を行うことは機能予後の改善、廃用の予防、ADLの獲得などに有効であるという報告が多い[8-11]。一方で24時間以内に離床して訓練を開始した群において3か月後の転帰不良例の割合が高い傾向と、対照群（24〜48時間で離床）における有意な機能的改善を認めた報告もある[12]。また、超早期（24時間以内）からの積極的介入（座位、立位などのアプローチを頻回に、かつ訓練量を多く実施）の効果を明らかにする大規模多施設研究の結果、3か月後の予後良好例（modified Rankin Scale〔mRS〕0〜2）の比率が通常のアプローチを実施した対照群で有意に高いと報告されている[13]。訓練時間の長短に関しても、長時間の早期集中リハビリテーションは機能障害、ADLに差はないという報告[14]と、改善させる[15-19]という報告がある。脳卒中の機能、能力的回復と最適な離床のタイミング、訓練量および頻度の関連性については未だ議論のあるところである。

　意識障害がJapan Coma Scale（JCS）で1桁の脳卒中患者は、発症後1週間以内に座位をとらせても、病型（梗塞、出血）にかかわらず、意識障害、麻痺の進行の頻度は増加しなかった[20]。心原性脳塞栓における心内血栓の存在は離床や訓練の開始時期に影響を及ぼさないが、心不全は離床開始前に評価することが望ましい。血栓遊離の危険性は個別に検討し、血圧や脈拍の急激な変動に配慮する必要がある[21]。座位耐性訓練、立位訓練、摂食訓練・嚥下訓練などの開始基準[22,23]、中止基準が提案され[24]、実地臨床で使用されているが、その妥当性に

ついての十分な証拠はない。

急性期の神経症候増悪の割合は、1）脳出血：①血腫の増大；高血圧性脳出血15％（多くは6時間以内）、②急性水頭症；高血圧性脳出血の5％、小脳出血の26～64％、2）脳梗塞：①進行性脳卒中；20％前後、②出血性梗塞；脳塞栓症の33～61％、③再発；全脳梗塞の15％、血栓症例（1か月以内）4％、塞栓症例（1か月以内）10％、小脳梗塞による水頭症；40％前後とされる[25]。これらの疾患および病態では、離床時期は個別に判断する必要がある。

脳卒中急性期のリハビリテーション開始の時期については、「Ⅰ 脳卒中一般　CQ Ⅰ-b」の項を参照。

〔引用文献〕

1) 大川弥生，上田敏．脳卒中片麻痺患者の廃用性筋萎縮に関する研究「健側」の筋力低下について．リハビリテーション医学 1988；25：143-147．（レベル 3）
2) 近藤克則，太田正．脳卒中早期リハビリテーション患者の下肢筋断面積の経時的変化　廃用性筋萎縮と回復経過．リハビリテーション医学　1997；34：129-133．（レベル 3）
3) 出江紳一，石田暉．急性期のリハビリテーション　離床までの評価と訓練．日本医師会雑誌　2001；125：S272-S284．（レベル 5）
4) Gresham GE, Duncan PW, Stason WB, et al. Post-Stroke Rehabilitation. Clinical Practice Guideline, No.16. (AHCPR Publication No.95-0662). Rockville, MD: US Department of Health and Human Services. Public Health Service, Agency for Health Care Policy and Research; 1995 May. （レベル 5）
5) 前田真治，長沢弘，平賀よしみ，他．発症当日からの脳内出血・脳梗塞リハビリテーション．リハビリテーション医学　1993；30：191-200．（レベル 3）
6) 出江紳一．脳卒中急性期リハビリテーション―総合病院での急性期リハビリテーション確立―大学病院の経験から　早期座位の効果に関する無作為対照試験．リハビリテーション医学　2001；38：535-538．（レベル 2）
7) Diserens K, Moreira T, Hirt L, et al. Early mobilization out of bed after ischaemic stroke reduces severe complications but not cerebral blood flow: a randomized controlled pilot trial. Clin Rehabil 2012; 26: 451-459. （レベル 2）
8) de Jong LD, Dijkstra PU, Gerritsen J, et al. Combined arm stretch positioning and neuromuscular electrical stimulation during rehabilitation does not improve range of motion, shoulder pain or function in patients after stroke: a randomized trial. J Physiother 2013; 59: 245-254. （レベル 2）
9) Sorbello D, Dewey HM, Churilov L, et al. Very early mobilisation and complications in the first 3 months after stroke: further results from phase Ⅱ of A Very Early Rehabilitation Trial (AVERT). Cerebrovasc Dis 2009; 28: 378-383. （レベル 2）
10) Craig LE, Bernhardt J, Langhorne P, et al. Early mobilization after stroke: an example of an individual patient data meta-analysis of a complex intervention. Stroke 2010; 41: 2632-2636. （レベル 2）
11) Cumming TB, Thrift AG, Collier JM, et al. Very early mobilization after stroke fast-tracks return to walking: further results from the phase Ⅱ AVERT randomized controlled trial. Stroke 2011; 42: 153-158. （レベル 2）
12) Sundseth A, Thommessen B, Ronning OM. Outcome after mobilization within 24 hours of acute stroke: a randomized controlled trial. Stroke 2012; 43: 2389-2394. （レベル 2）
13) Bernhardt J, Langhorne P, Lindley RI, et al. Efficacy and safety of very early mobilization within 24 h of stroke onset (AVERT): a randomised controlled trial. Lancet 2015; 386: 46-55. （レベル 2）
14) Di Lauro A, Pellegrino L, Savastano G, et al. A randomized trial on the efficacy of intensive rehabilitation in the acute phase of ischemic stroke. J Neurol 2003; 250: 1206-1208. （レベル 2）
15) Kwakkel G, Wagenaar RC, Twisk JW, et al. Intensity of leg and arm training after primary middlecerebral-artery stroke: a randomised trial. Lancet 1999; 354: 191-196. （レベル 1）
16) Langhorne P, Wagenaar R, Partridge C. Physiotherapy after stroke: more is better? Physiother Res Int 1996; 1: 75-88. （レベル 2）
17) Kwakkel G, Wagenaar RC, Koelman TW, et al. Effects of intensity of rehabilitation after stroke. A research synthesis. Stroke 1997; 28: 1550-1556. （レベル 2）
18) Strømmen AM, Christensen T, Jensen K. Intensive treadmill training in the acute phase after ischemic stroke. Int J Rehabil Res 2016; 39: 145-152. （レベル 2）
19) Hubbard IJ, Carey LM, Budd TW, et al. A Randomized Controlled Trial of the Effect of Early Upper-Limb Training on Stroke Recovery and Brain Activation. Neurorehabil Neural Repair 2015; 29: 703-713. （レベル 2）
20) 近藤克則，戸倉直実，二木立．脳卒中患者の発症直後の再発・進行の研究（第3報）発症早期の座位と再発・進行との関係．リハビリテーション医学　1994；31：46-53．（レベル 3）
21) 山田浩二，阿波恭弘，稲富雄一郎，他．心内血栓が残存した急性期心原性脳塞栓症患者の早期離床．総合リハビリテーション　2003；31：275-280．（レベル 4）
22) 林田来介，戸倉直実，二木立．急性期脳卒中患者に対する座位耐性訓練の開始時期．総合リハビリテーション　1989；17：127-129．（レベル 4）
23) 二木立，上田敏．脳卒中の早期リハビリテーション第2版．東京：医学書院；1992．p.105-108．（レベル 4）
24) 荒木五郎．脳卒中の診療をめぐる諸問題．In：岩倉博光，岩谷力，土肥信之，編．臨床リハビリテーション　脳卒中Ⅰ　脳卒中のみかた．東京：医歯薬出版；1990．p.1-29．（レベル 4）
25) 大野喜久郎．脳卒中急性期の神経症状増悪要因　離床待機を考慮すべき病態．医学のあゆみ　1997；183：397-400．（レベル 4）

Ⅰ 脳卒中一般

2 脳卒中急性期

2-5 地域連携

推奨

1. 脳卒中発症後に可及的速やかに治療を受ける有用性について、市民公開講座やマスメディアを通じての市民啓発活動を行うことが勧められる（推奨度A　エビデンスレベル高）。

2. 救急隊員の脳卒中への対応を向上させるため、脳卒中病院前救護についての教育コースの受講や病院前脳卒中評価ツールの習得が勧められる（推奨度A　エビデンスレベル中）。

3. 脳卒中が疑われる患者は、可及的速やかに脳卒中治療が可能な施設（ストロークセンター）に搬送することが勧められる（推奨度A　エビデンスレベル中）。遠隔地では航空医療搬送を考慮しても良い（推奨度C　エビデンスレベル低）。

4. Drip and Ship法やDrip, Ship and Retrieve法により、急性期脳梗塞患者に対する再開通療法を考慮しても良い（推奨度C　エビデンスレベル中）。主幹動脈閉塞が疑われる脳梗塞症例は、Drip, Ship and Retrieve法ではなく、Mothership法を考慮しても良い（推奨度C　エビデンスレベル低）。また状況によって、Drip and Drive法を考慮しても良い（推奨度C　エビデンスレベル低）。

5. 脳卒中専門医が不在の地域において、急性期脳卒中が疑われる患者の頭部CT・MRIの画像診断として遠隔画像診断を考慮しても良い（推奨度C　エビデンスレベル低）。

6. 遠隔脳卒中診療により、脳卒中専門医がいない施設においても遺伝子組み換え組織型プラスミノゲン・アクティベータ（rt-PA）の静脈内投与を考慮しても良い（推奨度C　エビデンスレベル低）。

7. 地域における病院・施設間の連携強化の目的で、脳卒中地域連携パスを用いることを考慮しても良い（推奨度C　エビデンスレベル低）。積極的に早期退院させ地域でリハビリテーションを行う方法については、日本においては十分な有効性は確立していない（推奨度C　エビデンスレベル低）。

解 説

1. 市民啓発

市民が脳卒中の症状や緊急受診の必要性を良く知る必要がある。市民啓発の手段として各種の公開講座やテレビなどの報道媒体を通じての市民教育[1]、学校教育としてのACT FASTキャンペーン[2,3]などの有効性が報告されている[4]。

2. 病院前救護（PSLS）

救急隊員が脳卒中の症状を迅速に覚知し、適切に専門施設に搬送することにより、治療開始までの時間短縮や病院前治療の可能性が増す[5,6]。救急隊員が脳卒中を疑う患者を、適切に専門施設に搬送するための患者観察・処置や、病院前トリアージの標準化手法として、PSLSが考案され救急隊の教育コー

スとして用いられている[7]。

海外ではCTを装備した移動型治療室であるmobile stroke unitの有効性が報告されている[8,9]。わが国において導入が有効と考えられる地域や費用対効果についての議論が必要である。

3. 病院間搬送

日本脳卒中学会は、遺伝子組み換え組織型プラスミノゲン・アクティベータ（rt-PA）静注療法が24時間365日可能な1次脳卒中センターの認定を2019年9月に開始した。rt-PA治療が必要な脳卒中患者を迅速に1次脳卒中センターに搬送する必要があり、遠隔地では、発症から治療開始までの時間を考慮した上で航空医療搬送などによる病院間搬送[10,11]を考慮しても良い。

他施設でrt-PA静注療法を開始した後に1次脳

卒中センターに搬送する Drip and Ship 法[12]や、rt-PA 静注療法後さらに機械的血栓回収療法可能施設に搬送する Drip, Ship and Retrieve 法[13]が提案されている。また転搬送においては、1 次脳卒中センター搬入から転搬送先への出発までの時間（Door-in-door-out time：DIDO）の短縮が重要である[14]。主幹動脈閉塞を伴う脳梗塞症例は、機械的血栓回収療法可能施設に他施設から転搬送するよりも、発症地点から直接搬送する Mothership 法のほうが、機能予後を改善させる可能性が高いことを示す複数の報告がある[15-19]。しかし医療圏をまたぐ搬送の取り扱い、機械的血栓回収療法可能施設に過度に患者が集中する恐れなどの問題がある。また血管内治療医が血栓回収療法を行うために移動する Drip and Drive 法の有効性と安全性についての少数の報告がある[20]。どの方法が最も患者予後を改善させるのかについては、地理的条件、医療体制、脳卒中重症度などによって異なる可能性があり、予測モデルを用いたシミュレーションと検証が必要と考えられる[21,22]。

4. 遠隔医療（telemedicine）

専門医が不在の地域での脳卒中診断において遠隔画像診断（teleradiology）の有効性が示されている[23]。脳卒中遠隔医療（telestroke）は、地域の基幹施設の脳卒中専門医がテレビ会議システムを用いて地方の関連施設の医師の rt-PA 静注療法を支援するものである[24,25]。海外の報告に基づくメタ解析においては、本治療は対人診療と同等の有効性と安全性が検証されているが[24,25]、日本においてはまだ施設、体制が不十分で、検証もわずかである。日本でも脳卒中遠隔医療の整備が進み、rt-PA 静注療法の地域格差が解消されることが望まれる。

5. 地域連携パス（地域連携診療計画書）

2008 年の診療報酬改定で脳卒中の地域連携パスが保険診療として認められ、全国各地で脳卒中地域連携パスが作成されている。脳卒中地域連携パス導入の効果も報告され始めているがエビデンスレベルはまだ低い[26]。

また積極的に早期に退院させて地域でリハビリテーションを支援する方法により、死亡および長期観察後の日常生活動作（ADL）の依存状態の割合が有意に低下したとの報告がある[27]が、日本での検証は不十分である。

〔引用文献〕

1) Miyamatsu N, Kimura K, Okamura T, et al. Effects of public education by television on knowledge of early stroke symptoms among a Japanese population aged 40 to 74 years: a controlled study. Stroke 2012; 43: 545-549.（レベル 3）

2) Kleindorfer DO, Miller R, Moomaw CJ, et al. Designing a message for public education regarding stroke: does FAST capture enough stroke? Stroke 2007; 38: 2864-2868.（レベル 3）

3) Bray JE, Finn J, Cameron P, et al. Temporal Trends in Emergency Medical Services and General Practitioner Use for Acute Stroke After Australian Public Education Campaigns. Stroke 2018; 49: 3078-3080.（レベル 4）

4) Teuschl Y, Brainin M. Stroke education: discrepancies among factors influencing prehospital delay and stroke knowledge. Int J Stroke 2010; 5: 187-208.（レベル 1）

5) Peurala SH, Airaksinen O, Jäkälä P, et al. Effects of intensive gait-oriented physiotherapy during early acute phase of stroke. J Rehabil Res Dev 2007; 44: 637-648.（レベル 1）

6) Caceres JA, Adil MM, Jadhav V, et al. Diagnosis of stroke by emergency medical dispatchers and its impact on the prehospital care of patients. J Stroke Cerebrovasc Dis 2013; 22: e610-e614.（レベル 4）

7) 加藤貴之, 酒井秀樹, 西村康明. rt-PA 静注療法における Prehospital Stroke Life Support（PSLS）/Immediate Stroke Life Support（ISLS）導入による効果. 脳卒中 2010；32：12-18.（レベル 4）

8) Cerejo R, John S, Buletko AB, et al. A Mobile Stroke Treatment Unit for Field Triage of Patients for Intraarterial Revascularization Therapy. J Neuroimaging 2015; 25: 940-945.（レベル 3）

9) Kunz A, Ebinger M, Geisler F, et al. Functional outcomes of pre-hospital thrombolysis in a mobile stroke treatment unit compared with conventional care: an observational registry study. Lancet Neurol 2016; 15: 1035-1043.（レベル 3）

10) Svenson JE, O'Connor JE, Lindsay MB. Is air transport faster? A comparison of air versus ground transport times for interfacility transfers in a regional referral system. Air Med J 2006; 25: 170-172.（レベル 4）

11) Bekelis K, Marth NJ, Wong K, et al. Primary Stroke Center Hospitalization for Elderly Patients With Stroke: Implications for Case Fatality and Travel Times. JAMA Intern Med 2016; 176: 1361-1368.（レベル 3）

12) Martin-Schild S, Morales MM, Khaja AM, et al. Is the drip-and-ship approach to delivering thrombolysis for acute ischemic stroke safe? J Emerg Med 2011; 41: 135-141.（レベル 4）

13) Pfefferkorn T, Holtmannspotter M, Schmidt C, et al. Drip, Ship, and Retrieve: Cooperative Recanalization Therapy in Acute Basilar Artery Occlusion. Stroke 2010; 41: 722-726.（レベル 4）

14) McTaggart RA, Moldovan K, Oliver LA, et al. Door-in-Door-Out Time at Primary Stroke Centers May Predict Outcome for Emergent Large Vessel Occlusion Patients. Stroke 2018; 49: 2969-2974.（レベル 4）

15) Nikoubashman O, Pauli F, Schürmann K, et al. Transfer of stroke patients impairs eligibility for endovascular stroke treatment. J Neuroradiol 2018; 45: 49-53.（レベル 3）

16) Nickles AV, Roberts S, Shell E, et al. Characteristics and Outcomes of Stroke Patients Transferred to Hospitals Participating in the Michigan Coverdell Acute Stroke Registry. Circ Cardiovasc Qual Outcomes 2016; 9: 265-274.（レベル 3）

17) Venema E, Groot AE, Lingsma HF, et al. Effect of Interhospital Transfer on Endovascular Treatment for Acute Ischemic Stroke. Stroke 2019; 50: 923-930.（レベル 3）

18) Froehler MT, Saver JL, Zaidat OO, et al. Interhospital Transfer Before Thrombectomy Is Associated With Delayed Treatment and Worse Outcome in the STRATIS Registry (Systematic Evaluation of Patients Treated With Neurothrombectomy Devices for Acute Ischemic Stroke). Circulation 2017; 136: 2311-2321.（レベル 3）

19) Rinaldo L, Brinjikji W, Rabinstein AA. Transfer to High-Volume Centers Associated With Reduced Mortality After Endovascular Treatment of Acute Stroke. Stroke 2017; 48: 1316-1321.（レベル 3）

20) Brekenfeld C, Goebell E, Schmidt H, et al. 'Drip-and-drive': shipping the neurointerventionalist to provide mechanical thrombectomy in primary stroke centers. J Neurointerv Surg 2018; 10: 932-936.（レベル 3）

21) Morris S, Ramsay AIG, Boaden RJ, et al. Impact and sustainability of centralising acute stroke services in English metropolitan areas: retrospective analysis of hospital episode statistics and stroke national audit data. BMJ 2019; 364: l1.（レベル 3）

22) Ernst M, Schlemm E, Holodinsky JK, et al. Modeling the Optimal Transportation for Acute Stroke Treatment: The Impact of the Drip-and-Drive Paradigm. Stroke 2020; 51: 275-281.（レベル 5）

23) Johnston KC, Worrall BB. Teleradiology Assessment of Computerized Tomographs Online Reliability Study. Teleradiology Assessment of Computerized Tomographs Online Reliability Study (TRACTORS) for acute stroke evaluation. Telemed J E Health 2003; 9: 227-233.（レベル 4）

24) Zhai YK, Zhu WJ, Hou HL, et al. Efficacy of telemedicine for thrombolytic therapy in acute ischemic stroke: a meta-analysis. J Telemed Telecare 2015; 21: 123-130.（レベル 1）

25) Kepplinger J, Barlinn K, Deckert S, et al. Safety and efficacy of thrombolysis in telestroke: A systematic review and meta-analysis. Neurology 2016; 87: 1344-1351.（レベル 1）

26) 本田省二，徳永誠，渡邊進，他．脳卒中の病型ごとの急性期から回復期までの実態調査　熊本脳卒中地域連携パスの9年間のデータを用いて．脳卒中　2018；40：343-349.（レベル 3）

27) Langhorne P, Baylan S. Early supported discharge services for people with acute stroke. Cochrane Database Syst Rev 2017: CD000443.（レベル 1）

II
脳梗塞・TIA

Ⅱ 脳梗塞・TIA

CQ Ⅱ-a 脳梗塞軽症例でも遺伝子組み換え組織型プラスミノゲン・アクティベータ（rt-PA、アルテプラーゼ）は投与しても良いか？

▶ 脳梗塞軽症患者であっても適応を慎重に検討した上で、アルテプラーゼの投与を考慮しても良い（推奨度C　エビデンスレベル中）。

解説

発症後まもなく来院した軽症脳梗塞患者に対して、出血性合併症の可能性がある遺伝子組み換え組織型プラスミノゲン・アクティベータ（recombinant tissue-type plasminogen activator：rt-PA、アルテプラーゼ）の使用は脳卒中専門医でも躊躇してしまう。この疑問に応えるPRISMS[1]が2018年に報告された。発症3時間以内にアルテプラーゼ投与可能であり、来院時に明らかな日常生活への機能障害がないと診断された脳梗塞軽症例（National Institute of Health Stroke Scale〔NIHSS〕5点以下）に対してアルテプラーゼ投与群（0.9 mg/kg）と経口アスピリン投与群（325 mg/日）を比較した結果、90日後の機能転帰に両群間で差がなく、統計学的に有意差はないものの症候性頭蓋内出血が多い結果（アルテプラーゼ投与群3.2% vs. 経口アスピリン投与群0%）となった。NIHSS 2点以下が全体の60%以上を占めていることや、母集団にアジア人がほとんど含まれていないこと、NIHSS 5点以下の中でもMinor Nondisabling Neurological Deficits（軽症で入浴、自立歩行や食事摂取などができる）集団に限定されていることなどから、軽症脳梗塞に対するアルテプラーゼの必要性の結論は出ていない。また、わが国の「静注血栓溶解（rt-PA）療法適正治療指針　第三版（2019年3月）」では、軽症例はアルテプラーゼ投与の慎重投与の対象となっているが、適応外とは見なされていない[2]。現在、中国にてNIHSS 5点以下の軽症脳梗塞患者に対してアルテプラーゼ投与群とクロピドグレル75 mg＋アスピリン100 mg投与群（クロピドグレルは初日のみ300 mg）を比較するARAMIS[3]が行われており、この結果が待たれる。これらの試験はアルテプラーゼの投与量がわが国（0.6 mg/kg）と異なるため、結果の解釈には留意する必要がある。

〔引用文献〕

1) Khatri P, Kleindorfer DO, Devlin T, et al. Effect of Alteplase vs Aspirin on Functional Outcome for Patients With Acute Ischemic Stroke and Minor Nondisabling Neurologic Deficits: the PRISMS Randomized Clinical Trial. JAMA 2018; 320: 156-166.（レベル2）
2) 豊田一則, 井口保之, 岡田靖, 他. 静注血栓溶解（rt-PA）療法適正治療指針　第三版. 脳卒中　2019；41：205-246.（レベル5）
3) Wang XH, Tao L, Zhou ZH, et al. Antiplatelet vs. R-tPA for acute mild ischemic stroke: a prospective, random, and open label multi-center study. Int J Stroke 2019; 14: 658-663.（レベル5）

II 脳梗塞・TIA

CQ II-b 狭窄度が軽度の症候性頚動脈狭窄患者に対して頚動脈内膜剥離術（CEA）は推奨されるか？

▶ 内科治療で抵抗性を示し、画像検査で潰瘍や不安定プラークを伴う場合は手術を考慮しても良いが、有効性は確立していない（推奨度C　エビデンスレベル低）。

解説

頚動脈狭窄症の患者の脳梗塞リスクとして以前から血管撮影などから求めた内腔の狭窄率が用いられており、狭窄率が高い症候性頚動脈狭窄症において頚動脈内膜剥離術（carotid endarterectomy：CEA）が内科治療より有効であるものの、狭窄率が低ければCEAを推奨する根拠は明らかでないとされる[1-5]。

しかし単純に狭窄率だけで治療の適応が判断できないことも示されている。中等度狭窄以上ではプラーク体積と脳虚血症状は相関したものの、プラーク体積と頚動脈狭窄率とは相関しなかったという報告[6]や、内頚動脈狭窄に起因した一過性脳虚血発作（transient ischemic attack：TIA）を来した患者は軽度狭窄と高度狭窄で脳卒中再発率に差がないとする報告[7]がある。

また血管壁の状態に注目すると、症候性頚動脈狭窄症では、潰瘍と壁在血栓が相関し、潰瘍性病変を認める場合はプラークの破綻やプラーク内出血などの不安定プラークと相関する[8]。潰瘍性病変を有する患者は、有しない患者と比較して脳卒中リスクが7倍高く[9]、carotid webなどの内頚動脈に突出する構造物を認める場合なども脳梗塞発症率は高い[10]とされる。

脳梗塞のリスクとして、症候性軽度頚動脈狭窄症の同側脳梗塞再発は3年間で7.4％という報告があり、expansive remodelingを認めた患者では、脳卒中の再発率が46％/人年であることが示された[11]。特に不安定プラークを伴った場合には、平均28か月のフォローで53％の症例が脳虚血を再発し、そのうち10％はmajor strokeを来した[12]とされる。以上から狭窄率が低くとも症候性の症例は決して再発率が低いわけではない。

症候性頚動脈狭窄症に対してプラークの特徴を検討した研究では、軽度から高度狭窄までプラークの特徴に差がないことから、狭窄度が軽度であっても、不安定プラークのため虚血症状を来すのはまれではなく、そのような患者にCEAは有用であるとしている[13]。

治療に関しては、内科治療に抵抗性の症候性軽度頚動脈狭窄症に対して、MRIによるプラーク評価を行い、画像検査から不安定プラークが疑われた症例では病理検査により全例に壁在血栓やプラーク内出血などの不安定プラークを認めた。そのような症例のCEAの短期成績および長期成績は良好であり、その安全性と有効性は中等度以上の頚動脈狭窄症と同等であった[14]。また、別の報告でも画像上潰瘍や不安定プラークを伴う症例では全例に壁在血栓や病理検査によりプラーク内出血などの不安定プラークを認めたことから、全身精査を行い頚動脈狭窄以外の原因が否定されるのであれば、CEAを考慮しても良いという報告がある[15]。

〔引用文献〕

1) Barnett HJ, Taylor DW, Eliasziw M, et al. Benefit of carotid endarterectomy in patients with symptomatic moderate or severe stenosis. North American Symptomatic Carotid Endarterectomy Trial Collaborators. N Engl J Med 1998; 339: 1415-1425. （レベル1）
2) Risk of stroke in the distribution of an asymptomatic carotid artery. The European Carotid Surgery Trialists Collaborative Group. Lancet 1995; 345: 209-212. （レベル1）
3) Randomised trial of endarterectomy for recently symptomatic carotid stenosis: final results of the MRC European Carotid Surgery Trial (ECST). Lancet 1998; 351: 1379-1387. （レベル1）
4) Barnett HJM, Taylor DW, Haynes RB, et al. Beneficial effect of carotid endarterectomy in symptomatic patients with high-grade carotid stenosis. North American Symptomatic Carotid Endarterectomy Trial Collaborators. N Engl J Med 1991; 325: 445-453. （レベル1）
5) Rothwell PM, Gibson RJ, Slattery J, et al. Prognostic value and reproducibility of measurements of carotid stenosis. A comparison of three methods on 1001 angiograms. European Carotid Surgery Trialists' Collaborative Group. Stroke 1994; 25: 2440-2444. （レベル2）
6) Vloothuis JDM, Mulder M, Nijland RHM, et al. Caregiver-mediated exercises with e-health support for early supported discharge after stroke (CARE4STROKE): a randomized con-

trolled trial. PLoS One 2019; 14: e0214241.（レベル4）

7）Eliasziw M, Kennedy J, Hill MD, et al. Early risk of stroke after a transient ischemic attack in patients with internal carotid artery disease. CMAJ 2004; 170: 1105-1109.（レベル4）

8）Fisher M, Paganini-Hill A, Martin A, et al. Carotid plaque pathology: thrombosis, ulceration, and stroke pathogenesis. Stroke 2005; 36: 253-257.（レベル4）

9）Handa N, Matsumoto M, Maeda H, et al. Ischemic stroke events and carotid atherosclerosis. Results of the Osaka Follow-up Study for Ultrasonographic Assessment of Carotid Atherosclerosis (the OSACA Study). Stroke 1995; 26: 1781-1786.（レベル4）

10）川原一郎，日宇健，小野智憲，他. Carotid web 病変の再考および治療戦略. Neurological Surgery　2019；47：659-666.（レベル5）

11）Yoshida K, Sadamasa N, Narumi O, et al. Symptomatic low-grade carotid stenosis with intraplaque hemorrhage and ex-

pansive arterial remodeling is associated with a high relapse rate refractory to medical treatment. Neurosurgery 2012; 70: 1143-1150; discussion 1150-1151.（レベル4）

12）黒崎義隆，吉田和道，福田仁，他.【頸動脈狭窄症の診断と治療】不安定プラークを伴った症候性軽度狭窄症に対する抗血小板療法と内膜剥離術. 脳卒中の外科　2015；43：98-102.（レベル4）

13）Kashiwazaki D, Shiraishi K, Yamamoto S, et al. Efficacy of Carotid Endarterectomy for Mild (<50%) Symptomatic Carotid Stenosis with Unstable Plaque. World Neurosurg 2019; 121: e60-e69.（レベル4）

14）吉田和道，舟木健史，菊池隆幸，他. 血管壁評価を重視した頸動脈狭窄症に対する新たな治療戦略. 脳卒中の外科　2019；47：121-125.（レベル4）

15）Takai H, Uemura J, Yagita Y, et al. Plaque Characteristics of Patients with Symptomatic Mild Carotid Artery Stenosis. J Stroke Cerebrovasc Dis 2018; 27: 1930-1936.（レベル4）

Ⅱ 脳梗塞・TIA

1 脳梗塞急性期

1-1 経静脈的線溶療法

推奨

1. 遺伝子組み換え組織型プラスミノゲン・アクティベータ（rt-PA、アルテプラーゼ）の静脈内投与（0.6 mg/kg）は、発症から4.5時間以内に治療可能な虚血性脳血管障害で慎重に適応判断された患者に対して勧められる（推奨度A　エビデンスレベル高）。

2. 患者が来院した後、少しでも早く（遅くとも1時間以内に）アルテプラーゼ静注療法を始めることが勧められる（推奨度A　エビデンスレベル高）。

3. 発症時刻が不明な時、頭部MRI拡散強調画像の虚血性変化がFLAIR画像で明瞭でない場合には、アルテプラーゼ静注療法を行うことを考慮しても良い（推奨度C　エビデンスレベル中）。

4. 現時点において、アルテプラーゼ以外のt-PA製剤は、わが国において十分な科学的根拠がないので勧められない（推奨度D　エビデンスレベル中）。

解 説

　発症3時間以内の脳梗塞患者に対する遺伝子組み換え組織型プラスミノゲン・アクティベータ（rt-PA、アルテプラーゼ）0.9 mg/kgの静脈内全身投与法の臨床治験では、症候性頭蓋内出血の頻度を有意に増加させたものの、3か月後の死亡率に有意差はなく、転帰良好群を有意に増加させた[1]。発症3〜4.5時間の患者を対象とした臨床試験（ECASS Ⅲ）でも、転帰良好群を有意に増加させた[2]。2010年のランダム化比較試験（randomized controlled trial：RCT）の統合解析では、アルテプラーゼによる転帰良好を増加させる効果は4.5時間を超えると消失し、巨大な頭蓋内出血の発生は発症から治療開始までの時間に関連なく、死亡は4.5時間を超えると増加した[3]。

　わが国では、2002年より2003年にかけて、発症3時間以内の虚血性脳血管障害に対するアルテプラーゼ静注療法のオープン試験（第Ⅲ相治験、J-ACT）が行われ、海外での臨床治験と同等の有効性と安全性が得られたこともあり[4]、2005年10月に厚生労働省の適応拡大承認を得た。J-ACTにおいては海外で承認されている0.9 mg/kgよりも少ない0.6 mg/kgでの臨床試験であったため、わが国での承認投与量は0.6 mg/kgとなっている。わが国で使用しているアルテプラーゼ0.6 mg/kgと0.9 mg/kgの安全性や有効性を比較した国際共

同試験ENCHANTEDでは、主要評価項目である発症90日後の転帰不良（modified Rankin Scale〔mRS〕2〜6）の割合では0.6 mg/kgの非劣性は示されなかった[5]。しかし、発症90日後のmRSのシフト解析では0.6 mg/kgの非劣性が示され、症候性の脳内出血や発症7日以内の致死的イベント発生が0.6 mg/kgで有意に少なかった。実臨床では「静注血栓溶解（rt-PA）療法適正治療指針第三版（2019年3月）」に記載された除外項目、慎重投与項目に基づき治療適否を判断する。

　国内外におけるアルテプラーゼ静脈内投与の市販後調査では、これまでの臨床治験と同等の有効性と安全性が確認されているが[6-9]、プロトコール違反が多いと症候性頭蓋内出血を含めた合併症の頻度が増加するという報告もある[10]。特に治療前に広汎な早期虚血性変化を伴う場合に症候性頭蓋内出血や転帰不良例が多いことが確認された[11,12]。また無作為化試験の統合解析結果と同様に、治療開始が早いほど良好な転帰が期待できることが示されている[13]。さらに、最終未発症確認時から4.5〜9.0時間、あるいは発症時間不明で、灌流画像を用いてミスマッチを有する脳梗塞患者に対し、アルテプラーゼの有効性をみるRCTが行われた。3か月後の機能転帰はアルテプラーゼ投与群でプラセボ群と比べてmRS 0〜1が有意に多かった[14]。また、2019年に行われたRCTの統合解析では、症候性頭蓋内出血がアルテプラーゼ投与群でプラセボ群と比べて多

かったものの、3か月後の機能転帰についてはアルテプラーゼ投与群でmRS 0～1が有意に多かった[15]。発症時間が不明な時、頭部MRI拡散強調画像の虚血性変化がFLAIR画像で明瞭でない場合（DWI/FLAIRミスマッチ陽性）は、発症4.5時間以内の可能性が高い。起床時に発見もしくは発症時刻不明で、かつDWI/FLAIRミスマッチ陽性を認める患者に、MRI撮影から1時間以内かつ発見から4.5時間以内に治療を開始した場合の効果を検証した臨床試験（WAKE-UP）では、アルテプラーゼ投与群でプラセボ群に比べてmRS 0～1が有意に多かった[16]。また、わが国で行われた臨床試験（THAWS trial）では有効性は示せなかったが、安全性に関しては、症候性頭蓋内出血、死亡率ともに両群で差を認めなかった[17]。ただしDWI-AS-PECTS 9～10に該当する、梗塞巣が非常に小さい患者を除外して解析すると、アルテプラーゼ投与群でプラセボ群よりも90日後の転帰良好の割合が有意に高かった[18]。

　発症3～9時間の脳梗塞患者を対象に国内外で行われたdesmoteplase（本邦未承認）の臨床試験では、90 μg/kgの静注は安全で、動脈再開通を増加させたが、3か月後の機能転帰については有意な改善がなく[19-22]、開発が中止された。tenecteplase（本邦未承認）は第IIb相臨床試験でアルテプラーゼと比較して有効性が示されている[23]。発症4.5時間以内または起床時症状確認から4.5時間以内の比較的軽症脳梗塞を対象とした臨床試験で、tenecteplaseはアルテプラーゼに対する転帰の優越性はみられなかったが、安全性は同等であった[24]。さらに発症4.5時間以内に血栓溶解療法可能でCT血管造影検査にて内頚動脈、中大脳動脈（M1部、M2部）もしくは脳底動脈閉塞があり、発症から6時間以内に血管内治療が施行可能な症例に対する血管内治療前のtenecteplase投与はアルテプラーゼに比べ、投与直後の再開通率および90日後の機能的転帰が改善した[25]。モンテプラーゼは半減期の長いrt-PAとしてわが国で開発され、急性期心筋梗塞および急性肺塞栓症の肺動脈血栓の溶解に保険適用されているが、現在はほとんど使用されていない。虚血性脳血管障害については開発が中止され、保険適用外である。

〔引用文献〕

1) The National Institute of Neurological Disorders and Stroke rt-PA Stroke Study Group. Tissue plasminogen activator for acute ischemic stroke. N Engl J Med 1995; 333: 1581-1587. （レベル2）

2) Hacke W, Kaste M, Bluhmki E, et al. Thrombolysis with alteplase 3 to 4.5 hours after acute ischemic stroke. N Engl J Med 2008; 359: 1317-1329. （レベル2）

3) Lees KR, Bluhmki E, von Kummer R, et al. Time to treatment with intravenous alteplase and outcome in stroke: an updated pooled analysis of ECASS, ATLANTIS, NINDS, and EPI-THET trials. Lancet 2010; 375: 1695-1703. （レベル1）

4) Yamaguchi T, Mori E, Minematsu K, et al. Alteplase at 0.6 mg/kg for acute ischemic stroke within 3 hours of onset: Japan Alteplase Clinical Trial (J-ACT). Stroke 2006; 37: 1810-1815. （レベル3）

5) Anderson CS, Robinson T, Lindley RI, et al. Low-Dose versus Standard-Dose Intravenous Alteplase in Acute Ischemic Stroke. N Engl J Med 2016; 374: 2313-2323. （レベル2）

6) Albers GW, Bates VE, Clark WM, et al. Intravenous tissue-type plasminogen activator for treatment of acute stroke: the Standard Treatment with Alteplase to Reverse Stroke (STARS) study. JAMA 2000; 283: 1145-1150. （レベル2）

7) Hill MD, Buchan AM. Thrombolysis for acute ischemic stroke: results of the Canadian Alteplase for Stroke Effectiveness Study. CMAJ 2005; 172: 1307-1312. （レベル4）

8) Wahlgren N, Ahmed N, Davalos A, et al. Thrombolysis with alteplase for acute ischaemic stroke in the Safe Implementation of Thrombolysis in Stroke- Monitoring Study (SITS-MOST): an observational study. Lancet 2007; 369: 275-282. （レベル2）

9) Toyoda K, Koga M, Naganuma M, et al. Routine use of intravenous low-dose recombinant tissue plasminogen activator in Japanese patients: general outcomes and prognostic factors from the SAMURAI register. Stroke 2009; 40: 3591-3595. （レベル3）

10) Graham GD. Tissue plasminogen activator for acute ischemic stroke in clinical practice: a meta-analysis of safety data. Stroke 2003; 34: 2847-2850. （レベル3）

11) Kimura K, Iguchi Y, Shibazaki K, et al. Large ischemic lesions on diffusion-weighted imaging done before intravenous tissue plasminogen activator thrombolysis predicts a poor outcome in patients with acute stroke. Stroke 2008; 39: 2388-2391. （レベル3）

12) Nezu T, Koga M, Kimura K, et al. Pretreatment ASPECTS on DWI predicts 3-month outcome following rt-PA: SAMURAI rt-PA Registry. Neurology 2010; 75: 555-561. （レベル3）

13) Aoki J, Kimura K, Koga M, et al. NIHSS-time score easily predicts outcomes in rt-PA patients: the SAMURAI rt-PA registry. J Neurol Sci 2013; 327: 6-11. （レベル3）

14) Ma H, Campbell BCV, Parsons MW, et al. Thrombolysis Guided by Perfusion Imaging up to 9 Hours after Onset of Stroke. N Engl J Med 2019; 380: 1795-1803. （レベル2）

15) Campbell BCV, Ma H, Ringleb PA, et al. Extending thrombolysis to 4・5-9 h and wake-up stroke using perfusion imaging: a systematic review and meta-analysis of individual patient data. Lancet 2019; 394: 139-147. （レベル1）

16) Thomalla G, Simonsen CZ, Boutitie F, et al. MRI-Guided Thrombolysis for Stroke with Unknown Time of Onset. N Engl J Med 2018; 379: 611-622. （レベル2）

17) Koga M, Yamamoto H, Inoue M, et al. Thrombolysis With Alteplase at 0.6 mg/kg for Stroke With Unknown Time of Onset: A Randomized Controlled Trial. Stroke 2020; 51: 1530-1538. （レベル3）

18) Toyoda K, Inoue M, Yoshimura S, et al. Magnetic Resonance Imaging-Guided Thrombolysis (0.6 mg/kg) Was Beneficial for Unknown Onset Stroke Above a Certain Core Size: THAWS RCT Substudy. Stroke 2021; 52: 12-19. （レベル3）

19) Hacke W, Furlan AJ, Al-Rawi Y, et al. Intravenous desmoteplase in patients with acute ischaemic stroke selected by MRI perfusion-diffusion weighted imaging or perfusion CT (DIAS-2): a prospective, randomised, double-blind, placebo-controlled study. Lancet Neurol 2009; 8: 141-150. （レベル2）

20) Albers GW, von Kummer R, Truelsen T, et al. Safety and efficacy of desmoteplase given 3-9 h after ischaemic stroke in patients with occlusion or high-grade stenosis in major cerebral arteries (DIAS-3): a double - blind, randomised, placebo-controlled phase 3 trial. Lancet Neurol 2015; 14: 575-584. （レベル2）

21) von Kummer R, Mori E, Truelsen T, et al. Desmoteplase 3 to 9 Hours After Major Artery Occlusion Stroke: The DIAS-4 Trial (Efficacy and Safety Study of Desmoteplase to Treat Acute Ischemic Stroke). Stroke 2016; 47: 2880-2887. （レベル 2）

22) Li X, Ling L, Li C, et al. Efficacy and safety of desmoteplase in acute ischemic stroke patients: A systematic review and meta-analysis. Medicine (Baltimore) 2017; 96: e6667. （レベル 2）

23) Parsons M, Spratt N, Bivard A, et al. A randomized trial of tenecteplase versus alteplase for acute ischemic stroke. N Engl J Med 2012; 366: 1099-1107. （レベル 2）

24) Logallo N, Novotny V, Assmus J, et al. Tenecteplase versus alteplase for management of acute ischaemic stroke (NOR-TEST): a phase 3, randomised, open-label, blinded endpoint trial. Lancet Neurol 2017; 16: 781-788. （レベル 2）

25) Campbell BCV, Mitchell PJ, Churilov L, et al. Tenecteplase versus Alteplase before Thrombectomy for Ischemic Stroke. N Engl J Med 2018; 378: 1573-1582. （レベル 2）

Ⅱ 脳梗塞・TIA

1 脳梗塞急性期

1-2 経動脈的血行再建療法

推奨

1. 発症早期の脳梗塞では、①内頚動脈または中大脳動脈 M1 部の急性閉塞、②発症前の modified Rankin Scale（mRS）スコアが 0 または 1、③頭部 CT または MRI 拡散強調画像で Alberta Stroke Program Early CT Score（ASPECTS）が 6 点以上、④National Institutes of Health Stroke Scale（NIHSS）スコアが 6 以上、⑤年齢 18 歳以上、のすべてを満たす症例に対して、遺伝子組み換え組織型プラスミノゲン・アクティベータ（rt-PA、アルテプラーゼ）静注療法を含む内科治療に追加して、発症から 6 時間以内に（可及的速やかに）ステントリトリーバーまたは血栓吸引カテーテルを用いた機械的血栓回収療法を開始することが勧められる（推奨度 A　エビデンスレベル高）。

2. 最終健常確認時刻から 6 時間を超えた内頚動脈または中大脳動脈 M1 部の急性閉塞による脳梗塞では、神経徴候と画像診断に基づく治療適応判定を行い、最終健常確認時刻から 16 時間以内に機械的血栓回収療法を開始することが勧められる（推奨度 A　エビデンスレベル中）。また、16〜24 時間以内に同療法を開始することは妥当である（推奨度 B　エビデンスレベル中）。

3. 前方循環系の脳主幹動脈の急性閉塞による脳梗塞では、ASPECTS が 6 点未満の広範囲虚血例、NIHSS スコアが 6 未満の軽症例、中大脳動脈 M2 部閉塞例、発症前 mRS スコアが 2 以上の症例に対して、発症 6 時間以内に機械的血栓回収療法を開始することを考慮しても良い（推奨度 C　エビデンスレベル低）。

4. 脳底動脈の急性閉塞による脳梗塞では、症例ごとに適応を慎重に検討し、有効性が安全性を上回ると判断した場合には機械的血栓回収療法を行うことを考慮しても良い（推奨度 C　エビデンスレベル低）。

5. 内頚動脈、中大脳動脈 M1 部または M2 近位部の急性閉塞による脳梗塞では、発症から 4.5 時間以内にアルテプラーゼ静注療法を行わずに、機械的血栓回収療法を開始することを考慮しても良い（推奨度 C　エビデンスレベル中）。

6. 中大脳動脈の急性塞栓性閉塞による脳梗塞では、来院時の症候が中等症から重症で、CT 上梗塞巣を認めないか軽微な梗塞にとどまる症例に対して、発症から 6 時間以内に経動脈的な選択的局所血栓溶解療法を行うことは妥当である（推奨度 B　エビデンスレベル高）。

7. 頭蓋内脳動脈または頚部頚動脈の急性閉塞や高度狭窄による脳梗塞急性期では、経動脈的な血管形成術やステント留置術を行うことは、有効性が確立していない（推奨度 C　エビデンスレベル低）。

解　説

1. 機械的血栓回収療法

前方循環系主幹脳動脈の急性閉塞による脳梗塞に対して、機械的血栓回収療法とアルテプラーゼ静注療法を含む内科治療を比較する 5 つの多施設共同無作為化試験が海外で行われ（MR CLEAN、ES-

CAPE、EXTEND-IA、SWIFT PRIME、REVASCAT）、MR CLEAN 以外は中間解析で終了したものの、すべての試験において一貫して機械的血栓回収療法は発症 90 日後の転帰改善効果を示した[1-5]。これらの 5 試験の統合解析である HERMES では、主要評価項目の 90 日後 modified Rankin Scale（mRS）スコアは、機械的血栓回収

療法群で有意に良好な方向にシフトし、90日後mRSスコア0〜2も有意に高率であった[6]。また、90日後死亡率および5日以内の症候性頭蓋内出血には有意な差はなかった。登録症例のうち90.8%が内頚動脈または中大脳動脈M1部の閉塞、90.5%がAlberta Stroke Program Early CT Score（ASPECTS）6点以上、機械的血栓回収療法群の83%と内科治療群の87%で遺伝子組み換え組織型プラスミノゲン・アクティベータ（rt-PA）静注療法が施行されていた。また、5試験のうち2試験でNational Institutes of Health Stroke Scale（NIHSS）スコアが6以上であった[6]。発症から治療開始までの時間は、5試験のうち3試験で6時間以内の症例を対象とし、血管内治療に割り付けられた634例において再開通までの時間が早いほど転帰良好（90日後mRSスコア0〜2）を獲得する可能性が高く、1時間の遅延によりその可能性が5.2%減少した[7]。

機械的血栓回収療法に用いる第一選択の治療機器について、ステントリトリーバーと血栓吸引カテテルとの多施設共同無作為化試験が海外で行われ（ASTER、COMPASS）、いずれの試験においても再開通率および90日後転帰には差がなかった[8,9]。

最終健常確認時刻から6時間を超えた内頚動脈または中大脳動脈M1部閉塞による脳梗塞に対する機械的血栓回収療法と内科治療を比較する多施設共同無作為化試験が海外で行われ（DAWN、DEFUSE3）、神経徴候と画像診断に基づいて対象症例を選択することで、機械的血栓回収療法は発症90日後の転帰を改善することが示された[10,11]。DAWNでは、最終健常確認時刻から6〜24時間で、神経徴候と虚血コア体積のミスマッチ（clinical imaging mismatch：CIM）を有する症例を対象とし、虚血コア体積はDWIまたはCT perfusionの脳血流画像で自動解析ソフトRAPID（iSchemaView社）を用いて計測、CIMの定義は80歳以上ではNIHSS≧10＋虚血コア<21 mL、80歳未満ではNIHSS≧10＋虚血コア<31 mLまたはNIHSS≧20＋虚血コア<51 mLとされた[10]。DEFUSE3では、最終健常確認時刻から6〜16時間で、RAPIDによりtarget mismatch（虚血コア<70 mLかつmismatch ratio≧1.8）を有すると判定された症例を対象とした[11]。ただし、わが国においては、RAPIDをはじめとする虚血コア体積を迅速に計測可能なソフトウェアが普及していないこと

から、症例ごとに適応を慎重に検討する必要がある。

広範囲虚血病変を有する主幹脳動脈の急性閉塞例に対する機械的血栓回収療法の有効性は示されていないが、発症早期の前方循環系の主幹脳動脈急性閉塞例を対象とした7試験の統合解析において、ASPECTS 3〜5の症例に対する機械的血栓回収療法は症候性頭蓋内出血を増加させる（15% vs. 3%、p＝0.01）ものの、90日後転帰は有意に改善していた[12]。NIHSSスコアが6未満の軽症例に対する機械的血栓回収療法の有効性は示されておらず、観察研究の統合解析では臨床転帰、症候性頭蓋内出血の発生は、内科単独治療と差がなかった[13]。中大脳動脈M2部の急性閉塞による脳梗塞については、HERMESによる7試験の統合解析において、機械的血栓回収療法が90日後のmRSスコアを改善する傾向が認められた[14]。発症前mRSスコアが2以上の主幹脳動脈の急性閉塞例に対する機械的血栓回収療法の有効性は示されていないが、治療前の機能障害が同法の治療結果や転帰の悪化とは関連しないことが報告されている[15]。

発症8時間以内の脳底動脈の急性閉塞例を対象とした機械的血栓回収療法と内科治療の多施設共同無作為化試験（BEST）が海外で行われ、90日後転帰良好例（mRSスコア0〜3）に有意差を認めなかったが[16]、per-protocol解析とas-treated解析では血管内治療群の転帰が良好であった。また、発症24時間以内の脳底動脈の急性閉塞例を対象とする前向き登録研究（BASILAR）では、90日後のmRSスコアは、機械的血栓回収療法群で有意に良好であり、死亡率も低かった[17]。

発症から4.5時間以内の内頚動脈、中大脳動脈M1部またはM2近位部閉塞による脳梗塞に対して、機械的血栓回収療法の単独治療と、アルテプラーゼ静注療法との併用治療を比較した多施設共同無作為化試験（DIRECT-MT）が行われ、90日後の転帰について単独治療の非劣性（調整共通オッズ比〔OR〕1.07、95%信頼区間〔CI〕0.81〜1.40、非劣性P値0.04）が示された[18]。また、90日後の転帰良好例（mRSスコア0〜2）や死亡率、治療後の再開通率や症候性頭蓋内出血の発生にも差がなかった。ただし、初回造影時の再開通率はアルテプラーゼ静注療法併用群で有意に高かったため、症例ごとに出血リスクや閉塞部位などを検討し、単独療法と併用療法を選択する必要がある。

わが国では、機械的血栓回収療法の実施者は、

「経皮経管的脳血栓回収用機器 適正使用指針 第4版（2020年3月）」[19]の内容を十分に理解した上で、適切な症例選択と手技によって行わねばならない。

2. 経動脈的局所血栓溶解療法

遺伝子組み換え prourokinase（r-proUK）を用いた経動脈的局所血栓溶解療法は、来院時のNIHSS スコアが4〜29で、CT 上梗塞巣がなく、発症6時間以内に治療開始可能な中大脳動脈塞栓性閉塞において有効であると報告された[20,21]。さらにわが国で行われたウロキナーゼを用いた経動脈的局所血栓溶解療法の試験でも、脳梗塞の画像診断の標準化や局所血栓溶解療法の治療手技の標準化がなされたが、来院時の NIHSS スコアが4〜22と中等症から重症で、CT 上梗塞巣がないまたは軽微な所見に留まり、発症6時間以内に治療開始可能な中大脳動脈 M1 または M2 部閉塞において社会復帰率に優れると報告された[22]。これらの3試験の統合解析結果も示され、一定条件を満たした中大脳動脈塞栓性閉塞例に対する急性期経動脈的局所血栓溶解療法は、3か月後転帰は良好、死亡は対照群と同等との結果であったが、24時間以内の症候性頭蓋内出血は治療群に多く見られた[23]。ただし、これらの治療法はアルテプラーゼ静注療法との併用は行えず、かつ発症後4.5時間以内に薬剤投与が可能な患者に対しては、アルテプラーゼ静注療法が第一選択となっていることに留意する。また、機械的血栓回収療法とは異なり症候性頭蓋内出血の発症率が高いことにも留意する必要がある。その他の部位（内頚動脈、椎骨脳底動脈）、条件における、多くの局所急性血栓溶解療法の報告は症例集積研究のエビデンスレベルにとどまっており、勧告を行うための十分な資料がない[24]。

3. 経皮的血管形成術 / ステント留置術

脳梗塞急性期の経皮的頭蓋内動脈または頚部頚動脈の血管形成術 / ステント留置術についての報告は、患者対照研究、症例集積研究のエビデンスレベルにとどまっており、勧告を行うための十分な資料がない[25-29]。

〔引用文献〕

1) Berkhemer OA, Fransen PS, Beumer D et al. A randomized trial of intraarterial treatment for acute ischemic stroke. N Engl J Med 2015; 372: 11-20.（レベル2）

2) Goyal M, Demchuk AM, Menon BK, et al. Randomized assessment of rapid endovascular treatment of ischemic stroke. N Engl J Med 2015; 372: 1019-1030.（レベル2）

3) Campbell BC, Mitchell PJ, Kleinig TJ, et al. Endovascular therapy for ischemic stroke with perfusion-imaging selection. N Engl J Med 2015; 372: 1009-1018.（レベル2）

4) Saver JL, Goyal M, Bonafe A, et al. Stent-retriever thrombectomy after intravenous t-PA vs. t-PA alone in stroke. N Engl J Med 2015; 372: 2285-2295.（レベル2）

5) Jovin TG, Chamorro A, Cobo E, et al. Thrombectomy within 8 hours after symptom onset in ischemic stroke. N Engl J Med 2015; 372: 2296-2306.（レベル2）

6) Goyal M, Menon BK, van Zwam WH, et al. Endovascular thrombectomy after large-vessel ischaemic stroke: a meta-analysis of individual patient data from five randomised trials. Lancet 2016; 387: 1723-1731.（レベル1）

7) Saver JL, Goyal M, van der Lugt A, et al. Time to Treatment With Endovascular Thrombectomy and Outcomes From Ischemic Stroke: A Meta-analysis. JAMA 2016; 316: 1279-1288.（レベル1）

8) Lapergue B, Blanc R, Gory B, et al. Effect of Endovascular Contact Aspiration vs Stent Retriever on Revascularization in Patients With Acute Ischemic Stroke and Large Vessel Occlusion: The ASTER Randomized Clinical Trial. JAMA 2017; 318: 443-452.（レベル2）

9) Turk AS 3rd, Siddiqui A, Fifi JT, et al. Aspiration thrombectomy versus stent retriever thrombectomy as first-line approach for large vessel occlusion (COMPASS): a multicentre, randomised, open label, blinded outcome, non-inferiority trial. Lancet 2019; 393: 998-1008.（レベル2）

10) Nogueira RG, Jadhav AP, Haussen DC, et al. Thrombectomy 6 to 24 Hours after Stroke with a Mismatch between Deficit and Infarct. N Engl J Med 2018; 378: 11-21.（レベル2）

11) Albers GW, Marks MP, Kemp S, et al. Thrombectomy for Stroke at 6 to 16 Hours with Selection by Perfusion Imaging. N Engl J Med 2018; 378: 708-718.（レベル2）

12) Román LS, Menon BK, Blasco J, et al. Imaging features and safety and efficacy of endovascular stroke treatment: a meta-analysis of individual patient-level data. Lancet Neurol 2018; 17: 895-904.（レベル3）

13) Goyal N, Tsivgoulis G, Malhotra K, et al. Medical Management vs Mechanical Thrombectomy for Mild Strokes: An International Multicenter Study and Systematic Review and Meta-analysis. JAMA Neurol 2019; 77: 16-24.（レベル3）

14) Menon BK, Hill MD, Davalos A, et al. Efficacy of endovascular thrombectomy in patients with M2 segment middle cerebral artery occlusions: meta-analysis of data from the HERMES Collaboration. J Neurointerv Surg 2019; 11: 1065-1069.（レベル3）

15) Goldhoorn RB, Verhagen M, Dippel DWJ, et al. Safety and Outcome of Endovascular Treatment in Prestroke-Dependent Patients. Stroke 2018; 49: 2406-2414.（レベル3）

16) Liu X, Dai Q, Ye R, et al. Endovascular treatment versus standard medical treatment for vertebrobasilar artery occlusion (BEST): an open-label, randomised controlled trial. Lancet Neurol 2020; 19: 115-122（レベル2）

17) Zi W, Qiu Z, Wu D, et al. Assessment of Endovascular Treatment for Acute Basilar Artery Occlusion via a Nationwide Prospective Registry. JAMA Neurol 2020; 77: 561-573.（レベル3）

18) Yang P, Zhang Y, Zhang L, et al. Endovascular Thrombectomy with or without Intravenous Alteplase in Acute Stroke. N Engl J Med 2020; 382: 1981-1993.（レベル2）

19) 日本脳卒中学会，日本脳神経外科学会，日本脳神経血管内治療学会．経皮経管的脳血栓回収用機器 適正使用指針 第4版 2020年3月．脳卒中 2020；42：281-313．（レベル5）

20) del Zoppo GJ, Higashida RT, Furlan AJ, et al. PROACT: a phase・randomized trial of recombinant pro-urokinase by direct arterial delivery in acute middle cerebrl artery stroke. PROACT Investigators. Prolyse in Acute Cerebral Thromboembolism. Stroke 1998; 29: 4-11.（レベル2）

21) Furlan A, Higashida R, Wechsler L, et al. Intra-arterial prourokinase for acute ischemic stroke. The PROACT II study: a randomized controlled trial. Prolyse in Acute Cerebral Thromboembolism. JAMA 1999; 282: 2003-2011.（レベル2）

22) Ogawa A, Mori E, Minematsu K, et al. Randomized trial of intraarterial infusion of urokinase within 6 hours of middle cerebral artery stroke: the middle cerebral artery embolism local fibrinolytic intervention trial (MELT) Japan. Stroke 2007; 38: 2633-2639.（レベル2）

23) Fields JD, Khatri P, Nesbit GM, et al. Meta-analysis of random-ized intra-arterial thrombolytic trials for the treatment of acute stroke due to middle cerebral artery occlusion. J Neuro-interv Surg 2011; 3: 151-155. （レベル 1）

24) Lindsberg PJ, Mattle HP. Therapy of basilar artery occlusion: a systematic analysis comparing intra-arterial and intravenous thrombolysis. Stroke 2006; 37: 922-928. （レベル 4）

25) Levy EI, Ecker RD, Horowitz MB, et al. Stent-assisted intracra-nial recanalization for acute stroke: early results. Neurosur-gery 2006; 58: 458-463. （レベル 4）

26) Nakano S, Iseda T, Yoneyama T, et al. Direct percutaneous transluminal angioplasty for acute middle cerebral artery trunk occlusion: an alternative option to intra-arterial throm-bolysis. Stroke 2002; 33: 2872-2876. （レベル 4）

27) Jovin TG, Gupta R, Uchino K, et al. Emergent stenting of extra-cranial internal carotid artery occlusion in acute stroke has a high revascularization rate. Stroke 2005; 36: 2426-2430. （レベル 4）

28) Moratto R, Veronesi J, Silingardi R, et al. Urgent carotid artery stenting with technical modifications for patients with tran-sient ischemic attacks and minor stroke. J Endovasc Ther 2012; 19: 627-635. （レベル 4）

29) Jadhav AP, Zaidat OO, Liebeskind DS, et al. Emergent Manage-ment of Tandem Lesions in Acute Ischemic Stroke. Stroke 2019; 50: 428-433. （レベル 4）

II 脳梗塞・TIA

1 脳梗塞急性期

1-3 抗血小板療法

推奨

1. アスピリン 160〜300 mg/日の経口投与は、発症早期（48 時間以内）の脳梗塞患者の治療法として勧められる（推奨度 A　エビデンスレベル高）。

2. 抗血小板薬 2 剤併用（アスピリンとクロピドグレル）投与は、発症早期の軽症非心原性脳梗塞患者の、亜急性期（1 か月以内を目安）までの治療法として勧められる（推奨度 A　エビデンスレベル高）。

3. シロスタゾール 200 mg/日の単独投与や、低用量アスピリンとの 2 剤併用投与は、発症早期（48 時間以内）の非心原性脳梗塞患者の治療法として考慮しても良い（推奨度 C　エビデンスレベル中）。

4. オザグレルナトリウム 160 mg/日の点滴投与は、非心原性脳梗塞患者の急性期治療法として考慮しても良い（推奨度 C　エビデンスレベル中）。

解 説

アスピリン 160〜300 mg/日の経口投与は、発症 48 時間以内に開始した場合の脳梗塞患者の転帰改善に有効である[1-3]。アスピリンの重篤な血管事故再発予防効果の number needed to treat（NNT）（注）は平均約 3 週間の投与で 111 であり[3]、症候性頭蓋内出血の頻度をわずかながら増加させる。アスピリン開始からの時間経過と効果の関係を調べた無作為割付試験の統合解析では、割付から 12 週間まではアスピリンによりすべての脳梗塞、および後遺症（死亡を含む）を残す脳梗塞を抑制し、その効果は早期ほど高かった[4]。

発症 24 時間以内の軽症非心原性脳梗塞もしくは一過性脳虚血発作（TIA）患者で、クロピドグレル（初回 300 mg、以後 75 mg/日）とアスピリン（初回 75〜300 mg、以後 75 mg/日）の 21 日間の併用（22 日目以降はクロピドグレルのみ服用）は、アスピリン単剤（初回 75〜300 mg で以後 75 mg/日）に比べて 3 か月後までの有効性と安全性を示した（CHANCE）[5]。この CHANCE を加えた発症 3 日以内の非心原性脳梗塞もしくは TIA 患者で抗血小板薬 2 剤併用と単剤の有効性と安全性を評価した 14 試験のシステマティックレビューおよびメタ解析でも、抗血小板薬 2 剤併用は単剤に比べて脳卒中再発を有意に抑制し、重篤な出血事故

が増加することはなかった[6]。メタ解析に用いられた各臨床試験の使用薬剤、治療開始時期、継続期間は多様であるが、対象患者の半数以上が CHANCE からの患者であるため、薬剤としてはアスピリンとクロピドグレルの併用をアスピリンと比べたもの、治療開始時期は発症 24 時間以内、継続期間は 21 日までが最も多かった。POINT は発症 12 時間以内の軽症非心原性脳梗塞もしくは TIA 患者にクロピドグレル（初回 600 mg で以後 75 mg/日）とアスピリン（50〜325 mg）の併用もしくはアスピリン単剤（50〜325 mg）の 90 日間投与の比較がなされた。結果、併用群で脳梗塞、心筋梗塞もしくは心血管死が有意に減少したが、大出血が有意に増加した[7]。POINT でクロピドグレル初回投与量 600 mg であったこと、併用期間が 90 日間であったことが大出血の増加と関連していた可能性がある。CHANCE や POINT を含めた 10 試験を用いたメタ解析で、抗血小板薬 2 剤併用の至適投与期間が検討された。アスピリンとクロピドグレルの併用群とアスピリンの単剤群に分け、投与期間を 1 か月以内、1〜3 か月間、3 か月以上に分けて検証すると、1 か月以内の短期間の併用が脳出血や大出血を増加させることなく再発予防に有効であった[8]。なお、急性期非心原性脳梗塞、TIA の再発抑制に対するクロピドグレルの初回 300 mg 投与は、診療報酬審査上認められる。

シロスタゾール 200 mg/日は、発症早期（48 時間以内）の非心原性脳梗塞患者に単独で経口投与した場合、アスピリン非心原性 300 mg/日と同等の有効性と安全性が示された[9]。シロスタゾール 200 mg/日とアスピリンの併用が発症早期（48 時間以内）の非心原性脳梗塞患者に対する神経症候増悪を抑制し、発症半年後の機能予後改善に関連、さらに安全に実施可能であることが国内の多施設共同研究で報告された[10,11]。

発症 2 日以内の非心原性脳梗塞もしくは TIA 患者に対して抗血小板薬 3 剤併用（アスピリン、クロピドグレル、ジピリダモール）はクロピドグレル単剤もしくはアスピリンとジピリダモール併用に比べて、脳卒中や TIA 再発を抑制せず大出血を有意に増やした[12]。

オザグレルナトリウム 160 mg/日の点滴は、発症 5 日以内の本邦非心原性脳梗塞患者の転帰改善に有効であった[13]。メタ解析では、オザグレルナトリウムの 80〜160 mg/日の急性期投与が、神経症状改善に有効であること、またその安全性が示されたが、日常診療で推奨しうる高品質なデータに乏しいことが示された[14]。オザグレルナトリウムを含めた抗血小板薬 2 剤投与に関する有効性や安全性は確かめられていない。アルガトロバンやヘパリンなどの注射抗凝固薬と抗血小板薬 2 剤服用の併用に関する有効性や安全性も確かめられていない。

注：number needed to treat（NNT）：1 人の患者に治療効果を認めるために、その治療を何人の患者に、どの位の期間、行う必要があるかを表した治療効果の指標。

急性期非心原性脳梗塞もしくは TIA 患者に対するチカグレロル、急性期脳梗塞に対する糖蛋白 Ⅱb/Ⅲa 阻害薬

　急性期非心原性脳梗塞もしくは TIA 患者に対するチカグレロルの効果について、同薬剤単剤[15]、および同薬剤とアスピリンとの 2 剤併用[16]に関する臨床試験（対アスピリン）が行われたが、同薬剤の本邦脳梗塞患者への使用認可はない。

　また、急性期脳梗塞に対する糖蛋白 Ⅱb/Ⅲa 阻害薬に関してはシステマティックレビューがあるが[17]、本邦では同薬剤は認可されていない。

〔引用文献〕

1) Chen ZM, Sandercock P, Pan HC, et al. Indications for early aspirin use in acute ischemic stroke: A combined analysis of 40000 randomized patients from the chinese acute stroke trial and the international stroke trial. On behalf of the CAST and IST collaborative groups. Stroke 2000; 31: 1240-1249.（レベル 1）

2) Sandercock P, Gubitz G, Foley P, et al. Antiplatelet therapy for acute ischaemic stroke. Cochrane Database Syst Rev 2003: CD000029.（レベル 1）

3) Antithrombotic Trialists'Collaboration. Collaborative meta-analysis of randomised trials of antiplatelet therapy for prevention of death, myocardial infarction, and stroke in high risk patients. BMJ 2002; 324: 71-86.（レベル 1）

4) Rothwell PM, Algra A, Chen Z, et al. Effects of aspirin on risk and severity of early recurrent stroke after transient ischaemic attack and ischaemic stroke: time-course analysis of randomised trials. Lancet 2016; 388: 365-375.（レベル 1）

5) Wang Y, Zhao X, Liu L, et al. Clopidogrel with aspirin in acute minor stroke or transient ischemic attack. N Engl J Med 2013; 369: 11-19.（レベル 2）

6) Wong KS, Wang Y, Leng X, et al. Early dual versus mono antiplatelet therapy for acute non-cardioembolic ischemic stroke or transient ischemic attack: an updated systematic review and meta-analysis. Circulation 2013; 128: 1656-1666.（レベル 1）

7) Johnston SC, Easton JD, Farrant M, et al. Clopidogrel and Aspirin in Acute Ischemic Stroke and High-Risk TIA. N Engl J Med 2018; 379: 215-225.（レベル 2）

8) Rahman H, Khan SU, Nasir F, et al. Optimal Duration of Aspirin Plus Clopidogrel After Ischemic Stroke or Transient Ischemic Attack. Stroke 2019; 50: 947-953.（レベル 1）

9) Lee YS, Bae HJ, Kang DW, et al. Cilostazol in Acute Ischemic Stroke Treatment (CAIST Trial): a randomized double- blind non-inferiority trial. Cerebrovasc Dis 2011; 32: 65-71.（レベル 2）

10) Nakamura T, Tsuruta S, Uchiyama S. Cilostazol combined with aspirin prevents early neurological deterioration in patients with acute ischemic stroke: a pilot study. J Neurol Sci 2012; 313: 22-26.（レベル 3）

11) Aoki J, Iguchi Y, Urabe T, et al. Acute Aspirin Plus Cilostazol Dual Therapy for Noncardioembolic Stroke Patients Within 48 Hours of Symptom Onset. J Am Heart Assoc 2019; 8: e012652.（レベル 2）

12) Bath PM, Woodhouse LJ, Appleton JP, et al. Antiplatelet therapy with aspirin, clopidogrel, and dipyridamole versus clopidogrel alone or aspirin and dipyridamole in patients with acute cerebral ischaemia (TARDIS): a randomised, open-label, phase 3 superiority trial. Lancet 2018; 39: 850-859.（レベル 2）

13) 大友英一，杳沢尚之，小暮久也．脳血栓症急性期における OKY-046 の臨床的有用性　プラセボを対照とした多施設二重盲検試験．臨床医薬　1991；7：353-388.（レベル 2）

14) Zhang J, Yang J, Chang X, et al. Ozagrel for acute ischemic stroke: a meta-analysis of data from randomized controlled trials. Neurol Res 2012; 34: 346-353.（レベル 1）

15) Johnston SC, Amarenco P, Albers GW, et al. Ticagrelor versus Aspirin in Acute Stroke or Transient Ischemic Attack. N Engl J Med 2016; 375: 35-43.（レベル 2）

16) Johnston SC, Amarenco P, Denison H, et al. Ticagrelor and Aspirin or Aspirin Alone in Acute Ischemic Stroke or TIA. N Engl J Med 2020; 383: 207-217.（レベル 2）

17) Ciccone A, Motto C, Abraha I, et al. Glycoprotein IIb-IIIa inhibitors for acute ischaemic stroke. Cochrane Database Syst Rev 2014: CD005208.（レベル 1）

Ⅱ 脳梗塞・TIA

1 脳梗塞急性期

1-4　抗凝固療法

推 奨

1. 発症 48 時間以内の非心原性・非ラクナ梗塞に、選択的トロンビン阻害薬のアルガトロバンを静脈投与することを考慮しても良い（推奨度 C　エビデンスレベル中）。

2. 脳梗塞急性期に、未分画ヘパリン、低分子ヘパリン（保険適用外）、ヘパリノイド（保険適用外）を使用することを考慮しても良い（推奨度 C　エビデンスレベル中）。

3. 非弁膜症性心房細動を伴う急性期脳梗塞患者に、出血性梗塞のリスクを考慮した適切な時期に直接阻害型経口抗凝固薬（DOAC）を投与することを考慮しても良い（推奨度 C　エビデンスレベル低）。

解　説

　発症後 14 日以内の脳梗塞患者を対象にした計 24 試験 23,748 例のメタ解析で、抗凝固療法は脳梗塞再発などを減少させたが、症候性頭蓋内出血などを増加させた[1]。欧米では脳梗塞の再発予防や症候改善を目的に急性期に抗凝固療法を行うことを推奨していないが、わが国では非ラクナ梗塞患者の過半数にアルガトロバンや未分画ヘパリンによる抗凝固療法が行われていると報告されている[2]。わが国で開発された選択的トロンビン阻害薬アルガトロバンは、発症後 48 時間以内の脳血栓症に有用であり出血性合併症が少ない[3-5]。発症後 48 時間以内の脳血栓症急性期患者（ラクナ梗塞を除く）を対象とした無作為化比較試験で、アルガトロバンはオザグレルナトリウムと同等の有効性と安全性を示した[5]。国内の診療群分類包括評価データベースに登録されたアテローム血栓性脳梗塞患者を用いた後ろ向き研究では、傾向スコアマッチング法で抽出された 2,289 例の退院時の modified Rankin Scale（mRS）の分布に同薬使用群と非使用群で差がなく、出血性合併症の発症頻度も同程度であった[6]。

　海外で発症 48 時間以内の脳梗塞急性期患者に対し未分画ヘパリン皮下注とアスピリン 1 日 300 mg 内服の効果を比較した IST では、未分画ヘパリン使用群で 14 日以内の再発が有意に少なかったが、出血性脳卒中が増加し、死亡または非致死的脳卒中の再発に有意差はみられなかった[7]。発症 3 時間以内の非ラクナ性脳梗塞 418 例に活性化

部分トロンボプラスチン時間（activated partial thromboplastin time：APTT）をベースライン値の 2～2.5 倍に調整した未分画ヘパリンないし生理食塩水の 5 日間静注を比較した無作為化試験では、3 か月後の mRS 2 以下の自立患者が有意に増加したが、症候性頭蓋内出血も有意に増加した[8]。脳梗塞急性期患者を対象とした低分子ヘパリンやヘパリノイドと対照治療との無作為化比較試験や[9-12]、未分画ヘパリンと比較したメタ解析では[13]、総じて有意な転帰改善効果を認めなかった。海外では、低分子ヘパリンやヘパリノイドの脳梗塞患者への使用に推奨を得るには至らず、わが国では保険診療として脳梗塞患者に用いることはできない。

　慢性期心原性脳塞栓症に病態を限った場合には、心内血栓の形成予防を目的に経口抗凝固薬の服用が推奨されるが（「Ⅱ 脳梗塞・TIA　3 脳梗塞慢性期 3-2 心原性脳塞栓症（1）抗凝固療法」の項を参照）、発症後早期に服用を開始すると出血性脳梗塞を惹起し得るため、その至適開始時期は定まっていない。このうち直接阻害型経口抗凝固薬（direct oral anticoagulant：DOAC）は速やかに抗凝固作用が得られ、出血合併症はワルファリンより概して少ない。しかしながら DOAC 開発時の非弁膜症性心房細動（non-valvular atrial fibrillation：NVAF）患者に対するワルファリンとの無作為化比較試験では、急性期脳梗塞患者が対象から除外されていた。したがって現時点での DOAC 開始時期は、観察研究の結果や専門家の意見に基づいて提唱されている。たとえば欧州の治療指針では、一過性脳虚血発

作（TIA）では発症翌日、軽症脳梗塞では3日後以降、中等症では6～8日後以降、重症例では12～14日後以降にDOACを開始することを推奨している[14]。

DOAC早期開始に関する数少ない無作為化比較試験として韓国で行われたTriple AXELでは、NVAFを有する発症後5日以内の軽症脳梗塞患者183例を、リバーロキサバン服用群とワルファリン服用群とに無作為に分け、4週間後のMRIにおける無症候性を含めた新規脳梗塞ないし頭蓋内出血の複合エンドポイント発現に差を認めなかった[15]。国内多施設共同観察研究のSAMURAI-NVAFでは、NVAFを有する脳梗塞ないしTIA患者のうち466例が急性期入院中にDOAC服用を開始したが、その開始日中央値は発症4日後（4分位値2～6日）で、入院中の大出血は消化管出血の1例のみであった[16,17]。同じく国内のRELAXEDでは、NVAFを有する脳梗塞、TIA患者1,309例に早期にリバーロキサバンの内服を開始し（梗塞体積22.5 cm^{2}未満で中央値2.9日後、22.5 cm^{2}以上で5.8日後）、90日後までの大出血発症は0.8%、頭蓋内出血発症は0.4%であった[18]。欧州を中心とした多施設共同観察研究のRAF-NOACsでは、NVAFを有する脳梗塞患者1,161例が発症後にDOAC内服を開始し、脳卒中、TIA、症候性全身塞栓症、症候性頭蓋内出血、頭蓋外大出血の複合エンドポイントは発症後2日以内のDOAC開始群153例で12.4%、3～14日後開始群710例で2.1%、14日後以降の開始群264例で9.1%であった[19]。

SAMURAI-NVAF、RAF-NOACsと欧州の5つの観察研究とのプール解析では、NVAFを有して脳梗塞ないしTIA発症後にDOAC服用を開始した2,656例とビタミンK拮抗薬服用を開始した2,256例を比較した[20]。どちらの群も発症後中央値5日で抗凝固薬を開始し、脳梗塞、頭蓋内出血および死亡の複合エンドポイント発症率はDOAC群が有意に低かった。SAMURAI-NVAF、RAF-NOACsと他の国内の5研究、海外の8研究を統合した解析では、脳梗塞発症後2週間以内にDOAC内服を開始した2,920例が登録された[21]。DOAC開始日の中央値は発症後2～8日に分布しており、90日以内の脳卒中ないしTIAの再発率は2.25%、症候性出血性梗塞ないし頭蓋内出血の発生率は0.90%、死亡率は1.5%であった。

これらの研究結果から、NVAFを伴う急性期脳梗塞の患者に対してDOACの早期開始は概して安全であり、脳卒中再発リスク、出血リスク、死亡率の低下に関連すると考えられた。

NVAFを伴う脳梗塞患者に対するDOACの早期開始について、いくつかの無作為化比較試験（ELAN、OPTIMAS、TIMING、STARTなど）が現在進行中である。

〔引用文献〕

1) Sandercock PA, Counsell C, Kane EJ. Anticoagulants for acute ischaemic stroke. Cochrane Database Syst Rev 2015: CD000024.（レベル1）
2) 山本康正，永金義成．脳梗塞における保険適応治療薬の病型別使用頻度とその年次別変化．In：小林祥泰（編）．脳卒中データバンク2015．東京：中山書店　2015：88-89.（レベル3）
3) 田崎義昭，小林祥泰，東儀英夫，他．脳血栓症急性期に対する抗トロンビン薬MD-805の臨床的有用性　プラセボを対照とした多施設二重検群間比較試験．医学のあゆみ　1992；161：887-907.（レベル2）
4) Kobayashi S, Tazaki Y. Effect of the thrombin inhibitor argatroban in acute cerebral thrombosis. Semin Thromb Hemost 1997; 23: 531-534.（レベル2）
5) 福内靖男，東儀英夫，篠原幸人，他，脳血栓症急性期におけるargatrobanの効果　sodium ozagrelとの比較臨床試験．神経治療学　2001；18：273-282.（レベル2）
6) Wada T, Yasunaga H, Horiguchi H, et al. Outcomes of Argatroban Treatment in Patients With Atherothrombotic Stroke: Observational Nationwide Study in Japan. Stroke 2016; 47: 471-476.（レベル3）
7) The International Stroke Trial (IST): a randomised trial of aspirin, subcutaneous heparin, both, or neither among 19435 patients with acute ischaemic stroke. International Stroke Trial Collaborative Group. Lancet 1997; 349: 1569-1581.（レベル2）
8) Camerlingo M, Salvi P, Belloni G, et al. Intravenous heparin started within the first 3 hours after onset of symptoms as a treatment for acute nonlacunar hemispheric cerebral infarctions. Stroke 2005; 36: 2415-2420.（レベル2）
9) Berge E, Abdelnoor M, Nakstad PH, et al. Low molecular-weight heparin versus aspirin in patients with acute ischaemic stroke and atrial fibrillation: a double-blind randomised study. HAEST Study Group. Heparin in Acute Embolic Stroke Trial. Lancet 2000; 355: 1205-1210.（レベル2）
10) Kay R, Wong KS, Yu YL, et al. Low-molecular-weight heparin for the treatment of acute ischemic stroke. N Engl J Med 1995; 333: 1588-1593.（レベル2）
11) Bath PM, Lindenstrom E, Boysen G, et al. Tinzaparin in acute ischaemic stroke (TAIST): a randomised aspirin-controlled trial. Lancet 2001; 358: 702-710.（レベル2）
12) Low molecular weight heparinoid, ORG 10172 (danaparoid), and outcome after acute ischemic stroke: a randomized controlled trial. The Publications Committee for the Trial of ORG 10172 in Acute Stroke Treatment (TOAST) Investigators. JAMA 1998; 279: 1265-1272.（レベル2）
13) Sandercock PA, Leong TS. Low-molecular-weight heparins or heparinoids versus standard unfractionated heparin for acute ischaemic stroke. Cochrane Database Syst Rev 2017: CD000119.（レベル1）
14) Steffel J, Verhamme P, Potpara TS, et al. The 2018 European Heart Rhythm Association Practical Guide on the use of non-vitamin K antagonist oral anticoagulants in patients with atrial fibrillation. Eur Heart J 2018; 39: 1330-1393.（レベル3）
15) Hong KS, Kwon SU, Lee SH, et al. Rivaroxaban vs Warfarin Sodium in the Ultra-Early Period After Atrial Fibrillation-Related Mild Ischemic Stroke: A Randomized Clinical Trial. JAMA Neurol 2017; 74: 1206-1215.（レベル2）
16) Toyoda K, Arihiro S, Todo K, et al. Trends in oral anticoagulant

choice for acute stroke patients with nonvalvular atrial fibrillation in Japan: the SAMURAI-NVAF study. Int J Stroke 2015; 10: 836-842. （レベル 3）

17) Yoshimura S, Koga M, Sato S, et al. Two-Year Outcomes of Anticoagulation for Acute Ischemic Stroke With Nonvalvular Atrial Fibrillation: SAMURAI-NVAF Study. Circ J 2018; 82: 1935-1942. （レベル 3）

18) Yasaka M, Minematsu K, Toyoda K, et al. Rivaroxaban administration after acute ischemic stroke: The RELAXED study. PLoS One 2019; 14: e0212354. （レベル 3）

19) Paciaroni M, Agnelli G, Falocci N, et al. Early Recurrence and Major Bleeding in Patients With Acute Ischemic Stroke and Atrial Fibrillation Treated With Non-Vitamin-K Oral Anticoagulants (RAF-NOACs) Study. J Am Heart Assoc 2017; 6: e007034. （レベル 3）

20) Seiffge DJ, Paciaroni M, Wilson D, et al. Direct oral anticoagulants versus vitamin K antagonists after recent ischemic stroke in patients with atrial fibrillation. Ann Neurol 2019; 85: 823-834. （レベル 2）

21) Masotti L, Grifoni E, Dei A, et al. Direct oral anticoagulants in the early phase of non valvular atrial fibrillation-related acute ischemic stroke: focus on real life studies. J Thromb Thrombolysis 2019; 47: 292-300. （レベル 2）

Ⅱ 脳梗塞・TIA

1 脳梗塞急性期

1-5　抗脳浮腫療法

推奨

1. 高張グリセロール（10%）静脈内投与は、心原性脳塞栓症、アテローム血栓性梗塞のような頭蓋内圧亢進を伴う大きな脳梗塞の急性期に行うことを考慮しても良い（推奨度C　エビデンスレベル低）。

2. マンニトール（20%）は脳梗塞急性期に使用することを考慮しても良い（推奨度C　エビデンスレベル低）。

解説

発症48時間以内の皮質枝系脳梗塞患者113例に対して高張グリセロール（10%）静脈内投与の効果を検証したプラセボ対照二検比較試験[1]では、有意差に至らないものの生存例の機能転帰が良い傾向が認められた。同様に脳梗塞急性期患者173例に行われた二重盲検無作為化試験[2]では、生存時間解析では治療群の成績が有意な改善を認めたものの（p＜0.02）、生存者の機能転帰、入院期間、家庭復帰率には有意差は認められなかった。わが国でも、高張グリセロール（10%）[3]や溶血の副作用の少ない5%フラクトースを添加した高張液の治療効果が検討されているが、自他覚症状の改善や髄液圧低下が確認されているのみである[4]。2004年に発表されたシステマティックレビューでは10の無作為化試験の結果を統合解析し[5]、脳梗塞または脳出血に対するグリセロール投与は短期の生命転帰について良好な効果を示したものの、対象症例数が不十分でかつ長期の生命転帰に関するデータも欠如していることから、急性期脳梗塞に対するグリセロール静脈内投与の治療を推奨するには十分な科学的根拠がな

いと結論づけられている。

マンニトールの有効性を検討した3つの小規模試験のメタ解析結果が報告されているが、1つはCT評価のない梗塞疑い例への介入試験で他の2つはCT診断を得た脳出血例への介入試験であるため、急性期脳梗塞に対するマンニトールの効果には十分な科学的根拠がない[6]。

〔引用文献〕

1) Yu YL, Kumana CR, Lauder IJ, et al. Treatment of acute cortical infarct with intravenous glycerol. A double-blind, placebo-controlled randomized trial. Stroke 1993; 24: 1119-1124.（レベル2）
2) Bayer AJ, Pathy MS, Newcombe R. Double-blind randomised trial of intravenous glycerol in acute stroke. Lancet 1987; 1: 405-408（レベル2）
3) 福内靖男, 平井秀幸, 伊藤圭史, 他. 高張グリセロール静脈内投与による神経疾患の治療 -- Ⅰ. 10%（W/V）グリセロール加生理食塩液（CG-A2P）の臨牀効果について. 臨牀と研究　1978；55：929-937.（レベル4）
4) 後藤文男, 田崎義昭, 福内靖男, 他. 高張グリセロール静脈内投与による神経疾患の治療 -- Ⅱ. 10%（W/V）グリセロール, 5%（W/V）フラクトース加生理食塩水（CG-A30）の臨牀効果について. 臨牀と研究　1978；55：2327-2335.（レベル4）
5) Righetti E, Celani MG, Cantisani T, et al. Glycerol for acute stroke. Cochrane Database Syst Rev 2004: CD000096.（レベル1）
6) Bereczki D, Fekete I, Prado GF, et al. Mannitol for acute stroke. Cochrane Database Syst Rev 2007: CD001153.（レベル1）

II 脳梗塞・TIA

1 脳梗塞急性期

1-6 脳保護薬

推奨

▶ 脳保護作用が期待されるエダラボンは、急性期脳梗塞患者の治療に用いることは妥当である（推奨度B　エビデンスレベル中）。

解 説

脳保護作用が期待される薬剤について、脳梗塞急性期の治療として用いることを正当化するに足る臨床的根拠は、現在のところエダラボンに関する報告[1-4]のみである。

エダラボン（抗酸化薬）の静脈内投与は、国内第III相試験において、脳梗塞急性期（発症72時間以内）患者の予後改善に有効性が示され、層別解析でより有効性が高かった発症24時間以内の脳梗塞患者の治療法として、本邦での使用が認可された[1]。また、2011年に発表されたシステマティックレビューでは計496人と比較的小数例ながら3つの無作為化試験の結果を統合解析し、エダラボン投与は神経学的転帰を改善させることが示された[3]（相対リスク1.99、95％信頼区間1.60〜2.49）。

欧州でもこれまでに第II相試験までが施行されている[5]。本邦での市販後調査にて、感染症の合併、高度な意識障害（Japan Coma Scale 100以上）の存在、脱水状態では、致命的な転帰を辿ったり、腎機能障害や肝機能障害・血液障害など複数の臓器障害が同時に発現したりする症例が報告されており、投与中の腎機能、肝機能、血液検査の頻回な実施が必要とされている。

遺伝子組み換え組織型プラスミノゲン・アクティベータ（rt-PA）静注による血栓溶解療法にエダラボンを併用した場合、早期血流再開通が得られやすい[6,7]とする報告がある。ただし本邦で行われたYAMATO Studyでは血栓溶解療法前もしくは治療中にエダラボンを投与した場合と、後にエダラボンを投与した場合で、出血性脳梗塞を抑制する効果や再開通に差は見出されなかった[8]。一方、血管内治療にエダラボンを併用した場合、退院時の日常生活動作（activities of daily living：ADL）を有意に改善し、死亡率低下と出血性梗塞抑制効果があることが、後ろ向きコホート研究ではあるが示されてきている[9]。今後さらなる臨床研究での検討が必要である。また他の類薬は本邦未承認である。

〔引用文献〕

1) Edaravone Acute Infarction Group. Effect of a novel free radical scavenger, edaravone (MCI-186), on acute brain infarction. Randomized, placebo-controlled, double-blind study at multicenters. Cerebrovasc Dis 2003; 15: 222-229. （レベル2）
2) Shinohara Y, Saito I, Kobayashi S, et al. Edaravone (Radical Scavenger) versus Sodium Ozagrel (Antiplatelet Agent) in Acute Noncardioembolic Ischemic Stroke (EDO Trial). Cerebrovasc Dis 2009; 27: 485-492. （レベル2）
3) Feng S, Yang Q, Liu M, et al. Edaravone for acute ischaemic stroke. Cochrane Database Syst Rev 2011: CD007230. （レベル2）
4) Ohta Y, Takamatsu K, Fukushima T, et al. Efficacy of the free radical scavenger, edaravone, for motor palsy of acute lacunar infarction. Intern Med 2009; 48: 593-596. （レベル4）
5) Kaste M, Murayama S, Ford GA, et al. Safety, tolerability and pharmacokinetics of MCI-186 in patients with acute ischemic stroke: new formulation and dosing regimen. Cerebrovasc Dis 2013; 36: 196-204. （レベル2）
6) Kono S, Deguchi K, Morimoto N, et al. Tissue plasminogen activator thrombolytic therapy for acute ischemic stroke in 4 hospital groups in Japan. J Stroke Cerebrovasc Dis 2013; 22: 190-196. （レベル4）
7) Kimura K, Aoki J, Sakamoto Y, et al. Administration of edaravone, a free radical scavenger, during t-PA infusion can enhance early recanalization in acute stroke patients--a preliminary study. J Neurol Sci 2012; 313: 132-136. （レベル4）
8) Aoki J, Kimura K, Morita N, et al. YAMATO Study (Tissue-Type Plasminogen Activator and Edaravone Combination Therapy). Stroke 2017; 48: 712-719. （レベル2）
9) Enomoto M, Endo A, Yatsushige H, et al. Clinical Effects of Early Edaravone Use in Acute Ischemic Stroke Patients Treated by Endovascular Reperfusion Therapy. Stroke 2019; 50: 652-658. （レベル3）

Ⅱ 脳梗塞・TIA

1 脳梗塞急性期

1-7　血液希釈療法

推奨

1. 血漿増量薬を用いた血液希釈療法は、脳梗塞急性期の治療として有効性が確立していない（推奨度C　エビデンスレベル高）。

2. 体外循環を用いた血液希釈療法は、脳梗塞急性期の治療として有効性が確立しておらず、勧められない（推奨度D　エビデンスレベル低）。

解　説

　血漿増量薬［デキストラン40、hydroxyethyl starch200/0.5・250/0.5（本邦未承認）、ヒドロキシエチルデンプン130/0.4、アルブミン（保険適用外）］、ならびに瀉血を用いた血液希釈療法の有効性を検討した無作為化比較試験が行われているが、脳梗塞急性期治療としての有効性は証明されていない[1-3]。2014年のシステマティックレビューでは、4,174例を含む21の無作為割付試験の結果がまとめられ、血液希釈療法は発症4週間以内死亡、発症3〜6か月以内死亡、死亡もしくは要介護や施設入所を減少させなかった[4]。本項では血液増量薬を用いた血液希釈療法は、実臨床で広く使用されている現状を反映した推奨度とした。一方で体外循環（heparin-induced extracorporeal LDL precipitation、rheopheresis）を用いた血液希釈療法は、脳梗塞急性期の治療法としての有効性、安全性が十分に検討されておらず、その施行は臨床研究に限ることが望ましい[5-7]。

〔引用文献〕

1) Asplund K. Haemodilution for acute ischaemic stroke. Cochrane Database Syst Rev 2002: CD000103.（レベル1）
2) Aichner FT, Fazekas F, Brainin M, et al. Hypervolemic hemodilution in acute ischemic stroke: the Multicenter Austrian Hemodilution Stroke Trial (MAHST). Stroke 1998; 29: 743-749.（レベル2）
3) Rudolf J. Hydroxyethyl starch for hypervolemic hemodilution in patients with acute ischemic stroke: a randomized, placebo-controlled phase II safety study. Cerebrovasc Dis 2002; 14: 33-41.（レベル2）
4) Chang TS, Jensen MB. Haemodilution for acute ischaemic stroke. Cochrane Database Syst Rev 2014: CD000103.（レベル1）
5) Berrouschot J, Barthel H, Koster J, et al. Extracorporeal rheopheresis in the treatment of acute ischemic stroke: A randomized pilot study. Stroke 1999; 30: 787-792.（レベル2）
6) Lechner H, Walzl M, Walzl B, et al. First experience in application of heparin-induced extracorporeal LDL precipitation (H.E.L.P.) in acute thromboembolic stroke. Ital J Neurol Sci 1993; 14: 251-255.（レベル3）
7) Hasegawa Y, Tagaya M, Fujimoto S, et al. Extracorporeal double filtration plasmapheresis in acute atherothrombotic brain infarction caused by major artery occlusive lesion. J Clin Apher 2003; 18: 167-174.（レベル3）

II 脳梗塞・TIA

1 脳梗塞急性期

1-8 高圧酸素療法

推奨

▶ 脳梗塞急性期患者に対する高圧酸素療法の有効性は確立していない（**推奨度C　エビデンスレベル低**）。

解説

　脳梗塞急性期患者に対して高圧酸素療法の有効性を検討したランダム化比較試験（RCT）は少なく、本療法に関しては十分な検討がなされていない[1-3]。本邦では保険収載されている。

〔引用文献〕

1) Anderson DC, Bottini AG, Jagiella WM, et al. A pilot study of hyperbaric oxygen in the treatment of human stroke. Stroke 1991; 22: 1137-1142.（レベル2）
2) Nighoghossian N, Trouillas P, Adeleine P, et al. Hyperbaric oxygen in the treatment of acute ischemic stroke. A double-blind pilot study. Stroke 1995; 26: 1369-1372.（レベル2）
3) Bennett MH, Weibel S, Wasiak J, et al. Hyperbaric oxygen therapy for acute ischaemic stroke. Cochrane Database Syst Rev 2014: CD004954.（レベル1）

Ⅱ 脳梗塞・TIA

1 脳梗塞急性期

1-9　その他の内科治療
（1）低体温療法

推奨

▶ 低体温療法は、脳梗塞急性期の治療法として有効性が確立されておらず、勧められない（推奨度D　エビデンスレベル低）。

解説

　低体温療法は、脳梗塞急性期の治療法として、明確な有効性は示されていない[1,2]。広範な脳梗塞に対して発症48時間以内に低体温療法を導入することで生存者の神経症状を改善する傾向にはあった[3]ものの、死亡率は改善しなかった。発症6時間以内の急性期脳梗塞患者に対する遺伝子組み換え組織プラスミノゲン・アクティベータ（rt-PA）静注による血栓溶解療法に併用した場合も、有効性は示されていない[4]。発症3時間以内のrt-PA静注療法に併用した場合も、有効性は示されていない[5]。解熱薬を用いた平温療法は、脳梗塞急性期の治療法として、有効性の検討が十分になされていない[6]。

〔引用文献〕

1) Den Hertog HM, van der Worp HB, Tseng MC, et al. Cooling therapy for acute stroke. Cochrane Database Syst Rev 2009: CD001247. （レベル1）
2) Wan YH, Nie C, Wang HL, et al. Therapeutic hypothermia (different depths, durations, and rewarming speeds) for acute ischemic stroke: a meta-analysis. J Stroke Cerebrovasc Dis 2014; 23: 2736-2747. （レベル1）
3) Su Y, Fan L, Zhang Y, et al. Improved Neurological Outcome With Mild Hypothermia in Surviving Patients With Massive Cerebral Hemispheric Infarction. Stroke 2016; 47: 457-463. （レベル2）
4) Bi M, Ma Q, Zhang S, et al. Local mild hypothermia with thrombolysis for acute ischemic stroke within a 6-h window. Clin Neurol Neurosurg 2011; 113: 768-773. （レベル2）
5) Lyden P, Hemmen T, Grotta J, et al. Results of the ICTuS 2 Trial (Intravascular Cooling in the Treatment of Stroke 2). Stroke 2016; 47: 2888-2895. （レベル2）
6) Dippel DW, van Breda EJ, van Gemert HM, et al. Effect of paracetamol (acetaminophen) on body temperature in acute ischemic stroke: a double-blind, randomized phase II clinical trial. Stroke 2001; 32: 1607-1612. （レベル2）

脳卒中治療ガイドライン 2021　　73

Ⅱ 脳梗塞・TIA

1 脳梗塞急性期

1-9　その他の内科治療
（2）脂質異常症治療

推奨

1. 脳梗塞急性期には HMG-CoA 還元酵素阻害薬（スタチン）の投与開始を考慮しても良い（推奨度 C　エビデンスレベル低）。

2. 脳梗塞発症前にスタチンを投与されていた場合に、脳梗塞急性期にスタチンの内服を中止することは勧められない（推奨度 D　エビデンスレベル低）。

3. 経静脈的線溶療法や経動脈的血行再建療法を行った脳梗塞急性期でもスタチンの投与は考慮しても良い（推奨度 C　エビデンスレベル低）。

解　説

脳梗塞急性期の脂質異常の存在が神経学的予後を悪化させることは多くの臨床試験が示している[1]。しかし、一過性脳虚血発作（TIA）を含む虚血性脳卒中急性期における脂質異常に対する積極的な薬物治療介入の有効性について検証した大規模な臨床試験は乏しい[2]。脳梗塞急性期における HMG-CoA還元酵素阻害薬（スタチン）の投与を開始することの有効性および有害性については、ほとんどが少数例での前向き比較試験や後ろ向き試験で検討されている。数少ない多施設二重盲検比較試験であるMISTICS では、シンバスタチン投与群のほうが非投与群より治療開始後 3 日目に神経所見が改善した割合が多く[3]、他の少数例の前向き比較試験や後ろ向き試験でも脳梗塞急性期にスタチンを投与することで神経学的予後の改善や死亡率の低下が示され[4,5]、症候性頭蓋内出血の発症頻度に差がないことが示されている[6]。一方、脳梗塞急性期におけるスタチンの投与の有効性が認められなかった研究や[7]、有害性を報告した研究もある[8]。韓国[9]や、中国で[10]、大規模なランダム化比較試験（RCT）が進行中であり、その結果が待たれる。

脳梗塞急性期における最適なスタチン投与の方法に関しても定まっていない。スタチン投与の有効性を示した試験の多くの脳梗塞病型が TIA や軽症脳梗塞、ラクナ梗塞やアテローム血栓性脳梗塞などの動脈硬化に起因した脳梗塞を対象としている一方、心房細動合併の脳梗塞でも有効性は示され[11]、スタチン投与により微小塞栓症が減少した報告もあ

る[12]。そのため脳梗塞病型によりスタチンの投与の影響が異なるかは定かではない。スタチンの薬効は脂質異常を改善させるだけではなく、血小板凝集能の改善や血管内皮機能の改善、血管新生の促進やシナプスに対する作用、遺伝子発現の誘導など多面的に作用していると考えられている。また、どの種類のスタチンをどの程度投与したほうが有益かについても定まっていない。シンバスタチンよりも高用量のアトルバスタチンにより神経学的予後が改善した報告がある一方[13]、入院中の中断率は高力価のスタチンのほうが多かった報告もある[14]。スタチン開始の最適な時期についても、一貫していない。脳梗塞急性期におけるスタチン投与の適応や方法については、これからの知見の集積が必要である。

脳梗塞発症前にスタチンが投与されていた場合に脳梗塞の重症度が軽かったと多くの臨床試験が示している[15,16]。一方で、脳梗塞発症前に投与されていたスタチンを脳梗塞発症後に中断すると予後が悪化すること、スタチンの継続投与により症候性頭蓋内出血の発症率は増加しないことも多くの臨床試験が示している。脳梗塞発症前にスタチンが内服されていた 89 例について、入院後 3 日間スタチンの投与を中止した群（46 例）とアトルバスタチン 20 mg/日が投与された群（43 例）にランダムに振り分けた試験では、3 か月後での modified Rankin Scale（mRS）≧3 以上の割合、神経学的所見が悪化した割合、梗塞体積、いずれも中止群で高値だった[17]。スタチンが投与されている定常状態では、メバロン酸代謝産物の産生反応を介して、Rho や Ras の活性が抑制されている。スタチンを急に中断すると、

Rho や Ras が活性化され、その結果血管内皮機能が障害され、脳卒中の予後が悪化すると考えられている[18]。以上から、脳梗塞発症前にスタチンが投与されている症例で、スタチン内服を中止することは勧められない。

経静脈的線溶療法や経動脈的血行再建療法を行った脳梗塞急性期の症例に対するスタチン投与については、いくつかの臨床試験で検証されている。一部の報告では血清 LDL-コレステロールが低値の場合に症候性頭蓋内出血の合併が増加する可能性が示されているものの、経静脈的線溶療法施行例に対してスタチンの投与が少なくとも予後を悪化させないことは多くの臨床試験が示している。ENCHANTED trial のサブグループ解析では、rt-PA が投与される前にスタチンの内服が行われていた群と非投与群では、スタチン投与群のほうが症候性頭蓋内出血の合併が少なかった[19]。STARS の RCT でも、経静脈的線溶療法施行例でシンバスタチン 40 mg/日投与群のほうが 90 日後の mRS≦2 の割合が多かった[20]。一方で、発症 72 時間以内にスタチン内服を開始しながら中止となった経静脈的線溶療法施行例では、スタチン内服を開始しなかった症例よりも神経学的予後が悪く[21]、経静脈的線溶療法施行例でも脳梗塞急性期でのスタチン内服の中止は勧められない。Merci レトリーバーなどの以前の経動脈的血行再建療法ではあるが、スタチン投与で血管再開通率が上昇する可能性が示されており[22]、経動脈的血行再建療法周術期でのスタチン投与の有効性および有害性についても大規模な臨床試験の結果が待たれる。

スタチン以外の脳梗塞急性期の脂質異常症に対する治療に関する知見は乏しい。脳梗塞急性期における脂肪酸分画が神経学的予後に影響している可能性はあるが[23]、イコサペント酸やドコサヘキサエン酸の積極的投与の有効性は動物実験レベルに留まる。Proprotein convertase subtilisin-kexin type 9 (PCSK-9) 阻害薬に関しても脳梗塞急性期での効果は不明である。脂質作用薬のシチコリンの脳梗塞急性期における有効性は否定されている[24]。

〔引用文献〕

1) Wang A, Zhang X, Li S, et al. Oxidative lipoprotein markers predict poor functional outcome in patients with minor stroke or transient ischaemic attack. Eur J Neurol 2019; 26: 1082-1090. （レベル 1）

2) Squizzato A, Romualdi E, Dentali F, et al. Statins for acute ischemic stroke. Cochrane Database Syst Rev 2011: CD007551. （レベル 1）

3) Montaner J, Chacón P, Krupinski J, et al. Simvastatin in the acute phase of ischemic stroke: a safety and efficacy pilot trial. Eur J Neurol 2008; 15: 82-90. （レベル 2）

4) Fang JX, Wang EQ, Wang W, et al. The efficacy and safety of high-dose statins in acute phase of ischemic stroke and transient ischemic attack: a systematic review. Intern Emerg Med 2017; 12: 679-687. （レベル 2）

5) Flint AC, Conell C, Klingman JG, et al. Impact of Increased Early Statin Administration on Ischemic Stroke Outcomes: A Multicenter Electronic Medical Record Intervention. J Am Heart Assoc 2016; 5: e003413. （レベル 3）

6) Tan C, Liu X, Mo L, et al. Statin, cholesterol, and sICH after acute ischemic stroke: systematic review and meta-analysis. Neurol Sci 2019; 40: 2267-2275. （レベル 1）

7) Kennedy J, Hill MD, Ryckborst KJ, et al. Fast assessment of stroke and transient ischaemic attack to prevent early recurrence (FASTER): a randomised controlled pilot trial. Lancet Neurol 2007; 6: 961-969. （レベル 2）

8) Zhao W, An Z, Hong Y, et al. Low total cholesterol level is the independent predictor of poor outcomes in patients with acute ischemic stroke: a hospital-based prospective study. BMC Neurol 2016; 16: 36. （レベル 3）

9) The Effects of Very Early Use of Rosuvastatin in Preventing Recurrence of Ischemic Stroke. 2011. Available at https://clinicaltrials.gov/show/NCT01364220. （レベル 2）

10) Intensive Medical Therapy for High-risk Intracranial or Extracranial Arterial Stenosis. 2018. Available at https://clinicaltrials.gov/show/NCT03635749. （レベル 2）

11) He L, Xu R, Wang J, et al. Prestroke statins use reduces oxidized low density lipoprotein levels and improves clinical outcomes in patients with atrial fibrillation related acute ischemic stroke. BMC Neurol 2019; 19: 240. （レベル 3）

12) Chen X, Zhuang X, Peng Z, et al. Intensive Statin Therapy for Acute Ischemic Stroke to Reduce the Number of Microemboli: a Preliminary, Randomized Controlled Study. Eur Neurol 2018; 80: 163-170. （レベル 2）

13) Lampl Y, Lorberboym M, Gilad R, et al. Early outcome of acute ischemic stroke in hyperlipidemic patients under atorvastatin versus simvastatin. Clin Neuropharmacol 2010; 33: 129-134. （レベル 3）

14) Yuan HW, Ji RJ, Lin YJ, et al. Intensive Versus Moderate Statin Therapy Discontinuation in Patients With Acute Ischemic Stroke or Transient Ischemic Attack. Clin Ther 2018; 40: 2041-2049. （レベル 4）

15) Ní Chróinín D, Asplund K, Åsberg S, et al. Statin therapy and outcome after ischemic stroke: systematic review and meta-analysis of observational studies and randomized trials. Stroke 2013; 44: 448-456. （レベル 1）

16) Ishikawa H, Wakisaka Y, Matsuo R, et al. Influence of Statin Pretreatment on Initial Neurological Severity and Short-Term Functional Outcome in Acute Ischemic Stroke Patients: The Fukuoka Stroke Registry. Cerebrovasc Dis 2016; 42: 395-403. （レベル 3）

17) Blanco M, Nombela F, Castellanos M, et al. Statin treatment withdrawal in ischemic stroke: a controlled randomized study. Neurology 2007; 69: 904-910. （レベル 2）

18) Endres M, Laufs U. Discontinuation of statin treatment in stroke patients. Stroke 2006; 37: 2640-2643. （レベル 5）

19) Minhas JS, Wang X, Arima H, et al. Lipid-Lowering Pretreatment and Outcome Following Intravenous Thrombolysis for Acute Ischaemic Stroke: a Post Hoc Analysis of the Enhanced Control of Hypertension and Thrombolysis Stroke Study Trial. Cerebrovasc Dis 2018: 213-220. （レベル 2）

20) Montaner J, Bustamante A, García-Matas S, et al. Combination of Thrombolysis and Statins in Acute Stroke Is Safe: Results of the STARS Randomized Trial (Stroke Treatment With Acute Reperfusion and Simvastatin). Stroke 2016; 47: 2870-2873. （レベル 2）

21) Tong LS, Hu HT, Zhang S, et al. Statin withdrawal beyond acute phase affected outcome of thrombolytic stroke patients: an observational retrospective study. Medicine (Baltimore) 2015; 94: e779. （レベル 4）

22) Georgiadis AL, Hussein HM, Vazquez G, et al. Premorbid use of statins is associated with higher recanalization rates in patients with acute ischemic stroke undergoing endovascular treatment. J Neuroimaging 2009; 19: 19-22. （レベル 4）

23) Suda S, Katsumata T, Okubo S, et al. Low serum n-3 polyun-saturated fatty acid/n-6 polyunsaturated fatty acid ratio pre-dicts neurological deterioration in Japanese patients with acute ischemic stroke. Cerebrovasc Dis 2013; 36: 388-393. （レベル 3）

24) Clark WM, Clark TD. Stroke: Treatment for acute stroke-the end of the citicoline saga. Nat Rev Neurol 2012; 8: 484-485. （レベル 1）

Ⅱ 脳梗塞・TIA

1 脳梗塞急性期

1-9 その他の内科治療
（3）神経再生療法

推奨

▶ 脳梗塞急性期に対する神経再生療法は勧められない（推奨度Ｄ　エビデンスレベル低）。

解 説

　脳梗塞急性期に対して、自家骨髄単核球細胞[1,2]、自家骨髄間葉系幹細胞[3]、他家骨髄細胞由来接着性幹細胞[4]などの経静脈もしくは経動脈投与の臨床試験が複数実施された。これらの結果からは、その有効性は証明できなかった。発症24〜48時間の中〜重症（National Institute of Health Stroke Scale〔NIHSS〕スコア8〜20）の脳梗塞急性期に対する第Ⅱ相多施設無作為化二重盲検プラセボ対照試験（MASTERS）[4]において、他家骨髄細胞由来接着性幹細胞静脈投与による3か月後転帰改善効果は示されなかった。一方、発症36時間以内の血栓溶解療法と機械的血栓回収療法の非併用症例に限定した事後解析では3か月後転帰改善効果を示した（細胞群18.5％ vs.プラセボ群3.8％、p＝0.034）。この報告を受けて第Ⅲ相多施設無作為化二重盲検プラセボ対照試験（MASTERS-2、TREASURE[5]）が進行中である。

　発症24時間以内の脳梗塞急性期に対する多施設無作為化プラセボ対照試験において、顆粒球コロニー刺激因子（G-CSF）経静脈投与の転帰改善効果は証明できなかった[6,7]。

　発症7日以内の脳梗塞急性期に対する選択的セロトニン再取り込み阻害薬（citalopram）の神経再生と血管保護作用を検証する多施設無作為化二重盲検プラセボ対照試験（TALOS）[8]では、citalopramの有用性は示されなかった。

〔引用文献〕

1) Taguchi A, Sakai C, Soma T, et al. Intravenous Autologous Bone Marrow Mononuclear Cell Transplantation for Stroke: Phase1/2a Clinical Trial in a Homogeneous Group of Stroke Patients. Stem Cells Dev 2015; 24: 2207-2218.（レベル4）
2) Savitz SI, Misra V, Kasam M, et al. Intravenous autologous bone marrow mononuclear cells for ischemic stroke. Ann Neurol 2011; 70: 59-69.（レベル4）
3) Jaillard A, Hommel M, Moisan A, et al. Autologous Mesenchymal Stem Cells Improve Motor Recovery in Subacute Ischemic Stroke: a Randomized Clinical Trial. Transl Stroke Res 2020; 11: 910-923.（レベル2）
4) Hess DC, Wechsler LR, Clark WM, et al. Safety and efficacy of multipotent adult progenitor cells in acute ischaemic stroke (MASTERS): a randomised, double-blind, placebo-controlled, phase 2 trial. Lancet Neurol 2017; 16: 360-368.（レベル1）
5) Osanai T, Houkin K, Uchiyama S, et al. Treatment evaluation of acute stroke for using in regenerative cell elements (TREASURE) trial: Rationale and design. Int J Stroke 2018; 13: 444-448.（レベル1）
6) Mizuma A, Yamashita T, Kono S, et al. Phase II Trial of Intravenous Low-Dose Granulocyte Colony-Stimulating Factor in Acute Ischemic Stroke. J Stroke Cerebrovasc Dis 2016; 25: 1451-1457.（レベル1）
7) Ringelstein EB, Thijs V, Norrving B, et al. Granulocyte colony-stimulating factor in patients with acute ischemic stroke: results of the AX200 for Ischemic Stroke trial. Stroke 2013; 44: 2681-2687.（レベル1）
8) Kragl und KL, Mortensen JK, Damsbo AG, et al. Neuroregeneration and Vascular Protection by Citalopram in Acute Ischemic Stroke (TALOS). Stroke 2018; 49: 2568-2576.（レベル1）

脳卒中治療ガイドライン 2021　　77

Ⅱ 脳梗塞・TIA

1 脳梗塞急性期

1-10 開頭外減圧術

推奨

1. 中大脳動脈灌流域を含む一側大脳半球梗塞において、①年齢が 18〜60 歳、② National Institute of Health Stroke Scale（NIHSS）スコアが 15 を超える症例、③ NIHSS スコアの 1a が 1 以上である症例、④ CT にて中大脳動脈領域の脳梗塞が少なくとも 50%以上あるか、拡散強調画像にて脳梗塞の範囲が 145 cm^3 を超える症例、⑤発症 48 時間以内の症例に硬膜形成を伴う外減圧術が勧められる（推奨度 A　エビデンスレベル高）。

2. 中大脳動脈灌流領域梗塞例で、60 歳以上であるがそれ以外は外減圧術適応の基準を満たす症例に関しては、外減圧術を行うことを考慮しても良い（推奨度 C　エビデンスレベル中）。

3. 小脳梗塞においては、水頭症による中等度の意識障害がある症例に対しては脳室ドレナージを行うことを考慮しても良い（推奨度 C　エビデンスレベル低）。また小脳梗塞において、脳幹部圧迫による昏睡など重度の意識障害を来している症例に対して減圧開頭術を行うことは妥当である（推奨度 B　エビデンスレベル低）。

解　説

　中大脳動脈灌流域を含む一側大脳半球梗塞のうち、進行する脳浮腫によって死の転帰を来す悪性中大脳動脈梗塞（malignant MCA infarction）に対する減圧開頭術に関して 3 つの大規模ランダム化比較試験（RCT）、French DECIMAL[1]、German DESTINY[2]、Dutch trial HAMLET[3]のプール解析より、上記①〜⑤の条件を満足する症例での硬膜形成を伴う外減圧術の有効性は報告された。発症 48 時間以内の外減圧術は、患者の一年後の生存率と modified Rankin Scale（mRS）を改善した[4]。

　それに加えて Jüttler ら（DESTINY II）は、61 歳以上（中央値 70 歳）112 例の RCT で外減圧術の有効性を示したが、生存者の多くが要介助であった[5]。

　小脳梗塞に関しては CT 上、水頭症も脳幹部圧迫もなく意識が清明な小脳梗塞は保存的療法が勧められている[6,7]。CT 上、水頭症があり、これにより混迷を示す小脳梗塞は脳室ドレナージが勧められる[6]。CT 上、脳幹部圧迫があり、これによる昏睡を示す小脳梗塞は減圧開頭術が勧められる[6-8]。

〔引用文献〕

1) Vahedi K, Vicaut E, Mateo J, et al. Sequential-design, multicenter, randomized, controlled trial of early decompressive craniectomy in malignant middle cerebral artery infarction (DECIMAL Trial). Stroke 2007; 38: 2506-2517.（レベル 2）
2) Jüttler E, Schwab S, Schmiedek P, et al. Decompressive Surgery for the Treatment of Malignant Infarction of the Middle Cerebral Artery (DESTINY): a randomized, controlled trial. Stroke 2007; 38: 2518-2525.（レベル 2）
3) Hofmeijer J, Kappelle LJ, Algra A, et al. Surgical decompression for space-occupying cerebral infarction (the Hemicraniectomy After Middle Cerebral Artery infarction with Life-threatening Edema Trial [HAMLET]): a multicentre, open, randomised trial. Lancet Neurol 2009; 8: 326-333.（レベル 2）
4) Vahedi K, Hofmeijer J, Juettler E, et al. Early decompressive surgery in malignant infarction of the middle cerebral artery: a pooled analysis of three randomized controlled trials. Lancet Neurol 2007; 6: 215-222.（レベル 1）
5) Jüttler E, Unterberg A, Woitzik J, et al. Hemicraniectomy in older patients with extensive middle-cerebral-artery stroke. New Eng J Med 2014; 370: 1091-1100.（レベル 2）
6) Rieke K, Krieger D, Adams HP, et al. Therapeutic strategies in space-occupying cerebellar infarction based on clinical, neuroradiological and neurophysiological data. Cerebrovasc Dis 1993; 3: 45-55.（レベル 4）
7) 小笠原邦昭，甲州啓二，長嶺義秀，他．重症小脳梗塞に対する外科的減圧術．Neurological Surgery　1995；23：43-48.（レベル 4）
8) Jauss M, Krieger D, Horning C, et al. Surgical and medical management of patients with massive cerebellar infarctions: results of the German Austrian Cerebellar Infarction Study. J Neurol 1999; 246: 257-264.（レベル 4）

Ⅱ 脳梗塞・TIA

1 脳梗塞急性期

1-11 その他の外科治療

推奨

▶ 脳梗塞急性期に頚動脈内膜剥離術、バイパス術、開頭塞栓除去術などの外科的治療を行うことを考慮しても良い（推奨度C　エビデンスレベル低）。

解 説

急性期の頚動脈内膜剥離術[1-8]、バイパス術[9-16]、開頭塞栓除去術[17]についての報告は症例蓄積研究のエビデンスにとどまっており、勧告を行うための十分な資料がない。

〔引用文献〕

1) Meyer FB, Sundt TM Jr, Piepgras DG, et al. Emergency carotid endarterectomy for patients with acute carotid occlusion and profound neurological deficits. Ann Surg 1986; 203: 82-89. （レベル4）

2) Walter BB, Ojemann RG, Heros RC. Emergency Carotid endarterectomy. J Neurosurg 1987; 66: 817-823. （レベル4）

3) Sbarigia E, Toni D, Speziale F, et al. Early carotid endarterectomy after ischemic stroke: the results of a prospective multicenter Italian study. Eur J Vasc Endovasc Surg 2006; 32: 229-235. （レベル4）

4) Aleksic M, Rueger MA, Lehnhardt FG, et al. Primary stroke unit treatment followed by very early carotid endarterectomy for carotid artery stenosis after acute stroke. Cerebrovasc Dis 2006; 22: 276-281. （レベル4）

5) Dorigo W, Pulli R, Nesi M, et al. Urgent carotid endarterectomy in patients with recent/ crescendo transient ischaemic attacks or acute stroke. Eur J Vasc Endovasc Surg 2011; 41: 351-357. （レベル4）

6) Rocco A, Sallustio F, Toschi N, et al. Carotid Artery Stent Placement and Carotid Endarterectomy: A Challenge for Urgent Treatment after Stroke-Early and 12-Month Outcomes in a Comprehensive Stroke Center. J Vasc Interv Radiol 2018; 29: 1254-1261. e2. （レベル4）

7) Slawski DE, Jumaa MA, Salahuddin H, et al. Emergent carotid endarterectomy versus stenting in acute stroke patients with tandem occlusion. J Vasc Surg 2018; 68: 1047-1053. （レベル4）

8) Schubert J, Witte OW, Settmacher U, et al. Acute Stroke Treatment by Surgical Recanalization of Extracranial Internal Carotid Artery Occlusion: A Single Center Experience. Vasc Endovascular Surg 2019; 53: 21-27. （レベル4）

9) 北澤和夫，平山周一，内山俊哉，他．【脳血管内治療 VS 外科的治療・内科的治療】頭蓋内動脈狭窄　急性期 STA-MCA バイパス術の予後　28 手術症例の検討．The Mt. Fuji Workshop on CVD 2009；27：52-56．（レベル4）

10) Inoue T, Tamura A, Tsutsumi K, et al. Acute to subacute surgical revascularization for progressing stroke in atherosclerotic vertebrobasilar occlusion. Acta Neurochir (Wien) 2012; 154: 1455-1461. （レベル4）

11) Hwang G, Oh CW, Bang JS, et al. Superficial temporal artery to middle cerebral artery bypass in acute ischemic stroke and stroke in progress. Neurosurgery 2011; 68: 723-730. （レベル4）

12) Lee SB, Huh PW, Kim DS, et al. Early superficial temporal artery to middle cerebral artery bypass in acute ischemic stroke. Clin Neurol Neurosurg 2013; 115: 1238-1244. （レベル4）

13) 大谷直樹，和田孝次郎，竹内誠，他．急性期脳梗塞に対する経静脈的血栓溶解療法後に緊急 STA-MCA バイパス術を要した症例の臨床像と治療成績．Neurosurgical Emergency　2013；18：168-172．（レベル4）

14) Burkhardt JK, Winklhofer S, Fierstra J, et al. Emergency Extracranial-Intracranial Bypass to Revascularize Salvageable Brain Tissue in Acute Ischemic Stroke Patients. World Neurosurg 2018; 109: e476-e485. （レベル4）

15) Kanematsu R, Kimura T, Ichikawa Y, et al. Safety of urgent STA-MCA anastomosis after intravenous rt-PA treatment: a report of five cases and literature review. Acta Neurochir (Wien) 2018; 160: 1721-1727. （レベル4）

16) Schubert J, Witte OW, Settmacher U, et al. Acute Stroke Treatment by Surgical Recanalization of Extracranial Internal Carotid Artery Occlusion: A Single Center Experience. Vasc Endovascular Surg 2019; 53: 21-27. （レベル4）

17) 赤野文宏，谷川緑野，上山博康，他．急性期脳塞栓症に対する外科的塞栓除去術の文献 Review　禎心会病院における治療適応の現状．Neurosurgical Emergency　2015；20：165-168．（レベル4）

Ⅱ 脳梗塞・TIA

2 TIA 急性期・慢性期

TIA 急性期・慢性期

推奨

1. 一過性脳虚血発作（TIA）を疑えば、可及的速やかに発症機序を評価し、脳梗塞発症予防のための治療を直ちに開始するよう勧められる（推奨度A　エビデンスレベル高）。TIA 後の脳梗塞発症の危険度予測と治療方針の決定には、$ABCD^2$ スコアをはじめとした予測スコアの使用が妥当である（推奨度B　エビデンスレベル中）。

2. TIA の急性期（発症 48 時間以内）の再発防止には、アスピリン 160〜300 mg/日の投与が勧められる（推奨度A　エビデンスレベル高）。$ABCD^2$ スコア 4 点以上の高リスク TIA 例では、急性期に限定した抗血小板薬 2 剤併用療法（アスピリンとクロピドグレル）が妥当である（推奨度B　エビデンスレベル高）。

3. 急性期以後の TIA に対する治療は、脳梗塞の再発予防に準じて行うことが勧められる（推奨度A　エビデンスレベル中）。

解　説

一過性脳虚血発作（transient ischemic attack：TIA）後の脳梗塞は、TIA 発症 90 日以内[1] 24〜48 時間の比較的早期に発症する[2-4]。TIA 発症後早期に治療を受けた場合、90 日以内の大きな脳卒中発症率が 80% 軽減された[5-7]。脳梗塞発症予防のためには、TIA の発症機序を明らかにすることが重要である[8-11]。TIA 後の脳梗塞発症の危険度予測には、ABCD スコア[12]、$ABCD^2$ スコア[13]、$ABCD^3$ スコアおよび $ABCD^3$-I スコア[14] らが有用であり、それぞれのスコアの特性を活かした評価がされている[8,15]（表）。21 か国、4,789 例の TIA または軽症脳卒中を対象とした大規模臨床試験では、

$ABCD^2$ スコア 6〜7 点が 1 年以内の脳卒中再発高リスクと関連した[16]。本邦で行われた TIA を対象とした多施設研究では、1 年以内の脳卒中再発率は 8% であり、$ABCD^2$ スコア高値例での再発リスクが高かった[17]。

脳梗塞もしくは TIA の急性期再発防止には、アスピリン 160〜300 mg/日が有効であった[18]。アスピリンに関するメタ解析では、TIA と軽症脳梗塞に対する早期再発抑制効果が高かった[19]。発症 24 時間以内で National Institute of Health Stroke Scale（NIHSS）スコアが 3 点以下の軽症脳梗塞か、$ABCD^2$ スコアが 4 点以上のハイリスク TIA 症例において、急性期 21 日間にアスピリンとクロピドグレルを併用した群と、アスピリン単独群の検討

表　$ABCD^2$、$ABCD^3$、$ABCD^3$-I スコアによる脳梗塞リスクの評価

		$ABCD^2$	$ABCD^3$	$ABCD^3$-I
年齢（Age）	60 歳以上＝1 点	○	○	○
血圧（Blood pressure）	収縮期血圧 140 mmHg 以上または拡張期血圧 90 mmHg 以上＝1 点	○	○	○
臨床症状（Clinical features）	片側の運動麻痺＝2 点 麻痺を伴わない言語障害＝1 点	○	○	○
持続時間（Duration）	60 分以上＝2 点 10〜59 分＝1 点	○	○	○
糖尿病（Diabetes）	糖尿病＝1 点	○	○	○
再発性 TIA（Dual TIA）	7 日以内の TIA 既往＝2 点		○	○
画像所見（Imaging）	同側内頚動脈の 50% 以上狭窄＝2 点			○
	DWI での急性期病変＝2 点			○
	合計スコア	7	9	13

では、90日間の脳卒中発症は併用群で有意に少なかった。また、出血性脳卒中の発症は、両群間で有意差を認めなかった（CHANCE）[20]。同様に軽症脳梗塞（NIHSS≦3）およびハイリスクTIA（ABCD[2]スコア≧4）を対象とした試験では、アスピリンおよびクロピドグレルの2剤投与は90日間の虚血性脳卒中を有意に抑制したが、出血性合併症を増加させた（POINT）[21]。併用療法の期間については、その後のPOINTの副解析によって、CHANCEで示された21日間程度が妥当であることが報告された[22]。2つの試験（POINT and CHANCE trials）の統合解析から、抗血小板薬2剤併用療法（dual antiplatelet therapy：DAPT）は21日以内の投与が勧められ、21〜90日間の検討では有効性が示されず、出血性合併症の増加が危惧された[23]。また、複数のメタ解析[24,25]においても、急性期のDAPT療法は再発抑制に有効であったが、長期的には出血性合併症のリスクが高まった。

TIA発症後の慢性期治療は、脳梗塞の再発予防に準じて行う。慢性期再発防止にはアスピリン75〜150 mg/日[18]、クロピドグレル75 mg/日あるいはチクロピジン200 mg/日[26,27]が有効であった。慢性期におけるDAPT療法に関しては、脳梗塞再発の抑制効果が認められず（CHARISMA）[28]、出血性合併症発症のリスクが高まった試験（MATCH）[29]がある一方で、メタ解析の副解析では脳卒中再発率が有意に減少した試験もある[30]。本邦で行われた抗血栓療法に関する大規模観察研究では、慢性期における抗血栓薬2剤併用は出血性合併症の発症が多いことが示された[31]。急性期脳梗塞またはTIAに対するDAPT療法（クロピドグレル＋アスピリン）の継続について、短期間（1か月以内）、中期間（1か月〜3か月）、長期間（3か月以上）の投与期間別のメタ解析では、短期使用期間（1か月以内）でのみ再発抑制効果を認めた[32]。

非弁膜症性心房細動（NVAF）を合併した脳梗塞、TIA症例に対する再発防止にはワルファリンによる抗凝固療法（prothrombin time-international normalized ratio：PT-INR：2.0〜3.0目標）[33-37]もしくは、直接阻害型経口抗凝固薬（DOAC）が選択される[38-41]。各DOACの3試験（RE-LY、ROCKET AF、ARISTOTLE）によるメタ解析の結果、ワルファリンと比較してDOACは脳卒中と全身塞栓症、大出血、出血性脳卒中、および頭蓋内出血を有意に減少させた[42]。DOACのメタ解析では、対照群（ワルファリンまたはアスピリン）に比べ、有意に頭蓋内出血を抑制した[43]。本邦での脳梗塞またはTIA後の二次予防研究では、DOACとワルファリン間で脳梗塞/TIAの再発率は同程度であったが、脳出血の発症率はDOACで有意に低かった[44]。

TIA、脳梗塞の原因として頚動脈病変が考えられた場合、狭窄率が50％以上の症候性頚動脈狭窄に対しては、頚動脈内膜剥離術（CEA）や頚動脈ステント留置術（carotid artery stenting：CAS）を考慮する[45-47]。頭蓋内動脈狭窄（70〜99％）による軽症脳梗塞もしくはTIAに対しては、強化された内科治療を優先し、ステント治療は勧められない[48-50]。

（補足）

TIAの定義は「局所脳または網膜の虚血に起因する神経機能障害の一過性エピソードであり、急性梗塞の所見がないもの。神経機能障害のエピソードは、長くとも24時間以内に消失すること。」であり、明確にtissue-based definitionに統一された（2019年10月、日本脳卒中学会）。これにより、画像上で梗塞巣のあるTIAという概念は存在しなくなった。今後、tissue-based definitionによるエビデンスの構築が待たれる。

〔引用文献〕

1) Wu CM, McLaughlin K, Lorenzetti DL, et al. Early risk of stroke after transient ischemic attack: a systematic review and meta-analysis. Arch Intern Med 2007; 167: 2417-2422. （レベル1）
2) Johnston SC, Gress DR, Browner WS, et al. Short-term prognosis after emergency department diagnosis of TIA. JAMA 2000; 284: 2901-2906. （レベル2）
3) Lisabeth LD, Ireland JK, Risser JM, et al. Stroke risk after transient ischemic attack in a population-based setting. Stroke 2004; 35: 1842-1846. （レベル2）
4) Chandratheva A, Mehta Z, Geraghty OC, et al. Population-based study of risk and predictors of stroke in the first few hours after a TIA. Neurology 2009; 72: 1941-1947. （レベル2）
5) Rothwell PM, Giles MF, Chandratheva A, et al. Effect of urgent treatment of transient ischaemic attack and minor stroke on early recurrent stroke (EXPRESS study): a prospective population-based sequential comparison. Lancet 2007; 370: 1432-1442. （レベル2）
6) Luengo-Fernandez R, Gray AM, Rothwell PM. Effect of urgent treatment for transient ischaemic attack and minor stroke on disability and hospital costs (EXPRESS study): a prospective population-based sequential comparison. Lancet Neurol 2009; 8: 235-243. （レベル2）
7) Lavallee PC, Meseguer E, Abboud H, et al. A transient ischaemic attack clinic with round-the-clock access (SOS-TIA): feasibility and effects. Lancet Neurol 2007; 6: 953-960. （レベル2）
8) Sacco RL, Adams R, Albers G, et al. Guidelines for prevention of stroke in patients with ischemic stroke or transient isch-

emic attack: a statement for healthcare professionals from the American Heart Association/American Stroke Association Council on Stroke: co-sponsored by the Council on Cardiovascular Radiology and Intervention: the American Academy of Neurology affirms the value of this guideline. Stroke 2006; 37: 577-617. （レベル 3）

9) Gao S, Wong KS, Hansberg T, et al. Microembolic signal predicts recurrent cerebral ischemic events in acute stroke patients with middle cerebral artery stenosis. Stroke 2004; 35: 2832-2836. （レベル 3）

10) Easton JD, Saver JL, Albers GW, et al. Definition and evaluation of transient ischemic attack: a scientific statement for healthcare professionals from the American Heart Association/American Stroke Association Stroke Council; Council on Cardiovascular Surgery and Anesthesia; Council on Cardiovascular Radiology and Intervention; Council on Cardiovascular Nursing; and the Interdisciplinary Council on Peripheral Vascular Disease. The American Academy of Neurology affirms the value of this statement as an educational tool for neurologists. Stroke 2009; 40: 2276-2293. （レベル 3）

11) Taguchi H, Hasegawa Y, Bandoh K, et al. Implementation of a Community-Based Triage for Patients with Suspected Transient Ischemic Attack or Minor Stroke Study: A Prospective Multicenter Observational Study. J Stroke Cerebrovasc Dis 2016; 25: 745-751. （レベル 3）

12) Rothwell PM, Giles MF, Flossmann E, et al. A simple score (ABCD) to identify individuals at high early risk of stroke after transient ischaemic attack. Lancet 2005; 366: 29-36. （レベル 3）

13) Johnston SC, Rothwell PM, Nguyen-Huynh MN, et al. Validation and refinement of scores to predict very early stroke risk after transient ischaemic attack. Lancet 2007; 369: 283-292. （レベル 3）

14) Merwick A, Albers GW, Amarenco P, et al. Addition of brain and carotid imaging to the ABCD (2) score to identify patients at early risk of stroke after transient ischaemic attack: a multicentre observational study. Lancet Neurol 2010; 9: 1060-1069. （レベル 3）

15) Knoflach M, Lang W, Seyfang L, et al. Predictive value of ABCD2 and ABCD3-I scores in TIA and minor stroke in the stroke unit setting. Neurology 2016; 87: 861-869. （レベル 3）

16) Amarenco P, Lavallee PC, Labreuche J, et al. One-Year Risk of Stroke after Transient Ischemic Attack or Minor Stroke. N Engl J Med 2016; 374: 1533-1542. （レベル 2）

17) Uehara T, Minematsu K, Ohara T, et al. Incidence, predictors, and etiology of subsequent ischemic stroke within one year after transient ischemic attack. Int J Stroke 2017; 12: 84-89. （レベル 2）

18) Collaborative meta-analysis of randomised trials of antiplatelet therapy for prevention of death, myocardial infarction, and stroke in high risk patients. BMJ 2002; 324: 71-86. （レベル 1）

19) Rothwell PM, Algra A, Chen Z, et al. Effects of aspirin on risk and severity of early recurrent stroke after transient ischaemic attack and ischaemic stroke: time-course analysis of randomised trials. Lancet 2016; 388: 365-375. （レベル 1）

20) Wang Y, Zhao X, Liu L, et al. Clopidogrel with aspirin in acute minor stroke or transient ischemic attack. N Engl J Med 2013; 369: 11-19. （レベル 2）

21) Johnston SC, Easton JD, Farrant M, et al. Clopidogreland Aspirin in Acute Ischemic Stroke and High-Risk TIA. N Engl J Med 2018; 379: 215-225. （レベル 2）

22) Johnston SC, Elm JJ, Easton JD, et al. Time Course for Benefit and Risk of Clopidogrel and Aspirin After Acute Transient Ischemic Attack and Minor Ischemic Stroke. Circulation 2019; 140: 658-664. （レベル 2）

23) Pan Y, Elm JJ, Li H, et al. Outcomes Associated With Clopidogrel-Aspirin Use in Minor Stroke or Transient Ischemic Attack: A Pooled Analysis of Clopidogrel in High-Risk Patients With Acute Non-Disabling Cerebrovascular Events (CHANCE) and Platelet-Oriented Inhibition in New TIA and Minor Ischemic Stroke (POINT) Trials. JAMA Neurol 2019; 76: 1466-1473. （レベル 1）

24) Hao Q, Tampi M, O'Donnell M, et al. Clopidogrel plus aspirin versus aspirin alone for acute minor ischaemic stroke or high risk transient ischaemic attack: systematic review and meta-analysis. BMJ 2018; 363: k5108. （レベル 1）

25) Kheiri B, Osman M, Abdalla A, et al. Clopidogrel and aspirin after ischemic stroke or transient ischemic attack: an updated systematic review and meta-analysis of randomized clinical trials. J Thromb Thrombolysis 2019; 47: 233-247. （レベル 1）

26) Hankey GJ, Sudlow CL, Dunbabin DW. Thienopyridines or aspirin to prevent stroke and other serious vascular events in patients at high risk of vascular disease? A systematic review of the evidence from randomized trials. Stroke 2000; 31: 1779-1784. （レベル 1）

27) Sudlow CL, Mason G, Maurice JB, et al. Thienopyridine derivatives versus aspirin for preventing stroke and other serious vascular events in high vascular risk patients. Cochrane Database Syst Rev 2009: CD001246. （レベル 1）

28) Bhatt DL, Fox KA, Hacke W, et al. Clopidogrel and aspirin versus aspirin alone for the prevention of atherothrombotic events. N Engl J Med 2006; 354: 1706-1717. （レベル 2）

29) Diener HC, Bogousslavsky J, Brass LM, et al. Aspirin and clopidogrel compared with clopidogrel alone after recent ischaemic stroke or transient ischaemic attack in high-risk patients (MATCH): randomised, doubleblind, placebo-controlled trial. Lancet 2004; 364: 331-337. （レベル 2）

30) Zhang Q, Wang C, Zheng M, et al. Aspirin plus clopidogrel as secondary prevention after stroke or transient ischemic attack: a systematic review and meta-analysis. Cerebrovasc Dis 2015; 39: 13-22. （レベル 2）

31) Toyoda K, Yasaka M, Iwade K, et al. Dual antithrombotic therapy increases severe bleeding events in patients with stroke and cardiovascular disease: a prospective, multicenter, observational study. Stroke 2008; 39: 1740-1745. （レベル 3）

32) Rahman H, Khan SU, Nasir F, et al. Optimal Duration of Aspirin Plus Clopidogrel After Ischemic Stroke or Transient Ischemic Attack. Stroke 2019; 50: 947-953. （レベル 1）

33) Secondary prevention in non-rheumatic atrial fibrillation after transient ischaemic attack or minor stroke. EAFT (European Atrial Fibrillation Trial) Study Group. Lancet 1993; 342: 1255-1262. （レベル 2）

34) Hart RG, Benavente O, McBride R, et al. Antithrombotic therapy to prevent stroke in patients with atrial fibrillation: a meta-analysis. Ann Intern Med 1999; 131: 492-501. （レベル 1）

35) Yamaguchi T. Optimal intensity of warfarin therapy for secondary prevention of stroke in patients with nonvalvular atrial fibrillation: a multicenter, prospective, randomized trial. Japanese Nonvalvular Atrial Fibrillation-Embolism Secondary Prevention Cooperative Study Group. Stroke 2000; 31: 817-821. （レベル 2）

36) Yasaka M, Minematsu K, Yamaguchi T. Optimal intensity of international normalized ratio in warfarin therapy for secondary prevention of stroke in patients with non-valvular atrial fibrillation. Intern Med 2001; 40: 1183-1188. （レベル 3）

37) Inoue H, Okumura K, Atarashi H, et al. Target international normalized ratio values for preventing thromboembolic and hemorrhagic events in Japanese patients with non-valvular atrial fibrillation: results of the J-RHYTHM Registry. Circ J 2013; 77: 2264-2270. （レベル 3）

38) Connolly SJ, Ezekowitz MD, Yusuf S, et al. Dabigatran versus warfarin in patients with atrial fibrillation. N Engl J Med 2009; 361: 1139-1151. （レベル 2）

39) Patel MR, Mahaffey KW, Garg J, et al. Rivaroxaban versus warfarin in nonvalvular atrial fibrillation. N Engl J Med 2011; 365: 883-891. （レベル 2）

40) Granger CB, Alexander JH, McMurray JJ, et al. Apixaban versus warfarin in patients with atrial fibrillation. N Engl J Med 2011; 365: 981-992. （レベル 2）

41) Giugliano RP, Ruff CT, Braunwald E, et al. Edoxaban versus warfarin in patients with atrial fibrillation. N Engl J Med 2013; 369: 2093-2104. （レベル 2）

42) Ntaios G, Papavasileiou V, Diener HC, et al. Nonvitamin-K-antagonist oral anticoagulants in patients with atrial fibrillation and previous stroke or transient ischemic attack: a systematic review and meta-analysis of randomized controlled trials. Stroke 2012: 3298-3304. （レベル 1）

43) Chatterjee S, Sardar P, Biondi-Zoccai G, et al. New oral anticoagulants and the risk of intracranial hemorrhage: traditional and Bayesian meta-analysis and mixed treatment comparison of randomized trials of new oral anticoagulants in atrial fibrillation. JAMA Neurol 2013; 70: 1486-1490. （レベル 1）

44) Yoshimura S, Koga M, Sato S, et al. Two-Year Outcomes of An-

ticoagulation for Acute Ischemic Stroke With Nonvalvular Atrial Fibrillation: SAMURAI-NVAF Study. Circ J 2018; 82: 1935-1942.（レベル 3）

45）Kernan WN, Ovbiagele B, Black HR, et al. Guidelines for the prevention of stroke in patients with stroke and transient ischemic attack: a guideline for healthcare professionals from the American Heart Association/American Stroke Association. Stroke 2014; 45: 2160-2236.（レベル 3）

46）Brott TG, Hobson RW 2nd, Howard G, et al. Stenting versus endarterectomy for treatment of carotid-artery stenosis. N Engl J Med 2010; 363: 11-23.（レベル 2）

47）Abbott AL, Paraskevas KI, Kakkos SK, et al. Systematic Review of Guidelines for the Management of Asymptomatic and Symptomatic Carotid Stenosis. Stroke 2015; 46: 3288-3301.

（レベル 3）

48）Chimowitz MI, Lynn MJ, Derdeyn CP, et al. Stenting versus aggressive medical therapy for intracranial arterial stenosis. N Engl J Med 2011; 365: 993-1003.（レベル 2）

49）Derdeyn CP, Chimowitz MI, Lynn MJ, et al. Aggressive medical treatment with or without stenting in high-risk patients with intracranial artery stenosis (SAMMPRIS): the final results of a randomised trial. Lancet 2014; 383: 333-341.（レベル 2）

50）Zaidat OO, Fitzsimmons BF, Woodward BK, et al. Effect of a balloon-expandable intracranial stent vs medical therapy on risk of stroke in patients with symptomatic intracranial stenosis: the VISSIT randomized clinical trial. JAMA 2015; 313: 1240-1248.（レベル 2）

Ⅱ 脳梗塞・TIA

3 脳梗塞慢性期

3-1 非心原性脳梗塞
（1）抗血小板療法

推 奨

1. 非心原性脳梗塞の再発予防には、抗血小板薬の投与を行うよう勧められる（推奨度 A　エビデンスレベル高）。

2. 現段階で非心原性脳梗塞の再発予防に有効な抗血小板薬（本邦で使用可能なもの）は、アスピリン 75〜150 mg/日、クロピドグレル 75 mg/日、シロスタゾール 200 mg/日（以上、推奨度 A　エビデンスレベル高）、チクロピジン 200 mg/日（推奨度 B　エビデンスレベル中）である。

3. アスピリンとジピリダモールの併用は、わが国では勧められない（推奨度 D　エビデンスレベル中）。

4. 長期の抗血小板薬 2 剤併用は、単剤と比較して有意な脳梗塞再発抑制効果は実証されておらず、むしろ出血性合併症を増加させるため、勧められない（推奨度 D　エビデンスレベル高）。ただし、頚部・頭蓋内動脈狭窄・閉塞や血管危険因子を複数有する非心原性脳梗塞には、シロスタゾールを含む抗血小板薬 2 剤併用は妥当である（推奨度 B　エビデンスレベル中）。

5. 出血時の対処が容易な処置・小手術（抜歯、白内障手術など）の施行時は、アスピリンの内服を続行することが勧められる（推奨度 A　エビデンスレベル中）。また、その他の抗血小板薬の内服を継続することは妥当である（推奨度 B　エビデンスレベル低）。出血高危険度の消化管内視鏡治療の場合は、血栓塞栓症の発症リスクが高い症例では、アスピリンまたはシロスタゾールへの置換を考慮しても良い（推奨度 C　エビデンスレベル低）。

解 説

1. 抗血小板薬の有効性

　抗血小板療法は、非心原性脳梗塞・一過性脳虚血発作（TIA）患者の再発予防に有用であることが、多くのエビデンスで示されている[1,2]。2002 年のAntithrombotic Trialists' Collaboration（ATT）のメタ解析によれば、抗血小板薬の投与による主要血管イベント（脳梗塞、心筋梗塞、血管死）のリスク低下率は 22％であった[1]。

2. アスピリン

　2009 年の ATT によるメタ解析では、アスピリンはプラセボに比べて脳梗塞再発を 22％有意に減少し、一方で出血性脳卒中を 1.67 倍増加する傾向があったが、全脳卒中は 19％有意に減少した[3]。2次予防例においては、アスピリンの虚血イベント予防効果によるベネフィットは、頭蓋内外の出血性合併症のリスクを上回ると考えられている。

　1994 年の Antiplatelet Trialists' Collaboration（APT）の報告では、アスピリンの至適用量は 75〜325 mg/日で、500〜1,500 mg/日の高用量では胃粘膜障害が増加するとされている[2]。2002 年のATT の報告では、アスピリンの血管イベント低減効果には J カーブ現象がみられ、75〜150 mg/日に最も大きな効果（32％リスク低下）があるとされている[1]。

3. チエノピリジン（クロピドグレル、チクロピジン）

　2000 年のメタ解析では、チエノピリジン（チクロピジンまたはクロピドグレル）はアスピリンに比べて脳卒中再発を 12％有意に抑制した[4]。一方2009 年の Cochrane レビューによるメタ解析では、チエノピリジンはアスピリンと比較して主要血管イベントが 6％減少する傾向があり、脳梗塞は 15％有意に減少し、出血性脳卒中には差がなかった[5]。なおチクロピジンはクロピドグレルよりも顆粒球減少、血栓性血小板減少性紫斑病などの副作用

の頻度が高かったことから[4,5]、新規処方例の第一選択薬としては推奨されない。

脳梗塞、心筋梗塞、動脈硬化性末梢血管疾患のいずれかを有する患者を対象とした CAPRIE では、クロピドグレルはアスピリンに比べて主要血管イベントの再発率が 8.7％有意に低かった[6]。そのサブグループ解析によれば、クロピドグレルの効果は、脂質異常症合併、糖尿病合併、冠動脈バイパス術既往、虚血性疾患既往、複数血管床の障害を有する、といったハイリスク例でより大きかった[7]。

4. シロスタゾール

CSPS では、シロスタゾールはプラセボに比べて 41.7％の有意な脳卒中再発低減効果を示し、層別解析ではラクナ梗塞の再発予防に有効であった[8]。わが国から報告された CSPS2 では、シロスタゾールはアスピリンに比べて全脳卒中が 25.7％有意に減少し、主要な出血イベントが 54.2％有意に減少した[9]。なお、頭痛や頻脈の副作用が多かった。2014 年のメタ解析では、シロスタゾールは、プラセボと比較して脳梗塞再発を有意に減少し、出血性脳卒中や全死亡に差はなく、アスピリンと比較して出血性脳卒中を有意に減少し、脳梗塞や全死亡に差はなかった[10]。

5. 抗血小板薬の併用
（6. 症候性頭蓋内・外主幹動脈狭窄性病変の項も参照のこと）

1）アスピリンとクロピドグレルの併用

ハイリスク脳梗塞・TIA が対象の MATCH[11]、冠動脈疾患、脳梗塞・TIA、末梢動脈疾患の既往か、血管危険因子を複数有する患者が対象の CHARISMA[12]、ラクナ梗塞が対象の SPS3[13]、いずれの試験においても、アスピリン＋クロピドグレル併用は、アスピリンまたはクロピドグレル単剤と比較して主要血管イベントリスクに差はなく、出血性合併症が 2 倍程度有意に増加するとの結果であった。メタ解析では、脳梗塞再発はアスピリン単剤に比べてアスピリン＋クロピドグレル併用で減少したが、重篤な出血は増加した[14]。さらにアスピリンとクロピドグレルの併用期間を 1 か月未満、1〜3 か月、3 か月以上に分類したところ、脳梗塞再発リスクは、1 か月未満、1〜3 か月では単剤に比して併用で有意に低下していたが、3 か月以上の併用によるベネフィットは示されなかった。一方大出血のリスクは、1 か月未満の併用では単剤と有意差はなかったが、1〜3 か月および 3 か月以上の併用で有意に上昇していた[15]。

2）アスピリンまたはクロピドグレルとシロスタゾールの併用

頭蓋内主幹動脈狭窄を有する脳梗塞を対象とした TOSS では、狭窄病変の進展はアスピリン単剤よりもアスピリン＋シロスタゾール併用で有意に少なかったが、脳梗塞の再発は両群ともゼロであった[16]。同様の組み入れ基準を用いた TOSS2 では、アスピリン＋シロスタゾール併用とアスピリン＋クロピドグレル併用の 2 群間で、頭蓋内動脈狭窄の進展や脳梗塞再発、出血性合併症に差はなかった[17]。頚部または頭蓋内の主幹動脈に 50％以上の狭窄性病変を認めるか、2 つ以上の血管危険因子を有するハイリスク非心原性脳梗塞を対象とし、アスピリンあるいはクロピドグレル単剤療法と、それらにシロスタゾールを加えた併用療法を比較した CSPS.com では、脳梗塞再発率は併用群で単剤群よりも有意に低く、出血性脳卒中の発症率に差はなかった[18]。

3）アスピリンとジピリダモールの併用

欧米で実施された複数の無作為化比較試験でアスピリンと徐放性ジピリダモールの併用の有用性が示されており[19-21]、欧州や米国の脳卒中治療ガイドラインで推奨されている[22,23]。わが国での臨床試験では、アスピリンと徐放性ジピリダモールの併用は、アスピリン単剤に比べて脳梗塞および脳出血のリスクが高い傾向にあった[24]。

4）1 年間以上の抗血小板薬 2 剤併用のエビデンス

1 年間以上の長期にわたる抗血小板薬 2 剤併用を単剤と比較した 7 つの無作為化比較試験のメタ解析によれば、脳梗塞再発リスクは併用群では単剤群と比較して差はなく、脳出血リスクはアスピリン単剤群と差はなかったが、クロピドグレル単剤群よりも有意に高かった[25]。脳梗塞・TIA 症例に対して 1 年間以上の抗血小板療法を行った 24 件の無作為化比較試験のネットワーク解析でも、脳梗塞再発予防効果には差がない一方、出血性合併症は併用群で増加した[26]。

6. 症候性頭蓋内・外主幹動脈狭窄性病変

日本人症候性頭蓋内動脈狭窄症を対象に、アスピリン＋シロスタゾール併用とアスピリン単剤を比較した CATHARSIS では、狭窄病変の進展や脳梗塞再発に両群間で差はなかった[27]。

WASID では、50〜99％の頭蓋内主幹動脈狭窄を有する脳梗塞・TIA において、ワルファリン

（目標 prothrombin time-international normalized ratio［PT-INR］＝2.0～3.0）とアスピリンで脳梗塞再発率に両群間で差がない一方、死亡や主要な出血がワルファリンで有意に増加した[28]。

50％以上の頸動脈狭窄あるいは頭蓋内動脈狭窄を有する脳梗塞・TIAにおいては、経頭蓋超音波ドプラ法での微小塞栓信号（microembolic signal：MES）の検出頻度が、アスピリン＋クロピドグレル併用でアスピリン単剤よりも有意に減少していた[29,30]。

7. 手術・検査時の対応

わが国の歯科三学会合同の「科学的根拠に基づく抗血栓療法患者の抜歯に関するガイドライン2015年版」[31]や日本消化器内視鏡学会の「抗血栓薬服用者に対する消化器内視鏡診療ガイドライ ン」[32]などでは、出血時の対処が容易な処置・小手術（抜歯、白内障手術など）の施行時は、抗血小板薬の内服続行が勧められている。出血低危険度の消化器内視鏡では、アスピリン、アスピリン以外の抗血小板薬はいずれも休薬なく施行して良い。出血高危険度の消化器内視鏡では、血栓塞栓症のリスクが高いアスピリン服用者では休薬なく施行しても良いが、血栓塞栓症のリスクが低い場合は3～5日間の休薬を考慮する。アスピリン以外の抗血小板薬内服の場合には休薬を原則として、休薬期間はチエノピリジン誘導体が5～7日間、チエノピリジン誘導体以外の抗血小板薬は1日間の休薬とし、血栓塞栓症の発症リスクが高い症例では、アスピリンまたはシロスタゾールへの置換を考慮する。その他詳細は、上記ガイドラインを参照してほしい。

非心原性脳梗塞再発予防目的でのプラスグレル、チカグレロルの投与

非心原性脳梗塞再発予防目的でのプラスグレルおよびチカグレロルの投与は、現時点では勧められない。

1. プラスグレル

プラスグレルは、クロピドグレルよりも迅速にadenosine diphosphate（ADP）受容体阻害作用を示し、CYP2C19の遺伝子多型の影響が少ないとされる。急性冠症候群患者を対象とした無作為化比較試験における脳卒中既往患者のサブ解析では、プラスグレルはクロピドグレルに比べて有意に頭蓋内出血を含む出血性合併症が多く、主要血管イベントの発生も多かった[33]。そのため、欧米ではプラスグレルは脳梗塞やTIAに禁忌とされている。わが国で行われた試験（PRASTRO-I）では、プラスグレルのクロピドグレルに対する非劣性は証明されなかったが、出血性合併症の頻度は両群に差はなかった[34]。

2. チカグレロル

CYP2C19の影響を受けない非チエノピリジン系のチカグレロルは、脳梗塞急性期における無作為化試験があるものの、慢性期のデータは乏しい。急性冠症候群の患者を対象に行われた無作為化試験における脳卒中既往患者のサブグループ解析では、チカグレロルはクロピドグレルに比べて心血管イベントや脳卒中は少なかった[35,36]。

〔引用文献〕

1) Collaborative meta-analysis of randomised trials of antiplatelet therapy for prevention of death, myocardial infarction, and stroke in high risk patients. BMJ 2002; 324: 71-86. （レベル 1）

2) Collaborative overview of randomised trials of antiplatelet therapy--I: Prevention of death, myocardial infarction, and stroke by prolonged antiplatelet therapy in various categories of patients. Antiplatelet Trialists' Collaboration. BMJ 1994; 308: 81-106. （レベル 1）

3) Baigent C, Blackwell L, Collins R, et al. Aspirin in the primary and secondary prevention of vascular disease: collaborative meta-analysis of individual participant data from randomised trials. Lancet 2009; 373: 1849-1860. （レベル 1）

4) Hankey GJ, Sudlow CL, Dunbabin DW. Thienopyridines or aspirin to prevent stroke and other serious vascular events in patients at high risk of vascular disease? A systematic review of the evidence from randomized trials. Stroke 2000; 31: 1779-1784. （レベル 1）

5) Sudlow CL, Mason G, Maurice JB, et al. Thienopyridine derivatives versus aspirin for preventing stroke and other serious vascular events in high vascular risk patients. Cochrane Database Syst Rev 2009: CD001246. （レベル 1）

6) A randomised, blinded, trial of clopidogrel versus aspirin in patients at risk of ischaemic events (CAPRIE). CAPRIE Steering Committee. Lancet 1996; 348: 1329-1339. （レベル 2）

7) Hirsh J, Bhatt DL. Comparative benefits of clopidogrel and aspirin in high-risk patient populations: lessons from the CAPRIE and CURE studies. Arch Intern Med 2004; 164: 2106-2110. （レベル 3）

8) Gotoh F, Tohgi H, Hirai S, et al. Cilostazol stroke prevention study: A placebo-controlled double-blind trial for secondary

prevention of cerebral infarction. J Stroke Cerebrovasc Dis 2000; 9: 147-157. （レベル 2）

9) Shinohara Y, Katayama Y, Uchiyama S, et al. Cilostazol for prevention of secondary stroke (CSPS 2): an aspirin-controlled, double-blind, randomised noninferiority trial. Lancet Neurol 2010; 9: 959-968. （レベル 3）

10) Shi L, Pu J, Xu L, et al. The efficacy and safety of cilostazol for the secondary prevention of ischemic stroke in acute and chronic phases in Asian population-- an updated meta-analysis. BMC Neurol 2014; 14: 251. （レベル 2）

11) Diener HC, Bogousslavsky J, Brass LM, et al. Aspirin and clopidogrel compared with clopidogrel alone after recent ischaemic stroke or transient ischaemic attack in high-risk patients (MATCH): randomised, doubleblind, placebo-controlled trial. Lancet 2004; 364: 331-337. （レベル 2）

12) Bhatt DL, Fox KA, Hacke W, et al. Clopidogrel and aspirin versus aspirin alone for the prevention of atherothrombotic events. N Engl J Med 2006; 354: 1706-1717. （レベル 2）

13) Benavente OR, Hart RG, McClure LA, et al. Effects of clopidogrel added to aspirin in patients with recent lacunar stroke. N Engl J Med 2012; 367: 817-825. （レベル 2）

14) Squizzato A, Bellesini M, Takeda A, et al. Clopidogrel plus aspirin versus aspirin alone for preventing cardiovascular events. Cochrane Database Syst Rev 2017: CD005158. （レベル 1）

15) Rahman H, Khan SU, Nasir F, et al. Optimal Duration of Aspirin Plus Clopidogrel After Ischemic Stroke or Transient Ischemic Attack. Stroke 2019; 50: 947-953. （レベル 1）

16) Kwon SU, Cho YJ, Koo JS, et al. Cilostazol prevents the progression of the symptomatic intracranial arterial stenosis: the multicenter double-blind placebocontrolled trial of cilostazol in symptomatic intracranial arterial stenosis. Stroke 2005; 36: 782-786. （レベル 2）

17) Kwon SU, Hong KS, Kang DW, et al. Efficacy and safety of combination antiplatelet therapies in patients with symptomatic intracranial atherosclerotic stenosis. Stroke. 2011; 42: 2883-2890. （レベル 2）

18) Toyoda K, Uchiyama S, Yamaguchi T, et al. Dual antiplatelet therapy using cilostazol for secondary prevention in patients with high-risk ischaemic stroke in Japan: a multicentre, open-label, randomised controlled trial. Lancet Neurol 2019; 18: 539-548. （レベル 2）

19) Diener HC, Cunha L, Forbes C, et al. European Stroke Prevention Study. 2. Dipyridamole and acetylsalicylic acid in the secondary prevention of stroke. J Neurol Sci 1996; 143: 1-13. （レベル 2）

20) Sacco RL, Diener HC, Yusuf S, et al. Aspirin and extended-release dipyridamole versus clopidogrel for recurrent stroke. N Engl J Med 2008; 359: 1238-1251. （レベル 2）

21) Verro P, Gorelick PB, Nguyen D. Aspirin plus dipyridamole versus aspirin for prevention of vascular events after stroke or TIA: a meta-analysis. Stroke 2008; 39: 1358-1363. （レベル 1）

22) Guidelines for management of ischaemic stroke and transient ischaemic attack 2008. Cerebrovasc Dis 2008; 25: 457-507. （レベル 5）

23) Kernan WN, Ovbiagele B, Black HR, et al. Guidelines for the prevention of stroke in patients with stroke and transient ischemic attack: a guideline for healthcare professionals from the American Heart Association/American Stroke Association. Stroke 2014; 45: 2160-2236. （レベル 5）

24) Uchiyama S, Ikeda Y, Urano Y, et al. The Japanese aggrenox (extended-release dipyridamole plus aspirin) stroke prevention versus aspirin programme (JASAP) study: a randomized, double-blind, controlled trial. Cerebrovasc Dis 2011; 31: 601-613. （レベル 2）

25) Lee M, Saver JL, Hong KS, et al. Risk-benefit profile of long-term dual- versus single-antiplatelet therapy among patients with ischemic stroke: a systematic review and meta-analysis. Ann Intern Med 2013; 159: 463-470. （レベル 1）

26) Xie W, Zheng F, Zhong B, et al. Long-Term Antiplatelet Mono- and Dual Therapies After Ischemic Stroke or Transient Ischemic Attack: Network Meta-Analysis. J Am Heart Assoc 2015; 4: e002259. （レベル 1）

27) Uchiyama S, Sakai N, Toi S, et al. Final results of cilostazol-aspirin therapy against recurrent stroke with intracranial artery stenosis (CATHARSIS). Cerebrovasc Dis Extra 2015; 5: 1-13. （レベル 3）

28) Chimowitz MI, Lynn MJ, Howlett-Smith H, et al. Comparison of warfarin and aspirin for symptomatic intracranial arterial stenosis. N Engl J Med 2005; 352: 1305-1316. （レベル 2）

29) Markus HS, Droste DW, Kaps M, et al. Dual antiplatelet therapy with clopidogrel and aspirin in symptomatic carotid stenosis evaluated using doppler embolic signal detection: the Clopidogrel and Aspirin for Reduction of Emboli in Symptomatic Carotid Stenosis (CARESS) trial. Circulation 2005; 111: 2233-2240. （レベル 2）

30) Wong KS, Chen C, Fu J, et al. Clopidogrel plus aspirin versus aspirin alone for reducing embolisation in patients with acute symptomatic cerebral or carotid artery stenosis (CLAIR study): a randomised, open-label, blinded-endpoint trial. Lancet Neurol 2010; 9: 489-497. （レベル 2）

31) 日本有病者歯科医療学会，日本口腔外科学会，日本老年歯科医学会編．科学的根拠に基づく抗血栓療法患者の抜歯に関するガイドライン　2015 年改訂版．2015．（レベル 5）

32) 藤本一眞，藤城光弘，加藤元嗣，他．抗血栓薬服用者に対する消化器内視鏡診療ガイドライン．日本消化器内視鏡学会雑誌 2012；54：2074-2102．（レベル 5）

33) Wiviott SD, Braunwald E, McCabe CH, et al. Prasugrel versus clopidogrel in patients with acute coronary syndromes. N Engl J Med 2007; 357: 2001-2015. （レベル 2）

34) Ogawa A, Toyoda K, Kitagawa K, et al. Comparison of prasugrel and clopidogrel in patients with non-cardioembolic ischaemic stroke: a phase 3, randomised, non-inferiority trial (PRASTRO-I). Lancet Neurol 2019; 18: 238-247. （レベル 2）

35) James SK, Storey RF, Khurmi NS, et al. Ticagrelor versus clopidogrel in patients with acute coronary syndromes and a history of stroke or transient ischemic attack. Circulation 2012; 125: 2914-2921. （レベル 3）

36) James SK, Pieper KS, Cannon CP, et al. Ticagrelor in patients with acute coronary syndromes and stroke: interpretation of subgroups in clinical trials. Stroke 2013; 44: 1477-1479. （レベル 3）

Ⅱ 脳梗塞・TIA

3 脳梗塞慢性期

3-1 非心原性脳梗塞
（2）頚動脈内膜剥離術（CEA）

推奨

1. 症候性頚動脈高度狭窄（70〜99％狭窄、NASCET法）では、抗血小板療法を含む最良の内科的治療に加えて、手術および周術期管理に熟達した術者と施設において頚動脈内膜剥離術（CEA）を行うことが勧められる（推奨度A　エビデンスレベル高）。狭窄末梢が虚脱した高度狭窄（near occlusion）には、CEAを行うことを考慮しても良い（推奨度C　エビデンスレベル中）。

2. 症候性頚動脈中等度狭窄では、抗血小板療法を含む最良の内科的治療に加えて、手術および周術期管理に熟達した術者と施設においてCEAを行うことが妥当である（推奨度B　エビデンスレベル高）。

3. 内頚動脈狭窄症において、血行再建術を考慮すべき高齢者に対しては、頚動脈ステント留置術よりもCEAを行うことが妥当である（推奨度B　エビデンスレベル高）。

4. 症候性頚動脈狭窄に対して症状発症後早期にCEAを行うことは妥当である（推奨度B　エビデンスレベル中）。

解　説

　狭窄率50％以上すなわち中等度ないし高度の症候性頚動脈狭窄病変に対しては、内科的治療（抗血小板薬と脂質異常症改善薬を含む最良の内科的治療）＋頚動脈内膜剥離術（carotid endarterectomy：CEA）のほうが、最良の内科的治療よりも脳卒中再発予防効果が優れている[1-8]。特に70％以上の症候性頚動脈狭窄病変では、双方の治療効果に関する差はより明らかである[1-3,6-8]。

　2017年に発表されたChochraneレビューでは狭窄末梢が虚脱した高度狭窄であるnear occlusionを除く70〜99％狭窄に対してはCEA群は5年後の同側虚血性脳梗塞、周術期全脳卒中、周術期死亡を有意に減少させたが、near occlusion群ではCEAの効果はみられなかったとしている[9]。このnear occlusionについては、94％がfull collapseではなかったとする指摘もあり、full collapseを呈した狭義のnear occlusionに対するCEAの効果は未確定である[10,11]。

　症候性頚動脈狭窄患者を対象としたCEAと頚動脈ステント留置術（carotid artery stenting：CAS）に対するランダム化比較試験（RCT）であるEVA-3S、ICSSでは、ともにCEAの結果が良好であり

長期的にはCEAを支持するとしている[12,13]。症候性と無症候性頚動脈狭窄患者を対象としたRCTであるCRESTでは、複合主要エンドポイント（周術期の死亡、全ての脳卒中、心筋梗塞、追跡中の同側脳卒中）は症候性患者と無症候性患者を別々に分析した場合でも治療群間で有意差はなかった[14]。

　先述したEVA-3S、ICSSとCRESTにSPACEを加えた4つのRCTで症候性症例のみを対象とした研究において、120日以内の死亡と脳卒中、10年後までの同側脳卒中を解析したところ、120日以内の死亡と脳卒中はCEA 5.5％、CAS 8.6％にみられた。120日以後の年間同側脳卒中率は年率CEA 0.60％、CAS 0.64％と類似していた。CEAとCASは周術期以後の結果は同等であるが、周術期とその後の結果を合わせるとCEAが支持されるという結果であった[15]。

　年齢に関してはCASの非劣性を証明したとするSAPPHIREではCEAハイリスクとして高齢者が含まれていたが、4つのRCT（EVA-3S、ICSS、CREST、SPACE）の解析により、CEAの結果は70歳以上の患者においてCASより優れていた。高齢者のCASは周術期脳卒中が多いとしている[16]。

　症候性頚動脈狭窄症に対する手術の時期は、4つのRCT（EVA-3S、ICSS、CREST、SPACE）で症

状発症後 0～7 日の CEA、CAS が検討されている。7 日以内に治療された患者のうち、CAS で治療された患者は、CEA と比較して脳卒中または死亡のリスクが高かった（8.3% vs 1.3%）。このため、症候性頚動脈狭窄に対する早期手術は CEA が CAS よりも安全であるとしている[17]。同様に複数のメタ解析でも、症状発症後早期の血行再建術は安全で、可能な限り早期に CEA を実施することを推奨している[18,19]。また 2017 年に発表された Chochrane レビューでも 14 日以内の CEA が最も効果が高かったとしている[9]。

〔引用文献〕

1) Barnett HJ, Taylor DW, Eliasziw M, et al. Benefit of carotid endarterectomy in patients with symptomatic moderate or severe stenosis. North American Symptomatic Carotid Endarterectomy Trial Collaborators. N Engl J Med 1998; 339: 1415-1425. （レベル 1）

2) Risk of stroke in the distribution of an asymptomatic carotid artery. The European Carotid Surgery Trialists Collaborative Group. Lancet 1995; 345: 209-212. （レベル 1）

3) Randomised trial of endarterectomy for recently symptomatic carotid stenosis: final results of the MRC European Carotid Surgery Trial (ECST). Lancet 1998; 351: 1379-1387. （レベル 1）

4) Endarterectomy for asymptomatic carotid artery stenosis. Executive Committee for the Asymptomatic Carotid Atherosclerosis Study. JAMA 1995; 273: 1421-1428. （レベル 2）

5) Hobson RW 2nd, Weiss DG, Fields WS, et al. Efficacy of carotid endarterectomy for asymptomatic carotid stenosis. The Veterans Affairs Cooperative Study Group. N Engl J Med 1993; 328: 221-227. （レベル 2）

6) Mayberg MR, Wilson SE, Yatsu F, et al. Carotid endarterectomy and prevention of cerebral ischemia in symptomatic carotid stenosis. Veterans Affairs Cooperative Studies Program 309 Trialist Group. JAMA 1991; 266: 3289-3294. （レベル 2）

7) Barnett HJM, Taylor DW, Haynes RB, et al. Beneficial effect of carotid endarterectomy in symptomatic patients with high-grade carotid stenosis. North American Symptomatic Carotid Endarterectomy Trial Collaborators. N Engl J Med 1991; 325:

445-453. （レベル 1）

8) Rothwell PM, Gibson RJ, Slattery J, et al. Prognostic value and reproducibility of measurements of carotid stenosis. A comparison of three methods on 1001 angiograms. European Carotid Surgery Trialists' Collaborative Group. Stroke 1994; 25: 2440-2444. （レベル 2）

9) Orrapin S, Rerkasem K. Carotid endarterectomy for symptomatic carotid stenosis. Cochrane Database Syst Rev 2017: CD001081. （レベル 2）

10) Johansson E, Fox AJ. Carotid Near-Occlusion: A Comprehensive Review, Part 1—Definition, Terminology, and Diagnosis. AJNR Am J Neuroradiol 2016; 37: 2-10. （レベル 4）

11) Johansson E, Fox AJ. Carotid Near-Occlusion: A Comprehensive Review, Part 2—Prognosis and Treatment, Pathophysiology, Confusions, and Areas for Improvement. AJNR Am J Neuroradiol 2016; 37: 200-204. （レベル 4）

12) Mas JL, Arquizan C, Calvet D, et al. Long-term follow-up study of endarterectomy versus angioplasty in patients with symptomatic severe carotid stenosis trial. Stroke 2014; 45: 2750-2756. （レベル 2）

13) Bonati LH, Dobson J, Featherstone RL, et al. Long-term outcomes after stenting versus endarterectomy for treatment of symptomatic carotid stenosis: the International Carotid Stenting Study (ICSS) randomised trial. Lancet 2015; 385: 529-538. （レベル 2）

14) Brott TG, Howard G, Roubin GS, et al. Long-Term Results of Stenting versus Endarterectomy for Carotid-Artery Stenosis. N Engl J Med 2016; 374: 1021-1031. （レベル 2）

15) Brott TG, Calvet D, Howard G, et al. Long-term outcomes of stenting and endarterectomy for symptomatic carotid stenosis: a preplanned pooled analysis of individual patient data. Lancet Neurol 2019; 18: 348-356. （レベル 1）

16) Howard G, Roubin GS, Jansen O, et al. Association between age and risk of stroke or death from carotid endarterectomy and carotid stenting: a meta-analysis of pooled patient data from four randomised trials. Lancet 2016; 387: 1305-1311. （レベル 2）

17) Rantner B, Kollerits B, Roubin GS, et al. Early Endarterectomy Carries a Lower Procedural Risk Than Early Stenting in Patients With Symptomatic Stenosis of the Internal Carotid Artery: Results From 4 Randomized Controlled Trials. Stroke 2017; 48: 1580-1587. （レベル 2）

18) Tsantilas P, Kühnl A, Kallmayer M, et al. Stroke risk in the early period after carotid related symptoms: a systematic review. J Cardiovasc Surg (Torino) 2015; 56: 845-852. （レベル 2）

19) De Rango P, Brown MM, Chaturvedi S, et al. Summary of Evidence on Early Carotid Intervention for Recently Symptomatic Stenosis Based on Meta-Analysis of Current Risks. Stroke 2015; 46: 3423-3436. （レベル 2）

Ⅱ 脳梗塞・TIA

3 脳梗塞慢性期

3-1 非心原性脳梗塞
（3）経動脈的血行再建療法（頚部頚動脈）

推 奨

1. 症候性内頚動脈高度狭窄では、頚動脈内膜剥離術（CEA）の危険因子（**表**）を持つ症例に対して、抗血小板療法を含む最良の内科的治療に加えて、手術および周術期管理に熟達した術者と施設において頚動脈ステント留置術（CAS）を行うことは妥当である（推奨度B　エビデンスレベル中）。

2. 症候性内頚動脈高度狭窄では、CEAの危険因子を持たない症例に対して、抗血小板療法を含む最良の内科的治療に加えて、手術および周術期管理に熟達した術者と施設においてCASを行うことを考慮しても良い（推奨度C　エビデンスレベル中）。

解 説

内頚動脈狭窄症で、頚動脈内膜剥離術（CEA）の治療成績を不良にする因子（**表**）を持つ症例に対して、遠位塞栓を予防するembolic protection device（EPD）を使用した頚動脈ステント留置術（CAS）は、CEAに劣らない短期および長期治療効果および安全性が証明された[1,2]。

一方、CEAの危険因子を有する群に限定しない内頚動脈高度狭窄に対するCASとCEAの多施設共同無作為化試験（RCT）が海外で行われ（EVA-3S、SPACE、ICSS、CREST）[3-7]、これらを含む22試験のシステマティックレビューにおいて、症候性内頚動脈狭窄に対するCASはCEAに比して周術期（術後30日以内）の脳卒中または死亡のリスクが高く、周術期以降の同側脳卒中の発症リスクは同等であった。周術期の脳卒中または死亡のリスクは、特に70歳以上の高齢者においてCASで有意に高く、70歳未満では同等であった[8]。ただし、EPDを使用することで周術期の脳卒中または死亡の発生リスクは低減するが[9]、EPDの使用が必須ではなかった試験が含まれていることを考慮する必要がある。症候性および無症候性頚動脈狭窄症患者のCAS、CEAを比較したRCTのうち、50例以上の登録症例数で、CASにおいては50％以上の患者で遠位塞栓防止デバイスを用いた5研究（ACT I[10]、CREST、EVA-3S、ICSS、SAPPHIRE）、6,526人（CEA：2,890人、CAS：3,636人）、平均追跡期間5.3年のデータを用いたメタ解析では、

表　CEA の危険因子（少なくとも 1 つが該当）

- 心臓疾患
  （うっ血性心不全、冠動脈疾患、開胸手術が必要、など）
- 重篤な呼吸器疾患
- 対側頚動脈閉塞
- 対側喉頭神経麻痺
- 頚部直達手術、または頚部放射線治療の既往
- CEA 再狭窄例

周術期の死亡、全脳卒中、心筋梗塞および周術期以降の同側脳卒中の複合アウトカムはCAS、CEA間で有意差がなかった。なお、5研究における遠位塞栓防止デバイスの平均使用率は90.4％（70.7～97.8％）であった[9]。

症候性内頚動脈高度狭窄に対するCASは、CEAに対して周術期の心筋梗塞、脳神経麻痺、創部 / 穿刺部の血腫形成は有意に低いことを考慮する必要がある[8]。

なお、CEAとCASの治療成績比較については、前項「Ⅱ 脳梗塞・TIA　3 脳梗塞慢性期　3-1 非心原性脳梗塞（2）頚動脈内膜剥離術（CEA）」の項に記載のエビデンスも参照すること。

〔引用文献〕

1) Yadav JS, Wholey MH, Kuntz RE, et al. Protected carotid-artery stenting versus endarterectomy in high-risk patients. N Engl J Med 2004; 351: 1493–1501.（レベル 2）
2) Gurm HS, Yadav JS, Fayad P, et al. Long-term results of carotid stenting versus endarterectomy in high-risk patients. N Engl J Med 2008; 358: 1572–1579.（レベル 2）
3) Mehta RH, Zahn R, Hochadel M, et al. Comparison of in-hospital outcomes of patients with versus without previous carotid endarterectomy undergoing carotid stenting (from the Ger-

man ALKK CAS Registry). Am J Cardiol 2007; 99: 1288-1293. （レベル 2）

4) Gray WA, Yadav JS, Verta P, et al. The CAPTURE registry: results of carotid stenting with embolic protection in the post approval setting. Catheter Cardiovasc Interv 2007; 69: 341-348. （レベル 2）

5) Kastrup A, Groschel K, Krapf H, et al. Early outcome of carotid angioplasty and stenting with and without cerebral protection devices: a systematic review of the literature. Stroke 2003; 34: 813-819. （レベル 2）

6) Brott TG, Hobson RW 2nd, Howard G, et al. Stenting versus endarterectomy for treatment of carotid-artery stenosis. N Engl J Med 2010; 363: 1-23. （レベル 2）

7) Cruz-Flores S, Diamond AL. Angioplasty for intracranial artery stenosis. Cochrane Database Syst Rev 2006: CD004133. （レベル 2）

8) Müller MD, Lyrer P, Brown MM, et al. Carotid artery stenting versus endarterectomy for treatment of carotid artery stenosis. Cochrane Database Syst Rev 2020: CD000515. （レベル 2）

9) Sardar P, Chatterjee S, Aronow HD, et al. Carotid Artery Stenting Versus Endarterectomy for Stroke Prevention: A Meta-Analysis of Clinical Trials. J Am Coll Cardiol 2017; 69: 2266-2275. （レベル 1）

10) Rosenfield K, Matsumura JS, Chaturvedi S, et al. Randomized Trial of Stent versus Surgery for Asymptomatic Carotid Stenosis. N Engl J Med 2016; 374: 1011-1020. （レベル 2）

Ⅱ 脳梗塞・TIA

3 脳梗塞慢性期

3-1 非心原性脳梗塞
（4）経動脈的血行再建療法（頚部頚動脈以外）

推奨

▶ 症候性の頭蓋内動脈狭窄症および頭蓋外椎骨動脈狭窄症に対して、経皮的血管形成術とステント留置術を行うことの有効性は確立していない（推奨度C　エビデンスレベル中）。

解　説

SAMMPRIS[1]は、頭蓋内主幹動脈に70〜99％狭窄を有する発症30日以内の一過性脳虚血発作（TIA）または脳卒中患者を、積極的な内科治療（アスピリン＋クロピドグレル、脂質異常症治療薬、降圧薬、禁煙、生活習慣改善）のみ（薬物治療群）と積極的な内科治療に血管形成とWingspanステント留置を追加した治療（血管内治療群）の2群に無作為割付した。451例が登録されたが、主要エンドポイントである30日後脳卒中・死亡は血管内治療群14.7％、薬物治療群5.8％と血管内治療群で有意に高率であったため、早期に登録が中止された。1年後の主要エンドポイントでは血管内治療群で20.0％、薬物治療群で12.2％と明らかな有意差がみられた。頭蓋内動脈狭窄患者に対するステント留置は、周術期の脳卒中リスクが高かったためと考えられた。平均32.4か月の経過観察による最終報告[2]で、主要エンドポイントは血管内治療群23％、薬物治療群15％で、累積主要エンドポイント率も薬物治療群で有意に低かった。両者の差は1年目7.1％、2年目6.5％、3年目9.0％と減少せず、特に全脳卒中（26％ vs. 19％）と大出血（13％ vs. 4％）の有意差が明らかで、長期経過観察でも血管内治療に対する積極的内科治療の優位性が示された。

平均観察期間35か月の期間に脳梗塞は27例、TIAは16例に発症したが、そのうち24例に症候性ステント内狭窄がみられた。症候性ステント内狭窄の発生率は1年9.6％、2年11.3％、3年14.0％であり、ステント内狭窄は慢性期における脳梗塞の主要な原因であることが示された[3]。

症候性頭蓋内動脈狭窄に対するステント留置と薬物治療の効果と安全性を比較したVISSIT trial[4]

は、balloon expandable stentを用いた初めてのランダム化比較試験（RCT）である。70％以上の症候性頭蓋内動脈狭窄を対象とし、59例に薬物治療に加えステント留置術を行い（ステント療法群）、53例には薬物治療のみ（薬物治療群）を行った。主要エンドポイントは12か月以内の同側脳梗塞または2日目から12か月以内のTIA、primary safety measureは30日以内の脳卒中・死亡・頭蓋内出血および2〜30日のTIAとした。主要エンドポイントはステント療法群36.2％、薬物治療群15.1％（p＝0.02）、primary safety measureはステント療法群34％、薬物治療群9.4％（p＝0.05）であった。症候性頭蓋内動脈狭窄に対するballoon expandable stentを用いたステント療法群の薬物治療群に対する有効性を示すことはできなかった。

椎骨脳底動脈に対するステント留置術と薬物治療群を比較したRCTも複数行われている。VIST[5]は症候性椎骨動脈狭窄症患者を血管形成術／ステント留置術と薬物治療の併用療法（ステント療法群）を行った群と薬物治療のみを行った群（薬物治療群）に無作為に割り付けた。182例の登録があり、91例がステント療法群（頭蓋外狭窄が78.7％）、88例が薬物治療群に割り付けられ、平均観察期間は3.5年であった。

頭蓋内ステント留置中に2例の脳卒中が発症し、主要エンドポイントである致死的または非致死的脳卒中はステント療法群では5例、薬物治療群では12例に発症した（ハザード比0.4、95％信頼区間0.14〜1.13　p＝0.08）。ステント療法群では、1,000人/年あたり25例の脳卒中の絶対リスクが減少した。本研究では、症候性頭蓋外椎骨動脈に対するステント留置術は合併症の発生率が低く安全であったが、薬物治療群との有意差はなかった。

VAST[6]は50％以上の症候性頭蓋内・頭蓋外の椎

骨動脈狭窄患者を対象とし、ステント留置術と薬物治療の併用療法（ステント療法群）57 例と薬物治療のみ（薬物治療群）の 58 例に無作為に割り付けた RCT である。115 例が登録された時点で登録中止となった。

　主要エンドポイントである治療 30 日以内の複合血管死・心筋梗塞・脳卒中は、ステント療法群 3 例（5%）、薬物治療群 1 例（2%）であり、平均 3 年の経過観察期間に椎骨動脈領域の脳梗塞はステント療法群 7 例、薬物治療群 4 例であった。本研究では症候性椎骨動脈狭窄に対するステント留置術と薬物治療の併用療法の安全性と有効性を示すことはできなかった。

〔引用文献〕

1) Chimowitz MI, Lynn MJ, Derdeyn CP, et al. Stenting versus aggressive medical therapy for intracranial arterial stenosis. N Engl J Med 2011; 365: 993-1003.（レベル 2）
2) Derdeyn CP, Chimowitz MI, Lynn MJ, et al. Aggressive medical treatment with or without stenting in high-risk patients with intracranial artery stenosis (SAMMPRIS): the final results of a randomised trial. Lancet 2014; 25; 383: 333-341.（レベル 2）
3) Derdeyn CP, Fiorella D, Lynn MJ, et al. Nonprocedural Symptomatic Infarction and In-Stent Restenosis After Intracranial Angioplasty and Stenting in the SAMMPRIS Trial (Stenting and Aggressive Medical Management for the Prevention of Recurrent Stroke in Intracranial Stenosis). Stroke 2017; 48: 1501-1506.（レベル 2）
4) Zaidat OO, Fitzsimmons BF, Woodward BK, et al. Effect of a balloon-expandable intracranial stent vs medical therapy on risk of stroke in patients with symptomatic intracranial stenosis: the VISSIT randomized clinical trial. JAMA 2015; 313: 1240-1248.（レベル 2）
5) Compter A, van der Worp HB, Schonewille WJ, et al. Stenting versus medical treatment in patients with symptomatic vertebral artery stenosis: a randomised open-label phase 2 trial. Lancet Neurol 2015; 14: 606-614.（レベル 2）
6) Markus HS, Larsson SC, Kuker W, et al. Stenting for symptomatic vertebral artery stenosis: The Vertebral Artery Ischaemia Stenting Trial. Neurology 2017; 89: 1229-1236.（レベル 2）

Ⅱ 脳梗塞・TIA

3 脳梗塞慢性期

3-1 非心原性脳梗塞
(5) EC-IC バイパス術

推 奨

▶ 症候性内頚動脈および中大脳動脈閉塞／狭窄症による一過性脳虚血発作（TIA）あるいは minor stroke を起こした症例に対して、発症時期、年齢、modified Rankin Scale（mRS）、定量的脳循環測定結果から適応を慎重に考慮した上で、周術期合併症が極めて少ない熟達した術者による extracranial-intracranial（EC-IC）bypass を行うことは妥当である（推奨度B　エビデンスレベル中）。

解 説

症候性内頚動脈および中大脳動脈閉塞もしくは狭窄症全体でみた場合、脳梗塞、一過性脳虚血発作（TIA）再発に関し、バイパス術の薬物療法単独に対する優位性は証明されなかった[1-3]。しかし、アセタゾラミド脳血管反応性が低下している例やPET での酸素摂取率が亢進している例では、虚血性脳卒中の再発の危険性が高い[4-7]。本邦で施行された多施設ランダム化比較試験（RCT）であるJET では、症候性内頚動脈および中大脳動脈閉塞あるいは高度狭窄症において、CT あるいは MRI 上一血管支配領域にわたる広範な脳梗塞巣を認めず、最終発作から3週間以上経過後に行った PET もしくは、SPECT（^{133}Xe あるいは^{123}I-IMP）、cold Xe CT を用いた定量的脳循環測定にて、中大脳動脈領域の安静時血流量が正常値の80%未満かつアセタゾラミド脳血管反応性が10%未満の脳循環予備能が障害された例では、外科治療が薬物療法に対して有意に同側の脳梗塞再発率を低下させた[8]。JET-2 ではJET study 手術適応基準の周辺領域である脳血流量80%以上、アセタゾラミド血管反応性10%以上の軽症脳虚血症例における保存的治療の脳梗塞再発率が検証された。その結果、JET の内科治療群と比較して有意に予後良好であり、JET の手術適応基準は適切であると示された[9]。一方、米国で行われたRCT であるCOSS では、症候性内頚動脈閉塞患者のうちPET で酸素摂取率の上昇（対側比で1.13倍以上）を認めた症例において、2年以内の同側脳梗塞の発症は、extracranial-intracranial（EC-IC）バイパス群（21%）と内科治療群

（22.7%）で有意差がみられなかった[10]。本研究では半定量対側比を用いた患者選択の問題点や、外科治療群の15%は術後30日以内に同側脳梗塞（うち大部分は術後2日以内）を発症という周術期合併症の高さ、経過観察期間の短さが問題視されている[11-13]。なお、アセタゾラミドの使用に関しては日本脳卒中学会、日本脳神経外科学会、日本神経学会、日本核医学会　四学会合同アセタゾラミド（ダイアモックス注射用）適正使用指針（http://www.jsts.gr.jp/img/acetazolamide.pdf）[14]を参照されたい。

〔引用文献〕

1) The International Cooperative Study of Extracranial/Intracranial Arterial Anastomosis (EC/IC Bypass Study): methodology and entry characteristics. The EC/IC Bypass Study group. Stroke 1985; 16: 397-406.（レベル2）
2) Failure of extracranial-intracranial arterial bypass to reduce the risk of ischemic stroke. Results of an international randomized trial. The EC/IC Bypass Study Group. N Engl J Med 1985; 313: 1191-1200.（レベル2）
3) Haynes RB, Mukherjee J, Sackett DL, et al. Functional status changes following medical or surgical treatment for cerebral ischemia. Results of the extracranial-intracranial bypass study. JAMA 1987; 257: 2043-2046.（レベル2）
4) Yamauchi H, Fukuyama H, Nagahama Y, et al. Evidence of misery perfusion and risk for recurrent stroke in major cerebral arterial occlusive diseases from PET. J Neurol Neurosurg Psychiatry 1996; 61: 18-25.（レベル4）
5) Yamauchi H, Higashi T, Kagawa S, et al. Is misery perfusion still a predictor of stroke in symptomatic major cerebral artery disease? Brain 2012; 135: 2515-2526.（レベル4）
6) Yonas H, Smith HA, Durham SR, et al. Increased stroke risk predicted by compromised cerebral blood flow reactivity. J Neurosurg 1993; 79: 483-489.（レベル5）
7) Grubb RL Jr, Derdeyn CP, Fritsch SM, et al. Importance of hemodynamic factors in the prognosis of symptomatic carotid occlusion. JAMA 1998; 280: 1055-1160.（レベル3）
8) 小笠原邦昭，JET Study Group. Japanese EC-IC Bypass Trial（JET Study）中間解析結果（第二報）．脳卒中の外科　2002；30：434-437.（レベル2）
9) Kataoka H, Miyamoto S, Ogasawara K, et al. Results of Prospective Cohort Study on Symptomatic Cerebrovascular Oc-

clusive Disease Showing Mild Hemodynamic Compromise [Japanese Extracranial-Intracranial Bypass Trial（JET）-2 Study］. Neurol Med Chir (Tokyo) 2015; 55: 460-468.（レベル 3）

10) Powers WJ, Clarke WR, Grubb RL Jr, et al. Extracranial-intracranial bypass surgery for stroke prevention in hemodynamic cerebral ischemia: the Carotid Occlusion Surgery Study randomized trial. JAMA 2011; 306: 1983-1992.（レベル 2）

11) Amin-Hanjani S, Barker FG 2nd, Charbel FT, et al. Extracranial-intracranial bypass for stroke-is this the end of the line or a bump in the road? Neurosurgery 2012; 71: 557-561.（レベル 5）

12) Carlson AP, Yonas H, Chang YF, et al. Failure of cerebral hemodynamic selection in general or of specific positron emission tomography methodology?: Carotid Occlusion Surgery Study (COSS). Stroke 2011; 42: 3637-3639.（レベル 4）

13) Grubb RL Jr, Powers WJ, Clarke WR, et al. Surgical results of the carotid occlusion surgery study: Clinical article. J Neurosurg 2013; 118: 25-33.（レベル 2）

14) 高橋淳, 長谷川泰弘, 峰松一夫, 他. アセタゾラミド（ダイアモックス注射用）適正使用指針 2015 年 4 月. 脳卒中 2015; 37：281-297.（レベル 5）

Ⅱ 脳梗塞・TIA

3 脳梗塞慢性期

3-2 心原性脳塞栓症 （1）抗凝固療法

推奨

1. 非弁膜症性心房細動（NVAF）を伴う脳梗塞または一過性脳虚血発作（TIA）患者の再発予防には、直接阻害型経口抗凝固薬（DOAC）、ワルファリンによる抗凝固療法を行うよう勧められる（推奨度A　エビデンスレベル中）。

2. NVAFに対するワルファリン療法は、70歳未満ではprothrombin time-international normalized ratio（PT-INR）2.0〜3.0が勧められ（推奨度A　エビデンスレベル中）、70歳以上では、PT-INR1.6〜2.6が妥当である（推奨度B　エビデンスレベル低）。

3. DOACを使用可能な心房細動患者では、ワルファリンよりもDOACを選択するよう勧められる（推奨度A　エビデンスレベル中）。

4. DOACは、腎機能、年齢、体重、併用薬を考慮し、各薬剤の選択と用量調節を行うよう勧められる（推奨度A　エビデンスレベル低）。

5. 機械弁置換術後の患者では、ワルファリンにより、PT-INR2.0〜3.0で維持することが勧められる（推奨度A　エビデンスレベル中）。一方、DOACは使用しないよう勧められる（推奨度E　エビデンスレベル中）。

6. 心房細動を伴うリウマチ性僧帽弁狭窄症の患者では、ワルファリンにより、PT-INR2.0〜3.0に維持するよう勧められる（推奨度A　エビデンスレベル低）。

7. 心房細動を合併する心筋症や心不全では抗凝固療法を行うことが勧められる（推奨度A　エビデンスレベル低）。

8. 通常の抜歯や消化器内視鏡の場合、DOACやワルファリン（治療域内PT-INR）は休薬なく施行することは妥当である（推奨度B　エビデンスレベル低）。出血高危険度の消化管内視鏡の場合、ワルファリン（治療域内PT-INR）継続下あるいはNVAFの場合にはDOACへの一時的変更を考慮し、DOAC服用者では前日まで内服を継続し、処置当日の朝から内服を中止、処置翌日朝より出血がないことを確認して再開することは妥当である（推奨度B　エビデンスレベル低）。

解説

1. NVAFを伴う脳梗塞またはTIAの再発予防

　プラセボまたはアスピリンに比較して、ワルファリンは非弁膜症性心房細動（NVAF）を伴う脳梗塞または一過性脳虚血発作（TIA）の再発を有意に減少する[1-5]。ワルファリンは、prothrombin time-international normalized ratio（PT-INR）によって強度を評価しながら用量調整を行う[4,6]。PT-INR2.0未満の群では脳梗塞再発率が高く、重症度が高い[6-8]。高齢者ではPT-INRが1.6未満で重篤な脳塞栓症が多く、2.6を超えると重篤な出血合併症が増加する[9-11]。ワルファリンと直接阻害型経口抗凝固薬（DOAC）の非劣性を検討したランダム化比較試験（RCT）のうち、登録時に脳卒中またはTIAの既往を有する症例のサブグループ解析（RE-LY[12]、ROCKET AF[13]およびJ-ROCKET AF[14]、ARISTOTLE[15]、ENGAGE AF-TIMI48[16]）では、脳卒中および全身性塞栓症の発現率は同等であった。頭蓋内出血はダビガトラン[12]、アピキサバン[15]、エドキサバン[16]で少なく、リバーロキサバンで同等[13,14]であった。DOACのRCTで登録時に脳卒中やTIAの既往を有する症例のメタ解析では、ワルファリン群と比較してDOAC群は、脳卒中ま

たは全身性塞栓症、出血性脳卒中が有意に少な
く[17-19]、脳梗塞再発に有意差はなく[19]、頭蓋内出血
が有意に少なかった[17-19]。75歳以上では、ワル
ファリンと比較して、ダビガトラン 150 mg×2 回
では頭蓋外出血が有意に多く[20]、リバーロキサバン
では重大または重大ではないが臨床的に問題となる
出血が増加した[21]。腎機能が低下するほど、重大な
出血は、DOAC、ワルファリンともに増加す
る[20,22-26]。DOAC 各薬剤の添付文書を十分に確認
し、薬剤選択と用量調節を行う。

2. 機械弁置換術後

機械弁置換術後の血栓塞栓症リスクはワルファリ
ン療法により低下できる[27,28]。欧米では PT-INR
は目標 2.5（範囲 2.0〜3.0）や 3.0（範囲 2.5〜
3.5）、抗血小板薬併用の記載がある[29,30]が、本邦で
は出血リスクを考慮し、PT-INR2.0〜3.0 の範囲で
のワルファリン管理が推奨され、抗血小板薬の併用
は推奨されていない[31,32]。機械弁置換術後の患者で
ワルファリンとダビガトランを比較した RCT で
は、血栓塞栓症および出血合併症がダビガトラン群
で有意に多かった[33]。機械弁置換術後の血栓塞栓症
予防に DOAC は推奨できない。

3. 心房細動を伴うリウマチ性僧帽弁狭窄症

血栓塞栓症リスクが高く、ワルファリンによる抗凝
固療法（PT-INR2.0〜3.0）が推奨されている[30,32,34]。

4. 心筋症や心不全

心房細動を伴う肥大型心筋症は脳梗塞を含めた血
栓塞栓症の重要なリスクである[35-37]。ワルファリン
群は非抗凝固療法群や抗血小板薬群よりも脳卒中、
血栓塞栓症発症が少なかった[36,37]。観察研究では
DOAC はワルファリンと同等の効果と安全性がみ
られた[38-40]。

心房細動を伴う心不全患者では、脳卒中または全
身性塞栓症、重大な出血、頭蓋内出血が、ワルファ
リンと比較して DOAC で少なかった[41,42]。

5. 処置時の抗凝固薬休薬

抗凝固薬の中断による血栓塞栓症の発症リスクを
考慮する必要がある。通常の抜歯や出血低危険度の
消化器内視鏡の場合、ワルファリン（治療域内 PT-
INR であることを確認する）や DOAC は継続投与
のまま行っても重篤な出血合併症は少ない[43,44]。生
検などの処置を行う場合、DOAC の血中濃度の
ピーク期を避けるほうが良い。

6. 抗凝固薬休薬時のヘパリン置換

ワルファリン服用中の心房細動患者を、手術・処
置に際しワルファリンを休薬して低分子ヘパリン皮
下注射へ置換した場合、血栓塞栓症は減少せず、大
出血が増加した[45]。メタ解析ではヘパリン非置換群
と比較して、ヘパリン置換群では大出血の頻度が高
かった[46]。一般的に、手術・処置に際して抗凝固薬
を休薬する際のヘパリン置換は不要と考えられる。
しかし、弁膜症性心房細動（機械弁置換術後、リウ
マチ性僧帽弁狭窄症）でワルファリン服用中の患者
や、血栓塞栓症リスクが非常に高い NVAF（脳梗
塞の既往や、CHADS$_2$ スコアが非常に高いなど）
においてはヘパリン置換を考慮しても良いと考えら
れる。

〔引用文献〕

1) Secondary prevention in non-rheumatic atrial fibrillation after transient ischaemic attack or minor stroke. EAFT (European Atrial Fibrillation Trial) Study Group. Lancet 1993; 342: 1255-1262.（レベル 2）
2) Koudstaal PJ. Anticoagulants for preventing stroke in patients with nonrheumatic atrial fibrillation and a history of stroke or transient ischemic attacks. Cochrane Database Syst Rev 2000: CD000185.（レベル 1）
3) Koudstaal PJ. Anticoagulants versus antiplatelet therapy for preventing stroke in patients with nonrheumatic atrial fibrillation and a history of stroke or transient ischemic attacks. Cochrane Database Syst Rev 2000: CD000187.（レベル 1）
4) Ezekowitz MD, Bridgers SL, James KE, et al. Warfarin in the prevention of stroke associated with nonrheumatic atrial fibrillation. Veterans Affairs Stroke Prevention in Nonrheumatic Atrial Fibrillation Investigators. [published erratum appears in N Engl J Med 1993 Jan 14; 328: 148]. N Engl J Med 1992; 327: 1406-1412.（レベル 3）
5) Hart RG, Pearce LA, Aguilar MI. Meta-analysis: antithrombotic therapy to prevent stroke in patients who have nonvalvular atrial fibrillation. Ann Intern Med 2007; 146: 857-867.（レベル 1）
6) Adjusted-dose warfarin versus low-intensity, fixed-dose warfarin plus aspirin for high-risk patients with atrial fibrillation: Stroke Prevention in Atrial Fibrillation III randomised clinical trial. Lancet 1996; 348: 633-638.（レベル 2）
7) Hylek EM, Go AS, Chang Y, et al. Effect of intensity of oral anticoagulation on stroke severity and mortality in atrial fibrillation. N Engl J Med 2003; 349: 1019-1026.（レベル 3）
8) Nakamura A, Ago T, Kamouchi M, et al. Intensity of anticoagulation and clinical outcomes in acute cardioembolic stroke: the Fukuoka Stroke Registry. Stroke 2013; 44: 3239-3242.（レベル 4）
9) Yamaguchi T. Optimal intensity of warfarin therapy for secondary prevention of stroke in patients with nonvalvular atrial fibrillation: a multicenter, prospective, randomized trial. Japanese Nonvalvular Atrial Fibrillation-Embolism Secondary Prevention Cooperative Study Group. Stroke 2000; 31: 817-821.（レベル 2）
10) Yasaka M, Minematsu K, Yamaguchi T. Optimal intensity of international normalized ratio in warfarin therapy for secondary prevention of stroke in patients with non-valvular atrial fibrillation. Intern Med 2001; 40: 1183-1188.（レベル 3）
11) Inoue H, Okumura K, Atarashi H, et al. Target international normalized ratio values for preventing thromboembolic and hemorrhagic events in Japanese patients with non-valvular atrial fibrillation: results of the J-RHYTHM Registry. Circ J 2013; 77: 2264-2270.（レベル 3）
12) Diener HC, Connolly SJ, Ezekowitz MD, et al. Dabigatran compared with warfarin in patients with atrial fibrillation and previous transient ischaemic attack or stroke: a subgroup analysis of the RE-LY trial. Lancet Neurol 2010; 9: 1157-1163.（レベル 3）

13) Hankey GJ, Patel MR, Stevens SR, et al. Rivaroxaban compared with warfarin in patients with atrial fibrillation and previous stroke or transient ischaemic attack: a subgroup analysis of ROCKET AF. Lancet Neurol 2012; 11: 315–322.（レベル 3）

14) Tanahashi N, Hori M, Matsumoto M, et al. Rivaroxaban versus warfarin in Japanese patients with nonvalvular atrial fibrillation for the secondary prevention of stroke: A subgroup analysis of J-ROCKET AF. J Stroke Cererovasc Dis 2013; 22: 1317–1325.（レベル 3）

15) Easton JD, Lopes RD, Bahit MC, et al. Apixaban compared with warfarin in patients with atrial fibrillation and previous stroke or transient ischaemic attack: a subgroup analysis of the ARISTOTLE trial. Lancet Neurol 2012; 11: 503–511.（レベル 3）

16) Rost NS, Giugliano RP, Ruff CT, et al. Outcomes With Edoxaban Versus Warfarin in Patients With Previous Cerebrovascular Events: Findings From ENGAGE AF-TIMI 48（Effective Anticoagulation With Factor Xa Next Generation in Atrial Fibrillation -Thrombolysis in Myocardial Infarction 48）. Stroke 2016; 47: 2075–2082.（レベル 3）

17) Ntaios G, Papavasileiou V, Diener HC, et al. Nonvitamin-K-antagonist oral anticoagulants in patients with atrial fibrillation and previous stroke or transient ischemic attack: a systematic review and meta-analysis of randomized controlled trials. Stroke 2012; 43: 3298–3304.（レベル 1）

18) Ntaios G, Papavasileiou V, Diener HC, et al. Nonvitamin-K-antagonist Oral Anticoagulants Versus Warfarin in Patients With Atrial Fibrillation and Previous Stroke or Transient Ischemic Attack: An Updated Systematic Review and Meta-Analysis of Randomized Controlled Trials. Int J Stroke 2017; 12: 589–596.（レベル 1）

19) Sardar P, Chatterjee S, Wu WC, et al. New oral anticoagulants are not superior to warfarin in secondary prevention of stroke or transient ischemic attacks, but lower the risk of intracranial bleeding: insights from a meta-analysis and indirect treatment comparisons. PLoS One 2013; 8: e77694.（レベル 1）

20) Eikelboom JW, Wallentin L, Connolly SJ, et al. Risk of bleeding with 2 doses of dabigatran compared with warfarin in older and younger patients with atrial fibrillation: an analysis of the randomized evaluation of long-term anticoagulant therapy (RE-LY)trial. Circulation 2011; 123: 2363–2372.（レベル 3）

21) Hori M, Matsumoto M, Tanahashi N, et al. Rivaroxaban vs. warfarin in Japanese patients with non-valvular atrial fibrillation in relation to age. Circ J 2014; 78: 1349–1356.（レベル 3）

22) Hijazi Z, Hohnloser SH, Oldgren J, et al. Efficacy and safety of dabigatran compared with warfarin in relation to baseline renal function in patients with atrial fibrillation: a RE-LY (Randomized Evaluation of Long-term Anticoagulation Therapy) trial analysis. Circulation 2014; 129: 961–970.（レベル 3）

23) Fox KA, Piccini JP, Wojdyla D, et al. Prevention of stroke and systemic embolism with rivaroxaban compared with warfarin in patients with nonvalvular atrial fibrillation and moderate renal impairment. Eur Heart J 2011; 32: 2387–2394.（レベル 3）

24) Hori M, Matsumoto M, Tanahashi N, et al.; J-ROCKET AF study investigators. Safety and efficacy of adjusted dose of rivaroxaban in Japanese patients with non-valvular atrial fibrillation: subanalysis of J-ROCKET AF for patients with moderate renal impairment. Circ J 2013; 77: 632–638.（レベル 3）

25) Hohnloser SH, Hijazi Z, Thomas L, et al. Efficacy of apixaban when compared with warfarin in relation to renal function in patients with atrial fibrillation: insights from the ARISTOTLE trial. Eur Heart J 2012; 33: 2821–2830.（レベル 3）

26) Bohula EA, Giugliano RP, Ruff CT, et al. Impact of Renal Function on Outcomes With Edoxaban in the ENGAGE AF-TIMI 48 Trial. Circulation 2016; 134: 24–36.（レベル 3）

27) Cannegieter SC, Rosendaal FR, Briët E. Thromboembolic and bleeding complications in patients with mechanical heart valve prostheses. Circulation 1994; 89: 635–641.（レベル 1）

28) Massel DR, Little SH. Antiplatelet and anticoagulation for patients with prosthetic heart valves. Cochrane Database Syst Rev 2013: CD003464.（レベル 1）

29) Baumgartner H, Falk V, Bax JJ, et al. 2017 ESC/EACTS Guidelines for the management of valvular heart disease. Eur Heart J 2017; 38: 2739–2791.（レベル 5）

30) Kernan WN, Ovbiagele B, Black HR, et al. Guidelines for the prevention of stroke in patients with stroke and transient ischemic attack: a guideline for healthcare professionals from the American Heart Association/American Stroke Association. Stroke 2014; 45: 2160–2236.（レベル 5）

31) 日本循環器学会，日本胸部外科学会，日本血管外科学会，他. 2020 年改訂版 弁膜症治療のガイドライン. 2020. Available at https://www.j-circ.or.jp/old/guideline/pdf/JCS2020_Izumi_Eishi.pdf（レベル 5）

32) 日本循環器学会，日本不整脈心電学会. 2020 年改訂版 不整脈薬物治療ガイドライン. 2020. Available at https://j-circ.or.jp/old/guideline/pdf/JCS2020_Ono.pdf（レベル 5）

33) Eikelboom JW, Connolly SJ, Brueckmann M, et al. Dabigatran versus warfarin in patients with mechanical heart valves. N Engl J Med 2013; 369: 1206–1214.（レベル 2）

34) Klijn CJ, Paciaroni M, Berge E, et al. Antithrombotic treatment for secondary prevention of stroke and other thromboembolic events in patients with stroke or transient ischemic attack and non-valvular atrial fibrillation: A European Stroke Organisation guideline. Eur Stroke J 2019; 4: 198–223.（レベル 5）

35) Maron BJ, Olivotto I, Bellone P, et al. Clinical profile of stroke in 900 patients with hypertrophic cardiomyopathy. J Am Coll Cardiol 2002; 39: 301–307.（レベル 3）

36) Olivotto I, Cecchi F, Casey SA, et al. Impact of atrial fibrillation on the clinical course of hypertrophic cardiomyopathy. Circulation 2001; 104: 2517–2524.（レベル 4）

37) Guttmann OP, Rahman MS, O'Mahony C, et al. Atrial fibrillation and thromboembolism in patients with hypertrophic cardiomyopathy: systematic review. Heart 2014; 100: 465–472.（レベル 2）

38) Dominguez F, Climent V, Zorio E, et al. Direct oral anticoagulants in patients with hypertrophic cardiomyopathy and atrial fibrillation. Int J Cardiol 2017; 248: 232–238.（レベル 3）

39) Jung H, Yang PS, Jang E, et al. Effectiveness and Safety of Non-Vitamin K Antagonist Oral Anticoagulants in Patients With Atrial Fibrillation With Hypertrophic Cardiomyopathy: A Nationwide Cohort Study. Chest 2019; 155: 354–363.（レベル 3）

40) Zhou Y, He W, Zhou Y, et al. Non-vitamin K antagonist oral anticoagulants in patients with hypertrophic cardiomyopathy and atrial fibrillation: a systematic review and meta-analysis. J Thromb Thrombolysis 2019; 50: 311–317.（レベル 2）

41) Savarese G, Giugliano RP, Rosano GM, et al. Efficacy and Safety of Novel Oral Anticoagulants in Patients With Atrial Fibrillation and Heart Failure: A Meta-Analysis. JACC Heart Fail 2016; 4: 870–880.（レベル 1）

42) Xiong Q, Lau YC, Senoo K, et al. Non-vitamin K antagonist oral anticoagulants (NOACs) in patients with concomitant atrial fibrillation and heart failure: a systemic review and meta-analysis of randomized trials. Eur J Heart Fail 2015; 17: 1192–1200.（レベル 1）

43) 日本有病者歯科医療学会，日本口腔外科学会，日本老年歯科医学会編. 科学的根拠に基づく抗血栓療法患者の抜歯に関するガイドライン 2015 年改訂版. 東京：学術社；2015.（レベル 5）

44) 加藤元嗣，上堂文也，楠本誠治，他. 抗血栓薬服用者に対する消化器内視鏡診療ガイドライン 直接経口抗凝固薬（DOAC）を含めた 抗凝固薬に関する追補 2017. Gastroenterol Endosc 2017；59：1547–1558.（レベル 5）

45) Douketis JD, Spyropoulos AC, Kaatz S, et al. Perioperative Bridging Anticoagulation in Patients with Atrial Fibrillation. N Engl J Med 2015; 373: 823–833.（レベル 2）

46) Nazha B, Pandya B, Cohen J, et al. Periprocedural Outcomes of Direct Oral Anticoagulants Versus Warfarin in Nonvalvular Atrial Fibrillation. Circulation 2018; 138: 1402–1411.（レベル 1）

Ⅱ 脳梗塞・TIA

3 脳梗塞慢性期

3-3 危険因子の管理 (1) 高血圧

推奨

1. 脳梗塞の再発予防には、降圧療法が勧められる (推奨度 A　エビデンスレベル高)。

2. 両側内頚動脈高度狭窄や主幹動脈閉塞がある例、または血管未評価例では、血圧 140/90 mmHg 未満を目指すことは妥当である (推奨度 B　エビデンスレベル低)。

3. 両側内頚動脈高度狭窄がない、主幹動脈閉塞がない、ラクナ梗塞、抗血栓薬内服中では、可能であればより低い血圧レベルが推奨され、血圧は 130/80 mmHg 未満を目指すことが妥当である (推奨度 B　エビデンスレベル中)。

解　説

1. 脳梗塞再発予防と降圧療法

　脳血管障害の再発予防と血圧との関連を検討した大規模試験やメタ解析により、降圧療法は脳血管障害の再発を有意に抑制することが示されている[1-5]。脳卒中再発予防と降圧療法に関するランダム化比較試験 (RCT) のメタ解析では、降圧療法により脳卒中再発が 27％減少したことが報告されている[5]。脳卒中あるいは一過性脳虚血発作 (TIA) 患者を対象としてアンジオテンシン変換酵素 (angiotensin converting enzyme：ACE) 阻害薬単独または ACE 阻害薬と利尿薬併用群の効果を検討した PROGRESS では、プラセボ群と比べて脳卒中の再発が 28％減少した[3]。他の報告でも利尿薬投与群では、脳卒中の再発が 29％減少した[4]。それに対して利尿薬、β 遮断薬で再発予防効果に否定的な報告もある[6,7]。

2. 脳梗塞慢性期の降圧目標値

　脳梗塞慢性期における降圧目標値について、「高血圧治療ガイドライン 2019 (JSH2019)」では、両側頚動脈高度狭窄や主幹動脈閉塞がある例、または血管未評価例では 140/90 mmHg 未満、両側頚動脈高度狭窄や主幹動脈閉塞がない場合は 130/80 mmHg 未満を目指すという降圧目標が推奨されている[8]。

　J カーブまたは U カーブ現象、すなわち過度の降圧に伴い再発率が上昇するか否かは、報告により一定しておらず、再発予防に最適な降圧レベルは確定していない[9]。TIA あるいは軽度の脳卒中において

収縮期血圧 130 mmHg および拡張期血圧 80 mmHg までは血圧が低いほど再発のリスクは低下し、J カーブ現象はないとする報告がある[10]。前述の PROGRESS のサブグループ解析でも、血圧が低くコントロールされた患者ほど脳梗塞および脳出血の発症率が低く、およそ 115/75 mmHg が最も脳卒中再発リスクが低いことが示され、J カーブ現象はみられなかった[11]。ラクナ梗塞症例を対象にした SPS3 では、収縮期血圧 130 mmHg 未満、130～149 mmHg にコントロールされた 2 群間で脳卒中再発率に差はなかったが、脳出血は 63％有意に抑制された[12]。本邦で脳卒中既往患者を対象に行われた RESPECT では、降圧目標を 120/80 mmHg 未満とする厳格治療群において、140/90 mmHg 未満とする通常治療群と比較して有意ではないものの 27％脳卒中再発が低下する傾向が示された。SPS3 を含む同様の 3 つの RCT と RESPECT を併わせたメタ解析では、130/80 mmHg 未満の厳格な血圧管理は通常血圧管理に比較して 22％有意に脳卒中再発を抑制した[13]。脳卒中再発予防と降圧療法に関する RCT のメタ解析により、収縮期血圧 130 mmHg 未満、また拡張期血圧 85 mmHg 未満では、これらの血圧値より高い群と比較して有意に脳卒中再発が少なく、また収縮期血圧および拡張期血圧の低下と脳卒中再発リスク減少との間に直線的な関連が示されている[5]。

　一方で、J カーブ現象があるとする報告もある[14-16]。特に主幹動脈病変を有する症例では注意が必要とされる。頚動脈に両側性の 70％以上狭窄を有する TIA または脳卒中症例では、収縮期血圧

150 mmHg 未満の群で脳卒中再発リスクが有意に増加し、片側性の 70％以上狭窄では脳卒中再発リスクは増加しなかったと報告されている[17]。また、頭蓋外内頚動脈閉塞、頭蓋内内頚動脈あるいは中大脳動脈閉塞、50％以上の狭窄を有する TIA または脳卒中症例で脳卒中再発を血圧と positron emission tomography（PET）による灌流障害の有無で比較した検討では、灌流障害のある群では収縮期血圧 130 mmHg 未満で再発が増加し、灌流障害がない群では血圧高値と再発が関連し、灌流障害の有無の評価が血圧コントロールに重要であるとしている[18]。また WASID では、症候性頭蓋内動脈（内頚動脈、中大脳動脈、椎骨動脈または脳底動脈）狭窄症例のうち、70％以上の高度狭窄例では、血圧レベルは虚血性脳血管障害リスクとは関連せず、70％未満の中等度狭窄では収縮期血圧が 160 mmHg 以上の場合に、虚血性脳血管障害リスクが高いとする結果であった[19]。これらの結果は主幹動脈に閉塞や高度狭窄がある症例では、個々の病態に応じた降圧療法の検討が必要であることを示している。

BAT では脳梗塞再発予防などの目的で抗血栓薬を内服している症例において脳血管障害既往例で特に脳出血発症が多く、抗血栓薬内服例では発症直近の血圧が低いほど脳出血発症率は低く、130/81 mmHg 未満に降圧することが妥当としている[20]。

〔引用文献〕

1) Lakhan SE, Sapko MT. Blood pressure lowering treatment for preventing stroke recurrence: a systematic review and meta-analysis. Int Arch Med 2009; 2: 30.（レベル 1）
2) Gueyffier F, Boissel JP, Boutitie F, et al. Effect of antihypertensive treatment in patients having already suffered from stroke. Gathering the evidence. The INDANA (INdividual Data ANalysis of Antihypertensive intervention trials) Project Collaborators. Stroke 1997; 28: 2557-2562.（レベル 2）
3) Randomised trial of a perindopril based blood-pressure-lowering regimen among 6,105 individuals with previous stroke or transient ischaemic attack. Lancet 2001; 358: 1033-1041.（レベル 2）
4) Post-stroke antihypertensive treatment study. A preliminary result. PATS Collaborating Group. Chin Med J (Engl) 1995; 108: 710-717.（レベル 2）
5) Katsanos AH, Filippatou A, Manios E, et al. Blood pressure reduction and secondary stroke prevention: a systematic review and metaregression analysis of randomized clinical trials. Hypertension 2017; 69: 171-179.（レベル 1）
6) Effect of antihypertensive treatment on stroke recurrence. Hypertension-Stroke Cooperative Study Group. JAMA 1974; 229: 409-418.（レベル 2）
7) De Lima LG, Saconato H, Atallah AN, et al. Beta-blockers for preventing stroke recurrence. Cochrane Database Syst Rev 2014: CD007890.（レベル 1）
8) 日本高血圧学会高血圧治療ガイドライン作成委員会. 高血圧治療ガイドライン 2019. 東京：日本高血圧学会；2019.（レベル 5）
9) Zonneveld TP, Richard E, Vergouwen MD, et al. Blood pressure-lowering treatment for preventing recurrent stroke, major vascular events, and dementia in patients with a history of stroke or transient ischaemic attack. Cochrane Database Syst Rev 2018: CD007858.（レベル 1）
10) Rodgers A, MacMahon S, Gamble G, et al. Blood pressure and risk of stroke in patients with cerebrovascular disease. The United Kingdom Transient Ischaemic Attack Collaborative Group. BMJ 1996; 313: 147.（レベル 1）
11) Arima H, Chalmers J, Woodward M, et al. Lower target blood pressures are safe and effective for the prevention of recurrent stroke: the PROGRESS trial. J Hypertens 2006; 24: 1201-1208.（レベル 3）
12) Benavente OR, Coffey CS, Conwit R, et al. Blood-pressure targets in patients with recent lacunar stroke: The SPS3 randomised trial. Lancet 2013; 382: 507-515.（レベル 2）
13) Kitagawa K, Yamamoto Y, Arima H, et al. Effect of Standard vs Intensive Blood Pressure Control on the Risk of Recurrent Stroke: a Randomized Clinical Trial and Meta-analysis. JAMA Neurol 2019; 76: 1309-1318.（レベル 2）
14) Irie K, Yamaguchi T, Minematsu K, et al. The J-curve phenomenon in stroke recurrence. Stroke 1993; 24: 1844-1849.（レベル 4）
15) Ovbiagele B, Diener HC, Yusuf S, et al. Level of systolic blood pressure within the normal range and risk of recurrent stroke. JAMA 2011; 306: 2137-2144.（レベル 2）
16) Ovbiagele B. Low-normal systolic blood pressure and secondary stroke risk. J Stroke Cerebrovasc Dis 2013; 22: 633-638.（レベル 3）
17) Rothwell PM, Howard SC, Spence JD. Relationship Between Blood Pressure and Stroke Risk in Patients With Symptomatic Carotid Occlusive Disease. Stroke 2003; 34: 2583-2590.（レベル 3）
18) Yamauchi H, Higashi T, Kagawa S, et al. Impaired perfusion modifies the relationship between blood pressure and stroke risk in major cerebral artery disease. J Neurol Neurosurg Psychiatry. 2013; 84: 1226-1232.（レベル 4）
19) Turan TN, Cotsonis G, Lynn MJ, et al. Relationship between blood pressure and stroke recurrence in patients with intracranial arterial stenosis. Circulation 2007; 115: 2969-2975.（レベル 4）
20) Toyoda K, Yasaka M, Uchiyama S, et al. Blood pressure levels and bleeding events during antithrombotic therapy: the Bleeding with Antithrombotic Therapy (BAT) Study. Stroke 2010; 41: 1440-1444.（レベル 3）

Ⅱ 脳梗塞・TIA

3 脳梗塞慢性期

3-3 危険因子の管理 (2) 糖尿病

推奨

1. 脳梗塞慢性期において血糖コントロールによる脳梗塞再発予防効果は確立していない（推奨度 C　エビデンスレベル中）。
2. 脳梗塞再発予防を目的とした、インスリン抵抗性改善薬のピオグリタゾンによる糖尿病治療は妥当である（推奨度 B　エビデンスレベル中）。

解 説

1. 血糖コントロール

UKPDS や ACCORD などの大規模ランダム化比較試験（RCT）を含む 2 型糖尿病患者に対する血糖コントロールの有効性を検証した試験のメタ解析（心血管疾患の既往例 39%）では、積極的血糖コントロールは全死亡および心血管死を抑制しなかったが、非致死性心筋梗塞と微量アルブミン尿のリスクが有意に減少した。しかしながら脳卒中リスクの低下は示されなかった。一方で重症低血糖が有意に増加することが示された[1]。本邦で行われた J-DOIT3 では、高血圧や脂質異常症を合併している 2 型糖尿病患者において、血糖コントロール（目標 HbA1c 値 6.2% 未満）とともに血圧、脂質の管理も合わせた統合的強化療法を行うと、標準療法と比較して脳血管イベントが有意に抑制されることが示された[2]。現状において血糖コントロールによる脳卒中の再発予防効果を示すエビデンスはない。

2. インスリン抵抗性改善薬（チアゾリン系）

大血管障害の既往がある 2 型糖尿病患者を対象に行われた PROactive において、ピオグリタゾンの投与により脳卒中は有意に減少しなかった[3]。しかしながら脳卒中既往例を対象としたサブグループ解析（PROactive 04）では、ピオグリタゾンはプラセボと比較して有意に脳卒中再発率を抑制することが示された[4]。IRIS は、脳梗塞または一過性脳虚血発作（TIA）発症後 180 日以内でインスリン抵抗性を呈するが糖尿病を発症していない患者を対象としたピオグリタゾン治療の RCT で、ピオグリタゾン投与群はプラセボ群と比較して全死亡および脳卒中を含む血管イベントの発生を有意に抑制した

が、二次エンドポイントである脳卒中単独については有意差を認めなかった[5]。その後、虚血性脳卒中の定義改訂により臨床症状の持続時間にかかわらず画像で新規脳梗塞が確認された場合には虚血性脳卒中と診断して二次解析が行われた結果、ピオグリタゾンはプラセボと比較して有意に脳卒中リスクを低下させることが示された[6]。また耐糖能異常または新規に糖尿病と診断された脳梗塞および TIA 患者を対象として本邦で行われた J-SPIRIT では、ピオグリタゾン投与群は非投与群と比較して脳卒中再発が少ない傾向が示されたが有意差はみられなかった[7]。PROactive、IRIS および J-SPRIT を含めたメタ解析では、糖尿病、耐糖能異常あるいはインスリン抵抗性を有する患者に対するピオグリタゾンは、脳卒中再発を有意に抑制することが示された[8,9]。

GLP-1 受容体作動薬、DPP-4 阻害薬、および SGLT-2 阻害薬による脳梗塞再発予防効果

Glucose-like peptide 1（GLP-1）受容体作動薬、dipeptidyl peptidase 4（DPP-4）阻害薬、および sodium-glucose cotransporter 2（SGLT-2）阻害薬による脳梗塞再発予防効果は確立していない。メタ解析において GLP-1 受容体作動薬は脳卒中を減少させなかった[10]。一方で、長時間作用型 GLP-1 受容体作動薬では、脳卒中発症の抑制効果が示されている。SUSTAIN-6 では、心血管リスクの高い 2 型糖尿病患者に対するセマグルチドの投与により非致死性脳卒中

が有意に減少した[11]。また心血管疾患の既往あるいは心血管リスクを有する50歳以上の2型糖尿病患者を対象としたREWINDでは、デュラグルチド群でプラセボ群と比較して非致死性脳卒中が有意に少なかった[12]。しかしながら脳卒中の再発予防に対する効果については、明らかでない。DPP-4阻害薬およびSGLT-2阻害薬については、メタ解析において脳卒中発症予防効果は示されなかった[13、14]。

〔引用文献〕

1) Boussageon R, Bejan-Angoulvant T, Saadatian-Elahi M, et al. Effect of intensive glucose lowering treatment on all cause mortality, cardiovascular death, and microvascular events in type 2 diabetes: meta-analysis of randomised controlled trials. BMJ 2011; 343: d4169.（レベル1）

2) Ueki K, Sasako T, Okazaki Y, et al. Effect of an intensified multifactorial intervention on cardiovascular outcomes and mortality in type 2 diabetes (J-DOIT3): an open-label, randomised controlled trial. Lancet Diabetes Endocrinol 2017; 5: 951-964.（レベル2）

3) Dormandy JA, Charbonnel B, Eckland DJ, et al. Secondary prevention of macrovascular events in patients with type 2 diabetes in the PROactive Study (PROspective pioglitAzone Clinical Trial In macroVascular Events): a randomised controlled trial. Lancet 2005; 366: 1279-1289.（レベル2）

4) Wilcox R, Bousser MG, Betteridge DJ, et al. Effects of pioglitazone in patients with type 2 diabetes with or without previous stroke: results from PROactive (PROspective pioglitAzone Clinical Trial In macro-Vascular Events 04). Stroke 2007; 38: 865-873.（レベル3）

5) Kernan WN, Viscoli CM, Furie KL, et al. Pioglitazone after Ischemic Stroke or Transient Ischemic Attack. N Engl J Med 2016; 374: 1321-1331.（レベル2）

6) Yaghi S, Furie KL, Viscoli CM, et al. Pioglitazone Prevents Stroke in Patients With a Recent Transient Ischemic Attack or Ischemic Stroke: a Planned Secondary Analysis of the IRIS Trial (Insulin Resistance Intervention After Stroke). Circulation 2018; 137: 455-463.（レベル3）

7) Tanaka R, Yamashiro K, Okuma Y, et al. Effects of Pioglitazone for Secondary Stroke Prevention in Patients with Impaired Glucose Tolerance and Newly Diagnosed Diabetes: the J-SPIRIT Study. J Atheroscler Thromb 2015; 22: 1305-1316.（レベル3）

8) Liu J, Wang LN. Peroxisome proliferator-activated receptor gamma agonists for preventing recurrent stroke and other vascular events in people with stroke or transient ischaemic attack. Cochrane Database Syst Rev 2019: CD010693.（レベル1）

9) Lee M, Saver JL, Liao HW, et al. Pioglitazone for Secondary Stroke Prevention: A Systematic Review and Meta-Analysis. Stroke 2017; 48: 388-393.（レベル1）

10) Monami M, Dicembrini I, Nardini C, et al. Effects of glucagon-like peptide-1 receptor agonists on cardiovascular risk: a meta-analysis of randomized clinical trials. Diabetes Obes Metab 2014; 16: 38-47.（レベル1）

11) Marso SP, Bain SC, Consoli A, et al. Semaglutide and Cardiovascular Outcomes in Patients with Type 2 Diabetes. N Engl J Med 2016; 375: 1834-1844.（レベル2）

12) Gerstein HC, Colhoun HM, Dagenais GR, et al. Dulaglutide and cardiovascular outcomes in type 2 diabetes (REWIND): a double-blind, randomised placebo-controlled trial. Lancet 2019; 394: 121-130.（レベル2）

13) Barkas F, Elisaf M, Tsimihodimos V, et al. Dipeptidyl peptidase-4 inhibitors and protection against stroke: A systematic review and meta-analysis. Diabetes Metab 2017; 43: 1-8.（レベル1）

14) Saad M, Mahmoud AN, Elgendy IY, et al. Cardiovascular outcomes with sodium-glucose cotransporter-2 inhibitors in patients with type II diabetes mellitus: A meta-analysis of placebo-controlled randomized trials. Int J Cardiol 2017; 228: 352-358.（レベル1）

Ⅱ 脳梗塞・TIA

3 脳梗塞慢性期

3-3 危険因子の管理
（3）脂質異常症

推奨

1. 非心原性脳梗塞・一過性脳虚血発作（TIA）の再発予防に、HMG-CoA還元酵素阻害薬（スタチン）の積極的な投与が勧められる（**推奨度A　エビデンスレベル中**）。

2. 非心原性脳梗塞・TIAの再発予防にLDL-コレステロール＜100 mg/dLを目標とした脂質管理が妥当である（**推奨度B　エビデンスレベル中**）。

3. LDL-コレステロール＜70 mg/dLの目標設定は、冠動脈疾患を合併している場合に虚血性脳卒中再発予防のため考慮しても良い（**推奨度C　エビデンスレベル中**）。

4. スタチンで脂質異常症治療中の患者において、脳卒中再発予防目的にイコサペント酸（EPA）製剤を併用することは妥当である（**推奨度B　エビデンスレベル低**）。

解 説

高コレステロール血症治療薬であるHMG-CoA還元酵素阻害薬（スタチン）は、脳卒中発症、再発予防に重要である[1-3]。

SPARCLでは、冠動脈疾患のない発症後6か月以内の脳卒中または一過性脳虚血発作（TIA）患者で、LDL-コレステロール100〜190 mg/dLの患者を対象としてアトルバスタチン80 mg/日投与群をプラセボ群と比較したランダム化比較試験（RCT）である。4.9年間の観察期間にてアトルバスタチン80 mg/日は1次エンドポイントである致死性もしくは非致死性脳卒中発症を16％、主要血管イベントも20％低下させた[4]。本邦で実施されたJ-STARSでは、プラバスタチン10 mg/日は1次エンドポイントである脳梗塞もしくはTIA発症のリスク低下は認めなかったものの、2次エンドポイントにおいてアテローム血栓性脳梗塞の発症を減少させた[5]。そして、脳卒中もしくはTIA患者を対象としたシステマティックレビュー、メタ解析において、スタチン投与により虚血性脳卒中再発と心血管イベントが減少した[6]。しかし、本システマティックレビューに引用されているRCT（SPARCL含む）で使用されているアトルバスタチン80 mg/日、シンバスタチン40 mg/日、プラバスタチン40 mg/日は用量の国内承認上限を上回っている点に注意が必要である。

脂質管理のLDL-コレステロール目標値達成

（Treat to target）において、本邦の「動脈硬化性疾患予防ガイドライン2017年版」では、冠動脈疾患の既往がない非心原性脳梗塞に対してLDL-コレステロール＜120 mg/dL、HDL-コレステロール≧40 mg/dL、トリグリセリド＜150 mg/dL、non-HDL-コレステロール＜150 mg/dLが設定されている[7]。American Heart Association（AHA）/ American Stroke Association（ASA）ガイドラインでは、虚血性脳卒中の2次予防においてLDL-コレステロール≧100 mg/dLでは積極的な脂質低下療法の開始が推奨されている[8]。J-STARSの事後解析では、脳卒中およびTIA、すべての血管イベント発症においてランダム化後のLDL-コレステロール値80〜100 mg/dLで減少していた[9]。ラクナ梗塞発症へのランダム化後のLDL-コレステロール値は、100〜120 mg/dLであった。一方で、TSTではスタチン単独使用、エゼチミブ単独使用、もしくは両者併用で、LDL-コレステロール管理目標値を厳格に設定した場合（LDL-コレステロール＜70 mg/dL）、標準的な管理目標値（LDL-コレステロール90〜110 mg/dL）に比較して非致死性虚血性脳卒中、心筋梗塞、冠動脈または頚動脈緊急血行再建を要する病態、心血管死などの複合心血管イベントが有意に減少した[10]。しかし、脳梗塞やTIAのみの発症リスクにおいてLDL-コレステロール＜70 mg/dLでの有効性は示されず、アジア人登録患者における1次エンドポイントの発症抑制効果は示されなかった。近年、欧米のガイドラ

インでは、脳卒中は冠動脈疾患や末梢動脈疾患とともにアテローム性動脈硬化に基づいた包括的な疾患概念（atherosclerotic cardiovascular disease）として厳格なLDL-コレステロール管理が推奨されている[11]。

　脂質低下療法の脳出血発症リスクに関して、SPARCLではアトルバスタチン80 mg/日にて脳出血リスクが1.68倍高まることが報告されたが、事後解析にてLDL-コレステロール値と脳出血の間には関連性がみられなかった[12]。また、システマティックレビューでは、脂質低下療法による脳出血リスクとの関連性はないと判断された[6]。脳出血発症を1次エンドポイントとしたメタ解析においても、脳梗塞患者におけるスタチン使用は脳出血のリスク上昇が示されなかった[13]。TSTの2次エンドポイントである脳出血の増加はLDL-コレステロール<70 mg/dLにおいて有意に増加しなかった[9]。以上より、アジア人の脳梗塞2次予防において、積極的に脂質管理目標をLDL-コレステロール<70 mg/dLとすることを推奨するかに関しては今後のエビデンスの蓄積が期待される。

　本邦で実施されたJELISのサブグループ解析で、脳梗塞の既往がある患者に対してスタチン（主にプラバスタチン10 mg/日もしくはシンバスタチン5 mg/日を使用）＋イコサペント酸（EPA）投与はスタチン単独投与に比較して脳卒中再発を20％低下させた[14]。

〔引用文献〕

1) Sever PS, Dahlof B, Poulter NR, et al. Prevention of coronary and stroke events with atorvastatin in hypertensive patients who have average or lower-thanaverage cholesterol concentrations, in the Anglo-Scandinavian Cardiac Outcomes Trial--Lipid Lowering Arm (ASCOT-LLA): a multicentre randomised controlled trial. Lancet 2003; 361: 1149-1158. （レベル 1）

2) Collins R, Armitage J, Parish S, et al. Effects of cholesterol-lowering with simvastatin on stroke and other major vascular events in 20536 people with cerebrovascular disease or other high-risk conditions. Lancet 2004; 363: 757-767. （レベル 1）

3) Amarenco P, Labreuche J. Lipid management in the prevention of stroke: review and updated meta-analysis of statins for stroke prevention. Lancet Neurol 2009; 8: 453-463. （レベル 1）

4) Amarenco P, Bogousslavsky J, Callahan A 3rd, et al. High-dose atorvastatin after stroke or transient ischemic attack. N Engl J Med 2006; 355: 549-559. （レベル 2）

5) Hosomi N, Nagai Y, Kohriyama T, et al. The Japan Statin Treatment Against Recurrent Stroke (J-STARS): A Multicenter, Randomized, Open-label, Parallel-group Study. EBioMedicine 2015; 2: 1071-1078. （レベル 2）

6) Tramacere I, Boncoraglio GB, Banzi R, et al. Comparison of statins for secondary prevention in patients with ischemic stroke or transient ischemic attack: a systematic review and network meta-analysis. BMC Med 2019; 17: 67. （レベル 2）

7) 日本動脈硬化学会. 動脈硬化性疾患予防ガイドライン 2017 年版. （レベル 5）

8) Kernan WN, Ovbiagele B, Black HR, et al. Guidelines for the prevention of stroke in patients with stroke and transient ischemic attack: A guideline for healthcare professionals from the American Heart Association/American Stroke Association. Stroke 2014; 45: 2160-2236. （レベル 5）

9) Hosomi N, Kitagawa K, Nagai Y, et al. Desirable low-density lipoprotein cholesterol levels for preventing stroke recurrence a post hoc analysis of the J-STARS study (Japan Statin Treatment Against Recurrent Stroke). Stroke 2018; 49: 865-871. （レベル 3）

10) Amarenco P, Kim JS, Labreuche J, et al. A Comparison of Two LDL Cholesterol Targets after Ischemic Stroke. N Engl J Med 2020; 382: 9. （レベル 2）

11) Mach F, Baigent C, Catapano AL, et al. 2019 ESC/EAS Guidelines for the management of dyslipidaemias: lipid modification to reduce cardiovascular risk. Eur Heart J 2020; 41: 111-188. （レベル 5）

12) Goldstein LB, Amarenco P, Szarek M, et al. Hemorrhagic stroke in the Stroke Prevention by Aggressive Reduction in Cholesterol Levels study. Neurology 2008; 70: 2364-2370. （レベル 3）

13) Ziff OJ, Banerjee G, Ambler G, et al. Statins and the risk of intracerebral haemorrhage in patients with stroke: systematic review and meta-analysis. J Neurol Neurosurg Psychiatry 2019; 90: 75-83. （レベル 2）

14) Tanaka K, Ishikawa Y, Yokoyama M, et al. Reduction in the recurrence of stroke by eicosapentaenoic acid for hypercholesterolemic patients: subanalysis of the JELIS trial. Stroke 2008; 39: 2052-2058. （レベル 2）

Ⅱ 脳梗塞・TIA

3 脳梗塞慢性期

3-3 危険因子の管理
（4）メタボリックシンドローム・肥満

推奨

▶ 脳梗塞再発予防のために、肥満、メタボリックシンドロームの管理を考慮しても良い（推奨度
C　エビデンスレベル低）。

解　説

　肥満は、脳卒中発症の危険因子であるとする肯定的な報告[1-4]が多いが、否定的な報告もある[5,6]。肥満が脳卒中を発症するリスクは、併存する脂質異常症、高血圧、インスリン抵抗性、糖尿病、および炎症によって実質的に修飾される[7,8]。一方で、女性において body mass index（BMI）増加が脳卒中発症の独立した危険因子であるとする報告[4]や、高血圧、糖尿病などの明らかな脳卒中の危険因子をもたない非喫煙者の男性の脳梗塞発症は BMI 高値が関係しているとの報告[9]もあり、肥満が単一のリスクとも考えられる。肥満、体重過多と脳卒中発症について検討したメタ解析では、体重過多、肥満とも虚血性脳卒中発症を増加させる[10]。

　脳卒中と確定された患者において、肥満の脳梗塞再発へのリスクに関してはエビデンスが乏しく因果関係は確立されていない。一過性脳虚血発作（TIA）または脳梗塞患者において、18〜44％が肥満と診断されるものの、正確な頻度は地域や国によって異なるとされる[7,8]。脳梗塞患者を BMI 値で層別化すると、BMI 高値の体重過多や肥満では、動脈硬化のリスクの頻度が増加するとされる[11]。肥満が脳梗塞再発の独立したリスクであるという報告や、肥満に対する治療介入により脳梗塞再発が低減したというエビデンスは確立されていない。

　メタボリックシンドロームは、症候性の頭蓋内動脈狭窄患者に対してアスピリン、ワルファリンの有効性をランダム化比較で検討した WASID において、登録患者の 43％にみられた[12]。1.8 年の観察期間中、メタボリックシンドロームは虚血性脳卒中、心筋梗塞、血管死を含む複合血管イベントや、虚血性脳卒中の発症リスクであった[12]。しかし、メタボリックシンドロームの構成因子で調整すると有

意差には至らなかった。また、メタボリックシンドロームでは脳梗塞再発率は高いものの、メタボリックシンドロームを構成する因子以上の影響はないとする研究もある[13]。冠動脈疾患のない発症後 6 か月以内の脳卒中または TIA 患者にアトルバスタチン 80 mg の有効性を検証した SPARCL[14]、ラクナ梗塞を対象とした SPS3[15]、軽症脳梗塞もしくは TIA に対して初期 21 日間アスピリンとクロピドグレル併用の有効性を検証した CHANCE[16]において、メタボリックシンドロームは 14〜57％の登録患者で診断された。いずれの臨床試験においても一貫してメタボリックシンドローム単独では脳梗塞再発、複合心血管イベントの発症リスクではないとされた。今日まで、メタボリックシンドロームへの治療介入により脳梗塞再発を抑制したエビデンスの高い臨床試験は報告されていない。

〔引用文献〕

1) Hubert HB, Feinleib M, McNamara PM, et al. Obesity as an independent risk factor for cardiovascular disease: a 26-year follow-up of participants in the Framingham Heart Study. Circulation 1983; 67: 968-977.（レベル 4）
2) Herman B, Schmitz PI, Leyten AC, et al. Multivariate logistic analysis of risk factors for stroke in Tilburg, The Netherlands. Am J Epidemiol 1983; 118: 514-525.（レベル 4）
3) Shinton R. Lifelong exposures and the potential for stroke prevention: the contribution of cigarette smoking, exercise, and body fat. J Epidemiol Community Health 1997; 51: 138-143.（レベル 4）
4) Rexrode KM, Hennekens CH, Willett WC, et al. A prospective study of body mass index, weight change, and risk of stroke in women. JAMA 1997; 277: 1539-1545.（レベル 4）
5) Boysen G, Nyboe J, Appleyard M, et al. Stroke incidence and risk factors for stroke in Copenhagen, Denmark. Stroke 1988; 19: 1345-1353.（レベル 4）
6) Haapaniemi H, Hillbom M, Juvela S. Lifestyle-associated risk factors for acute brain infarction among persons of working age. Stroke 1997; 28: 26-30.（レベル 4）
7) Kernan WN, Ovbiagele B, Black HR, et al. Guidelines for the prevention of stroke in patients with stroke and transient ischemic attack: A guideline for healthcare professionals from the american heart association/american stroke association. Stroke 2014; 45: 2160-2236.（レベル 2）
8) Kernan WN, Inzucchi SE, Sawan C, et al. Obesity: a stubbornly obvious target for stroke prevention. Stroke 2013; 44: 278-

脳卒中治療ガイドライン 2021　　105

286. （レベル 4）

9) Abbott RD, Behrens GR, Sharp DS, et al. Body mass index and thromboembolic stroke in nonsmoking men in older middle age. The Honolulu Heart Program. Stroke 1994; 25: 2370-2376. （レベル 4）

10) Strazzullo P, D'Elia L, Cairella G, et al. Excess body weight and incidence of stroke: meta-analysis of prospective studies with 2 million participants. Stroke 2010; 41: e418-e426. （レベル 1）

11) Ruland S, Hung E, Richardson D, et al. Impact of obesity and the metabolic syndrome on risk factors in African American stroke survivors: a report from the AAASPS. Arch Neurol 2005; 62: 386-390. （レベル 4）

12) Ovbiagele B, Saver JL, Lynn MJ, et al. Impact of metabolic syndrome on prognosis of symptomatic intracranial atherostenosis. Neurology 2006; 66: 1344-1349. （レベル 4）

13) Mi D, Jia Q, Zheng H, et al. Metabolic syndrome and stroke recurrence in Chinese ischemic stroke patients--the ACROSS-China study. PLoS One 2012; 7: e51406. （レベル 4）

14) Callahan A, Amarenco P, Goldstein LB, et al. Risk of stroke and cardiovascular events after ischemic stroke or transient ischemic attack in patients with type 2 diabetes or metabolic syndrome: secondary analysis of the Stroke Prevention by Aggressive Reduction in Cholesterol Levels (SPARCL) trial. Arch Neurol 2011; 68: 1245-1251. （レベル 4）

15) Zhu S, McClure LA, Lau H, et al. Recurrent vascular events in lacunar stroke patients with metabolic syndrome and/or diabetes. Neurology 2015; 85: 935-941. （レベル 4）

16) Chen W, Pan Y, Jing J, et al. Recurrent Stroke in Minor Ischemic Stroke or Transient Ischemic Attack With Metabolic Syndrome and/or Diabetes Mellitus. J Am Heart Assoc 2017; 6: e005446. （レベル 4）

Ⅱ 脳梗塞・TIA

3 脳梗塞慢性期

3-4 塞栓源不明の脳塞栓症（ESUS、Cryptogenic stroke）（1）抗血栓療法

推奨

1. 潜因性脳梗塞、塞栓源不明の脳塞栓症に対する抗血栓療法として、アスピリンを選択することは妥当である（推奨度B　エビデンスレベル中）。

2. 潜因性脳梗塞、塞栓源不明の脳塞栓症にダビガトラン、リバーロキサバンは勧められない（推奨度D　エビデンスレベル中）。

3. 潜因性脳梗塞のうち、高血圧治療歴がない例、脳幹を含まない後方循環系脳梗塞にワルファリンを考慮しても良い（推奨度C　エビデンスレベル低）。

4. 大動脈粥腫病変がある潜因性脳梗塞、塞栓源不明の脳塞栓症に、アスピリンにかわってワルファリン（PT-INR1.5以上）の使用を考慮しても良い（推奨度C　エビデンスレベル低）。

解 説

アスピリン325 mgとワルファリン（平均pro-thrombin time-international normalized ratio[PT-INR]2.1）の比較において虚血性脳卒中の再発または死亡、大出血の発生率に差はないが、小出血はワルファリンで多かった[1]。

塞栓源不明の脳塞栓症（embolic stroke of undetermined source：ESUS）に対する直接阻害型経口抗凝固薬（DOAC）の有効性についてはダビガトラン、リバーロキサバンの検討がなされている。アスピリン100 mgとダビガトラン220 mgまたは300 mgの比較（RE-SPECT ESUS）では、脳卒中の再発、虚血性脳卒中の再発、非致死性脳卒中、非致死性心筋梗塞、心血管死の複合イベント、出血性脳卒中いずれも差がなかった[2]。また、アスピリン100 mgとリバーロキサバン15 mgを比較した検討（NAVIGATE ESUS）では、すべての脳卒中または全身塞栓症の発症率に差はなく、大出血はリバーロキサバンで多くみられた（ハザード比

2.72）[3]。これらの統合解析においてもアスピリンとDOACに脳卒中の再発に差はなかった[4]。ただしこれらの報告は、branch atheromatous diseaseや卵円孔開存（patent foramen ovale：PFO）による奇異性脳塞栓症を含んでいる可能性がある。

重症度や病巣における検討では、重症および脳幹に脳梗塞がある潜因性脳梗塞はワルファリン（PT-INR1.4〜2.8）よりアスピリン325 mgのほうが虚血性脳卒中再発および死亡が少なく、高血圧治療歴がない例、脳幹を含まない後方循環系脳梗塞ではアスピリンよりワルファリンのほうが優れていた[5]。

大動脈粥腫病変がある潜因性脳梗塞ではアスピリン325 mgとワルファリン（PT-INR中央値1.96）に虚血性脳卒中の再発および死亡に差はなく、ワルファリンの場合はPT-INRが1.5以上で虚血性脳卒中の再発抑制効果が得られていた[6]。

卵円孔開存を有する潜因性脳梗塞、塞栓源不明の脳塞栓症に関しては「Ⅱ 脳梗塞・TIA　3 脳梗塞慢性期　3-5 奇異性脳塞栓症」の項に詳細を記載した。

大動脈粥腫病変がある潜因性脳梗塞、塞栓源不明の脳塞栓症

大動脈粥腫病変がある潜因性脳梗塞、塞栓源不明の脳塞栓症にアスピリンにかわって、リバーロキサバンの使用を考慮しても良い。ただし本邦で保険適用はない。

大動脈粥腫病変に潰瘍、可動性、内中膜厚4 mm以上のいずれかを認める場合、アスピリン100 mgとリバーロキサバン15 mgによる虚血性脳卒中の再発に差はみられていない[7]。

同側 50% 未満の狭窄または大動脈弓部粥腫病変を有する塞栓源不明の脳塞栓症

　同側 50% 未満の狭窄または大動脈弓部粥腫病変を有する塞栓源不明の脳塞栓症にアスピリンにかわってチカグレロルを投与することを考慮しても良い。ただし本邦で保険適用はない。

　本邦では虚血性脳卒中に対する保険適用はないが、ESUS で同側 50% 未満の狭窄または大動脈弓部粥腫病変を有する例では、アスピリンよりチカグレロルのほうがすべての脳卒中、死亡、生命を脅かす出血は少なかった[8]。

〔引用文献〕

1) Mohr JP, Thompson JL, Lazar RM, et al. A comparison of warfarin and aspirin for the prevention of recurrent ischemic stroke. N Engl J Med 2001; 345: 1444-1451.（レベル 2）
2) Diener HC, Sacco RL, Easton JD, et al. Dabigatran for Prevention of Stroke after Embolic Stroke of Undetermined Source. N Engl J Med 2019; 380: 1906-1917.（レベル 2）
3) Hart RG, Sharma M, Mundl H, et al. Rivaroxaban for Stroke Prevention after Embolic Stroke of Undetermined Source. N Engl J Med 2018; 378: 2191-2201.（レベル 3）
4) Embolic strokes of undetermined source: theoretical construct or useful clinical tool? Ther Adv Neurol Disord 2019; 12: 1756286419851381.（レベル 2）
5) Sacco RL, Prabhakaran S, Thompson JL, et al. Comparison of warfarin versus aspirin for the prevention of recurrent stroke or death: subgroup analyses from the Warfarin-Aspirin Recurrent Stroke Study. Cerebrovasc Dis 2006; 22: 4-12.（レベル 3）
6) Di Tullio MR, Russo C, Jin Z, et al. Aortic arch plaques and risk of recurrent stroke and death. Circulation 2009; 119: 2376-2382.（レベル 2）
7) Ntaios G, Pearce LA, Meseguer E, et al. Aortic Arch Atherosclerosis in Patients With Embolic Stroke of Undetermined Source: an Exploratory Analysis of the NAVIGATE ESUS Trial. Stroke 2019; 50: 3184-3190.（レベル 2）
8) Amarenco P, Albers GW, Denison H, et al. Ticagrelor Versus Aspirin in Acute Embolic Stroke of Undetermined Source. Stroke 2017; 48: 2480-2487.（レベル 2）

Ⅱ 脳梗塞・TIA

3 脳梗塞慢性期

3-5 奇異性脳塞栓症（卵円孔開存を合併した塞栓源不明の脳塞栓症を含む）

推奨

1. 奇異性脳塞栓症（確診および疑い）は、脳卒中医による病型診断が確実に行われた上で、再発予防治療の検討がなされるべきである（推奨度A　エビデンスレベル低）。また治療方針は、脳卒中医、循環器医、患者による共有意思決定（shared decision-making）のプロセスを介して決定されるよう勧められる（推奨度A　エビデンスレベル低）。

2. 卵円孔開存の関与が疑われる塞栓源不明の脳塞栓症の再発予防のための薬物療法として、抗血小板療法あるいは抗凝固療法のいずれかを実施することが妥当である（推奨度B　エビデンスレベル中）。静脈血栓塞栓症を認める場合は抗凝固療法を行うよう勧められる（推奨度A　エビデンスレベル低）。静脈血栓塞栓症を認めない場合においても抗血小板療法より抗凝固療法を考慮しても良い（推奨度C　エビデンスレベル中）。

3. 60歳未満の卵円孔開存の関与が疑われる潜因性脳梗塞例（奇異性脳塞栓症確診例を含む）に対して、経皮的卵円孔開存閉鎖術を行うことは妥当である（推奨度B　エビデンスレベル高）。特に再発リスクの高い卵円孔開存（シャント量が多い、心房中隔瘤合併など）を有する場合、経皮的卵円孔開存閉鎖術が勧められる（推奨度A　エビデンスレベル高）。

4. 60歳以上の卵円孔開存の関与が疑われる潜因性脳梗塞例（奇異性脳塞栓症確診例を含む）に対する経皮的卵円孔開存閉鎖術の有効性は確立していない（推奨度C　エビデンスレベル低）。

5. 経皮的卵円孔開存閉鎖術施行後も抗血栓療法を継続することは妥当である（推奨度B　エビデンスレベル低）。

6. 肺動静脈瘻による奇異性脳塞栓症の再発予防に経皮的カテーテル塞栓術を行うことは妥当である（推奨度B　エビデンスレベル低）。

解 説

1. 診断と治療方針決定

　一般剖検での卵円孔開存の有病率は平均26%と報告されている[1]。しかしながら卵円孔開存があっても、静脈内血栓が形成され、かつ右左シャントが生じなければ奇異性脳塞栓症は生じ得ないことから、卵円孔開存が検出された脳梗塞のすべてが奇異性脳塞栓症とは限らない。したがってその病型診断は脳卒中医により慎重に行われるべきであり、脳塞栓症を示唆する神経放射線学的特徴、他の塞栓源の有無、腹圧のかかる動作との関連性を総合的に考慮し、奇異性脳塞栓機序が推定される症例を選別しなければならない[2]。

　治療の選択にあたっては、奇異性脳塞栓機序の確からしさ、患者年齢、卵円孔開存の機能的・解剖学的リスクによりその選択が異なるため、脳卒中医・循環器医の討議の下、患者自身が納得して治療方針を決定する共有意思決定（shared decision-making）のプロセスが重要である[3-6]。

2. 抗血栓療法

　卵円孔開存の関与が疑われる潜因性脳梗塞例で、静脈血栓塞栓症（肺血栓塞栓症および深部静脈血栓症）を認める症例のみを対象とした無作為化試験の報告はないが、そのような症例において抗凝固療法を行うことは標準的治療として広く認識されている[7-11]。本邦では「肺血栓塞栓症および深部静脈血栓症の診断、治療、予防に関するガイドライン（2017年改訂版）」に基づき、ワルファリン、エドキサバン、リバーロキサバン、アピキサバンなどによる抗凝固療法を適切な期間行うよう勧められる。

　静脈血栓塞栓症を認めない場合における抗血小板療法と抗凝固療法の優劣に関しては、明確なエビデンスは得られていない。卵円孔開存を有する潜因性

脳梗塞を対象とした3つの無作為化試験（PICSS[12]、CLOSEの薬物療法群比較[13]、NAVIGATE-ESUSの副解析[14]）では、抗血小板療法（主にアスピリン）より抗凝固療法（ワルファリンまたは直接阻害型経口抗凝固薬〔DOAC〕）において虚血性脳卒中の発症が少ない傾向があったものの、有意差は認められなかった。また、複数の無作為化試験や観察研究を対象としたメタ解析では、抗凝固療法において有意に虚血性脳卒中が少ないという報告[14-16]が多いが、有意差を認めないもの[17]、有意差を認めないがその有効性は否定できないと結論づけたもの[18]もあり、一貫した結果が得られていない。一方出血性有害事象に関しては、抗血小板療法より抗凝固療法において多く認められた[15,16]。これらの結果より、卵円孔開存の関与が疑われる潜因性脳梗塞例で静脈血栓塞栓症を認めない症例に対する抗血栓療法としては、抗凝固療法は抗血小板療法より有効性が高い可能性がありその実施を考慮しても良いかもしれないが、有効性と安全性に関する明確なエビデンスは確立していない。

3. 60歳未満への経皮的卵円孔開存閉鎖術

卵円孔開存を有する潜因性脳梗塞を対象とし、経皮的卵円孔開存閉鎖術の有効性を検討した無作為化臨床試験（CLOSURE I[19]、PC[20]、RESPECT[21]）では、脳梗塞の再発予防の有効性を示すことはできなかった。しかし、その後のRESPECTの長期経過観察研究（RESPECT long-term）[22]、REDUCE[23]、CLOSE[13]の多施設共同無作為化試験では、卵円孔開存の関与が疑われる60歳以下の若年性脳梗塞例を対象とした場合、主に抗血小板療法による内科治療を実施した対照群と比較し、経皮的卵円孔開存閉鎖術群は脳梗塞再発を含めたエンドポイントで有効性が示された。特に、シャント量が多い卵円孔開存や心房中隔瘤を合併している場合（ハイリスクPFO）に経皮的卵円孔開存閉鎖術の脳梗塞二次予防効果が高いことが報告された。最近のシステマティックレビューでは、過去に施行された無作為化試験の結果を統合解析し、薬物治療に対する経皮的卵円孔開存閉鎖術の有用性、およびハイリスクPFOに対する本治療の有用性が示されている[24-26]。

4. 60歳以上への経皮的卵円孔開存閉鎖術

経皮的卵円孔開存閉鎖術の有効性が示された3つの無作為化臨床試験[13,22,23]は60歳以下を対象としており、60歳以上を対象群に限定した大規模臨床試験のエビデンスは存在しない。一方、80歳までのハイリスクPFOを対象としたDEFENSE-PFO[27]では、薬物療法群に対する経皮的卵円孔開存閉鎖術の有効性が示されたが、年齢上昇に伴い脳梗塞の原因として動脈硬化性疾患や潜在性心房細動などの可能性が上昇するため、卵円孔開存以外の脳梗塞の原因を充分に検索する必要性がある。治療方針は、ブレインハートチーム（脳卒中医、循環器医）で協議し、患者も含めた共有意思決定（shared decision-making）のプロセスを介して決定されるよう勧められる[3-6]。

5. 閉鎖術後の抗血栓療法

経皮的卵円孔開存閉鎖術後は、閉鎖機器による血栓形成の予防のために抗血栓療法の継続が必要である。抗凝固療法を必要とする要因がなければ、アスピリン＋クロピドグレルなどの抗血小板薬2剤併用療法を少なくとも1か月以上施行し（RESPECT[22]では1か月、CLOSE[13]では3か月、DEFENSE-PFO[27]では6か月施行）、以降は抗血小板薬の単剤投与を継続する。その他の詳細（術前から抗凝固療法が導入されている症例に対する対応など）に関しては、「潜因性脳梗塞に対する経皮的卵円孔開存閉鎖術の手引き（2019年）」[4]を参照し、手引きに則った抗血栓療法を行うことが妥当である。

閉鎖術後6か月以降の抗血栓薬の長期管理に関しては、RESPECT[22]では各施設の判断に委ねられており抗血栓薬の中止も可能であるが、実際は6か月以降も継続された症例が多かった[28]。REDUCE、CLOSE[13,23]では試験期間中（中央値：3～5年間）は抗血栓薬を継続とされている。また、閉鎖術後18％の症例では7か月後（中央値）に抗血栓療法を中止しその後虚血性イベントは発生しなかったと報告する観察研究[29]もあるが、現時点では術後長期管理における抗血栓療法の中止の可否に関するエビデンスは確立しておらず、個々の症例に応じて慎重な判断が必要である。

6. 肺動静脈瘻に対する経皮的カテーテル塞栓術

肺動静脈瘻を介する奇異性脳塞栓症に対する肺動静脈瘻の経皮的カテーテル塞栓術に関しては、無作為化試験によるエビデンスは存在していない。しかし、多くの観察研究によりその安全性と再発予防効果が示唆されており、実臨床において肺動静脈瘻に対する経皮的カテーテル塞栓術を行うことは妥当である[30,31]。

〔引用文献〕

1) Homma S, Sacco RL. Patent foramen ovale and stroke. Circulation 2005; 112: 1063-1072. （レベル 2）
2) Yasaka M, Otsubo R, Oe H, et al. Is stroke a paradoxical embolism in patients with patent foramen ovale? Intern Med 2005; 44: 434-438. （レベル 4）
3) Kuijpers T, Spencer FA, Siemieniuk RAC, et al. Patent foramen ovale closure, antiplatelet therapy or anticoagulation therapy alone for management of cryptogenic stroke? A clinical practice guideline. BMJ 2018; 362: k2515. （レベル 5）
4) 井口保之，岩間亨，大木宏一，他．潜因性脳梗塞に対する経皮的卵円孔開存閉鎖術の手引き 2019 年 5 月．脳卒中 2019；41：417-441.（レベル 5）
5) Mas JL, Derex L, Guérin P, et al. Transcatheter closure of patent foramen ovale to prevent stroke recurrence in patients with otherwise unexplained ischaemic stroke: Expert consensus of the French Neurovascular Society and the French Society of Cardiology. Arch Cardiovasc Dis 2019; 112: 532-542. （レベル 5）
6) Pristipino C, Sievert H, D'Ascenzo F, et al. European position paper on the management of patients with patent foramen ovale. General approach and left circulation thromboembolism. Eur Heart J 2018; 40: 3182-3195. （レベル 5）
7) Schulman S, Rhedin AS, Lindmarker P, et al. A comparison of six weeks with six months of oral anticoagulant therapy after a first episode of venous thromboembolism. Duration of Anticoagulation Trial Study Group. N Engl J Med 1995; 332: 1661-1665. （レベル 2）
8) Schulman S, Granqvist S, Holmstrom M, et al. The duration of oral anticoagulant therapy after a second episode of venous thromboembolism. The Duration of Anticoagulation Trial Study Group. N Engl J Med 1997; 336: 393-398. （レベル 2）
9) Kearon C, Gent M, Hirsh J, et al. A comparison of three months of anticoagulation with extended anticoagulation for a first episode of idiopathic venous thromboembolism. N Engl J Med 1999; 340: 901-907, Erratum in: N Engl J Med 1999; 341: 298. （レベル 2）
10) Agnelli G, Prandoni P, Santamaria MG, et al. Three months versus one year of oral anticoagulant therapy for idiopathic deep venous thrombosis. Warfarin Optimal Duration Italian Trial Investigators. N Engl J Med 2001; 345: 165-169. （レベル 2）
11) Buller HR, Decousus H, Grosso MA, et al. Edoxaban versus warfarin for the treatment of symptomatic venous thromboembolism. N Engl J Med 2013; 369: 1406-1415. （レベル 2）
12) Homma S, Sacco RL, Di Tullio MR, et al. Effect of medical treatment in stroke patients with patent foramen ovale: Patent foramen ovale in Cryptogenic Stroke Study. Circulation 2002; 105: 2625-2631. （レベル 2）
13) Mas JL, Derumeaux G, Guillon B, et al. Patent Foramen Ovale Closure or Anticoagulation vs. Antiplatelets after Stroke. N Engl J Med 2017; 377: 1011-1021. （レベル 2）
14) Kasner SE, Swaminathan B, Lavados P, et al. Rivaroxaban or aspirin for patent foramen ovale and embolic stroke of undetermined source: a prespecified subgroup analysis from the NAVIGATE ESUS trial. Lancet Neurol 2018; 17: 1053-1060. （レベル 2）
15) Mir H, Siemieniuk RAC, Ge L, et al. Patent foramen ovale closure, antiplatelet therapy or anticoagulation in patients with patent foramen ovale and cryptogenic stroke: a systematic review and network meta-analysis incorporating complementary external evidence. BMJ Open 2018; 8: e023761. （レベル 1）
16) Patti G, Pelliccia F, Gaudio C, et al. Meta-analysis of net long-term benefit of different therapeutic strategies in patients with cryptogenic stroke and patent foramen ovale. Am J Cardiol 2015; 115: 837-843. （レベル 1）
17) Kent DM, Dahabreh IJ, Ruthazer R, et al. Anticoagulant vs. antiplatelet therapy in patients with cryptogenic stroke and patent foramen ovale: an individual participant data meta-analysis. Eur Heart J 2015; 36: 2381-2389. （レベル 3）
18) Sagris D, Georgiopoulos G, Perlepe K, et al. Antithrombotic Treatment in Cryptogenic Stroke Patients With Patent Foramen Ovale: Systematic Review and Meta-Analysis. Stroke 2019; 50: 3135-3140. （レベル 1）
19) Furlan AJ, Reisman M, Massaro J, et al. Closure or medical therapy for cryptogenic stroke with patent foramen ovale. N Engl J Med 2012; 366: 991-999. （レベル 2）
20) Meier B, Kalesan B, Mattle HP, et al. Percutaneous closure of patent foramen ovale in cryptogenic embolism. N Engl J Med 2013; 368: 1083-1091. （レベル 2）
21) Carroll JD, Saver JL, Thaler DE, et al. Closure of patent foramen ovale versus medical therapy after cryptogenic stroke. N Engl J Med 2013; 368: 1092-1100. （レベル 2）
22) Saver JL, Carroll JD, Thaler DE, et al. Long-Term Outcomes of Patent Foramen Ovale Closure or Medical Therapy after Stroke. N Engl J Med 2017; 377: 1022-1032. （レベル 2）
23) Søndergaard L, Kasner SE, Rhodes JF, et al. Patent Foramen Ovale Closure or Antiplatelet Therapy for Cryptogenic Stroke. N Engl J Med 2017; 377: 1033-1042. （レベル 2）
24) Saver JL, Mattle HP, Thaler D. Patent Foramen Ovale Closure Versus Medical Therapy for Cryptogenic Ischemic Stroke: A Topical Review. Stroke 2018; 49: 1541-1548. （レベル 1）
25) Turc G, Calvet D, Guérin P, et al. Closure, anticoagulation, or antiplatelet therapy for cryptogenic stroke with patent foramen ovale: systematic review of randomized trials, sequential meta-analysis, and new insights from the CLOSE study. J Am Heart Assoc 2018; 7: e008356. （レベル 1）
26) Ahmad Y, Howard JP, Arnold A, et al. Patent foramen ovale closure vs. medical therapy for cryptogenic stroke: a meta-analysis of randomized controlled trials. Eur Heart J 2018; 39: 1638-1649. （レベル 1）
27) Lee PH, Song JK, Kim JS, et al. Cryptogenic Stroke and High-Risk Patent Foramen Ovale: the DEFENSE-PFO Trial. J Am Coll Cardiol 2018; 71: 2335-2342. （レベル 2）
28) 医薬品医療機器総合機構．審議結果報告書．2019. Available at https://www.pmda.go.jp/medical_devices/2019/M20190530001/381005000_30100BZX00024000_A100_1.pdf （レベル 4）
29) Wintzer-Wehekind J, Alperi A, Houde C, et al. Impact of Discontinuation of Antithrombotic Therapy Following Closure of Patent Foramen Ovale in Patients With Cryptogenic Embolism. Am J Cardiol 2019; 123: 1538-1545. （レベル 3）
30) Hsu CC, Kwan GN, Evans-Barns H, et al. Embolisation for pulmonary arteriovenous malformation. Cochrane Database Syst Rev 2018: CD008017. （レベル 4）
31) Shovlin CL. Pulmonary arteriovenous malformations. Am J Respir Crit Care Med 2014; 190: 1217-1228. （レベル 4）

II 脳梗塞・TIA

3 脳梗塞慢性期

3-6 その他の内科治療
（1）脳代謝改善薬、脳循環改善薬

推奨

▶ 脳梗塞後遺症にみられる眩暈感などの症状に対してイブジラストを考慮しても良い（推奨度 C エビデンスレベル低）。

解 説

本邦で 1996 年当時発売中ないし発売が予定されていた諸種の脳循環代謝改善薬に関する 14 のランダム化比較試験（RCT）に対するメタ解析の結果では、実薬群はプラセボ群に比して有意に脳梗塞後の全般改善度を改善した[1]。また、実薬群はプラセボ群に比して有意に脳梗塞・脳出血後の自覚症状・精神症候を改善したが、神経症候と日常生活動作（ADL）に対する有効性は相対的に低かった[1]。ただし、このメタ解析は、薬理作用が異なる薬剤を用いた RCT がひとまとめに解析されていること、エンドポイントが明瞭に設定されていなかった RCT が多数含まれ、薬効評価方法が必ずしも客観的なスケールによるものでなかったことから、このメタ解析の科学的妥当性には疑問が呈されている。事実、その後行われた個々の薬剤の再評価試験では多くの薬剤が有用性を証明することができなかった。

その中で脳梗塞後遺症にみられる眩暈感などの症状に対してイブジラストが有効であることが、プラセボ対照二重盲検比較試験による再評価試験で示された[2]。また、わが国で行われたオープン試験（OASIS）では、眩暈症状を有する慢性期脳梗塞患者において、イブジラストは自覚症状や眩暈症状の有意な改善効果を示した[3]。

またメタ解析の結果から、脳血管性認知症を含む種々の認知障害に対してニセルゴリンがわずかに有効である可能性が示された[4]。しかし、このメタ解析の対象となった RCT は、最近の RCT は全く含まれておらず、かつそれぞれの登録患者数も少数で、診断基準や認知機能の評価方法が客観性に乏しいものが多いことから、そのエビデンスレベルは高いとは言えない。

またイブジラスト、イフェンプロジル、ニセルゴリンなどの薬剤は多少なりとも抗血小板薬作用を持つためか、単独で脳梗塞再発防止の可能性が示されている[5]。

〔引用文献〕

1) 篠原幸人，折笠秀樹．メタアナリシスを用いた脳循環代謝改善薬臨床効果の再検討．脳卒中 1997；19：308-317（レベル 2）
2) 篠原幸人，楠正，中島光好．脳梗塞後遺症としての"めまい"に対する ibudilast の有用性に関する研究 run-in period 法を用いた placebo 対照二重盲検比較試験．神経治療学 2002；19：177-187．（レベル 2）
3) 篠原幸人，伊藤裕乃，児矢野繁，他．健康関連 Quality of Life に与える脳卒中後広義のめまいの影響と ibudilast の効果 Outcome Assessment using SF-36 v2 In Stroke patients（OASIS）研究より．神経治療学 2009；26：197-208．（レベル 4）
4) Fioravanti M, Flicker L. Efficacy of nicergoline in dementia and other age associated forms of cognitive impairment. Cochrane Database Syst Rev 2001: CD003159.（レベル 2）
5) Shinohara Y, Gotoh F, Tohgi H, et al. Antiplatelet cilostazol is beneficial in diabetic and/or hypertensive ischemic stroke patients. Subgroup analysis of the cilostazol stroke prevention study. Cerebrovasc Dis 2008; 26: 63-70.（レベル 4）

Ⅱ 脳梗塞・TIA

3 脳梗塞慢性期

3-6　その他の内科治療
（2）ヘマトクリット高値、フィブリノゲン高値

推奨

1. ヘマトクリット高値に対して治療を行うことは勧められない（推奨度D　エビデンスレベル低）。

2. フィブリノゲン高値に対して治療を行うことを考慮しても良い（推奨度C　エビデンスレベル低）。

解説

ヘマトクリット高値は、脳梗塞の危険因子であるとする肯定的な報告が多い。欧米の研究では、ヘマトクリット値51％以上のものからの脳梗塞発症頻度は2.5倍であるという報告がある[1]。一方、否定的な報告もある[2]。本邦の研究では、ヘマトクリット値46％以上で脳梗塞の出現頻度が増加する[3]。慢性期のヘマトクリット高値に対する治療による再発予防を経験した報告はないが、脳梗塞再発とヘマトクリット値の間に関連はないとする報告がある[4]。「脳卒中治療ガイドライン2015〔追補2019〕」策定以降に新たな論文の追加はないが、実臨床での現状を鑑み推奨度を変更した。

フィブリノゲン高値は、脳梗塞の危険因子であるとする肯定的な報告が多い。男性の血漿フィブリノゲン値は、非脳卒中群330 mg/dLに比べて、脳卒中群370 mg/dLと有意に高い[5]。フィブリノゲン値を126〜264 mg/dL、265〜310 mg/dL、311〜696 mg/dLの3群に分類した検討では、男性の脳卒中発症と正の相関がみられるが、女性では認めない[6]。フィブリノゲン360 mg/dL以上では、脳卒中発症リスクは1.78倍である[7]。フィブリノゲン値を低下させる代表的薬剤は、ancrod（本邦未承認）とバトロキソビン製剤（保険適用外）である。

フィブリノゲン値を低下させることにより脳卒中発症の再発を予防しうるか否かを検討した報告はない。フィブリノゲン高値を認める脳梗塞例に対してバトロキソビンを使用した少数例の報告では脳梗塞および一過性脳虚血発作（TIA）の再発が有意に減少し、有害事象も増加しなかったとしている[8]が、十分なエビデンスではない。

〔引用文献〕

1) Wannamethee G, Perry IJ, Shaper AG. Haematocrit, hypertension and risk of stroke. J Intern Med 1994; 235: 163-168.（レベル 4）

2) Takeya Y, Popper JS, Shimizu Y, et al. Epidemiologic studies of coronary heart disease and stroke in Japanese men living in Japan, Hawaii and California: incidence of stroke in Japan and Hawaii. Stroke 1984; 15: 15-23.（レベル 4）

3) Tohgi H, Yamanouchi H, Murakami M, et al. Importance of the hematocrit as a risk factor in cerebral infarction. Stroke 1978; 9: 369-374.（レベル 4）

4) Jorgensen HS, Nakayama H, Reith J, et al. Stroke recurrence: predictors, severity, and prognosis. The Copenhagen Stroke Study. Neurology 1997; 48: 891-895.（レベル 4）

5) Wilhelmsen L, Svardsudd K, Korsan-Bengtsen K, et al. Fibrinogen as a risk factor for stroke and myocardial infarction. N Engl J Med 1984; 311: 501-505.（レベル 4）

6) Kannel WB, Wolf PA, Castelli WP, et al. Fibrinogen and risk of cardiovascular disease. The Framingham Study. JAMA 1987; 258: 1183-1186.（レベル 4）

7) Qizilbash N, Jones L, Warlow C, et al. Fibrinogen and lipid concentrations as risk factors for transient ischaemic attacks and minor ischaemic strokes. BMJ 1991; 303: 605-609.（レベル 4）

8) Xu G, Liu X, Zhu W, et al. Feasibility of treating hyperfibrinogenemia with intermittently administered batroxobin in patients with ischemic stroke/transient ischemic attack for secondary prevention. Blood Coagul Fibrinolysis 2007; 18: 193-197.（レベル 3）

脳卒中治療ガイドライン 2021　113

II 脳梗塞・TIA

3 脳梗塞慢性期

3-6 その他の内科治療
（3）神経再生療法

推奨

▶ 脳梗塞慢性期に対する神経再生療法は勧められない（推奨度D　エビデンスレベル低）。

解　説

自家骨髄単核球細胞経静脈投与[1,2]・くも膜下投与[3]、自家骨髄間葉系幹細胞経静脈投与[4-6]、ヒトembryonal carcinoma 由来神経細胞（LBS-neuron）局所移植[7,8]、ヒト胎児大脳皮質神経上皮細胞に由来する不死化神経幹細胞（CTX0E03）局所移植（PISCES[9]、PISCES II[10]）、Notch 遺伝子導入他家骨髄間葉系幹細胞（SB623）局所移植[11]は、脳梗塞慢性期に臨床試験として実施された。一部の試験で転帰改善効果を示したが、一貫していなかった。脳梗塞慢性期に対する神経再生療法の有効性を確認するため、複数の無作為化二重盲検プラセボ対照試験（JMA-IIA00117、PISCES III、ACTIsSIMA）が進行中である。

〔引用文献〕

1) Bhasin A, Srivastava MVP, Mohanty S, et al. Paracrine Mechanisms of Intravenous Bone Marrow Derived Mononuclear Stem Cells in Chronic Ischemic Stroke. Cerebrovasc Dis Extra 2016; 6: 107-119.（レベル2）
2) Prasad K, Sharma A, Garg A, et al. Intravenous autologous bone marrow mononuclear stem cell therapy for ischemic stroke: a multicentric, randomized trial. Stroke 2014; 45: 3618-3624.（レベル1）
3) Jin Y, Liu Y, Gao Y, et al. Analysis of the long-term effect of bone marrow mononuclear cell transplantation for the treatment of cerebral infarction. Int J Clin Exp Med 2017; 10: 3059-3068.（レベル2）
4) Bang OY, Lee JS, Lee PH, et al. Autologous mesenchymal stem cell transplantation in stroke patients. Ann Neurol 2005; 57: 874-882.（レベル2）
5) Honmou O, Houkin K, Matsunaga T, et al. Intravenous administration of auto serum-expanded autologous mesenchymal stem cells in stroke. Brain 2011; 134: 1790-1807.（レベル4）
6) Lee JS, Hong JM, Moon GJ, et al. A long-term follow-up study of intravenous autologous mesenchymal stem cell transplantation in patients with ischemic stroke. Stem Cells 2010; 28: 1099-1106.（レベル2）
7) Kondziolka D, Wechsler L, Goldstein S, et al. Transplantation of cultured human neuronal cells for patients with stroke. Neurology 2000; 55: 565-569.（レベル4）
8) Kondziolka D, Steinberg GK, Wechsler L, et al. Neurotransplantation for patients with subcortical motor stroke: a phase 2 randomized trial. J Neurosurg 2005; 103: 38-45.（レベル2）
9) Kalladka D, Sinden J, Pollock K, et al. Human neural stem cells in patients with chronic ischaemic stroke (PISCES): a phase 1, first-in-man study. Lancet 2016; 388: 787-796.（レベル4）
10) Muir KW, Bulters D, Willmot M, et al. Intracerebral implantation of human neural stem cells and motor recovery after stroke: multicentre prospective single-arm study (PISCES-2). J Neurol Neurosurg Psychiatry 2020; 91: 396-401.（レベル4）
11) Steinberg GK, Kondziolka D, Wechsler LR, et al. Clinical Outcomes of Transplanted Modified Bone Marrow-Derived Mesenchymal Stem Cells in Stroke: A Phase 1/2a Study. Stroke 2016; 47: 1817-1824.（レベル4）

III 脳出血

CQ III-a 脳出血急性期における血圧高値に対する厳格な降圧療法は推奨されるか？

1. 脳出血急性期における血圧高値をできるだけ早期に収縮期血圧 140 mmHg 未満へ降圧し、7日間維持することは妥当である（推奨度 B　エビデンスレベル中）。その下限を 110 mmHg 超に維持することを考慮しても良い（推奨度 C　エビデンスレベル低）。

2. 急性腎障害を回避するためには収縮期血圧降下幅が 90 mmHg 超の強化降圧療法は勧められない（推奨度 D　エビデンスレベル中）。

解説

脳出血急性期の血圧高値に対して強化降圧療法（目標収縮期血圧 140 mmgHg または 150 mmHg 未満）と標準降圧療法（180 mmHg 未満）を比較した無作為割付試験（INTERACT1[1]、ICH[2]、ICH ADAPT[3]、INTERACT2[4]、ATACH2[5]）およびメタ解析[6,7]では強化降圧療法による転帰の改善効果はなかった。しかし、強化降圧療法による一定の血腫拡大抑制効果が示され、限定的な転帰改善効果はあった[6,7]。2015 年版 American Heart Association（AHA）/ American Stroke Association（ASA）のガイドライン[8]は収縮期血圧 140 mmHg 以下、2018 年 ESO-Karolinska Stroke Update Conference の声明[9]は収縮期血圧 140 mmHg 未満かつ 110 mmHg 超への降圧療法を推奨している。

一方で ATACH2 のサブグループ解析から収縮期血圧 130 mmHg 未満への降圧により心腎関連の臓器障害が増加することが示された[10]。収縮期血圧 140 mmHg 未満への降圧療法で収縮期血圧低下幅が 90 mmHg を超えると急性腎障害が増加した[11]。収縮期血圧 220 mmHg 超の脳出血患者に対する強化降圧で急性腎障害が多かった[12]。収縮期血圧 140 mmHg 未満への降圧でも、特に 120 mmHg 未満で脳虚血出現や神経学的症候増悪が多かった[13]。2018 年 ESO-Karolinska Stroke Update Conference の声明では、急性腎障害を合併させないために収縮期血圧低下幅が 90 mmHg 超にならないように注意を喚起している[9]。

本邦からは、超急性期脳出血のニカルジピン静注による急性期降圧を目指した研究（SAMURAI-ICH）が収縮期血圧 120〜160 mmHg にコントロールし、発症 72 時間以内の神経症候増悪と 24 時間以内の重篤な有害事象、24 時間での血腫増大、および 90 日後の死亡と転帰不良は、予測 90％信頼区間の下限と同等もしくは未満であることを示し、ニカルジピンの微量点滴静注の安全性を示した[14]。

SAMURAI-ICH のサブグループ解析では、来院時 CT 撮影から降圧目標達成までの時間が早いほど血腫拡大が少なかった[15]。最も収縮期血圧が低下した四分位群において、神経症候増悪、血腫増大、転帰不良の症例が少なかった[16]。降圧開始から 24 時間の血圧変動の大きいことが転帰不良に関連し[17]、同様の結果が INTERACT2、ATACH2 のサブグループ解析で示され[18,19]、安定的な降圧維持が転帰良好につながった可能性を示唆した。

〔引用文献〕

1) Anderson CS, Huang Y, Wang JG, et al. Intensive blood pressure reduction in acute cerebral haemorrhage trial (INTERACT): a randomised pilot trial. Lancet Neurol 2008; 7: 391-399.（レベル 2）
2) Koch S, Romano JG, Forteza AM, et al. Rapid blood pressure reduction in acute intracerebral hemorrhage: feasibility and safety. Neurocrit Care 2008; 8: 316-321.（レベル 3）
3) Butcher KS, Jeerakathil T, Hill M, et al. The Intracerebral Hemorrhage Acutely Decreasing Arterial Pressure Trial. Stroke 2013; 44: 620-626.（レベル 2）
4) Anderson CS, Heeley E, Huang Y, et al. Rapid blood-pressure lowering in patients with acute intracerebral hemorrhage. N Engl J Med 2013; 368: 2355-2365.（レベル 2）
5) Qureshi AI, Palesch YY, Barsan WG, et al. Intensive Blood-Pressure Lowering in Patients with Acute Cerebral Hemorrhage. N Engl J Med 2016; 375: 1033-1043.（レベル 2）
6) Lattanzi S, Cagnetti C, Provinciali L, et al. How Should We Lower Blood Pressure after Cerebral Hemorrhage? A Systematic Review and Meta-Analysis. Cerebrovasc Dis 2017; 43: 207-213.（レベル 1）
7) Boulouis G, Morotti A, Goldstein JN, et al. Intensive blood pressure lowering in patients with acute intracerebral haemorrhage: clinical outcomes and haemorrhage expansion. Systematic review and meta-analysis of randomised trials. J Neurol Neurosurg Psychiatry 2017; 88: 339-345.（レベル 1）

8) Hemphill JC 3rd, Greenberg SM, Anderson CS, et al. Guidelines for the Management of Spontaneous Intracerebral Hemorrhage: A Guideline for Healthcare Professionals From the American Heart Association/American Stroke Association. Stroke. 2015; 46: 2032-2060.（レベル5）

9) Ahmed N, Audebert H, Turc G, et al. Consensus statements and recommendations from the ESO-Karolinska Stroke Update Conference, Stockholm 11-13 November 2018. Eur Stroke J 2019; 4: 307-317.（レベル5）

10) Toyoda K, Koga M, Yamamoto H, et al. Clinical Outcomes Depending on Acute Blood Pressure After Cerebral Hemorrhage. Ann Neurol 2019; 85: 105-113.（レベル3）

11) Burgess LG, Goyal N, Jones GM, et al. Evaluation of Acute Kidney Injury and Mortality After Intensive Blood Pressure Control in Patients With Intracerebral Hemorrhage. J Am Heart Assoc 2018; 7: e008439.（レベル3）

12) Hewgley H, Turner SC, Vandigo JE, et al. Impact of Admission Hypertension on Rates of Acute Kidney Injury in Intracerebral Hemorrhage Treated with Intensive Blood Pressure Control. Neurocrit Care 2018; 28: 344-352.（レベル3）

13) Buletko AB, Thacker T, Cho SM, et al. Cerebral ischemia and deterioration with lower blood pressure target in intracerebral hemorrhage. Neurology 2018; 91: e1058-e1066.（レベル3）

14) Koga M, Toyoda K, Yamagami H, et al. Systolic blood pressure lowering to 160 mmHg or less using nicardipine in acute intracerebral hemorrhage: a prospective, multicenter, observational study (the Stroke Acute Management with Urgent Risk-factor Assessment and Improvement-Intracerebral Hemorrhage study). J Hypertens 2012; 30: 2357-2364.（レベル3）

15) Yamaguchi Y, Koga M, Sato S, et al. Early Achievement of Blood Pressure Lowering and Hematoma Growth in Acute Intracerebral Hemorrhage: Stroke Acute Management with Urgent Risk-Factor Assessment and Improvement-Intracerebral Hemorrhage Study. Cerebrovasc Dis 2018; 46: 118-124.（レベル3）

16) Sakamoto Y, Koga M, Todo K, et al. Relative systolic blood pressure reduction and clinical outcomes in hyperacute intracerebral hemorrhage: the SAMURAI-ICH observational study. J Hypertens 2015; 33: 1069-1073.（レベル3）

17) Tanaka E, Koga M, Kobayashi J, et al. Blood pressure variability on antihypertensive therapy in acute intracerebral hemorrhage: the Stroke Acute Management with Urgent Risk-factor Assessment and Improvement-intracerebral hemorrhage study. Stroke 2014; 45: 2275-2279.（レベル3）

18) Manning L, Hirakawa Y, Arima H, et al. Blood pressure variability and outcome after acute intracerebral haemorrhage: a post-hoc analysis of INTERACT2, a randomised controlled trial. Lancet Neurol 2014; 13: 364-373.（レベル3）

19) de Havenon A, Majersik JJ, Stoddard G, et al. Increased Blood Pressure Variability Contributes to Worse Outcome After Intracerebral Hemorrhage. Stroke 2018; 49: 1981-1984.（レベル3）

III 脳出血

CQ III-b 抗血栓療法（ビタミンK阻害薬、直接阻害型経口抗凝固薬、抗血小板薬、ヘパリン）中の脳出血急性期における血液製剤・中和薬投与は推奨されるか？

1. ビタミンK阻害薬（ワルファリン）を服用し、prothrombin time-international normalized ratio（PT-INR）が2.0以上に延長した脳出血患者へのプロトロンビン複合体製剤の投与は妥当である（推奨度B　エビデンスレベル中）。その際、PT-INRの再上昇を避けるためビタミンKを併用することは妥当である（推奨度B　エビデンスレベル低）。

2. トロンビン阻害薬（ダビガトラン）内服中の場合、イダルシズマブを投与することは妥当である（推奨度B　エビデンスレベル低）。

3. 抗血小板薬服用中の脳出血患者に対し、一律に血小板輸血をすることは勧められない（推奨度D　エビデンスレベル中）。

4. 未分画ヘパリン療法中に合併した脳出血では、硫酸プロタミンの投与を考慮しても良い（推奨度C　エビデンスレベル低）。

5. 血栓溶解療法中に合併した脳出血では、血液凝固異常の評価を行い、血液製剤などを用いて異常に応じた是正を考慮しても良い（推奨度C　エビデンスレベル低）。

解説

抗血栓療法の種類によって用いる血液製剤・中和薬は異なる。またその推奨度は一律ではない。

ビタミンK阻害薬関連脳出血患者に対してプロトロンビン複合体製剤投与によりprothrombin time-international normalized ratio（PT-INR）は早急に抗凝固作用が是正され、血腫拡大が抑制され、転帰が改善されることが観察されている[1,2]。凝固因子補充によるPT-INR是正が不十分な場合や遅れた場合（来院後4時間以内PT-INR＜1.3を未達成）では再出血や血腫拡大を十分に抑制できなかった[1]。

PT-INRが2.0以上のビタミンK阻害薬服用中の脳出血患者に対して、ビタミンK併用下でプロトロンビン複合体製剤と新鮮凍結血漿の効果を比較したランダム化比較試験（randomized controlled trial：RCT）であるINCHでは、長期機能転帰におけるプロトロンビン複合体製剤の優越性はなかったが、3時間以内にPT-INR 1.2以下を達成し、血腫拡大率および死亡率を有意に低下させた[3]。PT-INR 2.0以上の場合、体重、PT-INR値によって用量調整（PT-INR 2.0以上4.0未満の場合25 IU/kg）した4因子含有プロトロンビン複合体製剤をできるだけ早く投与し、PT-INR 1.3未満を目安に是正することは妥当である。

PT-INR 2.0未満の患者に対するプロトロンビン複合体製剤の投与は用量明示がなく、保険適用外使用となる。なお、PT-INR 1.4〜1.9の患者における有効性、安全性はPT-INR 2.0以上の患者へ投与した場合と同等であった[4,5]。2018年ESO-Karolinska Stroke Update Conference推奨ではPT-INR 1.3以上2.0未満の場合、プロトロンビン複合体製剤低用量（10〜25 IU/kg）投与を考慮しても良いとなっている[6]。2015年版American Heart Association（AHA）/ American Stroke Association（ASA）のガイドラインではプロトロンビン複合体製剤の投与量と目標PT-INRは明確にされていない[7]。ビタミンK製剤はPT-INR是正における即効性はないが、プロトロンビン複合体製剤投与後のPT-INRの再上昇を抑制するためビタミンK 10 mgの単回もしくは再上昇時追加の静脈内投与は妥当である[8,9]。

直接阻害型経口抗凝固薬（direct oral anticoagulant：DOAC）の中和薬として、直接トロンビン阻害薬ダビガトランには特異的抗体イダルシズマブ、第Xa因子阻害薬リバーロキサバン、アピキサバン、エドキサバンにはデコイ蛋白andexanet alfa（本邦未承認）の抗凝固作用への中和効果が症例集積研究で示されたが[10,11]、脳出血に対する

RCT は行われていない。ダビガトラン最終内服から 24 時間以内、また、高い血中濃度が持続する可能性がある腎機能障害患者や P 糖蛋白阻害薬内服者では 48 時間以内の脳出血で、血腫拡大による重症化のリスクが高いと判断した場合は、イダルシズマブ投与は妥当である。

第 Ⅹa 因子阻害薬関連脳出血患者に対する andexanet alfa が本邦では採用されていない。第 Ⅹa 因子阻害薬の抗凝固作用残存による血腫拡大からの重症化が危惧される場合は、プロトロンビン複合体製剤で是正できる可能性がある。しかし、症例集積研究での一貫した有用性が示されていない上[12]、保険適用外使用となる。また、代替として新鮮凍結血漿の有効性と安全性は確立されていない。2018 年 ESO–Karolinska Stroke Update Conference 推奨では andexanet alfa を用いることができない環境では、プロトロンビン複合体製剤高用量（50 IU/kg）投与を考慮するとされている[6]。

抗血小板薬関連脳出血に対する血小板輸血の観察研究では有用性の一貫性がなかったが、主としてシクロオキシゲナーゼ阻害薬アスピリン単剤服用患者を対象とした RCT（PATCH）では、標準治療に対する血小板輸血は機能転帰改善に無効で、予後不良や有害事象発現と関連した[13]。

注射抗血栓薬に関連した脳出血に関して、質の高い有効性が確立した中和薬はない。未分画ヘパリン投与中の脳出血に関しては、薬理作用から有効性が期待できる硫酸プロタミンの投与を考慮しても良い[14]。

血栓溶解薬関連脳出血に関しては、血栓溶解薬投与後にフィブリノゲン低下や、PT、活性化部分トロンボプラスチン時間（activated partial thromboplastin time：APTT）の延長などの血液凝固異常を来すことがあるため、凝固線溶系の評価を行い、必要に応じて血液製剤を用いて血液凝固異常の是正を考慮しても良い[15, 16]。

〔引用文献〕

1) Kuramatsu JB, Gerner ST, Schellinger PD, et al. Anticoagulant reversal, blood pressure levels, and anticoagulant resumption in patients with anticoagulation-related intracerebral hemorrhage. JAMA 2015; 313: 824-836.（レベル 3）

2) Pan R, Cheng J, Lai K, et al. Efficacy and safety of prothrombin complex concentrate for vitamin K antagonist-associated intracranial hemorrhage: a systematic review and meta-analysis. Neurol Sci 2019; 40: 813-827.（レベル 3）

3) Steiner T, Poli S, Griebe M, et al. Fresh frozen plasma versus prothrombin complex concentrate in patients with intracranial haemorrhage related to vitamin K antagonists (INCH): a randomised trial. Lancet Neurol 2016; 15: 566-573.（レベル 2）

4) Rivosecchi RM, Durkin J, Okonkwo DO, et al. Safety and Efficacy of Warfarin Reversal with Four-Factor Prothrombin Complex Concentrate for Subtherapeutic INR in Intracerebral Hemorrhage. Neurocrit Care 2016; 25: 359-364.（レベル 3）

5) Zemrak WR, Smith KE, Rolfe SS, et al. Low-dose Prothrombin Complex Concentrate for Warfarin-Associated Intracranial Hemorrhage with INR Less Than 2.0. Neurocrit Care 2017; 27: 334-340.（レベル 4）

6) Ahmed N, Audebert H, Turc G, et al. Consensus statements and recommendations from the ESO–Karolinska Stroke Update Conference, Stockholm 11-13 November 2018. Eur Stroke J 2019; 4: 307-317.（レベル 5）

7) Hemphill JC 3rd, Greenberg SM, Anderson CS, et al. Guidelines for the Management of Spontaneous Intracerebral Hemorrhage: A Guideline for Healthcare Professionals From the American Heart Association/American Stroke Association. Stroke 2015; 46: 2032-2060.（レベル 5）

8) Yasaka M, Sakata T, Minematsu K, et al. Correction of INR by prothrombin complex concentrate and vitamin K in patients with warfarin related hemorrhagic complication. Thromb Res 2002; 108: 25-30.（レベル 4）

9) Sin JH, Berger K, Lesch CA. Four-factor prothrombin complex concentrate for life-threatening bleeds or emergent surgery: A retrospective evaluation. J Crit Care 2016; 36: 166-172.（レベル 4）

10) Pollack CV Jr, Reilly PA, van Ryn J, et al. Idarucizumab for Dabigatran Reversal - Full Cohort Analysis. N Engl J Med 2017; 377: 431-441.（レベル 4）

11) Connolly SJ, Crowther M, Eikelboom JW, et al. Full Study Report of Andexanet Alfa for Bleeding Associated with Factor Xa Inhibitors. N Engl J Med 2019; 380: 1326-1335.（レベル 4）

12) Gerner ST, Kuramatsu JB, Sembill JA, et al. Association of prothrombin complex concentrate administration and hematoma enlargement in non-vitamin K antagonist oral anticoagulant-related intracerebral hemorrhage. Ann Neurol 2018; 83: 186-196.（レベル 3）

13) Baharoglu MI, Cordonnier C, Al-Shahi Salman R, et al. Platelet transfusion versus standard care after acute stroke due to spontaneous cerebral haemorrhage associated with antiplatelet therapy (PATCH): a randomised, open-label, phase 3 trial. Lancet 2016; 387: 2605-2613.（レベル 2）

14) Nutescu EA, Burnett A, Fanikos J, et al. Pharmacology of anticoagulants used in the treatment of venous thromboembolism. J Thromb Thrombolysis 2016; 41: 15-31.（レベル 5）

15) Yaghi S, Eisenberger A, Willey JZ. Symptomatic intracerebral hemorrhage in acute ischemic stroke after thrombolysis with intravenous recombinant tissue plasminogen activator: a review of natural history and treatment. JAMA Neurol 2014; 71: 1181-1185.（レベル 5）

16) Yaghi S, Willey JZ, Cucchiara B, et al. Treatment and Outcome of Hemorrhagic Transformation After Intravenous Alteplase in Acute Ischemic Stroke: A Scientific Statement for Healthcare Professionals From the American Heart Association/American Stroke Association. Stroke 2017; 48: e343-e361.（レベル 5）

Ⅲ 脳出血

1 脳出血の予防

脳出血の予防

推 奨

1. 高血圧症に対して降圧療法が勧められる（推奨度 A　エビデンスレベル高）。

2. 大量飲酒者への節酒および喫煙者への禁煙の指導は妥当である（推奨度 B　エビデンスレベル中）。

3. 血栓塞栓症予防において、脳出血発症リスクを考慮した抗血栓薬選択は妥当である（推奨度 B　エビデンスレベル高）。

解 説

本邦において脳出血罹患への高血圧の集団寄与割合は 76％に達し、高血圧は脳出血の最大の危険因子であった[1]。また、血圧水準と脳出血発症との間には段階的かつ連続的な正の相関があった[2,3]。降圧療法により、達成した血圧水準に応じた脳卒中発症率まで復した[4]。ゆえに脳出血予防において高血圧への是正を強く推奨できる。

飲酒は人種やその摂取量により脳卒中発症リスクは変動するが、脳出血はアルコール摂取量増加に伴い直線的に発症リスクが高まった[5]。喫煙は脳卒中発症リスクを高め、10 年以上の禁煙継続による脳卒中発症抑制が観察された[6,7]。脳出血予防の点からの無作為化試験はないが、脳卒中・循環器病予防を含め節酒や禁煙を勧めることは妥当である。

脳卒中・循環器病一次予防において抗血小板薬間の脳出血発症リスクの有意な差はなかったが、単剤投与よりも 2 剤併用は脳出血リスクを高めた[8]。心房細動における脳卒中・全身塞栓症一次予防のための抗凝固療法において脳出血発症リスクの点からは、ワルファリンよりも直接阻害型経口抗凝固薬（DOAC）が無作為化試験の副次項目評価で一貫して優位であった[9,10]。脳出血発症を鑑みて、純損益から抗血栓薬を選択することは妥当である。

〔引用文献〕

1) Fukuhara M, Arima H, Ninomiya T, et al. Impact of lower range of prehypertension on cardiovascular events in a general population: the Hisayama study. J Hypertens 2012; 30: 893-900.（レベル 2）
2) Takashima N, Ohkubo T, Miura K, et al. Long-term risk of BP values above normal for cardiovascular mortality: a 24-year observation of Japanese aged 30 to 92 years. J Hypertens 2012; 30: 2299-2309.（レベル 2）
3) Arima H, Tanizaki Y, Yonemoto K, et al. Impact of blood pressure levels on different types of stroke: the Hisayama study. J Hypertens 2009; 27: 2437-2443.（レベル 2）
4) Law MR, Morris JK, Wald NJ. Use of blood pressure lowering drugs in the prevention of cardiovascular disease: metaanalysis of 147 randomized trials in the context of expectations from prospective epidemiological studies. BMJ 2009; 338: b1665.（レベル 1）
5) Reynolds K, Lewis LB, Nolen JDL, et al. Alcohol consumption and risk of stroke. A meta-analysis. JAMA 2003; 289: 579-588.（レベル 1）
6) Iso H, Date C, Yamamoto A, et al. Smoking Cessation and mortality from cardiovascular disease among Japanese men and women. Am J Epidemiol 2005; 161: 170-179.（レベル 2）
7) Nordahl H, Osler M, Frederiksen BL, et al. Combined effects of socioeconomic position, smoking, and hypertension on risk of ischemic and hemorrhagic stroke. Stroke 2014; 45: 2582-2587.（レベル 1）
8) Gouya G, Arrich J, Wolzt M, et al. Antiplatelet treatment for prevention of cerebrovascular events in patients with vascular diseases: a systematic review and meta-analysis. Stroke 2014; 45: 492-503.（レベル 1）
9) Ruff CT, Giugliano RP, Braunwald E, et al. Comparison of the efficacy and safety of new oral anticoagulants with warfarin in patients with atrial fibrillation: a meta-analysis of randomized trials. Lancet 2014; 383: 955-962.（レベル 1）
10) Caldeira D, Barra M, Pinto FJ, et al. Intracranial hemorrhage risk with the new oral anticoagulants: a systematic review and meta-analysis. J Neurol 2015; 262: 516-522.（レベル 1）

Ⅲ 脳出血

2 高血圧性脳出血の急性期治療

2-1 血圧の管理

推奨

1. 脳出血急性期における血圧高値をできるだけ早期に収縮期血圧 140 mmHg 未満へ降圧し、7日間維持することは妥当である（推奨度 B　エビデンスレベル中）。その下限を 110 mmHg 超に維持することを考慮しても良い（推奨度 C　エビデンスレベル低）。

2. 急性腎障害を回避するためには収縮期血圧降下幅が 90 mmHg 超の強化降圧療法は勧められない（推奨度 D　エビデンスレベル中）。

3. 脳出血急性期に用いる降圧薬としては、カルシウム拮抗薬あるいは硝酸薬の微量持続静注を行うことは妥当である（推奨度 B　エビデンスレベル低）。カルシウム拮抗薬のうち、ニカルジピンを適切に用いた降圧療法を考慮しても良い（推奨度 C　エビデンスレベル低）。

4. 可能であれば、早期に経口降圧治療に切り替えることを考慮しても良い（推奨度 C　エビデンスレベル低）。

解　説

急性期脳出血患者 2,839 例を強化降圧群と標準降圧群にランダム化した試験（INTERACT2）では、90 日後の死亡と重大な機能障害（modified Rankin Scale〔mRS〕3〜6）に関して 2 群間に有意差は見られなかったものの、mRS のシフト解析では強化降圧群（目標収縮期血圧 140 mmHg 未満）で機能転帰が有意に良好であり、強化降圧の安全性も示された[1]。また、追加解析では発症から 2〜7 日目までの収縮期圧を 130〜139 mmHg で管理した群が最も転機良好であることがわかった[2]。INTERACT2 を含むシステマティックレビューでは、強化降圧群は標準降圧群と比較して、発症 24 時間後までの血腫増大は少なく、90 日後の死亡と重大な機能障害も減少傾向であった[3]。

一方で ATACH2 では、1,000 例の脳出血急性期の患者を強化降圧群と標準降圧群にランダム化したところ、90 日後の死亡と重大な機能障害（mRS 4〜6）に両群の差はなく、副次評価項目である 24 時間後の血腫増大、24 時間以内の神経症候増悪、72 時間以内の重篤な有害事象、90 日以内の死亡にも差を認めなかった[4]。

経静脈的降圧薬で 140 mmHg ないし 150 mmHg まで下げる強化降圧群と 180 mmHg 以下ないし 140〜179 mmHg まで下げる標準降圧群を比較解析した 2 つのメタ解析論文によると、強化降圧治療は標準降圧治療と比し発症 90 日後の死亡リスクには有意差が見られなかった。しかし両メタ解析は、急性期の強化降圧は安全であり、血腫拡大に関して一定の抑制効果があることを示しており、限定的な転帰改善効果はあるとしている[5,6]。

本邦からの報告では、急性期脳出血のニカルジピン静注による収縮期血圧 160 mmHg 以下への降圧療法に関する多施設共同前向き観察研究である SAMURAI-ICH で、211 例を収縮期血圧 120〜160 mmHg にコントロールした場合、発症 72 時間以内の神経症候増悪と 24 時間以内の重篤な有害事象、および 24 時間での血腫増大、90 日後の死亡と機能障害（mRS 4〜6）は、予測 90％信頼区間（CI）の下限と同等もしくは未満だったことから、安全性が示された[7]。SAMURAI-ICH のサブグループ解析では、最も血圧が低下した群において、神経症候増悪、血腫増大、転帰不良の症例が少なかった[8]。来院時 CT 撮影から降圧目標達成までの時間が早いほど血腫拡大が少なく[9]、降圧開始から 24 時間の血圧変動が 90 日後の mRS 4〜6 に関連していた[10]。血圧変動に関しては同様の結果が INTERACT2、ATACH2 のサブグループ解析で示されており[11,12]、降圧後の血圧変動への介入で転帰を改善するかもしれない。

2015 年版 American Heart Association

（AHA）/American Stroke Association（ASA）のガイドライン[13]では超急性期脳出血において、収縮期血圧150〜220 mmHgにある場合、収縮期血圧140 mmHg以下を目標とすることとある。2018年のESO-Karolinska Stroke Update Conference の声明[14]では、収縮期血圧を140 mmHg以下かつ110 mmHg超へ下げることを推奨しており、急性腎障害を合併させないために収縮期血圧の低下幅が90 mmHg超にならないように喚起している。日本高血圧学会による「高血圧治療ガイドライン2019（JSH2019）」第6章でも、脳出血急性期の降圧に伴う腎機能障害に注意を要するとあり、これはATACH2のサブグループ解析から収縮期血圧130 mmHg未満への降圧が心腎関連の臓器障害を来す可能性に注意することを喚起している[15]。収縮期血圧140 mmHg未満への降圧療法で収縮期血圧低下幅が90 mmHgを超えると急性腎障害が増加したと報告されている[16]。収縮期血圧220 mmHg超の脳出血患者に対する強化降圧で急性腎障害が多かったとの報告もある[17]。収縮期血圧140 mmHg未満への降圧でも、特に120 mmHg未満で脳虚血出現や神経学的症候増悪が多かった[18]。

　脳卒中急性期に投与する降圧薬としては、カルシウム拮抗薬であるニカルジピン、ジルチアゼムや、硝酸薬であるニトログリセリン、ニトロプルシドの微量点滴静注が推奨される[19]。

　カルシウム拮抗薬に関して、本邦ではニカルジピンは「頭蓋内出血で止血が完成していないと推定される患者、脳卒中急性期で頭蓋内圧が亢進している患者」には使用禁忌とされていたが、全国アンケート調査の結果[20]などから、2011年6月の添付文書改定においてこの内容が禁忌項目から削除された（慎重投与に変更および警告記載あり）。前述のSAMURAI-ICHやATACH2においても、ニカルジピンの安全性が示されている。

　硝酸薬は脳血管を拡張し脳血流量を増加させることが知られており[21]脳圧を亢進させると考えられるが、臨床的に転帰に影響したという報告はなく[22]、脳血流に及ぼす影響はカルシウム拮抗薬と同等であった[23]と報告されている。

　なお可能であれば、点滴治療から早期に経口治療に切り替えることを考慮する。その降圧薬としては、カルシウム拮抗薬、アンジオテンシン変換酵素（angiotensin converting enzyme：ACE）阻害薬、アンジオテンシンII受容体拮抗薬（angiotensin II receptor blocker：ARB）、利尿薬が推奨される[19]。

〔引用文献〕

1) Anderson CS, Heeley E, Huang Y, et al. Rapid blood-pressure lowering in patients with acute intracerebral hemorrhage. N Engl J Med 2013; 368: 2355-2365.（レベル2）
2) Arima H, Heeley E, Delcourt C, et al. Optimal achieved blood pressure in acute intracerebral hemorrhage: iNTERACT2. Neurology 2014; 84: 464-471.（レベル2）
3) Tsivgoulis G, Katsanos AH, Butcher KS, et al. Intensive blood pressure reduction in acute intracerebral hemorrhage: a meta-analysis. Neurology 2014; 83: 1523-1529.（レベル2）
4) Qureshi AI, Palesch YY, Barsan WG, et al. Intensive Blood-Pressure Lowering in Patients with Acute Cerebral Hemorrhage. N Engl J Med 2016; 375: 1033-1043.（レベル2）
5) Lattanzi S, Cagnetti C, Provinciali L, et al. How Should We Lower Blood Pressure after Cerebral Hemorrhage? A Systematic Review and Meta-Analysis. Cerebrovasc Dis 2017; 43: 207-213.（レベル1）
6) Boulouis G, Morotti A, Goldstein JN, et al. Intensive blood pressure lowering in patients with acute intracerebral haemorrhage: clinical outcomes and haemorrhage expansion. Systematic review and meta-analysis of randomised trials. J Neurol Neurosurg Psychiatry 2017; 88: 339-345.（レベル1）
7) Koga M, Toyoda K, Yamagami H, et al. Systolic blood pressure lowering to 160 mmHg or less using nicardipine in acute intracerebral hemorrhage: a prospective, multicenter, observational study (the Stroke Acute Management with Urgent Risk-factor Assessment and Improvement-Intracerebral Hemorrhage study). J Hypertens 2012; 30: 2357-2364.（レベル3）
8) Sakamoto Y, Koga M, Todo K, et al. Relative systolic blood pressure reduction and clinical outcomes in hyperacute intracerebral hemorrhage: the SAMURAI-ICH observational study. J Hypertens 2015; 33: 1069-1073.（レベル3）
9) Yamaguchi Y, Koga M, Sato S, et al. Early Achievement of Blood Pressure Lowering and Hematoma Growth in Acute Intracerebral Hemorrhage: Stroke Acute Management with Urgent Risk-Factor Assessment and Improvement-Intracerebral Hemorrhage Study. Cerebrovasc Dis 2018; 46: 118-124.（レベル3）
10) Tanaka E, Koga M, Kobayashi J, et al. Blood pressure variability on antihypertensive therapy in acute intracerebral hemorrhage: the Stroke Acute Management with Urgent Risk-factor Assessment and Improvement-intracerebral hemorrhage study. Stroke 2014; 45: 2275-2279.（レベル3）
11) Manning L, Hirakawa Y, Arima H, et al. Blood pressure variability and outcome after acute intracerebral haemorrhage: a post-hoc analysis of INTERACT2, a randomised controlled trial. Lancet Neurol 2014; 13: 364-373.（レベル3）
12) de Havenon A, Majersik JJ, Stoddard G, et al. Increased Blood Pressure Variability Contributes to Worse Outcome After Intracerebral Hemorrhage. Stroke 2018; 49: 1981-1984.（レベル3）
13) Hemphill JC 3rd, Greenberg SM, Anderson CS, et al. Guidelines for the Management of Spontaneous Intracerebral Hemorrhage: A Guideline for Healthcare Professionals From the American Heart Association/American Stroke Association. Stroke 2015; 46: 2032-2060.（レベル5）
14) Ahmed N, Audebert H, Turc G, et al. Consensus statements and recommendations from the ESO-Karolinska Stroke Update Conference, Stockholm 11-13 November 2018. Eur Stroke J 2019; 4: 307-317.（レベル5）
15) Toyoda K, Koga M, Yamamoto H, et al. Clinical Outcomes Depending on Acute Blood Pressure After Cerebral Hemorrhage. Ann Neurol 2019; 85: 105-113.（レベル3）
16) Burgess LG, Goyal N, Jones GM, et al. Evaluation of Acute Kidney Injury and Mortality After Intensive Blood Pressure Control in Patients With Intracerebral Hemorrhage. J Am Heart Assoc 2018; 7: e008439.（レベル3）
17) Hewgley H, Turner SC, Vandigo JE, et al. Impact of Admission Hypertension on Rates of Acute Kidney Injury in Intracerebral Hemorrhage Treated with Intensive Blood Pressure Control. Neurocrit Care 2018; 28: 344-352.（レベル3）

18) Buletko AB, Thacker T, Cho SM, et al. Cerebral ischemia and deterioration with lower blood pressure target in intracerebral hemorrhage. Neurology 2018; 91: e1058-e1066. (レベル 3)

19) Geeganage C, Bath PM. Vasoactive drugs for acute stroke. Cochrane Database Syst Rev 2010: CD002839. (レベル 2)

20) Koga M, Toyoda K, Naganuma M, et al. Nationwide survey of antihypertensive treatment for acute intracerebral hemorrhage in Japan. Hypertens Res 2009; 32: 759-764. (レベル 3)

21) 北条敦史, 中川原譲二, 武田利兵衛, 他. 高血圧性脳出血急性期例に対する Nitroglycerin の降圧効果と脳循環動態への影響について. ICU と CCU 1993；17：1101-1109. (レベル 3)

22) Bath PM, Woodhouse L, Scutt P, et al. Efficacy of nitric oxide, with or without continuing antihypertensive treatment, for management of high blood pressure in acute stroke (ENOS): a partial-factorial randomised controlled trial. Lancet 2015; 385: 617-628. (レベル 3)

23) Kuroda K, Kuwata N, Sato N, et al. Changes in cerebral blood flow accompanied with reduction of blood pressure treatment in patients with hypertensive intracerebral hemorrhages. Neurol Res 1997; 19: 169-173. (レベル 3)

Ⅲ 脳出血

2 高血圧性脳出血の急性期治療

2-2 止血薬の投与

推 奨

1. 高血圧性脳出血に対して、トラネキサム酸の投与を考慮しても良い（推奨度C　エビデンスレベル中）。

2. 血液凝固系に異常がなく、抗血栓療法とも関連しない通常の高血圧性脳出血急性期で、血液凝固因子を含めた血液製剤の投与は行うべきではない（推奨度E　エビデンスレベル高）。

解 説

メタ解析の結果、トラネキサム酸は内因性脳出血の血腫増大や転帰不良を有意に減少させるものの、出血量や神経学的症候、再出血、要手術、死亡率には影響を及ぼさなかった[1]。脳出血急性期へのトラネキサム酸の効果を検討したランダム化比較試験（TICH-2）では、90日後の機能予後、死亡に有意な改善は認められなかったが、血腫拡大と7日以内死亡に有意な減少という限定的効果と安全性を認めた[2]。

5つの第Ⅱ相試験、1つの第Ⅲ相試験からなるメタ解析において、遺伝子組み換え活性型凝固第Ⅶ因子投与により脳出血90日後の死亡および要介護状態は減少せず、むしろ血栓塞栓性の重篤な有害事象が増加する傾向にあった[3]。

〔引用文献〕

1) Huang B, Xu Q, Ye R, et al. Influence of tranexamic acid on cerebral hemorrhage: A meta-analysis of randomized controlled trials. Clin Neurol Neurosurg 2018; 171: 174-178.（レベル1）
2) Sprigg N, Flaherty K, Appleton JP, et al. Tranexamic acid for hyperacute primary IntraCerebral Haemorrhage (TICH-2): an international randomised, placebo-controlled, phase 3 superiority trial. Lancet 2018; 391: 2107-2115.（レベル2）
3) Al-Shahi SR. Haemostatic drug therapies for acute spontaneous intracerebral haemorrhage. Cochrane Database Syst Rev 2009: CD005951.（レベル1）

Ⅲ 脳出血

2 高血圧性脳出血の急性期治療

2-3 脳浮腫・頭蓋内圧亢進の管理

推奨

1. 高張グリセロール静脈内投与を、頭蓋内圧亢進を伴う脳出血急性期に行うことを考慮しても良い（推奨度C　エビデンスレベル低）。

2. マンニトール静脈内投与を、血腫や浮腫により進行性に頭蓋内圧が亢進した場合や物理的に周辺組織の圧排に随伴して臨床所見が増悪した場合に考慮しても良い（推奨度C　エビデンスレベル中）。

3. 副腎皮質ホルモンは脳出血急性期の脳浮腫治療に勧められない（推奨度D　エビデンスレベル高）。

4. 頭蓋内圧亢進に対して頭部上半身を30度挙上することを考慮しても良い（推奨度C　エビデンスレベル低）。

解説

　高張グリセロールの静脈内投与は脳浮腫を改善し、脳代謝を改善させる。高張グリセロールは頭蓋内圧亢進を伴う大きな脳出血の救命に有効であった[1,2]。脳出血急性期には高張グリセロールによる有意な効果を認めなかったとするランダム化比較試験（RCT）の報告もあり[3]、高張グリセロールの有用性に一貫性はない。

　脳出血急性期のマンニトール静脈内投与のRCTでは、1か月後死亡率と3か月後機能評価において効果を認めず[4]、メタ解析でもマンニトールの有効性は認められなかった[5,6]。しかし、マンニトール投与による重篤な有害事象との関連性はなかった[7]。進行性に頭蓋内圧が亢進した場合や物理的に周辺組織を圧排することに随伴して臨床所見が増悪した場合には安全に使用できる。

　脳出血急性期における脳浮腫・頭蓋内圧亢進に対して、副腎皮質ホルモン投与の有効性は認められなかった[8-10]。

　頭蓋内圧亢進症例ではベッドで頭部上半身を30度挙上すると、頸静脈の流出が良くなるため全身の血圧低下を来さずに有意に頭蓋内圧を低下させる効果があった[11]。しかし、脱水症例や経静脈的降圧療法中の症例では効果が増強され、過度の血圧低下に注意が必要である。

低体温療法

　小規模な症例集積研究において、脳出血急性期に8〜10日間体温を35度に保つ緩徐な低体温療法が、脳浮腫を軽減し死亡率を低下させたと報告されている[12,13]。特に発症後1〜2日の低体温療法が脳浮腫抑制に効果的である可能性が示唆されているが、転帰の改善はなかったと報告されている[14]。緩徐な低体温療法に関するRCTが進行中である[15]。

〔引用文献〕

1) 福内靖男, 平井秀幸, 伊藤圭史, 他. 高張グリセロール静脈内投与による神経疾患の治療 -1-10%（W/V）グリセロール加生理食塩液（CG-A2P）の臨床効果について. 臨床と研究　1978；55：929-937.（レベル3）

2) 後藤文男, 田崎義昭, 福内靖男, 他. 高張グリセロール静脈内投与による神経疾患の治療 -2-10%（w/v）グリセロール, 5%（w/v）フラクトース加生理食塩水（CG-A30）の臨床効果について. 臨床と研究　1978；55；2327-2335.（レベル3）

3) Yu YL, Kumana CR, Lauder IJ, et al. Treatment of acute cerebral hemorrhage with intravenous glycerol. A double-blind, placebo-controlled randomized trial. Stroke 1992; 23: 967-971.（レベル2）

4) Misra UK, Kalita J, Ranjan P, et al. Mannitol in intracerebral hemorrhage: a randomized controlled study. J Neurol Sci 2005; 234: 41-45.（レベル2）

5) Bereczki D, Liu M, Prado GF, et al. Cochrane report: A systematic review of mannitol therapy for acute ischemic stroke and cerebral parenchymal hemorrhage. Stroke 2000; 31: 2719-2722.（レベル2）

6) Bereczki D, Fekete I, Prado GF, et al. Mannitol for acute stroke. Cochrane Database Syst Rev 2007: CD001153.（レベル2）

7) Wang X, Arima H, Yang J, et al. Mannitol and Outcome in In-

脳卒中治療ガイドライン 2021　　125

tracerebral Hemorrhage: Propensity Score and Multivariable Intensive Blood Pressure Reduction in Acute Cerebral Hemorrhage Trial 2 Results. Stroke 2015; 46: 2762-2767. （レベル 3）

8) Tellez H, Bauer RB. Dexamethasone as treatment in cerebrovascular disease. 1. A controlled study in intracerebral hemorrhage. Stroke 1973; 4: 541-546. （レベル 2）

9) Poungvarin N, Bhoopat W, Viriyavejakul A, et al. Effects of dexamethasone in primary supratentorial intracerebral hemorrhage. N Engl J Med 1987; 316: 1229-1233. （レベル 2）

10) Feigin VL, Anderson N, Rinkel GJ, et al. Corticosteroids for aneurysmal subarachnoid haemorrhage and primary intracerebral haemorrhage. Cochrane Database Syst Rev 2005: CD004583. （レベル 2）

11) Ng I, Lim J, Wong HB. Effects of head posture on cerebral hemodynamics: its influences on intracranial pressure, cerebral perfusion pressure, and cerebral oxygenation. Neurosurgery 2004; 54: 593-598. （レベル 3）

12) Kollmar R, Staykov D, Dorfler A, et al. Hypothermia reduces perihemorrhagic edema after intracerebral hemorrhage. Stroke 2010; 41: 1684-1689. （レベル 4）

13) Staykov D, Wagner I, Volbers B, et al. Mild prolonged hypothermia for large intracerebral hemorrhage. Neurocrit Care 2013; 18: 178-183. （レベル 4）

14) Volbers B, Herrmann S, Willfarth W, et al. Impact of Hypothermia Initiation and Duration on Perihemorrhagic Edema Evolution After Intracerebral Hemorrhage. Stroke 2016; 47: 2249 2255. （レベル 4）

15) Kollmar R, Juettler E, Huttner HB, et al. Cooling in intracerebral hemorrhage (CINCH) trial: protocol of a randomized German-Austrian clinical trial. Int J Stroke 2012; 7: 168-172. （レベル 5）

Ⅲ 脳出血

3 高血圧性脳出血の慢性期治療

3-1　高血圧

推奨

1. 脳出血では血圧のコントロール不良例での再発が多く、慢性期では 130/80 mmHg 未満を降圧目標とすることは妥当である（推奨度B　エビデンスレベル中）。

2. 脳出血再発リスクが高い場合では 120/80 mmHg 未満を降圧目標とした、より厳格な血圧管理を行うことを考慮しても良い（推奨度C　エビデンスレベル低）。

3. 脳出血再発の高リスクを評価するにあたり、microbleeds（MBs）の合併、抗血栓薬の使用、年齢などを考慮することは妥当である（推奨度B　エビデンスレベル中）。

解　説

　高血圧性脳出血では血圧のコントロール不良例で再発が多く[1-4]、本邦の観察研究では特に拡張期血圧が 90 mmHg を超える症例での再発率が高い[1,3]。脳出血例を 11％含んだ慢性期脳血管障害を対象とした研究（PROGRESS）では、降圧治療により脳出血の再発は半減している[5]。また、脳梗塞と異なり、脳出血患者では収縮期血圧が 120 mmHg 以上であれば再発予防に降圧治療が有効で、112〜168 mmHg の到達血圧値の範囲では血圧が低値なほど脳出血の発症は少なかった[6]。また、アミロイドアンギオパチーに関連した脳出血の発症も降圧治療により著明（77％）に抑制された[7]。ラクナ梗塞を対象とした降圧治療の介入試験（SPS3）では、収縮期血圧 130 mmHg 未満を目標とした治療群で、130〜139 mmHg を目標とした群と比較して有意に（ハザード比 0.37）脳出血が減少した[8]。これを根拠に、2015 年の American Heart Association（AHA）/American Stroke Association（ASA）ガイドラインでは脳出血患者の降圧目標を 130/80 mmHg 未満として推奨している[9]。

　慢性期脳出血を対象として降圧治療の効果をみた最近の観察研究では、降圧目標 140/90 mmHg（糖尿病を有する患者では 130/80 mmHg）を遵守できなかった場合には、深部型・脳葉型とも脳出血の再発リスクが高くなり、120〜139/80〜89 mmHg であっても 120/80 mmHg 未満の正常血圧群と比べ有意に再発リスクが高かった[10]。本邦で行われた脳出血例 15％を含む脳卒中既往患者を対象とした研究（RESPECT）でも、厳格血圧管理（120/80 mmHg 未満）は通常血圧管理（140/90 mmHg 未満）と比較して脳出血の発症を顕著に（ハザード比 0.09）抑制し、脳出血予防における厳格治療の有用性が示された[11]。これらの報告を踏まえて、脳出血患者の降圧目標を 130/80 mmHg 未満に、厳格降圧目標を 120/80 mmHg 未満として推奨した。

　脳出血の再発予防にあたっては再発リスクの評価が重要である。脳出血患者では microbleeds（MBs）の合併が高頻度に認められ、MBs の存在と数は脳出血再発の重要なリスク因子である[12-15]。MBs の出現には高血圧と年齢が関連し、糖尿病、低コレステロール血症、スタチン投与、腎機能障害などとの関連も示唆されている[16-21]。抗血栓薬については、抗血小板薬やワルファリンを服用している患者では MBs が多く認められ、抗血栓薬投与中の患者における MBs の存在は脳出血発症の危険性をさらに高める可能性が示されている[22]。アジア人では欧米人と比較して MBs が脳出血の発症により強く寄与することが示されており[23]、特に本邦では寄与率が著明（ハザード比 50.2）であるため[24]、MBs 合併例は抗血栓治療例と同様に脳出血再発高リスク群として層別化することが妥当であり、高血圧に対して厳格管理が必要である。

〔引用文献〕

1) Irie K, Yamaguchi T, Minematsu K, et al. The J-curve phenomenon in stroke recurrence. Stroke 1993; 24: 1844-1849.（レベル 3）

2) Passero S, Burgalassi L, D'Andrea P, et al. Recurrence of bleed-

ing in patients with primary intracerebral hemorrhage. Stroke 1995; 26: 1189-1192. （レベル 3）

3) Arakawa S, Saku Y, Ibayashi S, et al. Blood pressure control and recurrence of hypertensive brain hemorrhage. Stroke 1998; 29: 1806-1809. （レベル 4）

4) Bae H, Jeong D, Doh J, et al. Recurrence of bleeding in patients with hypertensive intracerebral hemorrhage. Cerebrovasc Dis 1999; 9: 102-108. （レベル 3）

5) Chapman N, Huxley R, Anderson C, et al. Effects of a perindopril-based blood pressure-lowering regimen on the risk of recurrent stroke according to stroke subtype and medical history: the PROGRESS Trial. Stroke 2004; 35: 116-121. （レベル 3）

6) Arima H, Chalmers J, Woodward M, et al. Lower target blood pressures are safe and effective for the prevention of recurrent stroke: the PROGRESS trial. J Hypertens 2006; 24: 1201-1208. （レベル 3）

7) Arima H, Tzourio C, Anderson C, et al. Effects of perindopril-based lowering of blood pressure on intracerebral hemorrhage related to amyloid angiopathy: the PROGRESS trial. Stroke 2010; 41: 394-396. （レベル 3）

8) Benavente OR, Coffey CS, Conwit R, et al. Blood-pressure targets in patients with recent lacunar stroke: The SPS3 randomised trial. Lancet 2013; 382: 507-515. （レベル 2）

9) Hemphill JC 3rd, Greenberg SM, Anderson CS, et al. Guidelines for the Management of Spontaneous Intracerebral Hemorrhage: A Guideline for Healthcare Professionals From the American Heart Association/American Stroke Association. Stroke 2015; 46: 2032-2060. （レベル 5）

10) Biffi A, Anderson CD, Battey TW, et al. Association Between Blood Pressure Control and Risk of Recurrent Intracerebral Hemorrhage. JAMA 2015; 314: 904-912. （レベル 3）

11) Kitagawa K, Yamamoto Y, Arima H, et al. Effect of Standard vs Intensive Blood Pressure Control on the Risk of Recurrent Stroke: a Randomized Clinical Trial and Meta-analysis. JAMA Neurol 2019; 76: 1309-1318. （レベル 3）

12) Jeon SB, Kang DW, Cho AH, et al. Initial microbleeds at MR imaging can predict recurrent intracerebral hemorrhage. J Neurol 2007; 254: 508-512. （レベル 3）

13) Sueda Y, Naka H, Ohtsuki T, et al. Positional relationship between recurrent intracerebral hemorrhage/ lacunar infarction and previously detected microbleeds. AJNR Am J Neuroradiol 2010; 31: 1498-1503. （レベル 4）

14) Charidimou A, Imaizumi T, Moulin S, et al. Brain hemorrhage recurrence, small vessel disease type, and cerebral microbleeds: A meta-analysis. Neurology 2017; 89: 820-829. （レベル 1）

15) Charidimou A, Shams S, Romero JR, et al. Clinical significance of cerebral microbleeds on MRI: A comprehensive meta-analysis of risk of intracerebral hemorrhage, ischemic stroke, mortality, and dementia in cohort studies (v1). Int J Stroke 2018; 13: 454-468. （レベル 2）

16) Cordonnier C, Al-Shahi Salman R, Wardlaw J. Spontaneous brain microbleeds: systematic review, subgroup analyses and standards for study design and reporting. Brain 2007; 130: 1988-2003. （レベル 4）

17) Lee SH, Bae HJ, Yoon BW, et al. Low concentration of serum total cholesterol is associated with multifocal signal loss lesions on gradient-echo magnetic resonance imaging: analysis of risk factors for multifocal signal loss lesions. Stroke 2002; 33: 2845-2849. （レベル 4）

18) Ovbiagele B, Wing JJ, Menon RS, et al. Association of chronic kidney disease with cerebral microbleeds in patients with primary intracerebral hemorrhage. Stroke 2013; 44: 2409-2413. （レベル 4）

19) Mackey J, Wing JJ, Norato G, et al. High rate of microbleed formation following primary intracerebral hemorrhage. Int J Stroke 2015; 10: 1187-1191. （レベル 3）

20) Haussen DC, Henninger N, Kumar S, et al. Statin use and microbleeds in patients with spontaneous intracerebral hemorrhage. Stroke 2012; 43: 2677-2681. （レベル 3）

21) Goldstein LB, Amarenco P, Szarek M, et al. Hennerici M, Sillesen H, et al. Hemorrhagic stroke in the Stroke Prevention by Aggressive Reduction in Cholesterol Levels study. Neurology 2008; 70: 2364-2370. （レベル 3）

22) Lovelock CE, Cordonnier C, Naka H, et al. Antithrombotic drug use, cerebral microbleeds, and intracerebral hemorrhage: a systematic review of published and unpublished studies. Stroke 2010; 41: 1222-1228. （レベル 2）

23) Charidimou A, Kakar P, Fox Z, et al. Cerebral microbleeds and recurrent stroke risk: systematic review and metaanalysis of prospective ischemic stroke and transient ischemic attack cohorts. Stroke 2013; 44: 995-1001. （レベル 2）

24) Bokura H, Saika R, Yamaguchi T, et al. Microbleeds are associated with subsequent hemorrhagic and ischemic stroke in healthy elderly individuals. Stroke 2011; 42: 1867-1871. （レベル 3）

Ⅲ 脳出血

4 高血圧性脳出血の手術適応

4-1 開頭手術、神経内視鏡手術

推奨

1. 脳出血の部位に関係なく、血腫量 10 mL 未満の小出血または神経学的所見が軽度な症例は手術を行わないよう勧められる（推奨度 E　エビデンスレベル中）。また、意識レベルが深昏睡（Japan Coma Scale〔JCS〕300）の症例に対する血腫除去術は勧められない（推奨度 D　エビデンスレベル低）。

2. 脳内出血あるいは脳室内出血の外科的治療に関しては、神経内視鏡手術あるいは定位的血腫除去術を考慮しても良い（推奨度 C　エビデンスレベル中）。

3. 被殻出血：神経学的所見が中等症、血腫量が 31 mL 以上でかつ血腫による圧迫所見が高度な被殻出血では血腫除去術を考慮しても良い（推奨度 C　エビデンスレベル中）。JCS 20〜30 程度の意識障害を伴う場合は、定位的血腫除去術を行うことは妥当であり（推奨度 B　エビデンスレベル中）、開頭血腫除去術や神経内視鏡手術を考慮しても良い（推奨度 C　エビデンスレベル中）。

4. 視床出血：急性期の治療として血腫除去術は勧められない（推奨度 D　エビデンスレベル低）。

5. 皮質下出血：脳表からの深さが 1 cm 以下のものでは手術を考慮しても良い（推奨度 C　エビデンスレベル中）。

6. 小脳出血：最大径が 3 cm 以上の小脳出血で神経学的症候が増悪している場合、または小脳出血が脳幹を圧迫し閉塞性水頭症を来している場合には、血腫除去術を行うことは妥当である（推奨度 B　エビデンスレベル低）。

7. 脳幹出血：急性期の血腫除去術は勧められない（推奨度 D　エビデンスレベル低）。

8. 脳室内出血、閉塞性水頭症が疑われるものは、脳室ドレナージ術を行うことは妥当である（推奨度 B　エビデンスレベル中）。血腫除去を目的とする血栓溶解薬の脳室内投与を考慮しても良い（推奨度 C　エビデンスレベル中）。

解　説

　脳出血急性期手術に関する初めての大規模国際多施設共同ランダム化比較試験（RCT）であるSTICH[1]が 2005 年に報告され、テント上脳出血のうち最大径≧2 cm かつ Glasgow Coma Scale（GCS）5 点以上の症例に対する早期手術治療と保存的治療では、死亡率、modified Rankin Scale（mRS）、Barthel Index（BI）のいずれも差は認められなかった。テント上脳内出血に関する 2008 年のコクランレビュー[2]では、テント上脳内出血に対する外科治療は、死亡あるいは介助が必要な状態を有意に減少させると報告している。2012 年のメタ解析[3]では、発症 8 時間以内の早期手術、血腫量

20〜49 mL、GCS≧9、年齢 50〜69 歳の患者グループでは外科治療の有効性が示された。STICHにおいて、良好な転帰をとる傾向にあった患者群（血腫が脳表から 1 cm 以内、血腫量 10〜100 mL、発症 48 時間以内、GCS E 2 点以上 M 5 点以上）を対象に行った RCT（STICH Ⅱ）[4]においては、早期手術群と初期保存的治療群の転帰に差を認めず、STICH Ⅱを含めたメタ解析[4]では外科治療の有効性を認めたが、異なる患者グループや手術方法のための不均一性が示唆された。2005 年から 2015 年までのメタ解析[5]では、手術により死亡ないし非自立を低減する傾向がみられ、手術の有効性を示すエビデンスが十分とは言えないが STICH の結果を考慮して脳表に近い血腫の手術が有効であることが示

脳卒中治療ガイドライン 2021　129

された。2014 年の European Stroke Organisation（ESO）のガイドライン[6]では、テント上脳出血に対する外科的血腫除去の有効性、脳室ドレナージの適応、脳室ドレナージと血栓溶解薬投与の併用については明らかなエビデンスはないと述べている。2015 年の American Heart Association（AHA）/ American Stroke Association（ASA）のガイドライン[7]では、テント上脳出血に対する救命目的以外の外科的処置の有効性は明らかではなく、水頭症に対する脳室ドレナージは中等度の推奨としている。

テント上脳出血に対する開頭手術では、被殻出血および皮質下出血で、血腫量 30 mL 以上の急性期開頭血腫除去術の有効性が示されている報告[8]がある一方で、被殻出血に対する開頭手術の有効性はないとする報告もみられる[9]。1990 年の日本の全国調査においては、重症例の救命目的での手術のみ有効であることが示され[10]、他の報告では血腫量が 31 mL 以上で圧迫症状がみられる患者において手術の効果が示唆された[11-14]。視床出血においては、重症例に対する血腫除去や脳室ドレナージによる生命予後の改善を示唆する報告があるが[15,16]、手術による機能予後の改善を示すエビデンスレベルの高い報告はない。小脳出血については、血腫が大きく（最大径 3 cm 以上）進行性で脳幹を圧迫し水頭症を併発している症例に対する血腫除去術や、血腫溶解療法を併用した脳室ドレナージ術の有効性が示されている[17-28]。前述の 2015 年 AHA/ASA ガイドライン[7]では、小脳出血で神経学的に悪化傾向であるもの、脳幹への圧迫もしくは閉塞性水頭症があるものに対しては可及的早期に血腫除去を行うことを勧めており（Class I、Level of Evidence B）、脳室ドレナージのみの初期治療は推奨していない。脳幹出血においては、手術治療の無効性が報告されている[18,29]。脳出血に対する減圧開頭術に関しては、有効性に関する一貫した報告は認められていない[30-34]。

低侵襲手術としては、定位的血腫除去術、血腫溶解療法、神経内視鏡手術、超音波誘導定位的手術、ナビゲーション併用手術などの有用性が報告されている[35-77]。テント上脳出血に対するメタ解析においては、低侵襲手術、開頭手術、内科的治療が比較され、特定の患者グループ（20〜80 歳、GCS9 点以上、血腫量 25〜40 mL、発症から 72 時間以内の治療開始）においては低侵襲手術の有効性が示唆され[78]、開頭術と比較して低侵襲手術は死亡率や再出血が低く予後良好であると述べられている[79]。

神経内視鏡手術と内科治療を比較した 1989 年の RCT においては、皮質下出血についてのみ転帰の改善を認めている[3]。その後の報告で、脳内出血、脳室内出血に対する内視鏡手術は、少数例の研究であるが有効性が示されているものが多い[40,43-46,51,53,56-58,60,66,72]。

定位的血腫除去術と血腫腔内ウロキナーゼ投与併用の有効性を評価した SICHPA[80]を含むメタ解析において[81]、定位的血腫除去術の明らかな優位性は認められなかったが、サブグループ解析では、血腫体積が 50 mL 未満の患者において転帰の改善がみられた。本邦からは、意識レベルが中等度（Japan Coma Scale〔JCS〕20〜30）に障害された被殻出血においては、定位的手術が内科的治療と比較して 1 年後の死亡率と機能予後の改善が示された[82]。

カテーテル血腫腔内留置と tissue plasminogen activator（t-PA）血腫腔内投与を併用した低侵襲手術の大規模 RCT である MISTIE III では、t-PA 血腫腔内投与の安全性を示したが、機能予後の改善は示されなかった[83,84]。MISTIE III のサブグループ解析では、残存血腫量 15 mL 以下、もしくは 70 % 以上の血腫量減少が予後良好（mRS 0〜3）で、残存血腫 30 mL 以下もしくは 53 % 以上の血腫量減少が死亡率を下げる因子であることが示された[85]。

脳室内出血においては、急性水頭症が疑われる場合には脳室ドレナージを考慮すべきであるが[86-90]、脳室ドレナージや脳室内血腫除去の有効性に関する一貫した報告はみられていない。2002 年のコクランレビューでは脳室内への線溶薬投与の有効性と安全性を評価しうるだけの研究はないとされたが[91]、その後、脳室内出血を伴う基底核出血に対する t-PA 併用脳室ドレナージの有効性や安全性[92,93]が示され、2011 年のメタ解析においては脳室内血腫溶解療法（t-PA あるいはウロキナーゼ）の有効性を示した[94]。脳内出血が小さく脳室内出血で水頭症を併発している症例に対する t-PA 併用脳室ドレナージの有効性を示すことを目的とした国際多施設大規模 RCT である CLEAR III では、t-PA 脳室内投与の安全性は示されたが予後の改善はみられなかった[95-97]。

〔引用文献〕

1）Mendelow AD, Gregson BA, Fernandes HM, et al. Early surgery versus initial conservative treatment in patients with spontaneous supratentorial intracerebral haematomas in the International Surgical Trial in Intracerebral Haemorrhage (STICH): a randomised trial. Lancet 2005; 365: 387-397.（レベル 2）

2) Prasad K, Mendelow AD, Gregson B. Surgery for primary supratentorial intracerebral haemorrhage. Cochrane Database Syst Rev 2008: CD000200.（レベル 1）

3) Gregson BA, Broderick JP, Auer LM, et al. Individual patient data subgroup meta-analysis of surgery for spontaneous supratentorial intracerebral hemorrhage. Stroke 2012; 43: 1496-1504.（レベル 2）

4) Mendelow AD, Gregson BA, Rowan EN, et al. Early surgery versus initial conservative treatment in patients with spontaneous supratentorial lobar intracerebral haematomas (STICH II): a randomised trial. Lancet 2013; 382: 397-408.（レベル 2）

5) Akhigbe T, Zolnourian A. Role of surgery in the management of patients with supratentorial spontaneous intracerebral hematoma: Critical appraisal of evidence. J Clin Neurosci 2017; 39: 35-38.（レベル 1）

6) Steiner T, Al-Shahi Salman R, Beer R, et al. European Stroke Organisation (ESO) guidelines for the management of spontaneous intracerebral hemorrhage. Int J Stroke 2014; 9: 840-855.（レベル 1）

7) Hemphill JC 3rd, Greenberg SM, Anderson CS, et al. Guidelines for the Management of Spontaneous Intracerebral Hemorrhage: A Guideline for Healthcare Professionals From the American Heart Association/American Stroke Association. Stroke 2015; 46: 2032-2060.（レベル 5）

8) Pantazis G, Tsitsopoulos P, Mihas C, et al. Early surgical treatment vs conservative management for spontaneous supratentorial intracerebral haematomas: a prospective randomized study. Surg Neurol 2006; 66: 492-502.（レベル 2）

9) Batjer HH, Reisch JS, Allen BC, et al. Failure of surgery to improve outcome in hypertensive putaminal hemorrhage. A prospective randomized trial. Arch Neurol 1990; 47: 1103-1106.（レベル 2）

10) 金谷春之. 高血圧性脳出血の治療の現況　全国調査の成績より. 脳卒中　1990；12：509-524.（レベル 4）

11) Waga S, Yamamoto Y. Hypertensive putaminal hemorrhage: treatment and results. Is surgical treatment superior to conservative one? Stroke 1983; 14: 480-485.（レベル 4）

12) Fujitsu K, Muramoto M, Ikeda Y, et al. Indications for surgical treatment of putaminal hemorrhage. Comparative study based on serial CT and time- course analysis. J Neurosurg 1990; 73: 518-525.（レベル 4）

13) Niizuma H, Shimizu Y, Yonemitsu T, et al. Results of stereotactic aspiration in 175 cases of putaminal hemorrhage. Neurosurgery 1989; 24: 814-819.（レベル 4）

14) 慶応脳血管障害共同研究グループ. 脳血管障害の治療と予後に関する多施設共同研究，第 1 報　被殻出血. 脳卒中　1990；12：493-500.（レベル 4）

15) 慶応脳血管障害共同研究グループ. 脳血管障害の治療と予後に関する多施設共同研究，第 2 報　視床出血. 脳卒中　1992；14：72-78.（レベル 4）

16) Zhang HT, Shang AJ, He BJ, et al. Transsylvian-transinsular approach to large lateral thalamus hemorrhages. J Craniofac Surg 2015; 26: e98-e102.（レベル 4）

17) van Loon J, Van Calenbergh F, Goffin J, et al. Controversies in the management of spontaneous cerebellar haemorrhage. A consecutive series of 49 cases and review of the literature. Acta Neurochir (Wien) 1993; 122: 187-193.（レベル 4）

18) Da Pian R, Bazzan A, Pasqualin A. Surgical versus medical treatment of spontaneous posterior fossa haematomas: a cooperative study on 205 cases. Neurol Res 1984; 6: 145-151.（レベル 4）

19) Koziarski A, Frankiewicz E. Medical and surgical treatment of intracerebellar haematomas. Acta Neurochir (Wien) 1991; 110: 24-28.（レベル 4）

20) Mathew P, Teasdale G, Bannan A, et al. Neurosurgical management of cerebellar haematoma and infarct. J Neurol Neurosurg Psychiatry 1995; 59: 287-292.（レベル 4）

21) 横手英義，駒井則彦，中井易二，他. 高血圧性小脳出血に対する定位的血腫溶解排除術の臨床効果. Neurological Surgery 1989；17：421-426.（レベル 4）

22) 慶応脳血管障害共同研究グループ. 脳血管障害の治療と予後に関する多施設共同研究，第 3 報　小脳出血. 脳卒中　1992；14：487-494.（レベル 4）

23) Morioka J, Fujii M, Kato S, et al. Surgery for spontaneous intracerebral hemorrhage has greater remedial value than conservative therapy. Surg Neurol 2006; 65: 67-73.（レベル 4）

24) Kirollos RW, Tyagi AK, Ross SA, et al. Management of spontaneous cerebellar hematomas: a prospective treatment protocol. Neurosurgery 2001; 49: 1378-1387.（レベル 4）

25) Zhang J, Wang L, Xiong Z, et al. A treatment option for severe cerebellar hemorrhage with ventricular extension in elderly patients: intraventricular fibrinolysis. J Neurol 2014; 261: 324-329.（レベル 4）

26) Luney MS, English SW, Longworth A, et al. Acute Posterior Cranial Fossa Hemorrhage-Is Surgical Decompression Better than Expectant Medical Management? Neurocrit Care 2016; 25: 365-370.（レベル 4）

27) Hackenberg KA, Unterberg AW, Jung CS, et al. Does suboccipital decompression and evacuation of intraparenchymal hematoma improve neurological outcome in patients with spontaneous cerebellar hemorrhage? Clin Neurol Neurosurg 2017; 155: 22-29.（レベル 4）

28) Kuramatsu JB, Biffi A, Gerner ST, et al. Association of Surgical Hematoma Evacuation vs Conservative Treatment With Functional Outcome in Patients With Cerebellar Intracerebral Hemorrhage. JAMA 2019; 322: 1392-1403.（レベル 3）

29) 慶応脳血管障害共同研究グループ. 脳血管障害の治療と予後に関する多施設共同研究，第 4 報　橋出血. 脳卒中　1993；15：310-316.（レベル 4）

30) Fung C, Murek M, Klinger-Gratz PP, et al. Effect of Decompressive Craniectomy on Perihematomal Edema in Patients with Intracerebral Hemorrhage. PLoS One 2016; 11: e0149169.（レベル 4）

31) Moussa WM, Khedr W. Decompressive craniectomy and expansive duraplasty with evacuation of hypertensive intracerebral hematoma, a randomized controlled trial. Neurosurg Rev 2017; 40: 115-127.（レベル 3）

32) Hadjiathanasiou A, Schuss P, Ilic I, et al. Decompressive craniectomy for intracerebral haematoma: the influence of additional haematoma evacuation. Neurosurg Rev 2018; 41: 649-654.（レベル 4）

33) Kim DB, Park SK, Moon BH, et al. Comparison of craniotomy and decompressive craniectomy in large supratentorial intracerebral hemorrhage. J Clin Neurosci 2018; 50: 208-213.（レベル 4）

34) Zhao Z, Wang H, Li Z, et al. Assessment of the effect of short-term factors on surgical treatments for hypertensive intracerebral haemorrhage. Clin Neurol Neurosurg 2016; 150: 67-71.（レベル 3）

35) Auer LM, Deinsberger W, Niederkorn K, et al. Endoscopic surgery versus medical treatment for spontaneous intracerebral hematoma: a randomized study. J Neurosurg 1989; 70: 530-535.（レベル 4）

36) Zuccarello M, Brott T, Derex L, et al. Early surgical treatment for supratentorial intracerebral hemorrhage: a randomized feasibility study. Stroke 1999; 30: 1833-1839.（レベル 2）

37) Teernstra OP, Evers SM, Lodder J, et al. Stereotactic treatment of intracerebral hematoma by means of a plasminogen activator: a multicenter randomized controlled trial (SICHPA). Stroke 2003; 34: 968-974.（レベル 2）

38) Wang WZ, Jiang B, Liu HM, et al. Minimally invasive craniopuncture therapy vs. conservative treatment for spontaneous intracerebral hemorrhage: results from a randomized clinical trial in China. Int J Stroke 2009; 4: 11-16.（レベル 2）

39) Hattori N, Katayama Y, Maya Y, et al. Impact of stereotactic hematoma evacuation on activities of daily living during the chronic period following spontaneous putaminal hemorrhage: a randomized study. J Neurosurg 2004; 101: 417-420（レベル 2）

40) Nishihara T, Morita A, Teraoka A, et al. Endoscopyguided removal of spontaneous intracerebral hemorrhage: comparison with computer tomography-guided stereotactic evacuation. Childs Nerv Syst 2007; 23: 677-683.（レベル 4）

41) Carvi y Nievas MN, Haas E, Hollerhage HG, et al. Combined minimal invasive techniques in deep supratentorial intracerebral haematomas. Minim Invasive Neurosurg 2004; 47: 294-298.（レベル 4）

42) Barrett RJ, Hussain R, Coplin WM, et al. Frameless stereotactic

aspiration and thrombolysis of spontaneous intracerebral hemorrhage. Neurocrit Care 2005; 3: 237-245.（レベル 4）

43）Zhu H, Wang Z, Shi W. Keyhole endoscopic hematoma evacuation in patients. Turk Neurosurg 2012; 22: 294-299.（レベル 4）

44）山本拓史，中尾保秋，徳川城治，他．被殻出血に対する神経内視鏡の有効性．脳卒中の外科　2013；41：183-186.（レベル 4）

45）横須賀公彦，平野一宏，宮本健志，他．小脳出血における内視鏡下血腫吸引除去術の有用性．脳卒中の外科　2011；39：193-197.（レベル 4）

46）Komatsu F, Komatsu M, Wakuta N, et al. Comparison of clinical outcomes of intraventricular hematoma between neuroendoscopic removal and extraventricular drainage. Neurol Med Chir (Tokyo) 2010; 50: 972-976.（レベル 4）

47）Zhou H, Zhang Y, Liu L, et al. Minimally invasive stereotactic puncture and thrombolysis therapy improves long-term outcome after acute intracerebral hemorrhage. J Neurol 2011; 258: 661-669.（レベル 3）

48）Yan YF, Ru DW, Du JR, et al. The clinical efficacy of neuronavigation-assisted minimally invasive operation on hypertensive basal ganglia hemorrhage. Eur Rev Med Pharmacol Sci 2015; 19: 2614-2620.（レベル 4）

49）Miao ZL, Jiang L, Xu X, et al. Microsurgical treatment assisted by intraoperative ultrasound localization: a controlled trial in patients with hypertensive basal ganglia hemorrhage. Br J Neurosurg 2014; 28: 478-482.（レベル 2）

50）Yang Z, Hong B, Jia Z, et al. Treatment of supratentorial spontaneous intracerebral hemorrhage using image-guided minimally invasive surgery: Initial experiences of a flat detector CT-based puncture planning and navigation system in the angiographic suite. AJNR Am J Neuroradiol 2014; 35: 2170-2175.（レベル 4）

51）Li Y, Yang R, Li Z, et al. Surgical Evacuation of Spontaneous Supratentorial Lobar Intracerebral Hemorrhage: Comparison of Safety and Efficacy of Stereotactic Aspiration, Endoscopic Surgery, and Craniotomy. World Neurosurg 2017; 105: 332-340.（レベル 3）

52）Vespa P, Hanley D, Betz J, et al. ICES (Intraoperative Stereotactic Computed Tomography-Guided Endoscopic Surgery) for Brain Hemorrhage: A Multicenter Randomized Controlled Trial. Stroke 2016; 47: 2749-2755.（レベル 2）

53）Ye Z, Ai X, Hu X, et al. Comparison of neuroendoscopic surgery and craniotomy for supratentorial hypertensive intracerebral hemorrhage: A meta-analysis. Medicine (Baltimore) 2017; 96: e7876.（レベル 3）

54）Xu F, Lian L, Liang Q, et al. Extensive basal ganglia hematomas treated by local thrombolysis versus conservative management - a comparative retrospective analysis. Br J Neurosurg 2016; 30: 401-406.（レベル 4）

55）Staykov D, Kuramatsu JB, Bardutzky J, et al. Efficacy and safety of combined intraventricular fibrinolysis with lumbar drainage for prevention of permanent shunt dependency after intracerebral hemorrhage with severe ventricular involvement: A randomized trial and individual patient data meta-analysis. Ann Neurol 2017; 81: 93-103.（レベル 2）

56）高砂浩史，小野元，伊藤英道，他．脳室内血腫に対する神経内視鏡下血腫除去術と脳室ドレナージ術の比較．脳卒中　2016；38：313-318.（レベル 4）

57）Fu C, Wang N, Chen B, et al. Surgical Management of Moderate Basal Ganglia Intracerebral Hemorrhage: Comparison of Safety and Efficacy of Endoscopic Surgery, Minimally Invasive Puncture and Drainage, and Craniotomy. World Neurosurg 2019; 122: e995-e1001.（レベル 3）

58）Eroglu U, Kahilogullari G, Dogan I, et al. Surgical Management of Supratentorial Intracerebral Hemorrhages: Endoscopic Versus Open Surgery. World Neurosurg 2018; 114: e60-e65.（レベル 4）

59）Yang XT, Feng DF, Zhao L, et al. Application of the Ommaya Reservoir in Managing Ventricular Hemorrhage. World Neurosurg 2016; 89: 93-100.（レベル 4）

60）Feng Y, He J, Liu B, et al. Endoscope-Assisted Keyhole Technique for Hypertensive Cerebral Hemorrhage in Elderly Patients: A Randomized Controlled Study in 184 Patients. Turk Neurosurg 2016; 26: 84-89.（レベル 2）

61）Liang KS, Ding J, Yin CB, et al. Clinical study on minimally invasive liquefaction and drainage of intracerebral hematoma in the treatment of hypertensive putamen hemorrhage. Technol Health Care 2017; 25: 1061-1071.（レベル 3）

62）Zhang J, Lu S, Wang S, et al. Comparison and analysis of the efficacy and safety of minimally invasive surgery and craniotomy in the treatment of hypertensive intracerebral hemorrhage. Pak J Med Sci 2018; 34: 578-582.（レベル 3）

63）Fiorella D, Arthur AS, Mocco JD. 305 The INVEST Trial: a Randomized, Controlled Trial to Investigate the Safety and Efficacy of Image-Guided Minimally Invasive Endoscopic Surgery With Apollo vs Best Medical Management for Supratentorial Intracerebral Hemorrhage. Neurosurgery 2016; 63: 187.（レベル 2）

64）Jeong JH, Chang JY, Chung I, et al. Minimally invasive surgery vs. medical treatment for hypertensive basal ganglia intracerebral hemorrhage. Neurocrit Care 2017; 27: S148.（レベル 4）

65）Yang J, Li W, Hu X, et al. Diffusion tensor imaging-guided cuboid stereotactic catheter surgery for patients with lateral internal capsule hemorrhage: a randomised controlled trial. Int J Stroke 2018; 13: 234.（レベル 2）

66）Xu X, Chen X, Li F, et al. Effectiveness of endoscopic surgery for supratentorial hypertensive intracerebral hemorrhage: a comparison with craniotomy. J Neurosurg 2018; 128: 553-559.（レベル 4）

67）Sujijantarat N, Tecle NE, Pierson M, et al. Trans-Sulcal Endoport-Assisted Evacuation of Supratentorial Intracerebral Hemorrhage: Initial Single-Institution Experience Compared to Matched Medically Managed Patients and Effect on 30-Day Mortality. Oper Neurosurg (Hagerstown) 2018; 14: 524-531.（レベル 4）

68）Goyal N, Tsivgoulis G, Malhotra K, et al. Minimally invasive endoscopic hematoma evacuation vs best medical management for spontaneous basal-ganglia intracerebral hemorrhage. J Neurointerv Surg 2019; 11: 579-583.（レベル 3）

69）Goyal N, Tsivgoulis G, Malhotra K, et al. Minimally invasive endoscopic hematoma evacuation vs. best medical management for spontaneous basal ganglia intracerebral hemorrhage. Stroke 2019; 50: ATP436.（レベル 3）

70）Xia L, Han Q, Ni XY, et al. Different Techniques of Minimally Invasive Craniopuncture for the Treatment of Hypertensive Intracerebral Hemorrhage. World Neurosurg 2019; 126: e888-e894.（レベル 4）

71）Kim CH, Choi JH, Park HS. Safety and Efficacy of Minimally Invasive Stereotactic Aspiration With Multicatheter Insertion Compared with Conventional Craniotomy for Large Spontaneous Intracerebral Hemorrhage (. gtoreq. 50 mL). World Neurosurg 2019; 128: e787-e795.（レベル 3）

72）Jianhua X, Zhenying H, Bingbing L, et al. Comparison of Surgical Outcomes and Recovery of Neurologic and Linguistic Functions in the Dominant Hemisphere After Basal Ganglia Hematoma Evacuation by Craniotomy versus Endoscopy. World Neurosurg 2019; 129: e494-e501.（レベル 4）

73）Cho DY, Chen CC, Chang CS, et al. Endoscopic surgery for spontaneous basal ganglia hemorrhage: comparing endoscopic surgery, stereotactic aspiration, and craniotomy in noncomatose patients. Surg Neurol 2006; 65: 547-555.（レベル 2）

74）Zhou H, Zhang Y, Liu L, et al. A prospective controlled study: minimally invasive stereotactic puncture therapy versus conventional craniotomy in the treatment of acute intracerebral hemorrhage. BMC Neurol 2011; 11: 76.（レベル 2）

75）Sun H, Liu H, Li D, et al. An effective treatment for cerebral hemorrhage: minimally invasive craniopuncture combined with urokinase infusion therapy. Neurol Res 2010; 32: 371-377.（レベル 2）

76）Kim YZ, Kim KH. Even in patients with a small hemorrhagic volume, stereotactic guided evacuation of spontaneous intracerebral hemorrhage improves functional outcome. J Korean Neurosurg Soc 2009; 46: 109-115.（レベル 2）

77）Miller CM, Vespa P, Saver JL, et al. Image-guided endoscopic evacuation of spontaneous intracerebral hemorrhage. Surg Neurol 2008; 69: 441-446.（レベル 4）

78）Zhou X, Chen J, Li Q, et al. Minimally invasive surgery for spontaneous supratentorial intracerebral hemorrhage: a meta-analysis of randomized controlled trials. Stroke 2012; 43: 2923-2930.（レベル 1）

79）Xia Z, Wu X, Li J, et al. Minimally Invasive Surgery is Superior to Conventional Craniotomy in Patients with Spontaneous Supratentorial Intracerebral Hemorrhage: A Systematic Review and Meta-Analysis. World Neurosurg 2018; 115: 266–273.（レベル 1）

80）Teernstra OP, Evers SM, Lodder J, et al. Stereotactic treatment of intracerebral hematoma by means of a plasminogen activator: a multicenter randomized controlled trial (SICHPA). Stroke 2003; 34: 968–974.（レベル 2）

81）Akhigbe T, Okafor U, Sattar T, et al. Stereotactic-Guided Evacuation of Spontaneous Supratentorial Intracerebral Hemorrhage: Systematic Review and Meta- Analysis. World Neurosurg 2015; 84: 451–460.（レベル 1）

82）Hattori N, Katayama Y, Maya Y, et al. Impact of stereotactic hematoma evacuation on activities of daily living during the chronic period following spontaneous putaminal hemorrhage: a randomized study. J Neurosurg 2004; 101: 417–420（レベル 2）

83）Hanley DF, Thompson RE, Muschelli J, et al. Safety and efficacy of minimally invasive surgery plus alteplase in intracerebral haemorrhage evacuation (MISTIE): a randomised, controlled, open-label, phase 2 trial. Lancet Neurol 2016; 15: 1228–1237.（レベル 2）

84）Hanley DF, Thompson RE, Rosenblum M, et al. Efficacy and safety of minimally invasive surgery with thrombolysis in intracerebral haemorrhage evacuation (MISTIE III): a randomised, controlled, open-label, blinded endpoint phase 3 trial. Lancet 2019; 393: 1021–1032.（レベル 2）

85）Awad IA, Polster SP, Carrión-Penagos J, et al. Surgical Performance Determines Functional Outcome Benefit in the Minimally Invasive Surgery Plus Recombinant Tissue Plasminogen Activator for Intracerebral Hemorrhage Evacuation (MISTIE) Procedure. Neurosurgery 2019; 84: 1157–1168.（レベル 2）

86）Basaldella L, Marton E, Fiorindi A, et al. External ventricular drainage alone versus endoscopic surgery for severe intraventricular hemorrhage: a comparative retrospective analysis on outcome and shunt dependency. Neurosurg Focus 2012; 32: E4.（レベル 4）

87）Zhang Z, Li X, Liu Y, et al. Application of neuroendoscopy in the treatment of intraventricular hemorrhage. Cerebrovasc Dis 2007; 24: 91–96.（レベル 4）

88）Chen CC, Liu CL, Tung YN, et al. Endoscopic surgery for intra-

ventricular hemorrhage (IVH) caused by thalamic hemorrhage: comparisons of endoscopic surgery and external ventricular drainage (EVD) surgery. World Neurosurg 2011; 75: 264–268.（レベル 4）

89）Liliang PC, Liang CL, Lu CH, et al. Hypertensive caudate hemorrhage: prognostic predictor, outcome, and role of external ventricular drainage. Stroke 2001, 32: 1195–1200.（レベル 4）

90）Naff NJ. Intraventricular hemorrhage in adults. Curr Treat Options Neurol 1999; 1: 173–178.（レベル 5）

91）Lapointe M, Haines S. Fibrinolytic therapy for intraventricular hemorrhage in adults. Cochrane Database Syst Rev 2002: CD003692.（レベル 1）

92）Huttner HB, Tognoni E, Bardutzky J, et al. Influence of intraventricular fibrinolytic therapy with rt-PA on the long-term outcome of treated patients with spontaneous basal ganglia hemorrhage: a case-control study. Eur J Neurol 2008; 15: 342–349.（レベル 4）

93）Staykov D, Wagner I, Volbers B, et al. Dose effect of intraventricular fibrinolysis in ventricular hemorrhage. Stroke 2011; 42: 2061–2064.（レベル 4）

94）Gaberel T, Magheru C, Parienti JJ, et al. Intraventricular fibrinolysis versus external ventricular drainage alone in intraventricular hemorrhage: a meta-analysis. Stroke 2011; 42: 2776–2781.（レベル 2）

95）Ziai WC, Tuhrim S, Lane K, et al. A multicenter, randomized, double-blinded, placebo-controlled phase III study of Clot Lysis Evaluation of Accelerated Resolution of Intraventricular Hemorrhage (CLEAR III). Int J Stroke 2014; 9: 536–542.（レベル 2）

96）Dey M, Stadnik A, Riad F, et al. Bleeding and infection with external ventricular drainage: a systematic review in comparison with adjudicated adverse events in the ongoing Clot Lysis Evaluating Accelerated Resolution of Intraventricular Hemorrhage Phase III (CLEAR–III IHV) trial. Neurosurgery 2015; 76: 291–300; discussion 301.（レベル 3）

97）Hanley DF, Lane K, McBee N, et al. Thrombolytic removal of intraventricular haemorrhage in treatment of severe stroke: results of the randomised, multicentre, multiregion, placebo-controlled CLEAR III trial. Lancet 2017; 389: 603–611.（レベル 2）

Ⅲ 脳出血

5 高血圧以外の原因による脳出血の治療

5-1　脳動静脈奇形

推奨

1. 未破裂脳動静脈奇形は、外科的治療介入ではなく症候に対する内科的治療を考慮しても良い（推奨度C　エビデンスレベル中）。ただし、症例によっては、外科的治療、血管内塞栓術、放射線治療の単独または組み合わせによる治療介入を考慮しても良い（推奨度C　エビデンスレベル低）。

2. 出血脳動静脈奇形は再出血が多く、出血リスク、手術リスクを勘案し、急性期脳出血の治療を含め手術、定位放射線治療、血管内塞栓術の単独または組み合わせによる外科的治療を考慮しても良い（推奨度C　エビデンスレベル低）。

3. 外科的手術の危険性が高く病巣が小さい場合（10 mL 以下または最大径 3 cm 以下）は定位放射線治療を考慮しても良い（推奨度C　エビデンスレベル低）。

4. Spetzler-Martin 分類の grade 1 および 2 では外科的切除を考慮しても良い（推奨度C　エビデンスレベル低）。Spetzler-Martin 分類 grade 3 では外科的手術または血管内塞栓術後外科的手術の併用を考慮しても良い（推奨度C　エビデンスレベル低）。Spetzler-Martin 分類 grade 4 および 5 では、保存療法を考慮しても良い（推奨度C　エビデンスレベル低）。

5. 痙攣を伴った脳動静脈奇形では、てんかん発作を軽減するため外科的手術、定位放射線治療を考慮しても良い（推奨度C　エビデンスレベル低）。

解　説

脳動静脈奇形の有病率はスコットランドでの成人（16 歳以上）の調査によると 1.12 人 /10 万人 / 年であった[1]。脳動静脈奇形の自然歴を報告した 9 論文のメタ解析では、脳動静脈奇形の未出血例の年間出血率は 2.2 ％で、出血例では 4.5 ％、全体では 3.0 ％であった[2]。米国 4 施設のメタ解析では、未出血例の年間出血率は 1.3 ％で、出血例では 4.8 ％、全体では 2.3 ％であった[3]。出血の危険因子としては、メタ解析の結果では出血の既往（ハザード比 3.2）、脳深部局在（ハザード比 2.4）、深部静脈のみへの流出（ハザード比 2.4）、脳動脈瘤の合併（ハザード比 1.8）が統計学的に有意な出血の危険因子として報告されている[2]。別のメタ解析の結果では、出血の既往（ハザード比 3.9）および高齢（ハザード比 1.34/10 歳）が出血の独立した危険因子であった[3]。

未破裂脳動静脈奇形に対する ARUBA trial では 18 歳以上の未破裂脳動静脈奇形の患者をランダム化し、内科的治療または何らかの侵襲的治療（外科

的摘出術、放射線治療、血管内治療）を行う群に割り当てられた。主要評価項目はすべての死亡または症候性脳卒中である。死亡または脳卒中は as-randomized analysis で内科的治療群 11 例（10.1％）、侵襲的治療群では 35 例（30.7％）であった。未破裂脳動静脈奇形の治療において内科的治療が侵襲的治療に優ることが示された[4]。ただし脳動静脈奇形症例をまとめてランダム化したこの研究についてはさまざまな問題点が指摘されている。特に外科的摘出術、定位放射線治療ともに合併症率が高いことが指摘されている[5]。また未破裂脳動静脈奇形患者を使ったコホート研究（SIVMS）では、保存的治療群 101 例と侵襲的治療群 103 例において、主要評価項目を死亡または臨床的悪化とし、保存的治療群でよりリスクが少なかった[6]。

外科的切除術による神経学的後遺症発生率は Spetzler-Martin 分類の grade 1 は 0～8％、grade 2 は 5～36 ％、grade 3 は 16～32 ％、grade 4 は 21.9～65 ％、grade 5 は 16.7～33 ％、死亡率は 0～3 ％とする報告が多く、grade の高いもの、機能的に重要な部位にあるもの、大きな脳動静脈奇

形、深部静脈への流出などで術後の障害や合併症が多い[7-10]。

脳出血急性期の治療については、血腫除去や脳室ドレナージを含めて考慮される。脳表の小さな脳動静脈奇形は救急手術で摘出も考慮されるが、大きなナイダスや深部の奇形は出血後2～6週間待機することを考慮する[11-13]。

定位放射線治療での完全閉塞率は、脳動静脈奇形のサイズあるいは容積と放射線量に依存する。容積が小さいほど完全閉塞率が高く、4 mL未満では76～88％、4～10 mLでは52～74％とされている[14,15]。定位放射線治療後の出血の危険因子として、出血の既往、脳動静脈奇形が未消失、高血圧の既往、脳動脈瘤の合併がある[16]。定位放射線治療後の副作用として、遅発性放射線障害によるMRI変化が24～38.2％に、神経症候が4.4～9.9％に認められた[15,17]。また。全体の閉塞率は62～79％で閉塞前の出血リスクは1.1～1.6％/年で、永続的な神経障害は2～3％であった[18-21]。

血管内塞栓術単独での完全消失率は20～50％程度とされ[22-25]、外科的手術または定位放射線治療前の栄養血管閉塞またはナイダスの体積減少を目的として行われている[26,27]。Onyxを用いるとより高い塞栓率が得られるとの報告がある[28]。塞栓術に関連する合併症率は一過性を含めると患者あたり9.5～14％で、そのうち永続性と死亡率はそれぞれ2～9％、0.3～2％と報告されている[25,29,30]。大きなあるいはSpetzler-Martin分類 grade の高い脳動静脈奇形において、血管内塞栓術と外科的摘出術の組み合わせが完全摘出率を上昇させた[26]。

脳動静脈奇形の完全消失率は、手術単独群82％、血管内塞栓術単独群6％、定位放射線治療単独群83％、血管内塞栓術＋手術群100％、血管内塞栓術＋定位放射線治療群90％であった。血管内塞栓術は消失率を向上させるが、死亡率3％は塞栓術に関連していた[22]。142のコホートを含む137の観察研究をシステマティックレビューした結果、治療による消失率は手術で96％、定位放射線治療で38％、血管内塞栓術で13％であり、一方、永続的な神経脱落症状や死亡を招く合併症は手術で7.4％、定位放射線治療で5.1％、血管内塞栓術で6.6％に生じており、いずれの治療法にも不完全な治療効果と重大なリスクが存在する[31]。Spetzler-Martin分類は外科的治療の難易度とよく相関し、治療適応に用いられる[13]。

天幕上の脳動静脈奇形の30％に痙攣が認められ、それらの18％は難治性であった。痙攣を伴いやすい危険因子としては出血の既往（相対リスク[RR] 6.65）、男性（RR 2.07）、前頭側頭葉局在（RR 6.65）であった[32]。痙攣を伴う脳動静脈奇形の外科手術後の痙攣コントロールは良好で、70～80％で痙攣は消失した[32,33]。

ナイダスの治療

非常に大きなナイダスに対して塞栓術と定位放射線治療の組み合わせ治療が行われている。十分なエビデンスを持つ報告ではないが、閉塞率38～83％、morbidityが4～14％と報告されている[34,35]。同様の脳動静脈奇形に対しては多段階定位放射線治療も試みられている。閉塞率33～74％、morbidityが3～13％と報告されている[36-39]。

外科的切除治療に関しては成績をより反映する新たなスケールも提唱され、治療選択に使われている[40,41]。

〔引用文献〕

1) Al-Shahi R, Bhattacharya JJ, Currie DG, et al. Prospective, population-based detection of intracranial vascular malformations in adults: the Scottish Intracranial Vascular Malformation Study (SIVMS). Stroke 2003; 34: 1163-1169.（レベル3）
2) Gross BA, Du R. Natural history of cerebral arteriovenous malformations: a meta-analysis. J Neurosurg 2013; 118: 437-443.（レベル2）
3) Kim H, Al-Shahi Salman R, McCulloch CE, et al. Untreated brain arteriovenous malformation: patient-level meta-analysis of hemorrhage predictors. Neurology 2014; 83: 590-597.（レベル2）
4) Mohr JP, Parides MK, Stapf C, et al. Medical management with or without interventional therapy for unruptured brain arteriovenous malformations (ARUBA): a multicentre, non-blinded, randomised trial. Lancet 2014; 383: 614-621.（レベル2）
5) Magro E, Gentric JC, Batista AL, et al. The Treatment of Brain AVMs Study (TOBAS): an all-inclusive framework to integrate clinical care and research. J Neurosurg 2018; 128: 1823-1829.（レベル4）
6) Al-Shahi Salman R, White PM, Counsell CE, et al. Outcome after conservative management or intervention for unruptured brain arteriovenous malformations. JAMA 2014; 311: 1661-1669.（レベル2）
7) Spetzler RF, Martin NA. A proposed grading system for arteriovenous malformations. J Neurosurg 1986; 65: 476-483.（レベル4）
8) Hamilton MG, Spetzler RF. The prospective application of a grading system forarteriovenous malformations. Neurosurgery 1994; 34: 2-7.（レベル4）
9) Hartmann A, Stapf C, IIofmeister C, et al. Determinants of neurological outcome after surgery for brain arteriovenous malformation. Stroke 2000; 31: 2361-2364.（レベル4）
10) Davidson AS, Morgan MK. How safe is arteriovenous malformation surgery? A prospective, observational study of sur-

gery as first-line treatment for brain arteriovenous malformations. Neurosurgery 2010; 66: 498–504; discussion 504–505. （レベル 4）

11) Morgenstern LB, Hemphill JC 3rd, Anderson C, et al. Guidelines for the management of spontaneous intracerebral hemorrhage: a guideline for healthcare professionals from the American Heart Association/ American Stroke Association. Stroke 2010; 41: 2108–2129. （レベル 4）

12) Hemphill JC 3rd, Greenberg SM, Anderson CS, et al. Guidelines for the Management of Spontaneous Intracerebral Hemorrhage: A Guideline for Healthcare Professionals From the American Heart Association/American Stroke Association. Stroke 2015; 46: 2032–2060. （レベル 4）

13) Derdeyn CP, Zipfel GJ, Albuquerque FC, et al. Management of Brain Arteriovenous Malformations: A Scientific Statement for Healthcare Professionals From the American Heart Association/American Stroke Association. Stroke 2017; 48: e200–e224. （レベル 4）

14) Pollock BE, Flickinger JC, Lunsford LD, et al. Hemorrhage risk after stereotactic radiosurgery of cerebral arteriovenous malformations. Neurosurgery 1996; 38: 652–661. （レベル 4）

15) Lunsford LD, Kondziolka D, Flickinger JC, et al. Stereotactic radiosurgery for arteriovenous malformations of the brain. J Neurosurg 1991; 75: 512–524. （レベル 4）

16) Parkhutik V, Lago A, Tembl JI, et al. Postradiosurgery hemorrhage rates of arteriovenous malformations of the brain: influencing factors and evolution with time. Stroke 2012; 43: 1247–1252. （レベル 4）

17) Starke RM, Yen CP, Ding D, et al. A practical grading scale for predicting outcome after radiosurgery for arteriovenous malformations: analysis of 1012 treated patients. J Neurosurg 2013; 119: 981–987. （レベル 4）

18) Ding D, Yen CP, Xu Z, et al. Radiosurgery for patients with unruptured intracranial arteriovenous malformations. J Neurosurg 2013; 118: 958–966. （レベル 4）

19) Starke RM, Kano H, Ding D, et al. Stereotactic radiosurgery for cerebral arteriovenous malformations: evaluation of long-term outcomes in a multicenter cohort. J Neurosurg 2017; 126: 36–44. （レベル 4）

20) Pollock BE. Arteriovenous malformations and radiosurgery. J Neurosurg 2013; 119: 532–534. （レベル 4）

21) Kano H, Kondziolka D, Flickinger JC, et al. Stereotactic radiosurgery for arteriovenous malformations after embolization: a case-control study. J Neurosurg 2012; 117: 265–275. （レベル 4）

22) Deruty R, Pelissou-Guyotat I, Morel C, et al. Reflections on the management of cerebral arteriovenous malformations. Surg Neurol 1998; 50: 245–256. （レベル 4）

23) Valavanis A, Yasargil MG. The endovascular treatment of brain arteriovenous malformations. Adv Tech Stand Neurosurg 1998; 24: 131–214. （レベル 4）

24) Wikholm G, Lundqvist C, Svendsen P. The Goteborg cohort of embolized cerebral arteriovenous malformations: a 6-year follow-up. Neurosurgery 2001; 49: 799–806. （レベル 4）

25) Kondo R, Matsumoto Y, Endo H, et al. Endovascular Embolization of Cerebral Arteriovenous Malformations: results of the Japanese Registry of Neuroendovascular Therapy (JR–NET) 1 and 2. Neurol Med Chir (Tokyo) 2014; 54: 54–62. （レベル 3）

26) Spetzler RF, Martin NA, Carter LP, et al. Surgical management of large AVM's by staged embolization and operative excision. J Neurosurg 1987; 67: 17–28. （レベル 4）

27) Henkes H, Nahser HC, Berg-Dammer E, et al. Endovascular therapy of brain AVMs prior to radiosurgery. Neurol Res 1998; 20: 479–492. （レベル 4）

28) Saatci I, Geyik S, Yavuz K, et al. Endovascular treatment of brain arteriovenous malformations with prolonged intranidal Onyx injection technique: long-term results in 350 consecutive patients with completed endovascular treatment course. J Neurosurg 2011; 115: 78–88. （レベル 4）

29) Hartmann A, Pile-Spellman J, Stapf C, et al. Risk of endovascular treatment of brain arteriovenous malformations. Stroke 2002; 33: 1816–1820. （レベル 4）

30) Taylor CL, Dutton K, Rappard G, et al. Complications of preoperative embolization of cerebral arteriovenous malformations. J Neurosurg 2004; 100: 810–812. （レベル 4）

31) van Beijnum J, van der Worp HB, Buis DR, et al. Treatment of brain arteriovenous malformations: a systematic review and meta-analysis. Jama 2011; 306: 2011–2019. （レベル 2）

32) Englot DJ, Young WL, Han SJ, et al. Seizure predictors and control after microsurgical resection of supratentorial arteriovenous malformations in 440 patients. Neurosurgery 2012; 71: 572–580. （レベル 3）

33) Yeh HS, Tew JM Jr, Gartner M. Seizure control after surgery on cerebral arteriovenous malformations. J Neurosurg 1993; 78: 12–18. （レベル 4）

34) Blackburn SL, Ashley WW Jr, Rich KM, et al. Combined endovascular embolization and stereotactic radiosurgery in the treatment of large arteriovenous malformations. J Neurosurg 2011; 114: 1758–1767. （レベル 4）

35) Mizoi K, Jokura H, Yoshimoto T, et al. Multimodality treatment for large and critically located arteriovenous malformations. Neurol Med Chir (Tokyo) 1998; 38 Suppl: 186–192. （レベル 4）

36) Chung WY, Shiau CY, Wu HM, et al. Staged radiosurgery for extra-large cerebral arteriovenous malformations: method, implementation, and results. J Neurosurg 2008; 109: 65–72. （レベル 4）

37) Kano H, Kondziolka D, Flickinger JC, et al. Stereotactic radiosurgery for arteriovenous malformations, Part 6: multistaged volumetric management of large arteriovenous malformations. J Neurosurg 2012; 116: 54–65. （レベル 4）

38) Hanakita S, Shin M, Koga T, et al. Outcomes of Volume-Staged Radiosurgery for Cerebral Arteriovenous Malformations Larger Than 20 cm (3) with More Than 3 Years of Follow-Up. World Neurosurg 2016; 87: 242–249. （レベル 4）

39) Huang PP, Rush SC, Donahue B, et al. Long-term outcomes after staged-volume stereotactic radiosurgery for large arteriovenous malformations. Neurosurgery 2012; 71: 632–634. （レベル 4）

40) Kim H, Abla AA, Nelson J, et al. Validation of the supplemented Spetzler-Martin grading system for brain arteriovenous malformations in a multicenter cohort of 1009 surgical patients. Neurosurgery 2015; 76: 25–31; discussion 31–32; quiz 32–33. （レベル 4）

41) Lawton MT. Spetzler-Martin Grade III arteriovenous malformations: surgical results and a modification of the grading scale. Neurosurgery 2003; 52: 740–748; discussion 748–749. （レベル 4）

Ⅲ 脳出血

5 高血圧以外の原因による脳出血の治療

5-2 硬膜動静脈瘻

推奨

1. 無症候性で脳血管撮影にて脳皮質静脈への逆流を認めない硬膜動静脈瘻では、経過観察が第一選択として MRI による経時的検査を考慮しても良い（推奨度 C　エビデンスレベル中）。

2. 症候性もしくは脳血管撮影にて脳皮質静脈への逆流を認める症例では、部位や血行動態に応じて血管内治療、外科的治療、定位放射線治療の単独もしくは組み合わせによる積極的治療を考慮しても良い（推奨度 C　エビデンスレベル中）。

3. 横・S 状静脈洞部は血管内治療が第一選択であるが、閉塞が得られない場合は外科的治療や定位放射線治療を組み合わせた治療を考慮しても良い（推奨度 C　エビデンスレベル低）。

4. 海綿静脈洞部は血管内治療による塞栓術を考慮しても良い（推奨度 C　エビデンスレベル低）。

5. 前頭蓋窩、テント部、頭蓋頚椎移行部は外科的治療を考慮しても良い（推奨度 C　エビデンスレベル低）。外科的治療が困難な場合には、血管内治療との組み合わせや血管内治療を考慮しても良い（推奨度 C　エビデンスレベル低）。

解　説

　桑山らの全国調査、一次調査 1,815 例[1]、二次調査 1,490 例[2]によると、本邦における硬膜動静脈瘻の発生頻度は 0.29 人 /10 万人 / 年であった。欧米の発生率は、0.15〜0.16 人 /10 万人[3,4]とされていたが、2013 年のフィンランドからの報告では 0.51 人 /10 万人 / 年の発生率であった[5]。診断機器の発達により、耳鳴や頭痛等の軽度の症状や無症候性で発見される機会が増えている[5]。部位別にみると、本邦では海綿静脈洞部病変の占める割合が 43.6〜46％と多い[1,6,7]（欧米では横・S 状静脈洞部が最も多いとされている）。

　頭蓋内硬膜動静脈瘻の年間出血率は 1.7〜1.8％であった[8,9]。脳皮質静脈逆流を持つタイプや静脈拡張 / 静脈瘤の合併例、また男性では出血する危険が高かった[7,10,11]。症候性の脳皮質静脈逆流を持つタイプは、平均 9.7 か月の追跡期間中に 18.2％で出血を起こし、27.3％で非出血性の神経症状を呈した。一方、非症候性の脳皮質静脈逆流を持つタイプでは、平均 31.4 か月の追跡期間中に 5.9％で出血を起こしたが、非出血性の神経症状は出現しなかった[10,12]。

　硬膜動静脈瘻は流出静脈路の形態を基にした分類がいくつか提唱されている。その中でも、Borden 分類や Cognard 分類が代表的なものである。いずれも、罹患静脈洞の閉塞の有無、静脈洞への還流の方向（順行性か逆行性か）、脳皮質静脈への逆流の有無により分類されている。Borden Type Ⅰ は臨床的に予後良好であるが、Type Ⅱ/Ⅲ は脳出血や静脈性梗塞を来す可能性が高い[13]。同様に、Cognard Type Ⅰ は予後良好であったが、Type Ⅲ/Ⅳ は脳出血を来す可能性が高い[14-16]。Gross らのレビューによると、Borden Type Ⅰ の年間出血率は 0％、Type Ⅱ は 6％であった。Borden Type Ⅲ は 10％の年間出血率であったが、静脈拡張を伴う場合は 21％まで上昇した[17]。脳皮質静脈逆流を持たないタイプ（Borden Type Ⅰ、Cognard Type Ⅰ/Ⅱa）では、経過観察または経動脈的塞栓術により 98.2％の症例で症状の悪化を認めなかったが[18]、皮質静脈逆流を持つタイプ（Borden Type Ⅱ/Ⅲ、Cognard Type Ⅱb/Ⅱa＋b/Ⅲ/Ⅳ）では年間死亡率が 10.4％、重篤な有害事象の年間発生率が 15％（頭蓋内出血 8.1％）と予後不良であった[19]。脳血管撮影にて脳皮質静脈への逆流を認めない benign type（いわゆる良性の硬膜動静脈瘻で Borden Type Ⅰ、Cognard Type Ⅰ/Ⅱa）に対する治療の有効性についての報告は乏しく、経過観察

が第一選択である。一方で、benign type の硬膜動静脈瘻は、およそ 2％で脳皮質静脈逆流を有する aggressive type に変化する危険性があり[18]、MRI や MRA による経時的検査が勧められる[20]。血管撮影上、脳皮質静脈への逆流を認めると再出血の危険性が高く、外科治療もしくは塞栓術の治療を早期に行ったほうが良い[21]。術後の転帰良好には、術前に無症候であることが大きく関わっており、早期診断と治療が重要である[22]。

頭蓋内硬膜動静脈瘻の治療は、病変の部位や血行動態に応じて、血管内治療、外科的治療、定位放射線治療の単独もしくはこれらを組み合わせて行われる[23]。

横・S 状静脈洞部では血管内治療が第一選択で、治療直後の閉塞率は経動脈的塞栓術が 30％、経静脈的塞栓術が 81％であった[24]。また治療後長期にわたり転帰良好であった[25]。経静脈的塞栓術ではコイルにより罹患静脈洞を閉塞することで流出静脈とシャント部を含め閉塞させる。経静脈的に罹患静脈洞に到達できないとき、液体塞栓物質を用いた根治的な経動脈的塞栓術[26]、または小開頭を組み合わせた塞栓術が行われる[27]。閉塞または狭窄を来した静脈洞に対してバルーン拡張術やステント留置術を行うことがあるが報告は限られている[24,28-30]。血管内治療でシャントや流出静脈の閉塞が得られない症例や、カテーテルアクセスルートの制限により根治的血管内治療が困難な場合には外科的治療の適応となる[31]。

海綿静脈洞部は血管内治療が第一選択で、成功率は経動脈的塞栓術が 62％、経静脈的塞栓術が 78％であった[32]。コイルによって、流出静脈を含めた海綿静脈洞の閉塞が行われるが、シャントが限局する症例では、シャント部を選択的に塞栓する方法も行われる[33]。また、残存したシャント部にガンマナイフが有効との報告もある[34]。

前頭蓋底部では外科的治療が第一選択で、その成功率は 95〜100％であった[35]。血管内治療は、網膜中心動脈の分岐を越えた前篩骨動脈までカテーテルが誘導できる場合には、液体塞栓物質による経動脈的塞栓が行われることがあるが[36]一般的ではない。

テント部では外科的治療が選択されることが多い。上錐体静脈洞部を含むテント部硬膜動静脈瘻のシリーズにおいて、外科的治療による完全閉塞率は 95％であった[37]。外科的治療に塞栓術や放射線治療が組み合わせて用いられる[38]外科的治療単独と外

科的治療と塞栓術を組み合わせた治療のシリーズでは、完全閉塞率は 100％であった[39]。液体塞栓物質を用いた経動脈的塞栓術の報告があり[40-42]、外科的治療が困難な場合に考慮される。

頭蓋内硬膜動静脈瘻に対して Onyx を使用した経動脈的塞栓術を行い 72〜80％で完全閉塞が得られた[43-45]。他の報告では、Onyx による経動脈的塞栓術により、92.1〜95％で完全もしくはほぼ完全閉塞が得られ中長期成績も良好であった[46-48]。Onyx と n-butyl cyanoacrylate（NBCA）を用いた経動脈的塞栓術を比較したところ、Onyx では 83％、NBCA では 33％の初期閉塞率であり、Onyx が優れていた[49]。バルーンカテーテルからの Onyx 注入[50,51]、静脈洞をバルーンで温存しながらの Onyx 注入[52]も有効性が報告されている。

外科的治療や血管内治療後に病変が残存した症例や、外科的治療や血管内治療では治療の危険性が高いと考えられる場合には定位放射線治療が考慮される[53]。

〔引用文献〕

1) 桑山直也, 久保道也, 堀恵美子, 他. わが国における頭蓋内および脊髄硬膜動静脈瘻の疫学的調査. In：平成 15 年度—平成 16 年度科学研究費補助金（基盤研究（C）(2)）研究成果報告, 2005.（レベル 3）
2) Kuwayama N. Epidemiologic Survey of Dural Arteriovenous Fistulas in Japan: Clinical Frequency and Present Status of Treatment. Acta Neurochir Suppl (Wien) 2016; 123: 185-188.（レベル 2）
3) Brown RD Jr, Wiebers DO, Torner JC, et al. Incidence and prevalence of intracranial vascular malformations in Olmsted County, Minnesota, 1965 to 1992. Neurology 1996; 46: 949-952.（レベル 3）
4) Al-Shahi R, Bhattacharya JJ, Curric DG, et al. Prospective, population-based detection of intracranial vascular malformations in adults: the Scottish Intracranial Vascular Malformation Study (SIVMS). Stroke 2003; 34: 1163-1169.（レベル 3）
5) Piippo A, Niemela M, van Popta J, et al. Characteristics and long-term outcome of 251 patients with dural arteriovenous fistulas in a defined population. J Neurosurg 2013; 118: 923-934.（レベル 5）
6) 桑山直也, 久保道也, 遠藤俊郎, 他.【脳脊髄動静脈奇形の診断・治療の進歩】わが国における硬膜動静脈瘻の治療の現状. 脳神経外科ジャーナル　2011；20：12-19.（レベル 3）
7) Hiramatsu M, Sugiu K, Hishikawa T, et al. Epidemiology of Dural Arteriovenous Fistula in Japan: analysis of Japanese Registry of Neuroendovascular Therapy (JR-NET2). Neurol Med Chir (Tokyo) 2014; 54: 63-71.（レベル 3）
8) Brown RD Jr, Wiebers DO, Nichols DA. Intracranial dural arteriovenous fistulae: angiographic predictors of intracranial hemorrhage and clinical outcome in nonsurgical patients. J Neurosurg 1994; 81: 531-538.（レベル 3）
9) Söderman M, Pavic L, Edner G, et al. Natural history of dural arteriovenous shunts. Stroke. 2008; 39: 1735-1739.（レベル 3）
10) Singh V, Smith WS, Lawton MT, et al. Risk factors for hemorrhagic presentation in patients with dural arteriovenous fistulae. Neurosurgery 2008; 62: 628-635.（レベル 4）
11) Awad IA, Little JR, Akarawi WP, et al. Intracranial dural arteriovenous malformations: factors predisposing to an aggressive neurological course. J Neurosurg 1990; 72: 839-850.（レベル 3）

12) Strom RG, Botros JA, Refai D, et al. Cranial dural arteriovenous fistulae: asymptomatic cortical venous drainage portends less aggressive clinical course. Neurosurgery 2009; 64: 241-248. (レベル4)

13) Della Pepa GM, Parente P, D'Argento F, et al. Angio-Architectural Features of High-Grade Intracranial Dural Arteriovenous Fistulas: Correlation With Aggressive Clinical Presentation and Hemorrhagic Risk. Neurosurgery 2017; 81: 315-330. (レベル4)

14) Huang L, Ge L, Lu G, et al. Correlation of Aggressive Intracranial Lesions and Venous Reflux Patterns in Dural Arteriovenous Fistulas. World Neurosurg 2017; 107: 130-136. (レベル4)

15) Borden JA, Wu JK, Shucart WA. A proposed classification for spinal and cranial dural arteriovenous fistulous malformations and implications for treatment. J Neurosurg 1995; 82: 166-179. (レベル4)

16) Cognard C, Gobin YP, Pierot L, et al. Cerebral dural arteriovenous fistulas: clinical and angiographic correlation with a revised classification of venous drainage. Radiology 1995; 194: 671-680. (レベル4)

17) Gross BA, Du R. The natural history of cerebral dural arteriovenous fistulae. Neurosurgery 2012; 71: 594-602. (レベル3)

18) Satomi J, van Dijk JM, Terbrugge KG, et al. Benign cranial dural arteriovenous fistulas: outcome of conservative management based on the natural history of the lesion. J Neurosurg 2002; 97: 767-770. (レベル4)

19) Van Dijik JM, Terbrugge KG, Willinsky RA, et al. Clinical course of cranial dural arteriovenous fistulas with longterm persistent cortical venous reflux. Stroke 2002; 33: 1233-1236. (レベル4)

20) Kwon BJ, Han MH, Kang HS, et al. MR imaging findings of intracranial dural arteriovenous fistulas: relations with venous drainage patterns. AJNR Am J Neuroradiol 2005; 26: 2500-2507. (レベル4)

21) Duffau H, Lopes M, Janosevic V, et al. Early rebleeding from intracranial dural arteriovenous fistulas: report of 20 cases and review of the literature. J Neurosurg 1999; 90: 78-84. (レベル4)

22) Tsuruta W, Matsumaru Y, Miyachi S, et al. Japanese Surveillance of Neuroendovascular Therapy in JR-NET/JR-NET2: Part I Endovascular Treatment of Spinal Vascular Lesion in Japan: Japanese Registry of Neuroendovascular Therapy (JR-NET) and JR-NET2. Neurol med-chir 2014; 54: 72-78. (レベル2)

23) Natarajan SK, Ghodke B, Kim LJ, et al. Multimodality treatment of intracranial dural arteriovenous fistulas in the Onyx era: a single center experience. World Neurosurg 2010; 73: 365-379. (レベル4)

24) Satomi J, Ghaibeh AA, Moriguchi H, et al. Predictability of the future development of aggressive behavior of cranial dural arteriovenous fistulas based on decision tree analysis. J Neurosurg 2015; 123: 86-90. (レベル4)

25) Xu F, Gu J, Ni W, et al. Endovascular Treatment of Transverse-Sigmoid Sinus Dural Arteriovenous Fistulas: A Single-Center Experience with Long-Term Follow-Up. World Neurosurg 2019; 121: e441-e448. (レベル4)

26) 宮地茂.【脳硬膜動静脈瘻】脳硬膜動静脈瘻の血管内治療. BRAIN and NERVE：神経研究の進歩 2008；60：907-914. (レベル5)

27) Endo S, Kuwayama N, Takaku A, et al. Direct packing of the isolated sinus in patients with dural arteriovenous fistulas of the transverse-sigmoid sinus. J Neurosurg 1998; 88: 449-456. (レベル4)

28) Choi BJ, Lee TH, Kim CW, et al. Reconstructive treatment using a stent graft for a dural arteriovenous fistula of the transverse sinus in the case of hypoplasia of the contralateral venous sinuses: technical case report. Neurosurgery 2009; 65: E994-E996. (レベル5)

29) Murphy KJ, Gailloud P, Venbrux A, et al. Endovascular treatment of a grade IV transverse sinus dural arteriovenous fistula by sinus recanalization, angioplasty, and stent placement: technical case report. Neurosurgery 2000; 46: 497-500. (レベル5)

30) Liebig T, Henkes H, Brew S, et al. Reconstructive treatment of dural arteriovenous fistulas of the transverse and sigmoid sinus: transvenous angioplasty and stent deployment. Neu-

roradiology 2005; 47: 543-551. (レベル5)

31) Kakarla UK, Deshmukh VR, Zabramski JM, et al. Surgical treatment of high-risk intracranial dural arteriovenous fistulae: clinical outcomes and avoidance of complications. Neurosurgery 2007; 61: 447-457. (レベル5)

32) Lucas CP, Zabramski JM, Spetzler RF, et al. Treatment for intracranial dural arteriovenous malformations: a meta-analysis from the English language literature. Neurosurgery 1997; 40: 1119-1132. (レベル4)

33) Satow T, Murao K, Matsushige T, et al. Superselective shunt occlusion for the treatment of cavernous sinus dural arteriovenous fistulae. Neurosurgery 2013; 73: ons100-105. (レベル4)

34) Xu F, Gu J, Ni W, et al. Endovascular Treatment of Transverse-Sigmoid Sinus Dural Arteriovenous Fistulas: A Single-Center Experience with Long-Term Follow-Up. World Neurosurg 2019; 121: e441-e448. (レベル4)

35) Giannopoulos S, Texakalidis P, Mohammad Alkhataybeh RA, et al. Treatment of Ethmoidal Dural Arteriovenous Fistulas: A Meta-analysis Comparing Endovascular versus Surgical Treatment. World Neurosurg 2019; 128: 593-599. e1. (レベル4)

36) Agid R, Terbrugge K, Rodesch G, et al. Management strategies for anterior cranial fossa (ethmoidal) dural arteriovenous fistulas with an emphasis on endovascular treatment. J Neurosurg 2009; 110: 79-84. (レベル5)

37) Lawton MT, Sanchez-Mejia RO, Pham D, et al. Tentorial dural arteriovenous fistulae: operative strategies and microsurgical results for six types. Neurosurgery 2008; 62: 110-125. (レベル4)

38) Lewis AI, Tomsick TA, Tew JM Jr. Management of tentorial dural arteriovenous malformations: transarterial embolization combined with stereotactic radiation or surgery. J Neurosurg 1994; 81: 851-859. (レベル4)

39) Tomak PR, Cloft HJ, Kaga A, et al. Evolution of the management of tentorial dural arteriovenous malformations. Neurosurgery 2003; 52: 750-760. (レベル4)

40) Puffer RC, Daniels DJ, Kallmes DF, et al. Curative Onyx embolization of tentorial dural arteriovenous fistulas. Neurosurg Focus 2012; 32: E4. (レベル4)

41) Huang Q, Xu Y, Hong B, et al. Use of onyx in the management of tentorial dural arteriovenous fistulae. Neurosurgery 2009; 65: 287-292. (レベル4)

42) Jiang C, Lv X, Li Y, et al. Endovascular treatment of high-risk tentorial dural arteriovenous fistulas: clinical outcomes. Neuroradiology 2009; 51: 103-111. (レベル4)

43) Cognard C, Januel AC, Silva NA Jr, et al. Endovascular treatment of intracranial dural arteriovenous fistulas with cortical venous drainage: new management using Onyx. AJNR Am J Neuroradiol 2008; 29: 235-241. (レベル4)

44) Hu YC, Newman CB, Dashti SR, et al. Cranial dural arteriovenous fistula: transarterial Onyx embolization experience and technical nuances. J Neurointerv Surg 2011; 3: 5-13. (レベル4)

45) Stiefel MF, Albuquerque FC, Park MS, et al. Endovascular treatment of intracranial dural arteriovenous fistulae using Onyx: a case series. Neurosurgery 2009; 65: 132-139. (レベル4)

46) Rangel-Castilla L, Barber SM, Klucznik R, et al. Mid and long term outcomes of dural arteriovenous fistula endovascular management with Onyx. Experience of a single tertiary center. J Neurointerv Surg 2014; 6: 607-613. (レベル4)

47) Chandra RV, Leslie-Mazwi TM, Mehta BP, et al. Transarterial onyx embolization of cranial dural arteriovenous fistulas: long-term follow-up. AJNR Am J Neuroradiol 2014; 35: 1793-1797. (レベル4)

48) Torok CM, Nogueira RG, Yoo AJ, et al. Transarterial venous sinus occlusion of dural arteriovenous fistulas using ONYX. Interv Neuroradiol 2016; 22: 711-716. (レベル4)

49) Rabinov JD, Yoo AJ, Ogilvy CS, et al. ONYX versus n-BCA for embolization of cranial dural arteriovenous fistulas. J Neurointerv Surg 2013; 5: 306-310. (レベル4)

50) Kim JW, Kim BM, Park KY, et al. Onyx Embolization for Isolated Type Dural Arteriovenous Fistula Using a Dual-Lumen Balloon Catheter. Neurosurgery 2016; 78: 627-636. (レベル4)

51) Choo DM, Shankar JJ. Onyx versus nBCA and coils in the treatment of intracranial dural arteriovenous fistulas. Interv Neu-

roradiol 2016; 22: 212-216.（レベル4）

52）Vollherbst DF, Ulfert C, Neuberger U, et al. Endovascular Treatment of Dural Arteriovenous Fistulas Using Transarterial Liquid Embolization in Combination with Transvenous Balloon-Assisted Protection of the Venous Sinus. AJNR Am J

Neuroradiol 2018; 39: 1296-1302.（レベル4）

53）Chen CJ, Lee CC, Ding D, et al. Stereotactic radiosurgery for intracranial dural arteriovenous fistulas: a systematic review. J Neurosurg 2015; 122: 353-362.（レベル3）

Ⅲ 脳出血

5 高血圧以外の原因による脳出血の治療

5-3 海綿状血管腫

推奨

1. 無症候性孤発性海綿状血管腫に対しては保存的治療を行うことが妥当であるが（推奨度 B　エビデンスレベル中）、アプローチが容易かつ症候非発現域（non-eloquent area）に存在する病変に対しては、将来の出血予防目的での外科的切除を考慮しても良い（推奨度 C　エビデンスレベル低）。

2. 症候性海綿状血管腫（出血、コントロール不良の痙攣、進行性神経症状）のうち、病変が脳幹部を含む脳表付近に存在する症例では外科的切除を考慮しても良い（推奨度 C　エビデンスレベル低）。

3. 外科的切除困難な脳幹部を含む深部に存在する症候性海綿状血管腫症例に対し、再出血予防目的で照射線量を低く設定した定位放射線治療を考慮しても良い（推奨度 C　エビデンスレベル中）。

解　説

　成人における海綿状血管腫の発見頻度は人口 10 万人当たり年間 0.56 人と報告されている[1]。主要な臨床兆候として痙攣（50%）、出血（25%）、または出血を伴わない神経症状（25%）が多いが[2]、偶然発見される割合も 20〜50% にのぼる[3]。

　無症候性海綿状血管腫の出血リスクは年間 0.4〜0.6% であり[4]、外科的切除に伴う死亡または非致死性脳卒中のリスク（6%）はこれを上回る[5]。一方、手術リスクは病変の局在により大きく異なるため、孤発性無症候性病変であってもアプローチが容易な症候非発現域（non-eloquent area）に存在するものに対しては、外科的切除を考慮して良いかもしれない[5]。

　既知の海綿状血管腫に対しては、MRI によるフォローが勧められる。また、新規症候出現の際には可及的速やかに画像診断を行うべきである[5]。

　海綿状血管腫の出血リスクを上昇させる因子として、若年齢（45 歳未満）、テント下病変、静脈性血管腫の合併が挙げられる[6]。無症候、症候性病変のいずれにおいても、脳幹部病変の出血率は非脳幹部病変と比較して高い[7]。

　出血発症例での再出血率は非出血例の初回出血率の 5.6〜16.5 倍である[7,8]。また、出血発症例では、初回出血から 2 年以内の再出血率は 2 年以降

の出血率と比較して有意に高かった[8]。

　小児では年齢とともに有病率は上昇するが、出血率は成人と比較して高いとは言えない[9]。

　家族性海綿状血管腫症例ではテント上多発性病変を呈することが多い[10]。家族性例での出血リスクは孤発性と比較して高いが、多発性病変を有することが多いため、個々の病変ごとの出血リスクは孤発例と同等である[5]。

　抗血栓療法によっては出血率は上昇せず、虚血病変を有する患者に対して抗血栓療法を躊躇すべきではない[11]。

　妊娠によって海綿状血管腫の症候化および出血リスクは上昇しない[12]。

　テント上症候非発現域（non-eloquent area）の症候性海綿状血管腫に対する手術例における神経症状出現のリスクは、保存的治療例における初回出血より 1〜2 年間での神経症状出現のリスクと同等であった[13]。一方、雄弁野（eloquent area）の病変に対する手術リスクは保存的治療例での初回出血後 5〜10 年間でのリスクと同等である[13]。

　脳幹部海綿状血管腫に対する外科的切除術の永続的後遺症リスクは 14.4〜35.5% と高く、表在性のものまたは safe entry zone からアプローチ可能な、症候性出血歴のある病変に対して考慮すべきである[14]。脳幹部海綿状血管腫の手術に際しては、術前 MRI（diffusion tensor imaging、diffusion

脳卒中治療ガイドライン 2021　141

tensor tractgraphy を用いた病変と神経路の関係の評価）、および術中モニタリング（運動誘発電位、体性感覚誘発電位）の併用が合併症の低減に有用である[15,16]。

外科的切除の際には合併する静脈性血管腫は温存すべきである[17,18]。

内科的治療抵抗性の痙攣発作を呈する海綿状血管腫においては、外科的切除により良好な痙攣コントロールを得ることができる[19,20]。多発性例における焦点の同定には脳磁図が有用である[21]。

出血発症の脳幹部、基底核および視床に存在し、外科的切除が困難な海綿状血管腫に対して、定位放射線治療は再出血リスクの低減に有効である[22,23]。照射線量を減ずる（辺縁線量 13 Gy 以下）ことで症候性合併症の危険性が低下する[23]。

〔引用文献〕

1) Al-Shahi R, Bhattacharya JJ, Currie DG, et al. Prospective, population-based detection of intracranial vascular malformations in adults: the Scottish Intracranial Vascular Malformation Study (SIVMS). Stroke 2003; 34: 1163-1169. （レベル 3）

2) Morris Z, Whiteley WN, Longstreth WT Jr, et al. Incidental findings on brain magnetic resonance imaging: systematic review and meta-analysis. BMJ 2009; 339: b3016. （レベル 3）

3) Al-Shahi Salman R, Hall JM, Horne MA, et al. Untreated clinical course of cerebral cavernous malformations: a prospective, population-based cohort study. Lancet Neurol 2012; 11: 217-224. （レベル 3）

4) Poorthuis M, Samarasekera N, Kontoh K, et al. Comparative studies of the diagnosis and treatment of cerebral cavernous malformations in adults: systematic review. Acta Neurochir (Wien) 2013; 155: 643-649. （レベル 3）

5) Akers A, Al-Shahi Salman R, A Awad I, et al. Synopsis of Guidelines for the Clinical Management of Cerebral Cavernous Malformations: Consensus Recommendations Based on Systematic Literature Review by the Angioma Alliance Scientific Advisory Board Clinical Experts Panel. Neurosurgery 2017; 80: 665-680. （レベル 2）

6) Kashefiolasl S, Bruder M, Brawanski N, et al. A benchmark approach to hemorrhage risk management of cavernous malformations. Neurology 2018; 90: e856-e863. （レベル 3）

7) Horne MA, Flemming KD, Su IC, et al. Clinical course of untreated cerebral cavernous malformations: a meta-analysis of individual patient data. Lancet Neurol 2016; 15: 166-173. （レベル 3）

8) Taslimi S, Modabbernia A, Amin-Hanjani S, et al. Natural history of cavernous malformation: Systematic review and meta-analysis of 25 studies. Neurology 2016; 86: 1984-1991. （レベル 3）

9) Ruiz DS, Yilmaz H, Gailloud P. Cerebral developmental venous anomalies: current concepts. Ann Neurol 2009; 66: 271-283. （レベル 4）

10) Zafar A, Quadri SA, Farooqui M, et al. Familial Cerebral Cavernous Malformations. Stroke 2019; 50: 1294-1301. （レベル 3）

11) Schneble HM, Soumare A, Herve D, et al. Antithrombotic therapy and bleeding risk in a prospective cohort study of patients with cerebral cavernous malformations. Stroke 2012; 43: 3196-3199. （レベル 4）

12) Witiw CD, Abou-Hamden A, Kulkarni AV, et al. Cerebral cavernous malformations and pregnancy: hemorrhage risk and influence on obstetrical management. Neurosurgery 2012; 71: 626-631. （レベル 4）

13) Moultrie F, Horne MA, Josephson CB, et al. Outcome after surgical or conservative management of cerebral cavernous malformations. Neurology 2014; 83: 582-589. （レベル 3）

14) Lin Y, Lin F, Kang D, et al. Supratentorial cavernous malformations adjacent to the corticospinal tract: surgical outcomes and predictive value of diffusion tensor imaging findings. J Neurosurg 2018; 128: 541-552. （レベル 4）

15) Xie MG, Li D, Guo FZ, et al. Brainstem Cavernous Malformations: Surgical Indications Based on Natural History and Surgical Outcomes. World Neurosurg 2018; 110: 55-63. （レベル 3）

16) Li D, Jiao YM, Wang L, et al. Surgical outcome of motor deficits and neurological status in brainstem cavernous malformations based on preoperative diffusion tensor imaging: a prospective randomized clinical trial. J Neurosurg 2018; 130: 286-301. （レベル 4）

17) Giliberto G, Lanzino DJ, Diehn FE, et al. Brainstem cavernous malformations: anatomical, clinical, and surgical considerations. Neurosurg Focus 2010; 29: E9. （レベル 4）

18) 永尾征弥，林央周，堀聡，他．【血管奇形】海綿状血管腫に対する手術における工夫　合併する静脈性血管奇形に対する配慮．脳卒中の外科　2011；39：19-23．（レベル 4）

19) von der Brelie C, von Lehe M, Raabe A, et al. Surgical resection can be successful in a large fraction of patients with drug-resistant epilepsy associated with multiple cerebral cavernous malformations. Neurosurgery 2014; 74: 147-153; discussion 153. （レベル 4）

20) Rosenow F, Alonso-Vanegas MA, Baumgartner C, et al. Cavernoma-related epilepsy: review and recommendations for management-report of the Surgical Task Force of the ILAE Commission on Therapeutic Strategies. Epilepsia 2013; 54: 2025-2035. （レベル 2）

21) 亀山茂樹，柿田明美．てんかんの画像と病理　海綿状血管腫と脳動静脈奇形．Neurological Surgery　2007；35：1199-1206．

22) Wen R, Shi Y, Gao Y, et al. The Efficacy of Gamma Knife Radiosurgery for Cavernous Malformations: A Meta-Analysis and Review. World Neurosurg 2019; 123: 371-377. （レベル 2）

23) Kim BS, Kim KH, Lee MH, et al. Stereotactic Radiosurgery for Brainstem Cavernous Malformations: An Updated Systematic Review and Meta-Analysis. World Neurosurg 2019; 130: e648-e659. （レベル 2）

Ⅲ 脳出血

5 高血圧以外の原因による脳出血の治療

5-4 静脈性血管腫

推奨

1. 静脈性血管腫は予後が良好であり、無症候性病変に対して経過観察を行うことは妥当である（推奨度B　エビデンスレベル低）。

2. 出血発症例を含む症候性病変では、海綿状血管腫など他の血管奇形を合併することがあるが、手術の際に正常静脈還流を担う静脈性血管腫を摘出することは勧められない（推奨度D　エビデンスレベル低）。

3. 定位放射線治療は治療効果が低い上、合併症が多く、勧められない（推奨度D　エビデンスレベル低）。

解　説

成人における静脈性血管腫（developmental venous anomaly）の発見率は0.43%で[1]、自然歴に関して調査された2つの前向き観察研究では、年間出血率はそれぞれ0.15%および0.68%であった[2,3]。また、SIVMSの報告によると、合併する他の血管奇形からの出血を除いた静脈性血管腫からの出血率は0%であった[1]。

海綿状血管腫と静脈性血管腫の非合併例における検討では、静脈性血管腫からの出血は海綿状血管腫からの出血と比較して小脳に多く、神経症状はより軽微であった[4]。

静脈性血管腫は病変に隣接して他の血管奇形を合併することが多く、海綿状血管腫が最多である[5,6]。

出血発症の静脈性血管腫には、動静脈奇形を合併していたり、動静脈シャントを有する静脈性血管腫の亜型である場合がある[7]。

外科治療に際しては、出血の原因となった合併奇形などの切除を行い、正常静脈還流を担っている静脈性血管腫を摘出、損傷しないよう注意を払う必要がある[5]。

13例の静脈性血管腫に対して定位放射線治療を行った報告例では、完全閉塞1例、部分閉塞4例に止まり、4例で治療による合併症が見られた[8]。

〔引用文献〕

1) Hon JM, Bhattacharya JJ, Counsell CE, et al. The presentation and clinical course of intracranial developmental venous anomalies in adults: a systematic review and prospective, population-based study. Stroke 2009; 40: 1980-1985.（レベル3）

2) Naff NJ, Wemmer J, Hoenig-Rigamonti K, et al. A longitudinal study of patients with venous malformations: documentation of a negligible hemorrhage risk and benign natural history. Neurology 1998; 50: 1709-1714.（レベル3）

3) McLaughlin MR, Kondziolka D, Flickinger JC, et al. The prospective natural history of cerebral venous malformations. Neurosurgery 1998; 43: 195-201.（レベル3）

4) Li X, Wang Y, Chen W, et al. Intracerebral hemorrhage due to developmental venous anomalies. J Clin Neurosci 2016; 26: 95-100.（レベル4）

5) Rammos SK, Maina R, Lanzino G. Developmental venous anomalies: current concepts and implications for management. Neurosurgery 2009; 65: 20-29.（レベル4）

6) Ruiz DS, Yilmaz H, Gailloud P. Cerebral developmental venous anomalies: current concepts. Ann Neurol 2009; 66: 271-283.（レベル4）

7) Oran I, Kiroglu Y, Yurt A, et al. Developmental venous anomaly (DVA) with arterial component: a rare cause of intracranial haemorrhage. Neuroradiology 2009; 51: 25-32.（レベル4）

8) Lindquist C, Guo WY, Karlsson B, et al. Radiosurgery for venous angiomas. J Neurosurg 1993; 78: 531-536.（レベル4）

Ⅲ 脳出血

5 高血圧以外の原因による脳出血の治療

5-5　脳腫瘍に合併した脳出血

推奨

1. 下垂体卒中により強い視力・視野障害や眼球運動障害、意識障害を認める場合は外科的治療を行うことを考慮しても良い（推奨度C　エビデンスレベル低）。手術治療は発症早期に行うよう考慮しても良い（推奨度C　エビデンスレベル低）。

2. 転移性脳腫瘍に合併した脳出血において、腫瘍および血腫が大きくmass effect を呈し、脳以外の癌病巣がコントロールされている場合は外科的治療を行うことを考慮しても良い（推奨度C　エビデンスレベル低）。

解　説

下垂体卒中と診断されれば速やかなホルモン補充療法および水分・電解質バランスの調整が必要である[1,2]。強い視力・視野障害や眼球運動障害、意識障害を伴う場合は外科的治療を考慮する[1-7]。眼球運動障害は外科的処置にて著明に改善することが多いのに対し、視力・視野障害は治療が遅れると回復が困難になる場合がある[1-7]。発症後1週間を過ぎると手術による視力・視野障害の回復は不良であり、手術治療は発症早期に行うよう考慮する[2,4]。一般的には経蝶形骨洞手術により腫瘍および血腫を摘出するが、腫瘍の形や進展方向によっては開頭術を行う必要がある[1,4]。

転移性脳腫瘍においては、腫瘍および出血が大きく mass effect を呈し、脳以外の癌病巣がコントロールされている場合は外科的治療を考慮する[8]。

〔引用文献〕

1) Liu ZH, Chang CN, Pai PC, et al. Clinical features and surgical outcome of clinical and subclinical pituitary apoplexy. J Clin Neurosci 2010; 17: 694-699. （レベル4）

2) Capatina C, Inder W, Karavitaki N, et al. Management of endocrine disease: pituitary tumour apoplexy. Eur J Endocrinol 2015; 172: R179-R190. （レベル5）

3) Moller-Goede DL, Brandle M, Landau K, et al. Pituitary apoplexy: re-evaluation of risk factors for bleeding into pituitary adenomas and impact on outcome. Eur J Endocrinol 2011; 164: 37-43. （レベル4）

4) Turgut M, Ozsunar Y, Basak S, et al. Pituitary apoplexy: an overview of 186 cases published during the last century. Acta Neurochir (Wien) 2010; 152: 749-761. （レベル4）

5) Tu M, Lu Q, Zhu P, et al. Surgical versus non-surgical treatment for pituitary apoplexy: A systematic review and meta-analysis. J Neurol Sci 2016; 370: 258-262. （レベル3）

6) Zoli M, Milanese L, Faustini-Fustini M, et al. Endoscopic Endonasal Surgery for Pituitary Apoplexy: Evidence On a 75-Case Series From a Tertiary Care Center. World Neurosurg 2017; 106: 331-338. （レベル4）

7) Gondim JA, de Albuquerque LAF, Almeida JP, et al. Endoscopic Endonasal Surgery for Treatment of Pituitary Apoplexy: 16 Years of Experience in a Specialized Pituitary Center. World Neurosurg 2017; 108: 137-142. （レベル4）

8) Salmaggi A, Erbetta A, Silvani A, et al. Intracerebral haemorrhage in primary and metastatic brain tumours. Neurol Sci 2008; 29: S264-S265. （レベル5）

Ⅲ 脳出血

5 高血圧以外の原因による脳出血の治療

5-6　抗血栓療法に伴う脳出血

推 奨

1. ビタミンK阻害薬（ワルファリン）を服用し、prothrombin time-international normalized ratio（PT-INR）が 2.0 以上に延長した脳出血患者へのプロトロンビン複合体製剤の投与は妥当である（推奨度B　エビデンスレベル中）。その際、PT-INR の再上昇を避けるためビタミンKを併用することは妥当である（推奨度B　エビデンスレベル低）。

2. トロンビン阻害薬（ダビガトラン）内服中の場合、イダルシズマブを投与することは妥当である（推奨度B　エビデンスレベル低）。抗血小板薬服用中の脳出血患者に対し、一律に血小板輸血をすることは勧められない（推奨度D　エビデンスレベル中）。

3. 未分画ヘパリン療法中に合併した脳出血では、プロタミンの投与を考慮しても良い（推奨度C　エビデンスレベル低）。

4. 血栓溶解療法中に合併した脳出血では、血液凝固異常の評価を行い、血液製剤などを用いて異常に応じた是正を考慮しても良い（推奨度C　エビデンスレベル低）。

5. 抗血栓療法中に合併した脳出血では、原則として抗血栓薬を中止する。血圧高値は収縮期血圧を 140 mmHg 未満に降下させることを考慮しても良い（推奨度C　エビデンスレベル低）。

6. 直接阻害型経口抗凝固薬（DOAC）服用中の脳出血では、内服後早期の場合には経口活性炭による吸収抑制や、輸液負荷による利尿排出の促進を考慮しても良い（推奨度C　エビデンスレベル低）。

7. 抗血栓薬服用中に合併した脳出血では、再出血のリスクを勘案して、抗血栓薬服用を再開することは妥当である（推奨度B　エビデンスレベル中）。

解 説

抗血栓療法の種類によって用いる血液製剤・中和薬は異なる。またその推奨度は一律ではない。

ビタミンK阻害薬関連脳出血患者に対してプロトロンビン複合体製剤投与により prothrombin time-international normalized ratio（PT-INR）は早急に抗凝固作用が是正され、血腫拡大が抑制され、転帰が改善されることが観察されている[1,2]。凝固因子補充による PT-INR 是正が不十分な場合や遅れた場合（来院後 4 時間以内 PT-INR<1.3 を未達成）では再出血や血腫拡大を十分に抑制できなかった[1]。

PT-INR が 2.0 以上のビタミンK阻害薬服用中の脳出血患者に対して、ビタミンK併用下でプロトロンビン複合体製剤と新鮮凍結血漿の効果を比較したランダム化比較試験（RCT）である INCH で

は、長期機能転帰におけるプロトロンビン複合体製剤の優越性はなかったが、3 時間以内に PT-INR 1.2 以下を達成し、血腫拡大率および死亡率を有意に低下させた[3]。PT-INR 2.0 以上の場合、体重、PT-INR 値によって用量調整（PT-INR 2.0 以上 4.0 未満の場合 25 IU/kg）した 4 因子含有プロトロンビン複合体製剤をできるだけ早く投与し、PT-INR1.3 未満を目安に是正することは妥当である。

PT-INR 2.0 未満の患者に対するプロトロンビン複合体製剤の投与は用量明示がなく、保険適用外使用となる。なお、PT-INR 1.4〜1.9 の患者における有効性、安全性は PT-INR2.0 以上の患者へ投与した場合と同等であった[4,5]。2018 年 ESO-Karolinska Stroke Update Conference 推奨では PT-INR 1.3 以上 2.0 未満の場合プロトロンビン複合体製剤低用量（10〜25 IU/kg）投与を考慮しても良いとなっている[6]。2015 年版 American Heart

脳卒中治療ガイドライン 2021　145

Association (AHA)/ American Stroke Association (ASA) のガイドラインではプロトロンビン複合体製剤の投与量と目標 PT-INR は明確にされていない[7]。ビタミン K 製剤は PT-INR 是正における即効性はないが、プロトロンビン複合体製剤投与後の PT-INR の再上昇を抑制するためビタミン K 10 mg の単回もしくは再上昇時追加の静脈内投与は妥当である[8,9]。

直接阻害型経口抗凝固薬（DOAC）の中和薬として、直接トロンビン阻害薬ダビガトランには特異的抗体イダルシズマブ、第 X a 因子阻害薬リバーロキサバン、アピキサバン、エドキサバンにはデコイ蛋白 andexanet alfa（本邦未承認）の抗凝固作用への中和効果が症例集積研究で示されたが[10,11]、脳出血に対する RCT は行われていない。ダビガトラン最終内服から 24 時間以内、また、高い血中濃度が持続する可能性がある腎機能障害患者や P 糖蛋白阻害薬内服者では 48 時間以内の脳出血で、血腫拡大による重症化のリスクが高いと判断した場合は、イダルシズマブ投与は妥当である。

第 X a 因子阻害薬関連脳出血患者に対する andexanet alfa が本邦では採用されていない。第 X a 因子阻害薬の抗凝固作用残存による血腫拡大からの重症化が危惧される場合は、プロトロンビン複合体製剤で是正できる可能性がある。しかし、症例集積研究での一貫した有用性が示されていない上[12]、保険適用外使用となる。また、代替として新鮮凍結血漿の有効性と安全性は確立されていない。2018 年 ESO-Karolinska Stroke Update Conference 推奨では andexanet alfa を用いることができない環境では、プロトロンビン複合体製剤高用量（50 IU/kg）投与を考慮するとされている[6]。

抗血小板薬関連脳出血に対する血小板輸血の観察研究では有用性の一貫性がなかったが、主としてシクロオキシゲナーゼ阻害薬アスピリン単剤服用患者を対象とした RCT（PATCH）では、標準治療に対する血小板輸血は機能転帰改善に無効で、予後不良や有害事象発現と関連した[13]。

注射抗血栓薬に関連した脳出血に関して、質の高い有効性が確立した中和薬はない。未分画ヘパリン投与中の脳出血に関しては、薬理作用から有効性が期待できるプロタミンの投与を考慮しても良い[14]。

血栓溶解薬関連脳出血に関しては、血栓溶解薬投与後にフィブリノゲン低下や、PT、活性化部分トロンボプラスチン時間（APTT）の延長などの血液凝固異常を来すことがあるため、凝固線溶系の評価を行い、必要に応じて血液製剤を用いて血液凝固異常の是正を考慮しても良い[15,16]。

抗血栓療法中の脳出血患者は、急速かつ高頻度に血腫拡大し転帰不良に直結する[17]。原則として、直ちに抗血栓薬は中止し、血圧高値に対して降圧が考慮される。抗血栓薬服用中の脳出血患者に対し、収縮期血圧を 140 mmHg 未満まで降下させることで、血腫拡大を低減させる傾向が示された[18]。DOAC 内服後、数時間以内であれば経口活性炭投与による腸管吸収抑制の可能性が報告されており[19,20]、輸液による利尿排出の促進とともに考慮しても良い。

脳出血後の抗血栓薬再開の可否、再開のタイミングに関しては、再開による再出血リスクと血栓塞栓症リスク低下のベネフィットの純損益を考慮して判断する必要がある。心房細動や弁膜症といった血栓塞栓症予防の抗凝固薬関連脳出血では、慢性期からの抗凝固薬の再開は脳出血再発率上昇がなく、血栓塞栓症リスクや死亡率低下による有益性がメタ解析から高いことが示された[21,22]。機械弁や血栓塞栓症の高リスクの例では止血が確認され次第、急性期からの再開を考慮しても良い[23,24]。

抗血小板薬の再開に関しては、脳出血後に中止した抗血小板薬再開の安全性を検討した RCT（RESTART）が行われ、抗血小板薬再開群において非再開群と比べて脳出血の再発は増加せず、慢性期における抗血小板薬再開の安全性が示された[25]。

〔引用文献〕

1) Kuramatsu JB, Gerner ST, Schellinger PD, et al. Anticoagulant reversal, blood pressure levels, and anticoagulant resumption in patients with anticoagulation-related intracerebral hemorrhage. JAMA 2015; 313: 824-836.（レベル 3）
2) Pan R, Cheng J, Lai K, et al. Efficacy and safety of prothrombin complex concentrate for vitamin K antagonist-associated intracranial hemorrhage: a systematic review and meta-analysis. Neurol Sci 2019; 40: 813-827.（レベル 2）
3) Steiner T, Poli S, Griebe M, et al. Fresh frozen plasma versus prothrombin complex concentrate in patients with intracranial haemorrhage related to vitamin K antagonists (INCH): a randomised trial. Lancet Neurol 2016; 15: 566-573.（レベル 2）
4) Rivosecchi RM, Durkin J, Okonkwo DO, et al. Safety and Efficacy of Warfarin Reversal with Four-Factor Prothrombin Complex Concentrate for Subtherapeutic INR in Intracerebral Hemorrhage. Neurocrit Care 2016; 25: 359-364.（レベル 3）
5) Zemrak WR, Smith KE, Rolfe SS, et al. Low-dose Prothrombin Complex Concentrate for Warfarin-Associated Intracranial Hemorrhage with INR Less Than 2.0. Neurocrit Care 2017; 27: 334-340.（レベル 4）
6) Ahmed N, Audebert H, Turc G, et al. Consensus statements and recommendations from the ESO-Karolinska Stroke Update Conference, Stockholm 11-13 November 2018. Eur Stroke J 2019; 4: 307-317.（レベル 5）

7) Hemphill JC 3rd, Greenberg SM, Anderson CS, et al. Guidelines for the Management of Spontaneous Intracerebral Hemorrhage: A Guideline for Healthcare Professionals From the American Heart Association/American Stroke Association. Stroke 2015; 46: 2032-2060.（レベル 5）

8) Yasaka M, Sakata T, Minematsu K, et al. Correction of INR by prothrombin complex concentrate and vitamin K in patients with warfarin related hemorrhagic complication. Thromb Res 2002; 108: 25-30.（レベル 4）

9) Sin JH, Berger K, Lesch CA. Four-factor prothrombin complex concentrate for life-threatening bleeds or emergent surgery: A retrospective evaluation. J Crit Care 2016; 36: 166-172.（レベル 4）

10) Pollack CV Jr, Reilly PA, van Ryn J, et al. Idarucizumab for Dabigatran Reversal - Full Cohort Analysis. N Engl J Med 2017; 377: 431-441.（レベル 4）

11) Connolly SJ, Crowther M, Eikelboom JW, et al. Full Study Report of Andexanet Alfa for Bleeding Associated with Factor Xa Inhibitors. N Engl J Med 2019; 380: 1326-1335.（レベル 4）

12) Gerner ST, Kuramatsu JB, Sembill JA, et al. Association of prothrombin complex concentrate administration and hematoma enlargement in non-vitamin K antagonist oral anticoagulant-related intracerebral hemorrhage. Ann Neurol 2018; 83: 186-196.（レベル 3）

13) Baharoglu MI, Cordonnier C, Al-Shahi Salman R, et al. Platelet transfusion versus standard care after acute stroke due to spontaneous cerebral haemorrhage associated with antiplatelet therapy (PATCH): a randomised, open-label, phase 3 trial. Lancet 2016; 387: 2605-2613.（レベル 2）

14) Nutescu EA, Burnett A, Fanikos J, et al. Pharmacology of anticoagulants used in the treatment of venous thromboembolism. J Thromb Thrombolysis 2016; 41: 15-31.（レベル 5）

15) Yaghi S, Eisenberger A, Willey JZ. Symptomatic intracerebral hemorrhage in acute ischemic stroke after thrombolysis with intravenous recombinant tissue plasminogen activator: a review of natural history and treatment. JAMA Neurol 2014; 71: 1181-1185.（レベル 5）

16) Yaghi S, Willey JZ, Cucchiara B, et al. Treatment and Outcome of Hemorrhagic Transformation After Intravenous Alteplase in Acute Ischemic Stroke: A Scientific Statement for Healthcare Professionals From the American Heart Association/American Stroke Association. Stroke 2017; 48: e343-e361.（レベル 5）

17) Toyoda K, Yasaka M, Nagata K, et al. Antithrombotic therapy influences location, enlargement, and mortality from intracerebral hemorrhage. The Bleeding with Antithrombotic Therapy (BAT) Retrospective Study. Cerebrovasc Dis 2009; 27: 151-159.（レベル 3）

18) Song L, Sandset EC, Arima H, et al. Early blood pressure lowering in patients with intracerebral haemorrhage and prior use of antithrombotic agents: pooled analysis of the INTERACT studies. J Neurol Neurosurg Psychiatry 2016; 87: 1330-1335.（レベル 3）

19) Ollier E, Hodin S, Lanoiselée J, et al. Effect of Activated Charcoal on Rivaroxaban Complex Absorption. Clin Pharmacokinet 2017; 56: 793-801.（レベル 2）

20) Wang X, Mondal S, Wang J, et al. Effect of activated charcoal on apixaban pharmacokinetics in healthy subjects. Am J Cardiovasc Drugs 2014; 14: 147-154.（レベル 2）

21) Murthy SB, Gupta A, Merkler AE, et al. Restarting Anticoagulant Therapy After Intracranial Hemorrhage: A Systematic Review and Meta-Analysis. Stroke 2017; 48: 1594-1600.（レベル 2）

22) Zhou Z, Yu J, Carcel C, et al. Resuming anticoagulants after anticoagulation-associated intracranial haemorrhage: systematic review and meta-analysis. BMJ Open 2018; 8: e019672.（レベル 2）

23) Kuramatsu JB, Sembill JA, Gerner ST, et al. Management of therapeutic anticoagulation in patients with intracerebral haemorrhage and mechanical heart valves. Eur Heart J 2018; 39: 1709-1723.（レベル 3）

24) Sakamoto Y, Nito C, Nishiyama Y, et al. Safety of Anticoagulant Therapy Including Direct Oral Anticoagulants in Patients With Acute Spontaneous Intracerebral Hemorrhage. Circ J 2019; 83: 441-446.（レベル 4）

25) RESTART Collaboration. Effects of antiplatelet therapy after stroke due to intracerebral haemorrhage (RESTART): a randomised, open-label trial. Lancet 2019; 393: 2613-2623.（レベル 2）

Ⅲ 脳出血

5 高血圧以外の原因による脳出血の治療

5-7　慢性腎疾患・腎不全・透析患者に伴う脳出血

推奨

1. 脳出血を発症した慢性腎臓病患者においても、急性期は過度な降圧による腎機能の悪化に注意しながらの積極的降圧は妥当である（推奨度B　エビデンスレベル低）。

2. 脳出血を発症した血液透析患者では、発症後24時間は血液透析を避けることを考慮しても良い（推奨度C　エビデンスレベル低）。また、血液透析よりも腹膜透析もしくは持続的血液濾過（および持続的血液濾過透析）を選択し、神経症候の安定をみながら持続的血液濾過から間欠的血液濾過または持続的血液濾過透析を経て、維持血液透析へと移行することを考慮しても良い（推奨度C　エビデンスレベル低）。

3. 血液透析における抗凝固薬の使用については、ヘパリンと比較して半減期が短く出血性合併症の少ないナファモスタットの使用を考慮しても良い（推奨度C　エビデンスレベル低）。

解　説

腎機能低下を有する脳出血患者においても、急性期の積極的降圧療法（収縮期血圧140 mmHg未満）により機能転帰と生命予後は改善した[1]。しかし過度な降圧（入院時収縮期血圧220 mmHg以上から140 mmHg未満への降圧や収縮期血圧90 mmHg以上の降圧）は急性腎障害や院内死亡を増加させた[2,3]。

脳出血発症24時間以内は血腫拡大のリスクが高いため[4]、脳出血発症後24時間は血液透析を回避することが望ましいとされている[5]。抗凝固薬無使用の腹膜透析は早期継続が可能である。腹膜透析および持続的血液濾過では不均衡症候群を来しにくく、血液透析よりも血腫拡大や頭蓋内圧亢進への影響が少ない[6,7]。持続的血液濾過透析はこれらの治療の代替手段となりうる[8,9]。神経症候や脳内血腫の安定をみながら、維持血液透析へと移行する。

血液透析では透析回路内における血液凝固を予防するために抗凝固薬の使用が必須である。ナファモスタットは、ヘパリンと比較して半減期が短いため、全身への抗凝固作用を及ぼす影響が小さく出血性合併症が少ない[10]。

〔引用文献〕

1) Zheng D, Sato S, Arima H, et al. Estimated GFR and the Effect of Intensive Blood Pressure Lowering After Acute Intracerebral Hemorrhage. Am J Kidney Dis 2016; 68: 94-102. （レベル3）

2) Burgess LG, Goyal N, Jones GM, et al. Evaluation of Acute Kidney Injury and Mortality After Intensive Blood Pressure Control in Patients With Intracerebral Hemorrhage. J Am Heart Assoc 2018; 7: e008439. （レベル3）

3) Hewgley H, Turner SC, Vandigo JE, et al. Impact of Admission Hypertension on Rates of Acute Kidney Injury in Intracerebral Hemorrhage Treated with Intensive Blood Pressure Control. Neurocrit Care 2018; 28: 344-352. （レベル4）

4) Kazui S, Naritomi H, Yamamoto H, et al. Enlargement of spontaneous intracerebral hemorrhage. Incidence and time course. Stroke 1996; 27: 1783-1787. （レベル4）

5) 日本透析医学会．血液透析患者における心血管合併症の評価と治療に関するガイドライン　第7章　脳血管障害　I．脳出血．日本透析医学会雑誌　2011；44：400-404．（レベル5）

6) Krane NK. Intracranial pressure measurement in a patient undergoing hemodialysis and peritoneal dialysis. Am J Kidney Dis 1989; 13: 336-339. （レベル4）

7) Murakami M, Hamasaki T, Kimura S, et al. Clinical features and management of intracranial hemorrhage in patients undergoing maintenance dialysis therapy. Neurol Med Chir (Tokyo) 2004; 44: 225-233. （レベル4）

8) 溝渕佳史, 宇野昌明, 河野威, 他．腎透析患者の脳出血の治療と予後の検討．脳卒中の外科　2003；31：290-294．（レベル4）

9) 北村伸哉, 平澤博之．緊急血液浄化法　腎不全を伴う脳神経外科疾患急性期に対する血液浄化法．救急医学　1993；17：207-209．（レベル4）

10) Akizawa T, Koshikawa S, Ota K, et al. Nafamostat mesilate: a regional anticoagulant for hemodialysis in patients at high risk for bleeding. Nephron 1993; 64: 376-381. （レベル4）

IV

くも膜下出血

Ⅳ くも膜下出血

CQ Ⅳ-a CT で脳槽の描出が不明瞭な軽症くも膜下出血症例では、腰椎穿刺を行うことが推奨されるか？

▶ CT でくも膜下出血が不明瞭な場合には、MRI（FLAIR 像や T2*強調像を含む）を撮影することは妥当である（推奨度 B　エビデンスレベル低）。それでも診断が確定できない場合には腰椎穿刺を行うことが妥当である（推奨度 B　エビデンスレベル中）。

解説

頭部単純 CT のくも膜下出血診断感度は発症 3 日以内であれば 100％に近いとされるが、それ以降は時間経過とともに低下し、1 週間後には 50％程度となる[1]。発症から時間が経過し、CT によるくも膜下出血の検出が困難な症例に対する腰椎穿刺の有用性は、複数の観察研究や海外のガイドラインにより示されているが[1-7]、侵襲的検査となる。一方、近年では、急性期から亜急性期にかけてのくも膜下出血の診断における MRI、特に FLAIR 像や T2*強調像の有用性が報告され、CT で診断に至らない場合には、はじめに低侵襲的な MRI の撮影を考慮して良い[1,8]。しかしながら、FLAIR 像や T2*強調像を含めた撮像でも偽陰性となる症例があるため[9]、MRI でも診断が確定できない症例では、腰椎穿刺を行うことが推奨される。

〔引用文献〕

1) Connolly ES Jr, Rabinstein AA, Carhuapoma JR, et al. Guidelines for the management of aneurysmal subarachnoid hemorrhage: a guideline for healthcare professionals from the American Heart Association/american Stroke Association. Stroke 2012; 43: 1711-1737.（レベル 2）
2) Martin SC, Teo MK, Young AM, et al. Defending a traditional practice in the modern era: The use of lumbar puncture in the investigation of subarachnoid haemorrhage. Br J Neurosurg 2015; 29: 799-803.（レベル 4）
3) de Oliveira Manoel AL, Mansur A, Murphy A, et al. Aneurysmal subarachnoid haemorrhage from a neuroimaging perspective. Crit Care 2014; 18: 557.（レベル 3）
4) Stewart H, Reuben A, McDonald J. LP or not LP, that is the question: gold standard or unnecessary procedure in subarachnoid haemorrhage? Emerg Med J 2014; 31: 720-723.（レベル 3）
5) Wu X, Kalra VB, Durand D, et al. Utility analysis of management strategies for suspected subarachnoid haemorrhage in patients with thunderclap headache with negative CT result. Emerg Med J 2016; 33: 30-36.（レベル 3）
6) Vivancos J, Gilo F, Frutos R, et al. Clinical management guidelines for subarachnoid haemorrhage. Diagnosis and treatment. Neurologia 2014; 29: 353-370.（レベル 2）
7) Cortnum S, Sørensen P, Jørgensen J. Determining the sensitivity of computed tomography scanning in early detection of subarachnoid hemorrhage. Neurosurgery 2010; 66: 900-902; discussion 903.（レベル 4）
8) Yuan MK, Lai PH, Chen JY, et al. Detection of subarachnoid hemorrhage at acute and subacute/chronic stages: comparison of four magnetic resonance imaging pulse sequences and computed tomography. J Chin Med Assoc 2005; 68: 131-137.（レベル 4）
9) Mohamed M, Heasly DC, Yagmurlu B, et al. Fluid-attenuated inversion recovery MR imaging and subarachnoid hemorrhage: not a panacea. AJNR Am J Neuroradiol 2004; 25: 545-550.（レベル 4）

IV くも膜下出血

CQ IV-b くも膜下出血の遅発性脳血管攣縮の予防に持続髄液ドレナージ留置は推奨されるか？

▶ 急性期外科治療例では脳槽ドレナージの留置が妥当である（推奨度B　エビデンスレベル中）。急性期血管内治療例では、腰椎ドレナージの留置を考慮しても良い（推奨度C　エビデンスレベル低）。

解説

遅発性脳血管攣縮の重症度とくも膜下腔の血管周囲の血腫量との間には相関があるとされている[1]。組織プラスミノゲン・アクティベータ（tissue plasminogen activator：t-PA）の術中投与やウロキナーゼ灌流療法を併用した急性期術後脳槽ドレナージにより、症候性脳血管攣縮および遅発性脳虚血の出現頻度が低下したとする多施設無作為化試験や単施設非無作為化試験が複数あり[2-5]、過去の日本の脳卒中治療ガイドラインでは、急性期外科治療の際の脳槽ドレナージ留置が勧められている。一方、血管内治療などで開頭手術を施行しない場合には、腰椎ドレナージの留置が考慮されるが、これに関しては、7つの後方観察研究と1つの単施設無作為化試験のシステマティックレビューで、症候性脳血管攣縮および遅発性脳虚血の出現頻度の低下と、転帰改善効果が示されたものの[6]、エビデンスレベルの高い研究はいまだ行われていないのが現状である。

〔引用文献〕

1) Weir B, Macdonald RL, Stoodley M. Etiology of cerebral vasospasm. Acta Neurochir Suppl 1999; 72: 27-46.（レベル5）
2) Findlay JM, Kassell NF, Weir BK, et al. A randomized trial of intraoperative, intracisternal tissue plasminogen activator for the prevention of vasospasm. Neurosurgery 1995; 37: 168-178.（レベル2）
3) Mizoi K, Yoshimoto T, Takahashi A, et al. Prospective study on the prevention of cerebral vasospasm by intrathecal fibrinolytic therapy with tissue-type plasminogen activator. J Neurosurg 1993; 78: 430-437.（レベル3）
4) Ohman J, Servo A, Heiskanen O. Effect of intrathecal fibrinolytic therapy on clot lysis and vasospasm in patients with aneurysmal subarachnoid hemorrhage. J Neurosurg 1991; 75: 197-201.（レベル3）
5) Kodama N, Sasaki T, Kawakami M, et al. Cisternal irrigation therapy with urokinase and ascorbic acid for prevention of vasospasm after aneurysmal subarachnoid hemorrhage. Outcome in 217 patients. Surg Neurol 2000; 53: 110-118.（レベル3）
6) Panni P, Fugate JE, Rabinstein AA, et al. Lumbar drainage and delayed cerebral ischemia in aneurysmal subarachnoid hemorrhage: a systematic review. J Neurosurg Sci 2017; 61: 665-672.（レベル3）

Ⅳ くも膜下出血

1 発症予防

発症予防

推 奨

▶ くも膜下出血発症予防のために、禁煙、血圧のコントロール、および節酒ないし禁酒が勧められる（推奨度A　エビデンスレベル中）。

解 説

くも膜下出血の原因疾患としては脳動脈瘤（特発性くも膜下出血の85％）や脳動静脈奇形、脳動脈解離などが指摘されている[1]。

くも膜下出血を来す危険因子としては、喫煙習慣、高血圧保有、1週間に150g以上の飲酒が挙げられている[1-5]。それぞれの相対リスク（RR）は、1.9、2.8、4.7となり、過度の飲酒は危険な因子とされる[1]。

一親等以内の脳動脈瘤保有者の家族歴がくも膜下出血の危険因子であり[6-7]、その4％に脳動脈瘤を有するとの報告がある[8]。また、人種（日本、フィンランド）、女性が独立した危険因子であるとした報告がある[1,5,9]。

コレステロール値は、くも膜下出血の発症と有意な関連を認めないとの報告がこれまでなされたが[10,11]、総コレステロール値もしくはLDLコレステロール値が男性のくも膜下出血リスクを増大させるとの報告が近年なされている[12,13]。スタチンの使用に関しては、動脈瘤破裂と関連しないとの報告[14]と関連するとの本邦の報告[15]、スタチン使用の中止でリスク上昇があるとの報告[16]が混在している。

肥満度は、くも膜下出血の発症と逆相関し[3]、痩せた高血圧の人と痩せた喫煙者でリスク上昇との報告[11]がなされていたが、body mass index（BMI）が$30\,\mathrm{kg/m^2}$以上の群では年齢や血圧、喫煙などの因子調整後も高いハザード比を示すとの本邦のデータも報告された[17]。

アスピリンの内服は、動脈瘤破裂のリスクを低下させたとの報告の一方[18]、短期間（3か月以内）でのアスピリン服用はくも膜下出血リスクを増大させるとのメタ解析もある[19]。アスピリンに限定しない抗血小板薬をくも膜下出血発症前に内服している場合、60歳以下の群では臨床転機良好と関連したが、70歳以上では逆に予後不良と関連したとの報告がある[20]。

季節や気候によるくも膜下出血発症との関連に関するメタ解析では、夏より冬に多いという季節性はあるものの、気候（温度、気圧、湿度）との関連は一定の傾向を示さなかった[21]。

未破裂脳動脈瘤に対する出血予防処置については、「Ⅴ 無症候性脳血管障害　5 未破裂脳動脈瘤」の項を参照。

〔引用文献〕

1) van Gijn J, Rinkel GJ. Subarachnoid haemorrhage: diagnosis, causes and management. Brain 2001; 124(Pt 2): 249-278. （レベル1）

2) Mannami T, Iso H, Baba S, et al. Cigarette smoking and risk of stroke and its subtypes among middle-aged Japanese men and women: the JPHC Study Cohort I. Stroke 2004; 35: 1248-1253. （レベル2）

3) Sandvei MS, Romundstad PR, Muller TB, et al. Risk factors for aneurysmal subarachnoid hemorrhage in a prospective population study: the HUNT study in Norway. Stroke 2009; 40: 1958-1962. （レベル2）

4) Sankai T, Iso H, Shimamoto T, et al. Prospective study on alcohol intake and risk of subarachnoid hemorrhage among Japanese men and women. Alcohol Clin Exp Res 2000; 24: 386-389. （レベル3）

5) Lindekleiv H, Sandvei MS, Njolstad I, et al. Sex differences in risk factors for aneurysmal subarachnoid hemorrhage: a cohort study. Neurology 2011; 76: 637-643. （レベル2）

6) Broderick JP, Brown RD Jr, Sauerbeck L, et al. Greater rupture risk for familial as compared to sporadic unruptured intracranial aneurysms. Stroke 2009; 40: 1952-1957. （レベル3）

7) Mackey J, Brown RD Jr, Moomaw CJ, et al. Unruptured intracranial aneurysms in the Familial Intracranial Aneurysm and International Study of Unruptured Intracranial Aneurysms cohorts: differences in multiplicity and location. J Neurosurg 2012; 117: 60-64. （レベル3）

8) Magnetic Resonance Angiography in Relatives of Patients with Subarachnoid Hemorrhage Study Group. Risks and benefits of screening for intracranial aneurysms in first-degree relatives of patients with sporadic subarachnoid hemorrhage. N Engl J Med 1999; 341: 1344-1350. （レベル3）

9) Vlak MH, Algra A, Brandenburg R, et al. Prevalence of unruptured intracranial aneurysms, with emphasis on sex, age, comorbidity, country, and time period: a systematic review and meta-analysis. Lancet Neurol 2011; 10: 626-636. （レベル1）

10) Suh I, Jee SH, Kim HC, et al. Low serum cholesterol and haemorrhagic stroke in men: Korea Medical Insurance Corporation

Study. Lancet 2001; 357: 922–925.（レベル 3）

11) Knekt P, Reunanen A, Aho K, et al. Risk factors for subarachnoid hemorrhage in a longitudinal population study. J Clin Epidemiol 1991; 44: 933–939.（レベル 3）

12) Lindbohm JV, Kaprio J, Korja M. Cholesterol as a Risk Factor for Subarachnoid Hemorrhage: A Systematic Review. PLoS One 2016; 11: e0152568.（レベル 2）

13) Lindbohm J, Korja M, Jousilahti P, et al. Adverse lipid profile elevates risk for subarachnoid hemorrhage: A prospective population-based cohort study. Atherosclerosis 2018; 274: 112–119.（レベル 2）

14) Bekelis K, Smith J, Zhou W, et al. Statins and subarachnoid hemorrhage in Medicare patients with unruptured cerebral aneurysms. Int J Stroke 2015; 10 Suppl A100: 38–45.（レベル 3）

15) Yoshimura Y, Murakami Y, Saitoh M, et al. Statin use and risk of cerebral aneurysm rupture: a hospital-based case-control study in Japan. J Stroke Cerebrovasc Dis 2014; 23: 343–348.（レベル 4）

16) Risselada R, Straatman H, van Kooten F, et al. Withdrawal of statins and risk of subarachnoid hemorrhage. Stroke 2009; 40: 2887–2892.（レベル 4）

17) Kawate N, Kayaba K, Hara M, et al. Body Mass Index and Incidence of Subarachnoid Hemorrhage in Japanese Community Residents: The Jichi Medical School Cohort Study. J Stroke Cerebrovasc Dis 2017; 26: 1683–1688.（レベル 3）

18) Hasan DM, Mahaney KB, Brown RD Jr, et al. Aspirin as a promising agent for decreasing incidence of cerebral aneurysm rupture. Stroke 2011; 42: 3156–3162.（レベル 4）

19) Phan K, Moore JM, Griessenauer CJ, et al. Aspirin and Risk of Subarachnoid Hemorrhage: Systematic Review and Meta-Analysis. Stroke 2017; 48: 1210–1217.（レベル 2）

20) Kato Y, Hayashi T, Tanahashi N, et al. Influence of Antiplatelet Drugs on the Outcome of Subarachnoid Hemorrhage Differs with Age. J Stroke Cerebrovasc Dis 2015; 24: 2252–2255.（レベル 3）

21) de Steenhuijsen Piters WA, Algra A, van den Broek MF, et al. Seasonal and meteorological determinants of aneurysmal subarachnoid hemorrhage: a systematic review and meta-analysis. J Neurol 2013; 260: 614–619.（レベル 2）

Ⅳ くも膜下出血

2 初期治療

初期治療

推奨

1. 脳動脈瘤破裂によるくも膜下出血は診断の遅れが転帰の悪化につながるため、迅速で的確な診断と専門医による治療を行うよう勧められる（推奨度A　エビデンスレベル低）。

2. CTで診断がつかない場合は、腰椎穿刺またはMRIなどを行うことは妥当である（推奨度B　エビデンスレベル中）。

3. くも膜下出血と診断された場合、発症直後は再出血を予防するため、安静を保ち、侵襲的な検査や処置を避けることは妥当である（推奨度B　エビデンスレベル中）。

4. 再出血予防のためには、十分な鎮痛、鎮静を施すことは妥当である（推奨度B　エビデンスレベル低）。軽症、中等症では収縮期血圧を160 mmHg未満に降圧することが妥当である（推奨度B　エビデンスレベル高）。

5. 重症例においては、脳循環の改善が重要であり、高浸透圧利尿薬の投与、心肺合併症に注意した全身循環の管理を行うことが妥当である（推奨度B　エビデンスレベル低）。

6. 入院時検査で出血源となる血管異常を認めなかった場合、時間をあけて再度出血源検査を行うことは妥当である（推奨度B　エビデンスレベル低）。

解 説

くも膜下出血は診断の遅れが転帰悪化につながるため、迅速で的確な診断が必要である。さらに、くも膜下出血では出血源の診断や急性期の治療に高い専門性が要求されるため、一般医療機関に搬入された場合には専門施設に速やかに搬送する必要がある。治療の遅延には、初期医療機関への受診の遅れと専門施設への搬送の遅れの二つの関与が指摘されている[1]。医療過疎地などでは初診時に専門病院を受診できないこともあり、一般医や市民への啓発が望まれている[2]。

くも膜下出血自体の診断は一般にCTで行われるが、最近のシステマティックレビューによると、その感度は0.987、特異度は0.999であり、CTのみでは診断できない症例が約1%存在することが示されている[3]。したがって、このような場合には腰椎穿刺、MRIなどを考慮する必要がある[4,5]。

発症早期には様々な重症度を示し得るが、最重症例では心肺停止状態のこともあり、心肺蘇生など必要な救命処置と呼吸循環管理を行う[6,7]。くも膜下出血症例の初期治療の目的は再出血の予防と、重症例における全身状態の改善および頭蓋内圧の管理である。

くも膜下出血の再出血は、発症24時間以内に多いことが従来指摘されてきたが、最近のシステマティックレビューでは特に発症6時間以内に有意に高率であることが示されている[8]。このため、発症直後はできるだけ安静を保ち、侵襲的な検査や処置は避けたほうが良い[9,10]。さらにシステマティックレビューで再出血の有意な危険因子として示されたものは、重症（Hunt & Hess grade: Ⅲ or Ⅳ）、大型動脈瘤（10 mm以上）、来院時収縮期血圧高値（160 mmHg以上）、脳室内出血・脳内出血合併、脳動脈瘤部位（椎骨脳底動脈系）である[8,11]。

したがって、再出血予防のためには、十分な鎮痛、鎮静が必要であり、降圧を考慮する[12,13]。具体的な降圧目標値として、再出血の危険因子に関するシステマティックレビューの結果から収縮期血圧を160 mmHg未満にすることを考慮すべきである[8]。American Heart Association（AHA）/American Stroke Association（ASA）ガイドラインでも同様の提案がなされている[13]。降圧薬としては、ニカルジピン静脈内投与の有用性を示すデータが報

告されている[14,15]。ただし、重症例で頭蓋内圧が亢進している場合には、不用意な降圧により脳灌流圧低下が生じ脳虚血を増悪させることがあるために、降圧薬投与は慎重に行うべきである[16]。抗線溶薬であるイプシロンアミノカプロン酸の投与に関しては、再出血を減少させる反面、脳虚血合併症を増加させるため、全体として転帰の改善につながらないという報告がある[17-19]。しかし、近年では短期投与の有効性を示す報告もあり[20-22]、外科的破裂予防処置を行うまでの短期間投与では虚血性合併症を増加させずに再出血を予防できる可能性が示されている[23]。痙攣は再出血をもたらし転帰を悪化させる恐れがあるが、発作は発症直後のことが多く、初期治療における抗痙攣薬投与の発作予防効果は明らかでない[24-26]。

重症例の急性期においては合併する全身病態への管理も必要であり、特に重要なものは交感神経系緊張による心肺合併症である[27]。しばしば心電図異常がみられ、多くの場合自然軽快するが、致死的心室性不整脈を呈する場合もある[28]。また、たこつぼ心筋症と呼ばれる左室機能異常を認めることもある[29]。重症例では神経原性肺水腫も合併しやすく、人工呼吸器による呼吸管理や利尿薬投与で対応する[30]。

また重症例においては頭蓋内圧亢進の管理と脳循環の維持が重要である[16]。頭蓋内圧上昇を呈している場合は高浸透圧利尿薬を考慮して良い[31]。急性水頭症、脳内血腫を合併している場合には、さらに外科的処置が必要なことがある[32,33]。

脳動脈瘤の検出には脳血管造影（digital subtraction angiography：DSA）または CT angiography（CTA）を行う[13]。特に、最近では3D-CTAによる脳動脈瘤の検出能はDSAと同等あるいはそれ以上であるとの報告もあり、非侵襲的で短時間に行えることから脳動脈瘤の診断に有用とされている[34-36]。くも膜下出血患者における初回のDSAでの出血源同定率は60～80％程度とされる[37]。初回DSAで出血源を同定できなかった場合、DSAなどの再検による脳動脈瘤の有無の確認は必須であり[38-40]、繰り返しのDSAで新たに1～12.5％の同定が可能とされている[13,39,41-43]。DSA時の鎮静に関して、デクスメデトミジン、プロポフォールの無作為比較試験では、鎮静効果、安全性に関してデクスメデトミジンが有意に優れているとする報告がある[44]。

〔引用文献〕

1) Robbert M, Hoogmoed J, van Straaten HA, et al. Time intervals from aneurysmal subarachnoid hemorrhage to treatment and factors contributing to delay. J Neurol 2014; 261: 473-479.（レベル4）
2) 嶋村則人, 菊池潤, 棟方聡, 他. 地域医療におけるくも膜下出血初期治療の現状と問題点. Neurosurgical Emergency 2007; 12: 142-147.（レベル4）
3) Dubosh NM, Bellolio MF, Rabinstein AA, et al. Sensitivity of Early Brain Computed Tomography to Exclude Aneurysmal Subarachnoid Hemorrhage: A Systematic Review and Meta-Analysis. Stroke 2016; 47: 750-755.（レベル2）
4) Carpenter CR, Hussain AM, Ward MJ, et al. Spontaneous Subarachnoid Hemorrhage: A Systematic Review and Meta-analysis Describing the Diagnostic Accuracy of History, Physical Examination, Imaging, and Lumbar Puncture With an Exploration of Test Thresholds. Acad Emerg Med 2016; 23: 963-1003.（レベル2）
5) Edjlali M, Rodriguez-Régent C, Hodel J, et al. Subarachnoid hemorrhage in ten questions. Diagn Interv Imaging 2015; 96: 657-666.（レベル5）
6) Inamasu J, Miyatake S, Tomioka H, et al. Subarachnoid haemorrhage as a cause of out-of-hospital cardiac arrest: a prospective computed tomography study. Resuscitation 2009; 80: 977-980.（レベル4）
7) Mitsuma W, Ito M, Kodama M, et al. Clinical and cardiac features of patients with subarachnoid haemorrhage presenting with out-of-hospital cardiac arrest. Resuscitation 2011; 82: 1294-1297.（レベル4）
8) Tang C, Zhang TS, Zhou LF. Risk factors for rebleeding of aneurysmal subarachnoid hemorrhage: a meta-analysis. PLoS One 2014; 9: e99536.（レベル2）
9) Komiyama M, Tamura K, Nagata Y, et al. Aneurysmal rupture during angiography. Neurosurgery 1993; 33: 798-803.（レベル4）
10) Saitoh H, Hayakawa K, Nishimura K, et al. Rerupture of cerebral aneurysms during angiography. AJNR Am J Neuroradiol 1995; 16: 539-542.（レベル4）
11) Boogaarts HD, van Lieshout JH, van Amerongen MJ, et al. Aneurysm diameter as a risk factor for pretreatment rebleeding: a meta-analysis. J Neurosurg 2015; 122: 921-928.（レベル2）
12) Findlay JM. Current management of aneurysmal subarachnoid hemorrhage guidelines from the Canadian Neurosurgical Society. Can J Neurol Sci 1997; 24: 161-170.（レベル5）
13) Connolly ES Jr, Rabinstein AA, Carhuapoma JR, et al. Guidelines for the management of aneurysmal subarachnoid hemorrhage: a guideline for healthcare professionals from the American Heart Association/American Stroke Association. Stroke 2012; 43: 1711-1737.（レベル5）
14) Varelas PN, Abdelhak T, Wellwood J, et al. Nicardipine infusion for blood pressure control in patients with subarachnoid hemorrhage. Neurocrit Care 2010; 13: 190-198.（レベル4）
15) Woloszyn AV, McAllen KJ, Figueroa BE, et al. Retrospective evaluation of nicardipine versus labetalol for blood pressure control in aneurysmal subarachnoid hemorrhage. Neurocrit Care 2012; 16: 376-380.（レベル4）
16) Schmidt JM, Ko SB, Helbok R, et al. Cerebral perfusion pressure thresholds for brain tissue hypoxia and metabolic crisis after poor-grade subarachnoid hemorrhage. Stroke 2011; 42: 1351-1356.（レベル4）
17) Hillman J, Fridriksson S, Nilsson O, et al. Immediate administration of tranexamic acid and reduced incidence of early rebleeding after aneurysmal subarachnoid hemorrhage: a prospective randomized study. J Neurosurg 2002; 97: 771-778.（レベル2）
18) Roos Y. Antifibrinolytic treatment in subarachnoid hemorrhage: a randomized placebo-controlled trial. STAR Study Group. Neurology 2000; 54: 77-82.（レベル2）
19) Roos YB, Rinkel GJ, Vermeulen M, et al. Antifibrinolytic therapy for aneurysmal subarachnoid haemorrhage. Cochrane Database Syst Rev 2003: CD001245.（レベル1）
20) Starke RM, Kim GH, Fernandez A, et al. Impact of a protocol for acute antifibrinolytic therapy on aneurysm rebleeding after subarachnoid hemorrhage. Stroke 2008; 39: 2617-2621.（レベル3）
21) Harrigan MR, Rajneesh KF, Ardelt AA, et al. Short-term antifibrinolytic therapy before early aneurysm treatment in sub-

arachnoid hemorrhage: effects on rehemorrhage, cerebral ischemia, and hydrocephalus. Neurosurgery 2010; 67: 935–940. (レベル 4)

22) Schuette AJ, Hui FK, Obuchowski NA, et al. An examination of aneurysm rerupture rates with epsilon aminocaproic acid. Neurocrit Care 2013; 19: 48–55. (レベル 3)

23) Baharoglu MI, Germans MR, Rinkel GJ, et al. Antifibrinolytic therapy for aneurysmal subarachnoid haemorrhage. Cochrane Database Syst Rev 2013: CD001245. (レベル 1)

24) Rhoney DH, Tipps LB, Murry KR, et al. Anticonvulsant prophylaxis and timing of seizures after aneurysmal subarachnoid hemorrhage. Neurology 2000; 55: 258–265. (レベル 4)

25) Butzkueven H, Evans AH, Pitman A, et al. Onset seizures independently predict poor outcome after subarachnoid hemorrhage. Neurology 2000; 55: 1315–1320. (レベル 3)

26) Lin CL, Dumont AS, Lieu AS, et al. Characterization of perioperative seizures and epilepsy following aneurysmal subarachnoid hemorrhage. J Neurosurg 2003; 99: 978–985. (レベル 3)

27) McLaughlin N, Bojanowski MW, Girard F, et al. Pulmonary edema and cardiac dysfunction following subarachnoid hemorrhage. Can J Neurol Sci 2005; 32: 178–185. (レベル 4)

28) 朝井俊治, 種子田護. クモ膜下出血と他臓器の障害. 循環科学 1997；17：472–475. (レベル 4)

29) Lee VH, Connolly HM, Fulgham JR, et al. Tako-tsubo cardiomyopathy in aneurysmal subarachnoid hemorrhage: an underappreciated ventricular dysfunction. J Neurosurg 2006; 105: 264–270. (レベル 4)

30) 保坂泰昭, 畑下鎮男, 古賀信憲, 他. 重症クモ膜下出血に伴う急性肺水腫 24 例の臨床的検討. 脳卒中の外科 1989；17：139–143. (レベル 4)

31) de Oliveira Manoel AL, Goffi A, Marotta TR, et al. The critical care management of poor-grade subarachnoid haemorrhage. Crit Care 2016; 20: 21. (レベル 2)

32) Wan A, Jaja BN, Schweizer TA, et al. Clinical characteristics and outcome of aneurysmal subarachnoid hemorrhage with intracerebral hematoma. J Neurosurg 2016; 125: 1344–1351. (レベル 2)

33) Ransom ER, Mocco J, Komotar RJ, et al. External ventricular drainage response in poor grade aneurysmal subarachnoid hemorrhage: effect on preoperative grading and prognosis. Neurocrit Care 2007; 6: 174–180. (レベル 4)

34) Villablanca JP, Martin N, Jahan R, et al. Volume-rendered helical computerized tomography angiography in the detection and characterization of intracranial aneurysms. J Neurosurg 2000; 93: 254–264. (レベル 4)

35) Matsumoto M, Sato M, Nakano M, et al. Three-dimensional computerized tomography angiography-guided surgery of acutely ruptured cerebral aneurysms. J Neurosurg 2001; 94: 718–727. (レベル 4)

36) 佐藤正憲, 遠藤雄司, 松本正人, 他. Three-dimensional CT angiography による急性期破裂脳動脈瘤手術. 脳神経外科ジャーナル 2001；10：18–26. (レベル 4)

37) du Mesnil de Rochemont R, Heindel W, Wesselmann C, et al. Nontraumatic subarachnoid hemorrhage: value of repeat angiography. Radiology 1997; 202: 798–800. (レベル 4)

38) 下田雅美, 小田真理, 佐藤修, 他. 初回血管撮影にて出血源を同定し得なかったくも膜下出血症の検討 血管撮影の再施行は必要か. 脳卒中 1991；13：192–197. (レベル 4)

39) Ferbert A, Hubo I, Biniek R. Non-traumatic subarachnoid hemorrhage with normal angiogram. Long-term follow-up and CT predictors of complications. J Neurol Sci 1992; 107: 14–18. (レベル 4)

40) Iwanaga H, Wakai S, Ochiai C, et al. Ruptured cerebral aneurysms missed by initial angiographic study. Neurosurgery 1990; 27: 45–51. (レベル 4)

41) Urbach H, Zentner J, Solymosi L. The need for repeat angiography in subarachnoid haemorrhage. Neuroradiology 1998; 40: 6–10. (レベル 4)

42) Tatter SB, Crowell RM, Ogilvy CS. Aneurysmal and microaneurysmal "angiogram-negative" subarachnoid hemorrhage. Neurosurgery 1995; 37: 48–55. (レベル 4)

43) Bradac GB, Bergui M, Ferrio MF, et al. False-negative angiograms in subarachnoid haemorrhage due to intracranial aneurysms. Neuroradiology 1997; 39: 772–776. (レベル 4)

44) Sriganesh K, Reddy M, Jena S, et al. A comparative study of dexmedetomidine and propofol as sole sedative agents for patients with aneurysmal subarachnoid hemorrhage undergoing diagnostic cerebral angiography. J Anesth 2015; 29: 409–415. (レベル 2)

Ⅳ くも膜下出血

3 脳動脈瘤—治療法の選択

脳動脈瘤—治療法の選択

推 奨

1. 破裂脳動脈瘤では再出血の予防が極めて重要であり、予防処置として、開頭による外科的治療あるいは開頭を要しない血管内治療を行うよう勧められる（推奨度A　エビデンスレベル低）。

2. 動脈瘤の治療法は、開頭外科治療と血管内治療のそれぞれの立場から患者と脳動脈瘤の所見を総合的に判断して決定することは妥当である（推奨度B　エビデンスレベル中）。

3. 重症でない例（重症度分類のGrade I-Ⅲ）では年齢、全身合併症、治療の難度などの制約がない限り、早期（発症72時間以内）に再出血予防処置を行うことは妥当である（推奨度B　エビデンスレベル中）。

4. 比較的重症例（重症度分類のGrade Ⅳ）では、患者の年齢、動脈瘤の部位などを考え、再出血予防処置の適否を考慮しても良い（推奨度C　エビデンスレベル低）。

5. 最重症例（重症度分類のGrade Ⅴ）では、原則として急性期の再出血予防処置の適応は乏しいが、状態の改善がみられれば再出血予防処置を考慮しても良い（推奨度C　エビデンスレベル低）。

解 説

　破裂脳動脈瘤を保存的に治療すると最初の1か月で20〜30％が再出血して転帰を悪化させるため、再出血の予防は極めて重要である[1]。破裂脳動脈瘤の再出血予防の有用性は自明の事項であり、これに関するランダム化比較試験（randomized controlled trial：RCT）はないが、米国のガイドライン[1]も1つの根拠として推奨度はAとした。

　再出血予防処置としては開頭による外科的治療と開頭を要しない血管内治療がある。これらの再出血予防の処置を行うに当たっては、開頭による外科的治療と血管内治療それぞれの立場から、患者の臨床所見（重症度、年齢、合併症など）と脳動脈瘤の所見（部位、大きさ、形状など）を総合的に判断して治療方針を立てる[2-8]。両者を比較した欧米における大規模試験ISATおよびBRATでは治療後1年での無障害生存率は血管内治療群で有意に高かった[2-4]。これらの試験を含めたメタ解析でも、治療1年後の転帰が血管内治療群で有意に良好であったという結果が得られた[9]。ISATの5年後の長期成績では無障害生存率の有意差は両治療群間で認められなかったが、10年後の無障害生存率は血管内治療群で高く、再出血は血管内治療群で多かった[5,6]。BRATの3年後、6年後の長期成績では無障害生存率は両治療群間で有意差は認められず、6年後までの再治療率は血管内治療群で有意に高かった[7,8]。

　まず、患者の重症度を再度評価し、（1）重症でない例、（2）比較的重症例、（3）最重症例に分けて考える。

　重症でない例（重症度分類のGrade I-Ⅲ）では年齢、全身合併症、治療の難度などの制約がない限り、早期（発症72時間以内）に再出血予防処置を行う[10-14]。

　比較的重症例（重症度分類のGrade Ⅳ）では、患者の年齢、動脈瘤の部位などを考え、再出血予防処置の適応の有無を判断する。合併する頭蓋内病態（急性水頭症、脳内血腫など）を同時に治療することにより状態の改善が見込める場合には積極的に外科的治療を選択することが多い[1]。

　最重症例（重症度分類のGrade Ⅴ）では、原則として再出血予防処置の適応はない。ただし、意識障害が脳内血腫や急性水頭症などによる頭蓋内圧亢進によって生じており、その外科治療により症状の改善が見込まれる例などを含め特殊な場合には、再

脳卒中治療ガイドライン2021　157

出血予防処置の適応となりうる[1]。また、重症例（World Federation of Neurosurgical Societies [WFNS] Grade Ⅳ、Ⅴ）の中でも若年者、蘇生後のWFNS Grade Ⅳ、中大脳動脈瘤に対し急性期手術を勧める報告もある[15]。

　個々の症例に応じて再出血予防の治療方法を決定するが、外科的治療が困難であったり、開頭手術や全身麻酔のリスクが高い場合では血管内治療を考慮する[16-18]。たとえば、脳底動脈瘤など椎骨脳底動脈系の動脈瘤[7,16,19-25]や前床突起近傍の内頚動脈瘤[26]、高齢者の動脈瘤[27,28]などである。また多発動脈瘤患者では1回の治療ですべての動脈瘤が処置しうる利点もある[29]。一方、中大脳動脈瘤[30,31]および血腫を伴う症例[32-34]では外科治療を優先する。動脈瘤サイズが3mm以下の微小動脈瘤では血管内治療による術中破裂のリスクが高く、外科治療を検討する[35,36]。

〔引用文献〕

1) Mayberg MR, Batjer HH, Dacey R, et al. Guidelines for the management of aneurysmal subarachnoid hemorrhage. A statement for healthcare professionals from a special writing group of the Stroke Council, American Heart Association. Stroke 1994; 25: 2315-2328（レベル5）

2) Molyneux A, Kerr R, Stratton I, et al. International Subarachnoid Aneurysm Trial (ISAT) of neurosurgical clipping versus endovascular coiling in 2143 patients with ruptured intracranial aneurysms: a randomised trial. Lancet 2002; 360: 1267-1274.（レベル2）

3) Molyneux AJ, Kerr RS, Yu LM, et al. International subarachnoid aneurysm trial (ISAT) of neurosurgical clipping versus endovascular coiling in 2143 patients with ruptured intracranial aneurysms: a randomised comparison of effects on survival, dependency, seizures, rebleeding, subgroups, and aneurysm occlusion. Lancet 2005; 366: 809-817.（レベル2）

4) McDougall CG, Spetzler RF, Zabramski JM, et al. The Barrow Ruptured Aneurysm Trial. J Neurosurg 2012; 116: 135-144.（レベル2）

5) Molyneux AJ, Kerr RS, Birks J, et al. Risk of recurrent subarachnoid haemorrhage, death, or dependence and standardised mortality ratios after clipping or coiling of an intracranial aneurysm in the International Subarachnoid Aneurysm Trial (ISAT): long-term follow-up. Lancet Neurol 2009; 8: 427-433.（レベル2）

6) Molyneux AJ, Birks J, Clarke A, et al. The durability of endovascular coiling versus neurosurgical clipping of ruptured cerebral aneurysms: 18 year follow-up of the UK cohort of the International Subarachnoid Aneurysm Trial (ISAT). Lancet 2015; 385: 691-697.（レベル2）

7) Spetzler RF, McDougall CG, Albuquerque FC, et al. The Barrow Ruptured Aneurysm Trial: 3-year results. J Neurosurg 2013; 119: 146-157.（レベル2）

8) Spetzler RF, Zabramski JM, McDougall CG, et al. Analysis of saccular aneurysms in the Barrow Ruptured Aneurysm Trial. J Neurosurg 2018; 128: 120-125.（レベル2）

9) Li H, Pan R, Wang H, et al. Clipping versus coiling for ruptured intracranial aneurysms: a systematic review and meta-analysis. Stroke 2013; 44: 29-37.（レベル1）

10) Haley EC Jr, Kassell NF, Torner JC. The International Cooperative Study on the Timing of Aneurysm Surgery. The North American experience. Stroke 1992; 23: 205-214.（レベル4）

11) Kassell NF, Torner JC, Jane JA, et al. The International Cooperative Study on the Timing of Aneurysm Surgery. Part 2: Sur-

gical results. J Neurosurg 1990; 73: 37-47.（レベル4）

12) Kassell NF, Torner JC, Haley EC Jr, et al. The International Cooperative Study on the Timing of Aneurysm Surgery. Part 1: Overall management results. J Neurosurg 1990; 73: 18-36.（レベル4）

13) Miyaoka M, Sato K, Ishii S. A clinical study of the relationship of timing to outcome of surgery for ruptured cerebral aneurysms. A retrospective analysis of 1622 cases. J Neurosurg 1993; 79: 373-378.（レベル4）

14) Spetzler RF, Zabramski JM, McDougall CG, et al. Analysis of saccular aneurysms in the Barrow Ruptured Aneurysm Trial. J Neurosurg 2018; 128: 120-125.（レベル4）

15) Zhao B, Tan X, Zhao Y, et al. Variation in Patient Characteristics and Outcomes Between Early and Delayed Surgery in Poor-Grade Aneurysmal Subarachnoid Hemorrhage. Neurosurgery 2016; 78: 224-231.（レベル4）

16) Eskridge JM, Song JK. Endovascular embolization of 150 basilar tip aneurysms with Guglielmi detachable coils: results of the Food and Drug Administration multicenter clinical trial. J Neurosurg 1998; 89: 81-86.（レベル4）

17) Gruber A, Killer M, Bavinzski G, et al. Clinical and angiographic results of endosaccular coiling treatment of giant and very large intracranial aneurysms: a 7-year, single-center experience. Neurosurgery 1999; 45: 793-804.（レベル4）

18) McDougall CG, Halbach VV, Dowd CF, et al. Endovascular treatment of basilar tip aneurysms using electrolytically detachable coils. J Neurosurg 1996; 84: 393-399.（レベル4）

19) Vinuela F, Duckwiler G, Mawad M. Guglielmi detachable coil embolization of acute intracranial aneurysm: perioperative anatomical and clinical outcome in 403 patients. J Neurosurg 1997; 86: 475-482.（レベル4）

20) Bavinzski G, Killer M, Gruber A, et al. Treatment of basilar artery bifurcation aneurysms by using Guglielmi detachable coils: a 6-year experience. J Neurosurg 1999; 90: 843-852.（レベル4）

21) Byrne JV, Molyneux AJ, Brennan RP, et al. Embolisation of recently ruptured intracranial aneurysms. J Neurol Neurosurg Psychiatry 1995; 59: 616-620.（レベル4）

22) Casasco AE, Aymard A, Gobin YP, et al. Selective endovascular treatment of 71 intracranial aneurysms with platinum coils. J Neurosurg 1993; 79: 3-10.（レベル4）

23) Lempert TE, Malek AM, Halbach VV, et al. Endovascular treatment of ruptured posterior circulation cerebral aneurysms. Clinical and angiographic outcomes. Stroke 2000; 31: 100-110.（レベル4）

24) Malisch TW, Guglielmi G, Vinuela F, et al. Intracranial aneurysms treated with the uglielmi detachable coil: midterm clinical results in a consecutive series of 100 patients. J Neurosurg 1997; 87: 176-183.（レベル4）

25) Nichols DA, Brown RD Jr, Thielen KR, et al. Endovascular treatment of ruptured posterior circulation aneurysms using electrolytically detachable coils. J Neurosurg 1997; 87: 374-380.（レベル4）

26) Thornton J, Aletich VA, Debrun GM, et al. Endovascular treatment of paraclinoid aneurysms. Surg Neurol 2000; 54: 288-299.（レベル4）

27) Rowe JG, Molyneux AJ, Byrne JV, et al. Endovascular treatment of intracranial aneurysms: a minimally invasive approach with advantages for elderly patients. Age Ageing 1996; 25: 372-376.（レベル4）

28) Wilson TJ, Davis MC, Stetler WR, et al. Endovascular treatment for aneurysmal subarachnoid hemorrhage in the ninth decade of life and beyond. J Neurointerv Surg 2014; 6: 175-177.（レベル4）

29) Solander S, Ulhoa A, Vinuela F, et al. Endovascular treatment of multiple intracranial aneurysms by using Guglielmi detachable coils. J Neurosurg 1999; 90: 857-864.（レベル4）

30) van Dijk JM, Groen RJ, Ter Laan M, et al. Surgical clipping as the preferred treatment for aneurysms of the middle cerebral artery. Acta Neurochir (Wien) 2011; 153: 2111-2117.（レベル4）

31) Mooney MA, Simon ED, Brigeman S, et al. Long-term results of middle cerebral artery aneurysm clipping in the Barrow Ruptured Aneurysm Trial. J Neurosurg 2018; 130: 895-901.（レベル4）

32) Kazumata K, Kamiyama H, Yokoyama Y, et al. Poor-Grade Ruptured Middle Cerebral Artery Aneurysm With Intracerebral

Hematoma: Bleeding Characteristics and Management. Neurol med-chir 2010; 50: 884-892.（レベル 4）

33) Otani N, Takasato Y, Masaoka H, et al. Surgical outcome following decompressive craniectomy for poor-grade aneurysmal subarachnoid hemorrhage in patients with associated massive intracerebral or Sylvian hematomas. Cerebrovasc Dis 2008; 26: 612-617.（レベル 4）

34) Stapleton CJ, Walcott BP, Fusco MR, et al. Surgical management of ruptured middle cerebral artery aneurysms with large intraparenchymal or sylvian fissure hematomas. Neuro-

surgery 2015; 76: 258-264; discussion 264.（レベル 4）

35) Brinjikji W, Lanzino G, Cloft HJ, et al. Endovascular treatment of very small (3 mm or smaller) intracranial aneurysms: report of a consecutive series and a meta-analysis. Stroke 2010; 41: 116-121.（レベル 4）

36) Nguyen TN, Raymond J, Guilbert F, et al. Association of endovascular therapy of very small ruptured aneurysms with higher rates of procedure-related rupture. J Neurosurg 2008; 108: 1088-1092.（レベル 4）

Ⅳ くも膜下出血

4 脳動脈瘤—外科的治療

4-1 時期

推奨

1. 外科的治療が選択された場合には、原則的に出血後 72 時間以内の早期に行うことが妥当である（推奨度 B　エビデンスレベル中）。

2. 搬入時すでに出血後 72 時間を過ぎている場合には、遅発性脳血管攣縮の時期が過ぎるのを待って再出血防止処置を行うことを考慮しても良い（推奨度 C　エビデンスレベル低）。

解 説

出血後 72 時間以内に行った早期手術はそれ以降の手術よりも在院日数を短縮できるとされる[1]。特に重症度が中等度までのものでは遅発性脳血管攣縮の発生率や転帰の面で優れた成績が報告されている[2-11]。脳内出血やシルビウス裂血腫を伴った中大脳動脈瘤破裂例において早期手術での良い結果が報告されている[12,13]。椎骨動脈解離によるくも膜下出血例では発症当日に再出血を来すことが多く、早期手術のほうが転帰が良いとされる[14]。

18 歳以下のくも膜下出血症例においても早期手術が推奨される[15]。待期手術の場合には、10 日以降のできるだけ早い時期に行うことが虚血性・出血性合併症両者のリスクを最小限にするという報告がある[16]。

〔引用文献〕

1) Whitfield PC, Moss H, O'Hare D, et al. An audit of aneurysmal subarachnoid haemorrhage: earlier resuscitation and surgery reduces inpatient stay and deaths from rebleeding. J Neurol Neurosurg Psychiatry 1996; 60: 301-306.（レベル 4）

2) Haley EC Jr, Kassell NF, Torner JC. The International Cooperative Study on the Timing of Aneurysm Surgery. The North American experience. Stroke 1992; 23: 205-214.（レベル 2）

3) Inagawa T. Effect of early operation on cerebral vasospasm. Surg Neurol 1990; 33: 239-246.（レベル 4）

4) Kassell NF, Torner JC, Jane JA, et al. The International Cooperative Study on the Timing of Aneurysm Surgery. Part 2: Surgical results. J Neurosurg 1990; 73: 37-47.（レベル 3）

5) Mayberg MR, Batjer HH, Dacey R, et al. Guidelines for the management of aneurysmal subarachnoid hemorrhage. A statement for healthcare professionals from a special writing group of the Stroke Council, American Heart Association. Stroke 1994; 25: 2315-2328.（レベル 3）

6) Miyaoka M, Sato K, Ishii S. A clinical study of the relationship of timing to outcome of surgery for ruptured cerebral aneurysms. A retrospective analysis of 1622 cases. J Neurosurg 1993; 79: 373-378.（レベル 4）

7) Solomon RA, Onesti ST, Klebanoff L. Relationship between the timing of aneurysm surgery and the development of delayed cerebral ischemia. J Neurosurg 1991; 75: 56-61.（レベル 4）

8) Vajda J, Pasztor E, Orosz E, et al. Early surgery for ruptured cerebral aneurysm. Int Surg 1990; 75: 123-126.（レベル 4）

9) Winn HR, Newell DW, Mayberg MR, et al. Early surgical management of poor-grade patients with intracranial aneurysms. Clin Neurosurg 1990; 36: 289-298.（レベル 4）

10) Phillips TJ, Dowling RJ, Yan B, et al. Does treatment of ruptured intracranial aneurysms within 24 hours improve clinical outcome? Stroke 2011; 42: 1936-1945.（レベル 4）

11) Attenello FJ, Reid P, Wen T, et al. Evaluation of time to aneurysm treatment following subarachnoid hemorrhage: comparison of patients treated with clipping versus coiling. J Neurointerv Surg 2016; 8: 373-377.（レベル 4）

12) Page RD, Richardson PL. Emergency surgery for haematoma-forming aneurysmal haemorrhage. Br J Neurosurg 1990; 4: 199-204.（レベル 4）

13) Mutoh T, Ishikawa T, Moroi J, et al. Impact of early surgical evacuation of sylvian hematoma on clinical course and outcome after subarachnoid hemorrhage. Neurol Med Chir (Tokyo) 2010; 50: 200-208.（レベル 4）

14) 小野純一, 山浦晶, 小林繁樹, 他. Brain Attack 最前線 解離性脳動脈瘤 破裂解離性動脈病変の治療戦略 椎骨脳底動脈系 62 例の分析から. The Mt. Fuji Workshop on CVD 2000；18：95-98.（レベル 4）

15) Wojtacha M, Bazowski P, Mandera M, et al. Cerebral aneurysms in childhood. Childs Nerv Syst 2001; 17: 37-41.（レベル 4）

16) Brilstra EH, Rinkel GJ, Algra A, et al. Rebleeding, secondary ischemia, and timing of operation in patients with subarachnoid hemorrhage. Neurology 2000; 55: 1656-1660.（レベル 4）

Ⅳ くも膜下出血

4 脳動脈瘤─外科的治療

4-2 種類と方法

推奨

1. 脳動脈瘤直達手術は、専用のクリップを用いた脳動脈瘤頚部クリッピング術（ネッククリッピング）を行うよう勧められる（推奨度A　エビデンスレベル低）。

2. ネッククリッピングが困難な場合には動脈瘤トラッピング術や親動脈近位部閉塞術も考慮し、必要に応じてバイパス術を併用しても良い（推奨度C　エビデンスレベル低）。

3. 上記いずれもが困難な場合には、動脈瘤壁を補強する動脈瘤被包術（コーティング術、ラッピング術）などを行うことは妥当である（推奨度B　エビデンスレベル低）。

解説

一般的には脳動脈瘤直達手術として専用のクリップを用いた脳動脈瘤頚部クリッピング術（ネッククリッピング術）を行う。ネッククリッピングが困難な場合には動脈瘤の前後2か所で親動脈を閉塞する動脈瘤トラッピング術を行うこともある。いずれも困難な場合には、動脈瘤壁を補強する動脈瘤被包術（コーティング術、ラッピング術）を行う場合もある。被包術後の再出血率はクリッピング術に比べて高いが、処置しない場合よりは低い[1]。

特殊な例として内頚動脈の非分岐部に発生するいわゆるblister typeの場合はclipping on wrapping materialが良いとの報告があるが[2,3]バイパス術を併用した内頚動脈閉塞術も行われている[4-6]。解離性・紡錘状・巨大動脈瘤などに対しては通常のクリッピング術やトラッピング術が困難なこともあり、それらに対して親動脈近位部閉塞術を行うことがある。親動脈近位部閉塞術とは動脈瘤が発生している動脈（親動脈）の近位部を閉塞して動脈瘤にかかる血圧を低下させ、再出血の危険性を低下させるものである[7-11]。前床突起部巨大動脈瘤ではカテーテルまたは頚動脈直接穿刺で吸引して動脈瘤を減圧させるretrograde suction decompression法が有用な場合もある[12]。

近位親動脈閉塞試験で虚血症状が見られる場合やそれが予想される場合には、親動脈閉塞に先立って側副血行路（バイパス）を作成しておく[5,10,11,13]。血管内治療（コイル）による親動脈閉塞とバイパス手術の組み合わせなどの複合的治療の報告もあ

る[10,11]。

また、くも膜下出血で発症した椎骨動脈解離の場合には、保存的治療より外科的治療の転帰が良好であり[13,14]、術式は再出血予防の観点から親動脈近位部閉塞術よりトラッピング術が推奨される[15]。

初発時に血管内治療（コイル）がなされた動脈瘤再発例に対する直達手術は難易度がやや高くバイパス術の併用が必要となることもあるが、多くの症例で可能であるとの報告がある[16-18]。

脳動脈瘤直達手術に際しての術中動脈瘤破裂率は7.9～19％との報告がある[19,20]。

術中破裂防止のため、親動脈を一時的に遮断する場合があるが、長時間遮断すると脳に虚血性変化を惹起し機能障害を来すことがあるため、重症例・高齢者では特に遮断時間に注意する[21-25]。破裂脳動脈瘤で一時遮断クリップの使用は遅発性脳虚血を増やさないと報告されている[26]。

〔引用文献〕

1) Vajda J, Pasztor E, Orosz E, et al. Early surgery for ruptured cerebral aneurysm. Int Surg 1990; 75: 123-126. （レベル4）

2) Winn HR, Newell DW, Mayberg MR, et al. Early surgical management of poor-grade patients with intracranial aneurysms. Clin Neurosurg 1990; 36: 289-298. （レベル4）

3) Hanihara M, Yoshioka H, Kanemaru K, et al. Long-Term Clinical and Angiographic Outcomes of Wrap-Clipping for Ruptured Blood Blister-Like Aneurysms of the Internal Carotid Artery Using Advanced Monitoring. World Neurosurg 2019; 126: e439-e446. （レベル4）

4) Ishikawa T, Mutoh T, Nakayama N, et al. Universal External Carotid Artery to Proximal Middle Cerebral Artery Bypass With Interposed Radial Artery Graft Prior to Approaching Ruptured Blood Blister-Like Aneurysm of the Internal Carotid Artery: Technical Note. Neurol med-chir 2009; 49: 553-558. （レベル4）

5) Shimizu H, Matsumoto Y, Tominaga T. Non-saccular aneurysms of the supraclinoid internal carotid artery trunk caus-

ing subarachnoid hemorrhage: acute surgical treatments and review of literatures. Neurosurg Rev 2010; 33: 205-216. (レベル 4)

6) Kazumata K, Nakayama N, Nakamura T, et al. Changing treatment strategy from clipping to radial artery graft bypass and parent artery sacrifice in patients with ruptured blister-like internal carotid artery aneurysms. Neurosurgery 2014; 10 Suppl 1: 66-72; discussion 73. (レベル 4)

7) Murakami K, Shimizu H, Matsumoto Y, et al. Acute ischemic complications after therapeutic parent artery occlusion with revascularization for complex internal carotid artery aneurysms. Surg Neurol 2009; 71: 434-441. (レベル 4)

8) Drake CG, Peerless SJ, Ferguson GG. Hunterian proximal arterial occlusion for giant aneurysms of the carotid circulation. J Neurosurg 1994; 81: 656-665. (レベル 4)

9) Hacein-Bey L, Connolly ES Jr, Duong H, et al. Treatment of inoperable carotid aneurysms with endovascular carotid occlusion after extracranial-intracranial bypass surgery. Neurosurgery 1997; 41: 1225-1234. (レベル 4)

10) Sughrue ME, Saloner D, Rayz VL, et al. Giant intracranial aneurysms: evolution of management in a contemporary surgical series. Neurosurgery 2011; 69: 1261-1271. (レベル 4)

11) Cantore G, Santoro A, Guidetti G, et al. Passacantilli E. Surgical treatment of giant intracranial aneurysms: current viewpoint. Neurosurgery 2008; 63: 279-290. (レベル 4)

12) Flores BC, White JA, Batjer HH, et al. The 25th anniversary of the retrograde suction decompression technique (Dallas technique) for the surgical management of paraclinoid aneurysms: historical background, systematic review, and pooled analysis of the literature. J Neurosurg 2018; 130: 902-916. (レベル 4)

13) 小野純一, 山浦晶. 頭蓋内椎骨脳底動脈の解離性動脈瘤の検討 50 例の治療と長期的転帰. 脳神経外科ジャーナル 1994；3：128-134. (レベル 4)

14) Yamaura A, Ono J, Hirai S. Clinical picture of intracranial non-traumatic dissecting aneurysm. Neuropathology 2000; 20: 85-90. (レベル 4)

15) 安井敏裕, 岸廣成, 小宮山雅樹, 他. Brain Attack 最前線 解離性脳動脈瘤 急性期破裂解離性椎骨動脈瘤の治療方針. The Mt. Fuji Workshop on CVD 2000；18：92-94. (レベル 4)

16) Zhang YJ, Barrow DL, Cawley CM, et al. Neurosurgical management of intracranial aneurysms previously treated with endovascular therapy. Neurosurgery 2003; 52: 283-295. (レベル 4)

17) Romani R, Lehto H, Laakso A, et al. Microsurgery for previously coiled aneurysms: experience with 81 patients. Neurosurgery 2011; 68: 140-153; discussion 153-154. (レベル 4)

18) Waldron JS, Halbach VV, Lawton MT. Microsurgical management of incompletely coiled and recurrent aneurysms: trends, techniques, and observations on coil extrusion. Neurosurgery 2009; 64: 301-307. (レベル 4)

19) Leipzig TJ, Morgan J, Horner TG, et al. Analysis of intraoperative rupture in the surgical treatment of 1694 saccular aneurysms. Neurosurgery 2005; 56: 455-468. (レベル 4)

20) lijovich L, Higashida RT, Lawton MT, et al. Predictors and outcomes of intraprocedural rupture in patients treated for ruptured intracranial aneurysms: the CARAT study. Stroke 2008; 39: 1501-1506. (レベル 4)

21) Bellotti C, Pelosi G, Oliveri G, et al. Prognostic meaning of temporary clipping in patients with intracranial aneurysm. Minerva Anestesiol 1999; 65: 440-444. (レベル 4)

22) Charbel FT, Ausman JI, Diaz FG, et al. Temporary clipping in aneurysm surgery: technique and results. Surg Neurol 1991; 36: 83-90. (レベル 4)

23) Ogilvy CS, Carter BS, Kaplan S, et al. Temporary vessel occlusion for aneurysm surgery: risk factors for stroke in patients protected by induced hypothermia and hypertension and intravenous mannitol administration. J Neurosurg 1996; 84: 785-791. (レベル 4)

24) 川口哲郎, 藤田稠清, 細田弘吉, 他. Temporary clipping の安全性とその限界 direct cortical response (DCR) 測定による検討. 脳卒中の外科 1991；19：522-530. (レベル 4)

25) 反町隆俊, 佐々木修, 小泉孝幸, 他. 破裂前交通動脈瘤に対する temporary clip の影響 穿通枝障害と高次脳機能を指標とした検討. 脳卒中の外科 1991；19：570-576. (レベル 4)

26) Malinova V, Schatlo B, Voit M, et al. The impact of temporary clipping during aneurysm surgery on the incidence of delayed cerebral ischemia after aneurysmal subarachnoid hemorrhage. J Neurosurg 2018; 129: 84-90. (レベル 4)

IV くも膜下出血

4 脳動脈瘤—外科的治療

4-3 周術期管理

推奨

1. 手術中は破裂率を低下させる目的で薬剤を用いて降圧するが、過度の降圧の有効性は確立していない（推奨度C　エビデンスレベル低）。

2. 周術期には、低ナトリウム血症を回避することは妥当である（推奨度B　エビデンスレベル低）。また、循環血液量、血清蛋白濃度を正常範囲内に保つことを考慮しても良い（推奨度C　エビデンスレベル低）。

解　説

　術中破裂率を低下させる目的で薬剤を用いて低血圧管理を行う場合がある[1-3]。手術中の収縮期血圧の最高値が高いことは転帰悪化因子となるが、術前血圧に比べて過度に降圧することも転帰の悪化につながる[4]。術中 10 mmHg 程度の降圧は術中破裂を予防しないとの報告もある[3]。

　プロポフォール使用例や術中血圧管理が良好例で短期成績が良かったとの報告がある[4]。煩雑なクリッピング術における術中低体温を勧める報告もあるが[5]、くも膜下出血患者全体に対する術中低体温維持では転帰改善効果は認められなかったとの報告もある[6]。

　インドシアニングリーン（ICG）蛍光造影、電気生理学的モニター、神経内視鏡、ドップラーなどの術中モニタリングは周術期合併症の低下につながるとの報告がある[7,8]。

　周術期には、循環血液量、血清ナトリウム値、血清蛋白濃度を正常範囲内に保つ。特に低ナトリウム血症には注意する。最近ではくも膜下出血の低ナトリウム血症に対して鉱質コルチコイド投与が有用との報告がある[9]。「IV くも膜下出血　6 脳動脈瘤—保存的治療法など」の項を参照。

　また、クリッピング術前の低アルブミン血症（ア

ルブミン 3.9 g/dL 以下）は術後の急性腎不全と死亡の増加と相関するとの報告がある[10]。

〔引用文献〕

1) Abe K, Iwanaga H, Inada E. Effect of nicardipine and diltiazem on internal carotid artery blood flow velocity and local cerebral blood flow during cerebral aneurysm surgery for subarachnoid hemorrhage. J Clin Anesth 1994; 6: 99-105. （レベル 4）

2) Abe K, Demizu A, Yoshiya I. Effect of prostaglandin E1-induced hypotension on carbon dioxide reactivity and local cerebral blood flow after subarachnoid haemorrhage. Br J Anaesth 1992; 68: 268-271. （レベル 4）

3) Giannotta SL, Oppenheimer JH, Levy ML, et al. Management of intraoperative rupture of aneurysm without hypotension. Neurosurgery 1991; 28: 531-536. （レベル 4）

4) Foroohar M, Macdonald RL, Roth S, et al. Intraoperative variables and early outcome after aneurysm surgery. Surg Neurol 2000; 54: 304-315. （レベル 4）

5) Klein O, Colnat-Coulbois S, Civit T, et al. Aneurysm clipping after endovascular treatment with coils: a report of 13 cases. Neurosurg Rev 2008; 31: 403-401. （レベル 4）

6) Anderson SW, Todd MM, Hindman BJ, et al. Effects of intraoperative hypothermia on neuropsychological outcomes after intracranial aneurysm surgery. Ann Neurol 2006; 60: 518-527. （レベル 2）

7) Cui H, Wang Y, Yin Y, et al. Role of intraoperative microvascular Doppler in the microsurgical management of intracranial aneurysms. J Clin Ultrasound 2011; 39: 27-31. （レベル 4）

8) Gruber A, Dorfer C, Standhardt H, et al. Prospective comparison of intraoperative vascular monitoring technologies during cerebral aneurysm surgery. Neurosurgery 2011; 68: 657-673. （レベル 3）

9) Katayama Y, Haraoka J, Hirabayashi H, et al. A randomized controlled trial of hydrocortisone against hyponatremia in patients with aneurysmal subarachnoid hemorrhage. Stroke 2007; 38: 2373-2375. （レベル 2）

10) Bang JY, Kim SO, Kim SG, et al. Impact of the serum albumin level on acute kidney injury after cerebral artery aneurysm clipping. PLoS One 2018; 13: e0206731. （レベル 4）

脳卒中治療ガイドライン 2021　163

Ⅳ くも膜下出血

5 脳動脈瘤—血管内治療

5-1　時期

推奨

▶ 血管内治療も外科的治療同様、出血後早期に施行することは妥当である（推奨度B　エビデンスレベル中）。

解　説

血管内治療は脳血管攣縮の発症率に影響を及ぼさないことから、発症15日以内の急性期血管内治療の全般的転帰は良好といわれている[1-2]。できるだけ早い時期に治療を行うことが望ましい。形態学的な脳血管攣縮の発生頻度は、クリッピング術より血管内治療のほうが低いという報告は多いが、症候としての脳梗塞の発生頻度に有意な差はみられず、転帰は同等との報告が多い[3-6]。

早期治療介入により再出血を軽減し1か月後のmodified Rankin Scale（mRS）が良好であった。特に重症度が低いくも膜下出血患者においては、早期治療介入によって再出血率を軽減し、予後を改善した[7]。

術前グレードの悪いくも膜下出血患者に対する、コイル塞栓術の超早期介入は予後良好に寄与する可能性がある[8]。

治療時期は発症からの時間が早いほうが転帰良好である[9]。しかしながら、脳血管攣縮の極期である発症5～10日目での治療成績は他の時期より悪い[10]。

コイル塞栓術につづく脳血管攣縮に対する積極的治療介入は、くも膜下出血グレードの良い患者の予後を改善する[11]。

〔引用文献〕

1) Byrne JV. Acute endovascular treatment by coil embolisation of ruptured intracranial aneurysms. Ann R Coll Surg Engl 2001; 83: 253-257. （レベル4）
2) Hope JK, Byrne JV, Molyneux AJ. Factors influencing successful angiographic occlusion of aneurysms treated by coil embolization. AJNR Am J Neuroradiol 1999; 20: 391-399. （レベル4）
3) Rabinstein AA, Pichelmann MA, Friedman JA, et al. Symptomatic vasospasm and outcomes following aneurysmal subarachnoid hemorrhage: a comparison between surgical repair and endovascular coil occlusion. J Neurosurg 2003; 98: 319-325. （レベル4）
4) Hohlrieder M, Spiegel M, Hinterhoelzl J, et al. Cerebral vasospasm and ischaemic infarction in clipped and coiled intracranial aneurysm patients. Eur J Neurol 2002; 9: 389-399. （レベル4）
5) Dehdashti AR, Mermillod B, Rufenacht DA, et al. Does treatment modality of intracranial ruptured aneurysms influence the incidence of cerebral vasospasm and clinical outcome? Cerebrovasc Dis 2004; 17: 53-60. （レベル4）
6) Goddard AJ, Raju PP, Gholkar A. Does the method of treatment of acutely ruptured intracranial aneurysms influence the incidence and duration of cerebral vasospasm and clinical outcome? J Neurol Neurosurg Psychiatry 2004; 75: 868-872 （レベル4）
7) Park J, Woo H, Kang DH, et al. Formal protocol for emergency treatment of ruptured intracranial aneurysms to reduce in-hospital rebleeding and improve clinical outcomes. J Neurosurg 2015; 122: 383-391. （レベル3）
8) Luo YC, Shen CS, Mao JL, et al. Ultra-early versus delayed coil treatment for ruptured poor-grade aneurysm. Neuroradiology 2015; 57: 205-210. （レベル4）
9) Phillips TJ, Dowling RJ, Yan B, et al. Does treatment of ruptured intracranial aneurysms within 24 hours improve clinical outcome? Stroke 2011; 42: 1936-1945. （レベル4）
10) Dorhout Mees SM, Molyneux AJ, Kerr RS, et al. Timing of aneurysm treatment after subarachnoid hemorrhage: relationship with delayed cerebral ischemia and poor outcome. Stroke 2012; 43: 2126-2129. （レベル2）
11) Drazin D, Fennell VS, Gifford E, et al. Safety and outcomes of simultaneous vasospasm and endovascular aneurysm treatment (SVAT) in subarachnoid hemorrhage. J Neurointerv Surg 2017; 9: 482-485. （レベル4）

IV くも膜下出血

5 脳動脈瘤—血管内治療

5-2 種類と方法

推奨

1. 動脈瘤の部位、形状、大きさからみて可能と判断される場合には瘤内塞栓術を施行することは妥当である（推奨度B　エビデンスレベル中）。

2. 適切な補助手段を用い、可能な限り高い塞栓率を目指すことは妥当である（推奨度B　エビデンスレベル中）。

解　説

　欧米における大規模試験で、外科的治療と血管内治療のいずれも可能とされた破裂脳動脈瘤患者における治療後1年での無障害生存率は血管内治療群で有意に高かった[1,2]。その後の長期観察では、血管内治療群で有意に死亡率が低いが、独立した生活をしうる頻度に差は認めなかった。血管内治療が可能と判断された場合には、再出血予防処置として瘤内塞栓術を考慮し、可能な限り高い塞栓率を達成すべきである[3]。

　外科的治療群と血管内治療群において予後不良の臨床転帰に有意差は認めなかった。6年間の追跡評価では、再治療率と完全閉塞に関しては外科的治療を受けた患者で有意に成績が良かった[4]。外科的治療群（クリッピング群）と血管内治療群（コイル群）において社会的自立の割合に差はなかった。死亡と社会依存はクリッピング群で多かった。割合は低いものの再出血はコイル群のほうが多く、社会的自立に関してもコイル群で有意に多かった[5]。再出血の頻度は初期の動脈瘤の塞栓状態と相関する[6]。

　破裂脳動脈瘤に対するステント併用の塞栓術は、抗血小板薬の使用などにより周術期の合併症発生率が高くなる[7]。

　破裂脳動脈瘤におけるステント併用コイル塞栓術の合併症は未破裂脳動脈瘤に比べて10倍の頻度であった。早期の再出血がもっとも致命的であり、破裂脳動脈瘤に対するステント併用コイル塞栓術は合併症と致命率を上昇させる[8]。また、2015年から2018年にステント併用にて治療した検討において合併症は12.7%であった。予後良好は94.4%に認めたが、合併症を減ずるための技術向上の改善は要

する[9]。

　破裂脳動脈瘤におけるステント留置術の技術的成功率は高いが、抗血小板療法に関連した手技的血栓塞栓症合併症は注意を要する。脳室ドレナージはステント留置前に考慮しなければならない[10]。

　破裂脳動脈瘤に対する flow diverter stent の有効性は証明されていない[11,12]。

　急性期不完全閉塞で治療施行し、亜急性期に flow diverter stent を用いて治療する方法は開頭手術がハイリスクである症例に対しては有効である可能性がある[13]。

　破裂血豆状脳動脈瘤に対するステント併用での血管内治療の有効性は実証されていない[14-19]。

　以上より、ステントを併用した瘤内塞栓術は合併症と致命率を上昇させ、有効性は確立されていない。

〔引用文献〕

1) Molyneux A, Kerr R, Stratton I, et al. International Subarachnoid Aneurysm Trial (ISAT) of neurosurgical clipping versus endovascular coiling in 2143 patients with ruptured intracranial aneurysms: a randomised trial. Lancet 2002; 360: 1267-1274.（レベル2）

2) Molyneux AJ, Kerr RS, Yu LM, et al. International subarachnoid aneurysm trial (ISAT) of neurosurgical clipping versus endovascular coiling in 2143 patients with ruptured intracranial aneurysms: a randomised comparison of effects on survival, dependency, seizures, rebleeding, subgroups, and aneurysm occlusion. Lancet 2005; 366: 809-817.（レベル2）

3) Molyneux AJ, Kerr RS, Birks J, et al. Risk of recurrent subarachnoid haemorrhage, death, or dependence and standardised mortality ratios after clipping or coiling of an intracranial aneurysm in the International Subarachnoid Aneurysm Trial (ISAT): long-term follow-up. Lancet Neurol 2009; 8: 427-433.（レベル2）

4) Spetzler RF, Zabramski JM, McDougall CG, et al. Analysis of saccular aneurysms in the Barrow Ruptured Aneurysm Trial. J Neurosurg 2018; 128: 120-125.（レベル1）

5) Molyneux AJ, Birks J, Clarke A, et al. The durability of endovascular coiling versus neurosurgical clipping of ruptured cerebral aneurysms: 18 year follow-up of the UK cohort of the International Subarachnoid Aneurysm Trial (ISAT). Lancet 2015; 385: 691-697.（レベル2）

脳卒中治療ガイドライン 2021　165

6) Johnston SC, Dowd CF, Higashida RT, et al. Predictors of rehemorrhage after treatment of ruptured intracranial aneurysms: the Cerebral Aneurysm Rerupture After Treatment (CARAT) study. Stroke 2008; 39: 120-125. （レベル 3）

7) Taylor RA, Callison RC, Martin CO, et al. Acutely ruptured intracranial saccular aneurysms treated with stent assisted coiling: complications and outcomes in 42 consecutive patients. J Neurointerv Surg 2010; 2: 23-30. （レベル 4）

8) Bechan RS, Sprengers ME, Majoie CB, et al. Stent-assisted coil embolization of intracranial aneurysms: complications in acutely ruptured versus unruptured aneurysms. AJNR Am J Neuroradiol 2016; 37: 502-507. （レベル 3）

9) Liu Y, Wang J, Lin L, et al. Clinical Study on Complications of Intracranial Ruptured Aneurysm Embolization by Stent-Assisted Coil. Med Sci Monit 2018; 24: 8115-8124. （レベル 4）

10) Cohen JE, Gomori JM, Leker RR, et al. Stent and flow diverter assisted treatment of acutely ruptured brain aneurysms. J Neurointerv Surg 2018; 10: 851-858. （レベル 4）

11) Chan RS, Mak CH, Wong AK, et al. Use of the pipeline embolization device to treat recently ruptured dissecting cerebral aneurysms. Interv Neuroradiol 2014; 20: 436-441. （レベル 4）

12) Maus V, Mpotsaris A, Dorn F, et al. The Use of Flow Diverter in Ruptured, Dissecting Intracranial Aneurysms of the Posterior Circulation. World Neurosurg 2018; 111: e424-e433. （レベル 4）

13) Howard BM, Frerich JM, Madaelil TP, et al. 'Plug and pipe' strategy for treatment of ruptured intracranial aneurysms. J Neurointerv Surg 2019; 11: 43-48. （レベル 4）

14) Yang C, Vadasz A, Szikora I. Treatment of ruptured blood blister aneurysms using primary flow-diverter stenting with considerations for adjunctive coiling: A single-centre experience and literature review. Interv Neuroradiol 2017; 23: 465-476. （レベル 4）

15) Brown MA, Guandique CF, Parish J, et al. Long-term follow-up analysis of microsurgical clip ligation and endovascular coil embolization for dorsal wall blister aneurysms of the internal carotid artery. J Clin Neurosci 2017; 39: 72-77. （レベル 4）

16) Ashour R, Dodson S, Aziz-Sultan MA. Endovascular management of intracranial blister aneurysms: spectrum and limitations of contemporary techniques. J Neurointerv Surg 2016; 8: 30-37. （レベル 4）

17) Konczalla J, Gessler F, Bruder M, et al. Outcome After Subarachnoid Hemorrhage from Blood Blister-Like Aneurysm Rupture Depends on Age and Aneurysm Morphology. World Neurosurg 2017; 105: 944-951. e1. （レベル 4）

18) Ryan RW, Khan AS, Barco R, et al. Pipeline flow diversion of ruptured blister aneurysms of the supraclinoid carotid artery using a single-device strategy. Neurosurg Focus 2017; 42: E11. （レベル 4）

19) Hao X, Li G, Ren J, et al. Endovascular Patch Embolization for Blood Blister-Like Aneurysms in Dorsal Segment of Internal Carotid Artery. World Neurosurg 2018; 113: 26-32. （レベル 4）

Ⅳ くも膜下出血

5 脳動脈瘤─血管内治療

5-3 周術期管理

推奨

1. 血管内治療終了後、虚血性合併症が疑われる場合には速やかにその原因の有無を検索し、これに対応することを考慮しても良い（推奨度C　エビデンスレベル中）。

2. 慢性期にはコイル塊の緻密化、動脈瘤や閉塞血管の再開通、動脈瘤の再増大などに注意して長期間にわたり追跡することは妥当である（推奨度B　エビデンスレベル中）。

解 説

治療前後の抗凝固・抗血小板療法については、塞栓性合併症を予防するためにその必要性は認識されているものの標準的な方法として広く容認されているものはない。また抗血小板薬に非反応性の場合もあり、薬剤の選択、多剤併用など、十分な注意が必要である。急性期治療では慢性期と同様に初めからヘパリン化を行う意見と、最初のコイルを留置したのちにヘパリン化を行う意見などに分かれている。

塞栓術終了後のプロタミンによる中和や治療後の抗凝固療法にも意見の一致はみていない。また、急性期のコイル塞栓術で、過剰な血栓化による親動脈の閉塞も報告されている[1]。681治療例の報告では、くも膜下出血に対するコイル塞栓術時の合併症は5.87%（mortality：2.6%、morbidity：3.2%）であり、バルーンによる一時的なアシストが合併症発生のリスクファクター（オッズ比〔OR〕5.1）としてあげられている[2]。

破裂脳動脈瘤の慢性期治療では、抗凝固療法・抗血小板療法を併用するのが一般的と考えられている。抗血小板薬をコイル塞栓術の術中もしくは術後に使用することで、くも膜下出血転帰を改善する可能性がある[3]。破裂脳動脈瘤塞栓術におけるヘパリンと抗血小板薬の投与は手技中に適切に行われるべきであり、そして血管造影で動脈の状態の綿密な観察が必要である。破裂脳動脈瘤の血管内塞栓術中に血栓塞栓症が発生した場合、十分なヘパリン、抗血小板療法を最初に行うべきである[4]。

血管内治療による虚血性合併症の検出にはMRI拡散強調画像が適している[5]。

虚血性合併症に対してウロキナーゼや組織プラス

ミノゲン・アクティベータ（t-PA）の投与などが欧米などから報告されているが、破裂動脈瘤の急性期においては、安易な線溶療法は動脈瘤の再破裂につながるため慎重な姿勢が必要である[6-9]。

20論文17,042人のレビューでは、コイル塞栓術のほうが開頭クリッピング術に比べ続発性水頭症の発生が少ない結果であった[10]。

治療後は時間の経過とともにコイル塊の緻密化、動脈瘤や閉塞血管の再開通、動脈瘤の再増大[11,12]などを来す可能性があるため、MR angiography（MRA）[13-15]や脳血管造影（DSA）[16]などを用いて長期にわたり追跡する。MRAでは3mm以下の小さなneck remnantの検出能力はDSAに劣っており、症例に応じて適切な追跡手段を用いる[17]。

塞栓術前の麻酔に関して、全身麻酔と完全静脈麻酔の比較では再破裂は全身麻酔群では認められず、非全身麻酔群では4例（9.8%）で、統計学的に有意差があった（p＝0.038）。症候性脳血管攣縮および退院時のアウトカムは両群間にて有意差なし（p＝0.779、0.440）。脳動脈瘤破裂によるくも膜下出血症例に対する救急室からの全身麻酔導入・管理により、脳動脈瘤治療術前の再出血リスクの軽減に寄与しうる[18]。

低分子ヘパリンによる塞栓術後の遅発性脳虚血障害の予防効果の検討については、高濃度低分子ヘパリンと低濃度低分子ヘパリンの間に虚血障害の発症に差は認めないが、自宅退院率は高濃度ヘパリン使用群において多かった[19]。

くも膜下出血の予後予測のためのFRESH scoreの予後識別感度は高い[20]。

〔引用文献〕

1) Vinuela F, Duckwiler G, Mawad M. Guglielmi detachable coil embolization of acute intracranial aneurysm: perioperative anatomical and clinical outcome in 403 patients. J Neurosurg 1997; 86: 475-482.（レベル 4）

2) van Rooij WJ, Sluzewski M, Beute GN, et al. Procedural complications of coiling of ruptured intracranial aneurysms: incidence and risk factors in a consecutive series of 681 patients. AJNR Am J Neuroradiol 2006; 27: 1498-1501.（レベル 4）

3) van den Bergh WM, Kerr RS, Algra A, et al. Effect of antiplatelet therapy for endovascular coiling in aneurysmal subarachnoid hemorrhage. Stroke 2009; 40: 1969-1972.（レベル 4）

4) Nomura M, Mori K, Tamase A, et al. Thromboembolic complications during endovascular treatment of ruptured cerebral aneurysms. Interv Neuroradiol 2018; 24: 29-39.（レベル 4）

5) Biondi A, Oppenheim C, Vivas E, et al. Cerebral aneurysms treated by Guglielmi detachable coils: evaluation with diffusion-weighted MR imaging. AJNR Am J Neuroradiol 2000; 21: 957-963.（レベル 4）

6) Cronqvist M, Pierot L, Boulin A, et al. Local intraarterial fibrinolysis of thromboemboli occurring during endovascular treatment of intracerebral aneurysm: a comparison of anatomic results and clinical outcome. AJNR Am J Neuroradiol 1998; 19: 157-165.（レベル 4）

7) Pelz DM, Lownie SP, Fox AJ. Thromboembolic events associated with the treatment of cerebral aneurysms with Guglielmi detachable coils. AJNR Am J Neuroradiol 1998; 19: 1541-1547.（レベル 4）

8) Hamada J, Kai Y, Morioka M, et al. Effect on cerebral vasospasm of coil embolization followed by microcatheter intrathecal urokinase infusion into the cisterna magna: a prospective randomized study. Stroke 2003; 34: 2549-2554.（レベル 4）

9) Molyneux A, Kerr R, Stratton I, et al. International Subarachnoid Aneurysm Trial (ISAT) of neurosurgical clipping versus endovascular coiling in 2143 patients with ruptured intracranial aneurysms: a randomised trial. Lancet 2002; 360: 1267-1274.（レベル 4）

10) 山田茂樹, 石川正恒, 岩室康司, 他. 脳動脈瘤破裂によるくも膜下出血後の続発性正常圧水頭症併発リスク クリッピング術とコイル塞栓術. 脳卒中の外科 2017；45：189-195.（レベル 2）

11) Guglielmi G, Vinuela F, Duckwiler G, et al. Endovascular treatment of posterior circulation aneurysms by electrothrombosis using electrically detachable coils. J Neurosurg 1992; 77: 515-524.（レベル 4）

12) Raymond J, Roy D. Safety and efficacy of endovascular treatment of acutely ruptured aneurysms. Neurosurgery 1997; 41: 1235-1246.（レベル 4）

13) Brunereau L, Cottier JP, Sonier CB, et al. Prospective evaluation of timeofflight MR angiography in the followup of intracranial saccular aneurysms treated with Guglielmi detachable coils. J Comput Assist Tomogr 1999; 23: 216-223.（レベル 4）

14) Derdeyn CP, Graves VB, Turski PA, et al. MR angiography of saccular aneurysms after treatment with Guglielmi detachable coils: preliminary experience. AJNR Am J Neuroradiol 1997; 18: 279-286.（レベル 4）

15) Kahara VJ, Seppanen SK, Ryymin PS, et al. MR angiography with three-dimensional time-of-flight and targeted maximum-intensity-projection reconstructions in the follow-up of intracranial aneurysms embolized with Guglielmi detachable coils. AJNR Am J Neuroradiol 1999; 20: 1470-1475.（レベル 4）

16) Byrne JV, Sohn MJ, Molyneux AJ, et al. Five-year experience in using coil embolization for ruptured intracranial aneurysms: outcomes and incidence of late rebleeding. J Neurosurg 1999; 90: 656-663.（レベル 4）

17) Boulin A, Pierot L. Follow-up of intracranial aneurysms treated with detachable coils: comparison of gadolinium-enhanced 3D time-of-flight MR angiography and digital subtraction angiography. Radiology 2001; 219: 108-113.（レベル 4）

18) 出雲剛, 松尾孝之, 林健太郎, 他. くも膜下出血例に対する再破裂予防を企図した救急室での全身麻酔管理. Neurosurgical Emergency 2015；20：55-60.（レベル 4）

19) Post R, Zijlstra IAJ, Berg RVD, et al. High-Dose Nadroparin Following Endovascular Aneurysm Treatment Benefits Outcome After Aneurysmal Subarachnoid Hemorrhage. Neurosurgery 2018; 83: 281-287.（レベル 4）

20) Witsch J, Kuohn L, Hebert R, et al. Early Prognostication of 1-Year Outcome After Subarachnoid Hemorrhage: the FRESH Score Validation. J Stroke Cerebrovasc Dis 2019; 28: 104280.（レベル 2）

Ⅳ くも膜下出血

6 脳動脈瘤—保存的治療法など

6-1 保存的治療法などの概略

推奨

1. 外科的治療や血管内治療が行われなかった場合には、保存的治療により可及的に再出血を予防することが勧められる（推奨度A　エビデンスレベル低）。

2. また、遅発性脳血管攣縮の予防と治療（後記）、電解質管理を含めた呼吸循環管理、栄養管理に努め、感染症の合併に注意することが勧められる（推奨度A　エビデンスレベル低）。

3. 慢性期には水頭症の発生に注意し、必要な処置を行うことが勧められる（推奨度A　エビデンスレベル低）。

解 説

　患者の年齢、重症度、全身合併症などからみて外科的治療や血管内治療の適応がない場合には、保存的治療により可及的に再出血を予防する。くも膜下出血後の再出血率は発症初日が3〜4％で以降4週間は1〜2％/日という報告[1]、最初の1か月では20〜30％、3か月以降は3％/年という報告[2]がある。急性期の再出血には、重症度、動脈瘤が大きいこと、高血圧（収縮期血圧200 mmHg以上）、6時間以内の脳血管撮影、検査のための緊縛、脳室内出血、脳内出血、水頭症、脳室ドレナージの設置などが関与し[2-5]、1か月以降の慢性期の再出血には、動脈瘤の部位、高血圧が関与する[2]。発症後3時間以内の超急性期の破裂が多く、同時期の脳血管撮影中の再破裂率も高いため、3D-CTA、MRAによる超急性期評価も考慮される[6]。ベッド上安静のみでは外科治療や低血圧療法と比べて再出血を予防する効果は小さい[2]。抗線溶療法は、再出血率を減少させる傾向はあるが、脳虚血合併症を増加させる傾向があり、全体として転帰の改善効果につながらないとされてきたが[2,7-9]近年、急性期、短期間（最長72時間）の抗線溶療法は、有意に再破裂率を下げ、虚血性合併症率を変えないとする報告[10]、あるいは再破裂率は下げず、長期予後に影響を与えないものの、死亡率は減少させるという報告[11]がなされている。破裂性解離性動脈瘤の再出血は、高血圧の既往例、重症度の高い例、血管撮影上pearl and string徴候を有する例などに多く、再出血を来した場合の予後は不良である[12]。また、手術群と保存的治療群で差がなかったとする報告もある[13,14]。

　保存的治療では、別項で触れる遅発性脳血管攣縮の予防と治療のほか、呼吸循環管理、栄養管理も重要である。くも膜下出血に合併する発熱、貧血、高血糖、高齢、遅発性脳虚血、肺炎、髄膜炎は予後不良因子として報告されている[15,16]。

　特に、くも膜下出血重症例や水頭症合併例では、中枢性塩類喪失症候群や抗利尿ホルモン分泌異常症候群（syndrome of inappropriate secretion of antidiuretic hormone：SIADH）を発症し低ナトリウム血症がみられることが多く、水分とナトリウム出納を十分に監視し、適宜補正を行う必要がある[17]。くも膜下出血後の低ナトリウム血症に対して鉱質コルチコイド投与が有効との報告がある[18]。またくも膜下出血の再破裂は、低ナトリウム血症、呼吸不全、高い死亡率、脳死率、不良な臨床アウトカムと相関する因子として報告されている[19]。さらに心筋障害、心機能不全を示すマーカー（brain natriuretic peptide［BNP］、creatine kinase MB［CK-MB］、トロポニン）は、くも膜下出血後の死亡、不良予後、遅発性脳虚血の出現と有意に相関するとのメタ解析の報告もある[20]。

　くも膜下出血後慢性期には10〜37％の頻度で痴呆、歩行障害、失禁などの神経症候を有する水頭症が発生する[21-31]。脳室腹腔シャント術、腰椎腹腔シャント術はこれらの症状の改善に有効である[21-23,26,27,30]。終板の開窓は、シャント術の必要性を減少するとの報告もある[31,32]。

脳卒中治療ガイドライン 2021　169

〔引用文献〕

1) Kassell NF, Torner JC, Jane JA, et al. The International Cooperative Study on the Timing of Aneurysm Surgery. Part 2: Surgical results. J Neurosurg 1990; 73: 37-47.（レベル 3）

2) Mayberg MR, Batjer HH, Dacey R, et al. Guidelines for the management of aneurysmal subarachnoid hemorrhage. A statement for healthcare professionals from a special writing group of the Stroke Council, American Heart Association. Stroke 1994; 25: 2315-2328.（レベル 4）

3) Fujii Y, Takeuchi S, Sasaki O, et al. Ultra-early rebleeding in spontaneous subarachnoid hemorrhage. J Neurosurg 1996; 84: 35-42.（レベル 4）

4) Aoyagi N, Hayakawa I. Study on early re-rupture of intracranial aneurysms. Acta Neurochir (Wien) 1996; 138: 12-18.（レベル 4）

5) Naidech AM, Janjua N, Kreiter KT, et al. Predictors and impact of aneurysm rebleeding after subarachnoid hemorrhage. Arch Neurol 2005; 62: 410-416.（レベル 4）

6) Tanno Y, Homma M, Oinuma M, et al. Rebleeding from ruptured intracranial aneurysms in North Eastern Province of Japan. A cooperative study. J Neurol Sci 2007; 258: 11-16.（レベル 3）

7) Stroobandt G, Lambert O, Menard E. The association of tranexamic acid and nimodipine in the pre-operative treatment of ruptured intracranial aneurysms. Acta Neurochir (Wien) 1998; 140: 148-160.（レベル 4）

8) Roos YB, Vermeulen M, Rinkel GJ, et al. Systematic review of antifibrinolytic treatment in aneurysmal subarachnoid haemorrhage. J Neurol Neurosurg Psychiatry 1998; 65: 942-943.（レベル 1）

9) Roos Y. Antifibrinolytic treatment in subarachnoid hemorrhage: a randomized placebo-controlled trial. STAR Study Group. Neurology 2000; 54: 77-82.（レベル 2）

10) Starke RM, Kim GH, Fernandez, et al. Impact of a protocol for acute antifibrinolytic therapy on aneurysm rebleeding after subarachnoid hemorrhage. Stroke 2008; 39: 2617-2621.（レベル 3）

11) Post R, Germans MR, Boogaarts HD, et al. Short-term tranexamic acid treatment reduces in-hospital mortality in aneurysmal sub-arachnoid hemorrhage: a multicenter comparison study. PLoS One 2019; 14: e0211868.（レベル 3）

12) 小野純一, 山浦晶, 久保田基夫, 他. 破裂解離性脳動脈瘤の治療は解決されたか？ 椎骨脳底動脈瘤系 42 例の検討から. 脳卒中の外科 1996；24：51-56.（レベル 4）

13) Yamaura A, Ono J, Hirai S. Clinical picture of intracranial non-traumatic dissecting aneurysm. Neuropathology 2000; 20: 85-90.（レベル 4）

14) 小野純一, 山浦晶. 頭蓋内椎骨脳底動脈の解離性動脈瘤の検討 50 例の治療と長期的転帰. 脳神経外科ジャーナル 1994；3：128-134.（レベル 4）

15) Wartenberg KE, Schmidt JM, Claassen J, et al. Impact of medical complications on outcome after subarachnoid hemorrhage. Crit Care Med 2006; 34: 617-623.（レベル 4）

16) Zijlmans JL, Coert BA, van den Berg R, et al. Unfavorable Outcome in Patients with Aneurysmal Subarachnoid Hemorrhage WFNS Grade I. World Neurosurg 2018; 118: e217-e222.（レベル 4）

17) 小笠原邦昭, 木内博之, 長嶺義秀, 他. クモ膜下出血における Na バランス 症候性脳血管攣縮との関連で. 脳卒中の外科 1996；24：215-220.（レベル 4）

18) Katayama Y, Haraoka J, Hirabayashi H, et al. A randomized controlled trial of hydrocortisone against hyponatremia in patients with aneurysmal subarachnoid hemorrhage. Stroke 2007; 38: 2373-2375.（レベル 2）

19) Lord AS, Fernandez L, Schmidt JM, et al. Effect of rebleeding on the course and incidence of vasospasm after subarachnoid hemorrhage. Neurology 2012; 78: 31-37.（レベル 3）

20) van der Bilt IA, Hasan D, Vandertop WP, et al. Impact of cardiac complications on outcome after aneurysmal subarachnoid hemorrhage: a meta-analysis. Neurology 2009; 72: 635-642.（レベル 1）

21) Gruber A, Reinprecht A, Bavinzski G, et al. Chronic shunt-dependent hydrocephalus after early surgical and early endovascular treatment of ruptured intracranial aneurysms. Neurosurgery 1999; 44: 503-512.（レベル 4）

22) Pietila TA, Heimberger KC, Palleske H, et al. Influence of aneurysm location on the development of chronic hydrocephalus following SAH. Acta Neurochir (Wien) 1995; 137: 70-73.（レベル 4）

23) Sethi H, Moore A, Dervin J, et al. Hydrocephalus: comparison of clipping and embolization in aneurysm treatment. J Neurosurg 2000; 92: 991-994.（レベル 4）

24) Sheehan JP, Polin RS, Sheehan JM, et al. Factors associated with hydrocephalus after aneurysmal subarachnoid hemorrhage. Neurosurgery 1999; 45: 1120-1128.（レベル 4）

25) Tapaninaho A, Hernesniemi J, Vapalahti M, et al. Shunt-dependent hydrocephalus after subarachnoid haemorrhage and aneurysm surgery: timing of surgery is not a risk factor. Acta Neurochir (Wien) 1993; 123: 118-124.（レベル 4）

26) Vale FL, Bradley EL, Fisher WS 3rd. The relationship of subarachnoid hemorrhage and the need for postoperative shunting. J Neurosurg 1997; 86: 462-466.（レベル 4）

27) Vermeij FH, Hasan D, Vermeulen M, et al. Predictive factors for deterioration from hydrocephalus after subarachnoid hemorrhage. Neurology 1994; 44: 1851-1855.（レベル 4）

28) Yoshioka H, Inagawa T, Tokuda Y, et al. Chronic hydrocephalus in elderly patients following subarachnoid hemorrhage. Surg Neurol 2000; 53: 119-125.（レベル 4）

29) Kang S. Efficacy of lumbo-peritoneal versus ventriculo-peritoneal shunting for management of chronic hydrocephalus following aneurysmal subarachnoid haemorrhage. Acta Neurochir (Wien) 2000; 142: 45-49.（レベル 4）

30) Levy EI, Scarrow AM, Firlik AD, et al. Development of obstructive hydrocephalus with lumboperitoneal shunting following subarachnoid hemorrhage. Clin Neurol Neurosurg 1999; 101: 79-85.（レベル 4）

31) Winkler EA, Burkhardt JK, Rutledge WC, et al. Reduction of shunt dependency rates following aneurysmal subarachnoid hemorrhage by tandem fenestration of the lamina terminalis and membrane of Liliequist during microsurgical aneurysm repair. J Neurosurg 2018; 129: 1166-1172.（レベル 3）

32) Mao J, Zhu Q, Ma Y, et al. Fenestration of Lamina Terminalis During Anterior Circulation Aneurysm Clipping on Occurrence of Shunt-Dependent Hydrocephalus After Aneurysmal Subarachnoid Hemorrhage: Meta-Analysis. World Neurosurg 2019; 129: e1-e5.（レベル 3）

Ⅳ くも膜下出血

7 遅発性脳血管攣縮

7-1　遅発性脳血管攣縮の治療

推奨

1. 急性期外科治療の際、脳槽ドレナージを留置して脳槽内血腫の早期除去を行うことは妥当である（推奨度B　エビデンスレベル中）。急性期血管内治療例では、腰椎ドレナージもしくは脳室ドレナージを考慮しても良い（推奨度C　エビデンスレベル低）。

2. 全身的薬物療法として、ファスジルやオザグレルナトリウムを投与することは妥当である（推奨度B　エビデンスレベル低）。

3. 合併する脳循環障害に対してはtriple H療法を考慮しても良い（推奨度C　エビデンスレベル低）。代わりに循環血液量を正常に保ち、心機能を増強させるhyperdynamic療法を考慮しても良い（推奨度C　エビデンスレベル低）。

4. 血管内治療として、血管拡張薬の選択的動注療法や経皮的血管形成術（PTA）などを考慮しても良い（推奨度C　エビデンスレベル中）。

解　説

遅発性脳血管攣縮の重症度とくも膜下腔の血管周囲の血腫量との間には相関があるとされている[1]。急性期外科手術が行われる場合、脳槽内への組織プラスミノゲン・アクティベータ（t-PA）の術中投与[2-4]、手術時に設置した脳槽ドレナージを用いた術後ウロキナーゼ灌流療法の有用性が報告されている[5]。

急性期血管内治療例では、遅発性脳血管攣縮の発生予防の目的で、施術時に腰椎ドレナージを留置してt-PAやウロキナーゼを注入し、くも膜下血腫の除去を図る方法もある[6]。破裂脳動脈瘤塞栓術後の腰椎ドレナージは、臨床的脳血管攣縮に対して有用な役割を有し、転帰良好に大きく貢献している。血管攣縮の頻度は腰椎ドレナージ群で23.4％に対して対照群は63.3％、死亡の危険は腰椎ドレナージ群で2.1％に対して対照群は15％であった。しかしながら、入院期間とその後のシャント造設術の頻度に有意差は認めなかった[7]。くも膜下出血患者の予後を改善するには、World Federation of Neurosurgical Societies（WFNS）grade 3でコイル塞栓術施行の患者では腰椎ドレナージが脳室ドレナージより勧められる[8]。塞栓術後の脳室ドレナージによる出血は抗血小板薬、抗凝固薬の使用による差は認めず安全に施行しうる[9]。脳室ドレナージ内

にt-PAを投与する場合、2 mgを12時間ごとに投与することにより血腫の排出が促進される[10]。脳室内出血を伴うくも膜下出血患者に対して、脳室ドレナージよりt-PAを投与することは脳室内出血の早期排除、くも膜下出血の排出、modified Rankin Scale（mRS）の改善に寄与する[11]。

遅発性脳血管攣縮に対する全身的薬物療法として本邦では、Rhoキナーゼ阻害薬であるファスジルの静脈内投与が有効である[12,13]。また、トロンボキサンA_2合成酵素阻害薬であるオザグレルナトリウムの有効性も報告されている[14]。

欧米では、カルシウム拮抗薬であるnimodipine（本邦未承認）が有効との報告が相次いでなされ[15,16]、経静脈内投与と経口投与とで有効性に差がなく[17,18]、メタ解析では転帰不良臨床アウトカムと遅発性虚血性脳障害のリスクを軽減することが示された[19]。前述のファスジルとnimodipineとは有効性は同等であるとされる[20]。他のカルシウム拮抗薬であるニカルジピン徐放製剤含有脳槽内インプラントが脳血管攣縮発生を抑え、脳梗塞出現を抑えるとする報告もある[21]。

さらに欧米からは、高用量のマグネシウム療法が脳血管攣縮の発生を抑え、遅発性虚血性脳梗塞の出現を抑えたとする報告がなされ[22]、複数のランダム化比較試験（RCT）のメタ解析では症候性脳血管攣縮と遅発性虚血性脳障害発生を抑え、転帰良好臨

脳卒中治療ガイドライン 2021

床アウトカムを有意に増やすとする報告[23]と臨床アウトカムを改善しないとする報告[24]があり、コンセンサスは得られていない。

その他、脳血管攣縮に対するスタチンの効果は、最近のメタ解析では、薬剤を問わないスタチンの投与は脳血管攣縮、脳梗塞、死亡を有意に減少させたとする報告もあるが[25]、一方で脳血管撮影上の重度の脳血管攣縮は減少させるものの、遅発性虚血性脳障害、新規脳梗塞、3か月での予後は改善させないとの報告もあり[26]、いまだコンセンサスを得るまでには至っていない。

エンドセリン受容体拮抗薬である clazosentan（本邦未承認）の複数の RCT のメタ解析では、脳血管攣縮出現と遅発性虚血性脳障害発生を抑え、関連した合併症率、死亡率を有意に抑えるとする報告[27]と脳血管撮影上の脳血管攣縮と遅発性虚血性脳障害を抑えるが、臨床アウトカムを改善しないとする報告[28]があり、コンセンサスは得られていない。高用量での clazosentan 投与が近年注目されているが、その効果は、やはりコンセンサスは得られていないのが現状である[29,30]。

メタ解析では、アスピリン、カタクロット、ジピリダモールやチクロピジンなどの抗血小板薬の遅発性虚血性脳障害のリスクや転帰に対する有効性が示されていなかったが[31]、近年、シロスタゾールの急性期経口投与が脳血管攣縮の発生頻度を抑制することが報告された[32]。さらに、この報告を含めたメタ解析では、症例数が少ないものの（340 例）、シロスタゾールが脳血管撮影上の脳血管攣縮、症候性脳血管攣縮や攣縮に起因する新規脳梗塞を減少させ、転帰を改善することが報告されている[33]。

くも膜下出血急性期における抗線溶療法の有効性[34]と nimodipine に加えての tirilazad（本邦未承認）投与の有効性[35]は示されていない。

その他に、エダラボンの脳血管攣縮抑制効果と遅発性虚血性神経障害の抑制効果[36]、メチルプレドニゾロンの臨床アウトカム改善効果[37]の報告がある。

遅発性脳血管攣縮による脳循環障害の改善には、循環血液量増加（hypervolemia）・血液希釈（hemodilution）・人為的高血圧（hypertension）を組み合わせた治療法（triple H 療法）の有用性が報告されている[38]。本法は脳循環改善には有用であるが[39]、臨床アウトカムの改善、遅発性虚血性脳障害予防に有効であるとするエビデンスは得られていない[40]。その他、循環血液量を正常に保ち（nor-

movolemia）、心機能を増強させることによる脳循環障害改善法として hyperdynamic 療法も報告されている[41]。

脳血管攣縮に対する血管内治療として、パパベリンの動注療法は、攣縮血管の拡張に有効であるが[42]、効果時間が短いため繰り返す必要があることが指摘されている[43,44]。最近の知見としてミルリノンの動注や静注療法が、またファスジルの動注療法が有効であるとの報告がある[45,46]。経皮的血管形成術（percutaneous transluminal angioplasty：PTA）は、機械的血管拡張作用により脳血流および臨床症状を改善させるものであり[47]、パパベリン動注療法と比較してより効果的かつ持続的であるが、血管解離など合併症の危険性もあり、注意して行う必要がある[48]。

〔引用文献〕

1) Weir B, Macdonald RL, Stoodley M. Etiology of cerebral vasospasm. Acta Neurochir Suppl 1999; 72: 27-46.（レベル 5）
2) Findlay JM, Kassell NF, Weir BK, et al. A randomized trial of intraoperative, intracisternal tissue plasminogen activator for the prevention of vasospasm. Neurosurgery 1995; 37: 168-178.（レベル 2）
3) Mizoi K, Yoshimoto T, Takahashi A, et al. Prospective study on the prevention of cerebral vasospasm by intrathecal fibrinolytic therapy with tissue-type plasminogen activator. J Neurosurg 1993; 78: 430-437.（レベル 2）
4) Ohman J, Servo A, Heiskanen O. Effect of intrathecal fibrinolytic therapy on clot lysis and vasospasm in patients with aneurysmal subarachnoid hemorrhage. J Neurosurg 1991; 75: 197-201.（レベル 2）
5) Kodama N, Sasaki T, Kawakami M, et al. Cisternal irrigation therapy with urokinase and ascorbic acid for prevention of vasospasm after aneurysmal subarachnoid hemorrhage. Outcome in 217 patients. Surg Neurol 2000; 53: 110-118.（レベル 1）
6) Gruber A, Ungersbock K, Reinprecht A, et al. Evaluation of cerebral vasospasm after early surgical and endovascular treatment of ruptured intracranial aneurysms. Neurosurgery 1998; 42: 258-268.（レベル 3）
7) Kwon OY, Kim YJ, Kim YJ, et al. The utility and benefits of external lumbar CSF drainage after endovascular coiling on aneurysmal subarachnoid hemorrhage. J Korean Neurosurg Soc 2008; 43: 281-287.（レベル 3）
8) Sun C, Du H, Yin L, et al. Choice for the removal of bloody cerebrospinal fluid in postcoiling aneurysmal subarachnoid hemorrhage: external ventricular drainage or lumbar drainage? Turk Neurosurg 2014; 24: 737-744.（レベル 2）
9) Leschke JM, Lozen A, Kaushal M, et al. Hemorrhagic Complications Associated with Ventriculostomy in Patients Undergoing Endovascular Treatment for Intracranial Aneurysms: A Single-Center Experience. Neurocrit Care 2017; 27: 11-16.（レベル 4）
10) Kramer AH, Todd S, Holodinsky J, et al. Pharmacokinetics of intraventricular tissue plasminogen activator in aneurysmal subarachnoid hemorrhage patients. Can J Neurol Sci 2014; 41: S49-S50.（レベル 2）
11) Kramer AH, Roberts DJ, Holodinsky J, et al. Intraventricular tissue plasminogen activator in subarachnoid hemorrhage patients: a prospective, randomized, placebo-controlled pilot trial. Neurocrit Care 2014; 21: 275-284.（レベル 2）
12) Shibuya M, Suzuki Y, Sugita K, et al. Effect of AT877 on cerebral vasospasm after aneurysmal subarachnoid hemorrhage. Results of a prospective placebo-controlled double-blind trial. J Neurosurg 1992; 76: 571-577.（レベル 1）

13) Suzuki Y, Shibuya M, Satoh S, et al. A postmarketing surveillance study of fasudil treatment after aneurysmal subarachnoid hemorrhage. Surg Neurol 2007; 68: 126–132. （レベル 3）

14) Tokiyoshi K, Ohnishi T, Nii Y. Efficacy and toxicity of thromboxane synthetase inhibitor for cerebral vasospasm after subarachnoid hemorrhage. Surg Neurol 1991; 36: 112–118. （レベル 2）

15) Barker FG 2nd, Ogilvy CS. Efficacy of prophylactic nimodipine for delayed ischemic deficit after subarachnoid hemorrhage: a metaanalysis. J Neurosurg 1996; 84: 405–414. （レベル 2）

16) Rinkel GJ, Feigin VL, Algra A, et al. Calcium antagonists for aneurysmal subarachnoid haemorrhage. Cochrane Database Syst Rev 2002: CD000277. （レベル 1）

17) Soppi V, Karamanakos PN, Koivisto T, et al. A randomized outcome study of enteral versus intravenous nimodipine in 171 patients after acute aneurysmal subarachnoid hemorrhage. World Neurosurg 2012; 78: 101–109. （レベル 2）

18) Kronvall E, Undren P, Romner B, et al. Nimodipine in aneurysmal subarachnoid hemorrhage: a randomized study of intravenous or peroral administration. J Neurosurg 2009; 110: 58–63. （レベル 2）

19) Dorhout Mees SM, Rinkel GJ, Feigin VL, et al. Calcium antagonists for aneurysmal subarachnoid haemorrhage. Cochrane Database Syst Rev 2007: CD000277. （レベル 1）

20) Ma J, Yang S, Hong G, et al. Effect of fasudil hydrochloride on cerebral vasospasm following aneurysmal subarachnoid hemorrhage in phase II clinical trial. J Chin Clin Med 2009; 4: 61–72. （レベル 2）

21) Barth M, Thome C, Schmiedek P, et al. Characterization of functional outcome and quality of life following subarachnoid hemorrhage in patients treated with and without nicardipine prolonged-release implants. J Neurosurg 2009; 110: 955–960. （レベル 2）

22) Westermaier T, Stetter C, Vince GH, et al. Prophylactic intravenous magnesium sulfate for treatment of aneurysmal subarachnoid hemorrhage: a randomized, placebo-controlled, clinical study. Crit Care Med 2010; 38: 1284–1290. （レベル 2）

23) Wong GK, Chan MT, Gin T, et al. Intravenous magnesium sulfate after aneurysmal subarachnoid hemorrhage: current status. Acta Neurochir Suppl 2011; 110: 169–173. （レベル 1）

24) Dorhout Mees SM, Algra A, Vandertop WP, et al. Magnesium for aneurysmal subarachnoid haemorrhage (MASH-2): a randomised placebocontrolled trial. Lancet 2012; 380: 44–49. （レベル 1）

25) Shen J, Shen J, Zhu K, et al. Efficacy of Statins in Cerebral Vasospasm, Mortality, and Delayed Cerebral Ischemia in Patients with Aneurysmal Subarachnoid Hemorrhage: A Systematic Review and Meta-Analysis of Randomized Controlled Trials. World Neurosurg 2019; 131: e65-e73. （レベル 1）

26) Naraoka M, Matsuda N, Shimamura N, et al. Long-acting statin for aneurysmal subarachnoid hemorrhage: a randomized, double-blind, placebo-controlled trial. J Cereb Blood Flow Metab 2018; 38: 1190–1198. （レベル 1）

27) Wang X, Li YM, Li WQ, et al. Effect of clazosentan in patients with aneurysmal subarachnoid hemorrhage: a meta-analysis of randomized controlled trials. PLoS One 2012; 7: e47778. （レベル 1）

28) Guo J, Shi Z, Yang K, et al. Endothelin receptor antagonists for subarachnoid hemorrhage. Cochrane Database Syst Rev 2012: CD008354. （レベル 1）

29) Song J, Xue YQ, Wang YJ, et al. An Update on the Efficacy and Safety Profile of Clazosentan in Cerebral Vasospasm After Aneurysmal Subarachnoid Hemorrhage: A Meta-Analysis. World Neurosurg 2019; 123: e235-e244. （レベル 1）

30) Cho SS, Kim SE, Kim HC, et al. Clazosentan for Aneurysmal Subarachnoid Hemorrhage: An Updated Meta-Analysis with Trial Sequential Analysis. World Neurosurg 2019; 123: 418–424. e3. （レベル 1）

31) Dorhout Mees SM, van den Bergh WM, Algra A, et al. Antiplatelet therapy for aneurysmal subarachnoid haemorrhage. Cochrane Database Syst Rev 2007: CD006184. （レベル 1）

32) Suzuki S, Sayama T, Nakamura T, et al. Cilostazol improves outcome after subarachnoid hemorrhage: a preliminary report. Cerebrovasc Dis 2011; 32: 89–93. （レベル 1）

33) Niu PP, Yang G, Xing YQ, et al. Effect of cilostazol in patients with aneurysmal subarachnoid hemorrhage: a systematic review and meta-analysis. J Neurol Sci 2014; 336: 146–151. （レベル 1）

34) Roos YB, Rinkel GJ, Vermeulen M, et al. Antifibrinolytic therapy for aneurysmal subarachnoid haemorrhage. Cochrane Database Syst Rev 2003: CD001245. （レベル 1）

35) Zhang S, Wang L, Liu M, et al. Tirilazad for aneurysmal subarachnoid haemorrhage. Cochrane Database Syst Rev 2010: CD006778. （レベル 1）

36) Munakata A, Ohkuma H, Nakano T, et al. Effect of a free radical scavenger, edaravone, in the treatment of patients with aneurysmal subarachnoid hemorrhage. Neurosurgery 2009; 64: 423–429. （レベル 2）

37) Gomis P, Graftieaux JP, Sercombe R, et al. Randomized, double-blind, placebo-controlled, pilot trial of high-dose methylprednisolone in aneurysmal subarachnoid hemorrhage. J Neurosurg 2010; 112: 681–688. （レベル 2）

38) Origitano TC, Wascher TM, Reichman OH, et al. Sustained increased cerebral blood flow with prophylactic hypertensive hypervolemic hemodilution （"triple-H" therapy） after subarachnoid hemorrhage. Neurosurgery 1990; 27: 729–740. （レベル 4）

39) Egge A, Waterloo K, Sjoholm H, et al. Romner B. Prophylactic hyperdynamic postoperative fluid therapy after aneurysmal subarachnoid hemorrhage: a clinical, prospective, randomized, controlled study. Neurosurgery 2001; 49: 593–606. （レベル 2）

40) Rinkel GJ, Feigin VL, Algra A, et al. Circulatory volume expansion therapy for aneurysmal subarachnoid haemorrhage. Cochrane Database Syst Rev 2004: CD000483. （レベル 1）

41) Hadeishi H, Mizuno M, Suzuki A, et al. Hyperdynamic therapy for cerebral vasospasm. Neurol Med Chir (Tokyo) 1990; 30: 317–323. （レベル 4）

42) Sawada M, Hashimoto N, Tsukahara T, et al. Effectiveness of intra-arterially infused papaverine solutions of various concentrations for the treatment of cerebral vasospasm. Acta Neurochir (Wien) 1997; 139: 706–711. （レベル 3）

43) Numaguchi Y, Zoarski GH, Clouston JE, et al. Repeat intra-arterial papaverine for recurrent cerebral vasospasm after subarachnoid haemorrhage. Neuroradiology 1997; 39: 751–759. （レベル 4）

44) Vajkoczy P, Horn P, Bauhuf C, et al. Effect of intra-arterial papaverine on regional cerebral blood flow in hemodynamically relevant cerebral vasospasm. Stroke 2001; 32: 498–505. （レベル 4）

45) Arakawa Y, Kikuta K, Hojo M, et al. Milrinone for the treatment of cerebral vasospasm after subarachnoid hemorrhage: report of seven cases. Neurosurgery 2001; 48: 723–730. （レベル 4）

46) Tachibana E, Harada T, Shibuya M, et al. Intra-arterial infusion of fasudil hydrochloride for treating vasospasm following subarachnoid haemorrhage. Acta Neurochir (Wien) 1999; 141: 13–19. （レベル 4）

47) Eskridge JM, McAuliffe W, Song JK, et al. Balloon angioplasty for the treatment of vasospasm: results of first 50 cases. Neurosurgery 1998; 42: 510–517. （レベル 4）

48) Elliott JP, Newell DW, Lam DJ, et al. Comparison of balloon angioplasty and papaverine infusion for the treatment of vasospasm following aneurysmal subarachnoid hemorrhage. J Neurosurg 1998; 88: 277–284. （レベル 3）

V

無症候性
脳血管障害

V 無症候性脳血管障害

無症候性脳梗塞に対して抗血小板療法は必要か？

1. 無症候性脳梗塞に対して、一律での抗血小板療法は勧められない（推奨度D　エビデンスレベル低）。
2. ただし、個々の症例のリスクを慎重に検討し、十分な血圧コントロールを行った上で、出血リスクに十分に配慮した抗血小板療法を考慮しても良い（推奨度C　エビデンスレベル低）。

解説

無症候性脳梗塞に対する抗血小板療法の症候性脳梗塞予防効果に関する高度レベルのエビデンスはまだないが、無症候性脳梗塞は症候性脳梗塞と病態を共有すると考えられることから、両者の治療へのアプローチは共通することが多い。

Silence Studyでは、1個以上の無症候性脳梗塞を有する脳卒中非罹患者（45歳以上）を対象として低用量アスピリン服用群（n＝36）とプラセボ群（n＝47）で無症候性脳梗塞出現を4年間フォローアップしたところ、アスピリン服用群はプラセボ群と比べて無症候性脳梗塞が抑制される傾向にあった（2.8％ vs. 12.8％）が、有意差はなかった[1]。

抗血小板薬の投与は、脳出血をはじめとした出血性合併症のリスクをも上昇させるため[2]、現時点では十分な血圧コントロールを前提とした上で個々の症例に対してリスク因子を十分に検討後に考慮される必要がある。無症候性脳梗塞に対する抗血小板療法は、出血性合併症のリスクと症候性脳梗塞予防のベネフィットを比較して慎重に検討する必要がある。抗血小板薬のうち、ホスホジエステラーゼⅢ阻害薬であるシロスタゾールは脳梗塞二次予防において出血性合併症が少ないことがメタ解析で示されており[3]、無症候性脳梗塞に対して抗血小板薬を使用する場合、推奨される。

以上、無症候性脳梗塞患者に対する抗血小板療法の有効性についてはエビデンスがまだ十分とは言えないのが現状である。しかしながら、無症候性脳梗塞は既知の血管リスク因子で補正してもなお将来の症候性脳卒中の予測因子であり[4]、脳卒中のリスクを有する患者に対しては、そのリスクを把握し抗血小板療法を検討することには妥当性があると考えられる[5]。また一見、無症候性のように見えても、詳細な病歴聴取や神経学的診察、頸動脈エコーや頭部MRI画像により脳卒中の既往や症候、頸動脈・頭蓋内主幹動脈狭窄症が同定できれば、その患者には抗血小板療法が適応となるため見落とさないようにすることが肝要である。

〔引用文献〕

1) Maestrini I, Altieri M, Di Clemente L, et al. Longitudinal Study on Low-Dose Aspirin versus Placebo Administration in Silent Brain Infarcts: The Silence Study. Stroke Res Treat 2018; 2018: 7532403.（レベル4）
2) Kobayashi S, Okada K, Koide H, et al. Subcortical silent brain infarction as a risk factor for clinical stroke. Stroke 1997; 28: 1932-1939.（レベル3）
3) Kim SM, Jung JM, Kim BJ, et al. Cilostazol Mono and Combination Treatments in Ischemic Stroke: An Updated Systematic Review and Meta-Analysis. Stroke 2019; 50: 3503-3511.（レベル1）
4) Gupta A, Giambrone AE, Gialdini G, et al. Silent Brain Infarction and Risk of Future Stroke: A Systematic Review and Meta-Analysis. Stroke 2016; 47: 719-725.（レベル2）
5) Smith EE, Saposnik G, Biessels GJ, et al. Prevention of Stroke in Patients With Silent Cerebrovascular Disease: A Scientific Statement for Healthcare Professionals From the American Heart Association/American Stroke Association. Stroke 2017; 48: e44-e71.（レベル3）

V 無症候性脳血管障害

1 無症候性脳梗塞および大脳白質病変

1-1　無症候性脳梗塞

推奨

▶ 無症候性脳梗塞を有する症例では、通常より積極的な降圧療法を考慮しても良い（推奨度 C エビデンスレベル低）。

解 説

1. 無症候性脳梗塞と脳卒中発症リスク

　無症候性脳梗塞自体が脳卒中のリスク因子である。明らかな脳卒中の既往がない 65 歳以上の高齢者の MRI を追跡した大規模なコホート研究（Cardiovascular Health Study）では、平均 4 年の追跡で脳卒中発症のリスクを検討し、脳卒中の発症率は無症候性脳梗塞群で 1.87％/年であり、無症候性脳梗塞がない群の 0.95％/年よりも有意に高頻度であることを示した[1]。また、明らかな脳卒中の既往がない高齢者の MRI を追跡した Rotterdam Scan Study では、平均 4.2 年の追跡で脳卒中発症に関する比例ハザード比は無症候性脳梗塞を有する群で 3.9 と高かった[2]。Framingham Offspring Study でも無症候性脳梗塞を有する群は有しない群に比べて脳梗塞の発症が有意に多かった（オッズ比〔OR〕2.8）[3]。若年脳梗塞患者（15〜49 歳）を平均 8.7 年追跡した北欧の観察コホート研究では、多発性無症候性脳梗塞の存在が虚血性脳卒中の再発のリスクとなり（OR 2.5）、死亡率も高めた（OR 3.4）[4]。

2. 無症候性脳梗塞と認知症などの合併症リスク

　無症候性脳梗塞は認知機能障害のリスク因子である。前述の Rotterdam Scan Study では、平均 3.6 年の追跡で認知機能障害発症との関係が検討され、認知症発症に関するハザード比は無症候性脳梗塞を有する群で 2.3 と高く、無症候性脳梗塞を有する例は認知機能障害発症の高リスク群であることが示された[5,6]。無症候性ラクナ梗塞は前頭葉機能低下の独立した高リスク（OR 1.5）という報告もある[7]。大うつ病例では無症候性脳梗塞があると譫妄・認知症を発現しやすいこと[8]が示されている。メタ解析の結果においても、無症候性脳梗塞は認知

機能障害のリスク因子であることが示されている[9]。その他、無症候性脳梗塞があると死亡のリスクを高めること[10]、肺炎を合併しやすいこと[11]が報告されている。運動との関連では、無症候性脳梗塞の存在は歩行状態（歩速、歩幅、1 分間のステップ数）を低下させた[12]。慢性腎臓病（chronic kidney disease：CKD）患者（CKD stages 3〜5）を 2 年間フォローした結果、無症候性脳梗塞は腎機能悪化に関与し（OR 2.2）、糸球体濾過量（glomerular filtration rate：GFR）の低下率は無症候性脳梗塞群で高かった[13]。

3. 無症候性脳梗塞の危険因子

　無症候性脳梗塞の最大の危険因子は高血圧症である[14,15]。血圧管理に関しては、本邦の多施設共同研究である PICA Study は、カルシウム拮抗薬ニルバジピン 4〜8 mg/日による降圧治療は無症候性脳梗塞の数の増加を抑制することを示している[15]。心房細動は無症候性脳梗塞の危険因子である。メタ解析の結果、心房細動を有する群は有しない群に比べて無症候性脳梗塞を有意に多く有していた（OR 2.6）[16]。さらに、心房細動が無症候性脳梗塞およびそれに伴う認知機能障害の危険因子であることが判明している[17]。メタボリックシンドロームは無症候性脳梗塞の危険因子である（OR 1.7）[18,19]。CKD も無症候性脳梗塞の危険因子であり（OR 11.9）、CKD3b（eGFR 30.0〜44.9）で 37.5％に無症候性脳梗塞を認めた[20]。日本人（平均 66 歳）での解析で、クレアチニンクリアランス＜60 mL/分が無症候性ラクナ梗塞の出現に関連していた（OR 1.62）[21]。2 型糖尿病による CKD も無症候性脳梗塞と関連していた[22]。2 型糖尿病での無症候性脳梗塞は 27.7〜60.4％にみられ、年齢、収縮期血圧、総頸動脈内膜肥厚（IMT）が無症候性脳梗塞の独立した危険因子であった[23,24]。無症候性脳梗塞では

脳卒中治療ガイドライン 2021　177

血清 LDL-コレステロールは有意に高く、特に女性の無症候性脳梗塞で血清総コレステロールが有意に高かった[25]。頚動脈硬化の重症度[11]、冠動脈・頚動脈狭窄[26]は無症候性脳梗塞と関連する。また睡眠時無呼吸症候群とも関連している[27]。

無症候性脳梗塞の診断、評価

無症候性脳梗塞の診断に関しては、画像上梗塞と思われる変化があり、かつ次の条件をみたすものをいう[28]。①その病巣に該当する神経症候（深部腱反射の左右差、脳血管性と思われる認知症などを含む）がない。②病巣に該当する自覚症状（一過性脳虚血発作も含む）を過去にも現在にも本人ないし家族が気付いていない。そして無症候性脳梗塞の多くは脳深部のラクナ梗塞である[29]。MRI 撮影において、T1 強調画像、T2 強調画像、FLAIR の 3 画像を検討することで無症候性脳梗塞の診断精度が向上するとされる[30]。また、無症候性脳梗塞の主要病態は穿通枝レベルの脳小血管病変であるが、脳小血管病変を反映するラクナ梗塞や大脳白質病変、脳微小出血、血管周囲腔拡大を MRI 画像により総合的に評価した Total small-vessel disease score が近年用いられるようになってきた[31]。Total small-vessel disease score はラクナ梗塞、大脳白質病変、脳微小出血、血管周囲腔拡大が一定基準を超えて存在する場合、各々1点を加点し、合計4点満点のスコアである。比較的簡便で実用的で、無症候性脳梗塞や血管性認知症を呈する脳小血管病変のリスク層別化・重症度の評価に有用であるとされる。

〔引用文献〕

1) Bernick C, Kuller L, Dulberg C, et al. Silent MRI infarcts and the risk of future stroke: the cardiovascular health study. Neurology 2001; 57: 1222-1229. （レベル 2）
2) Vermeer SE, Hollander M, van Dijk EJ, et al. Silent brain infarcts and white matter lesions increase stroke risk in the general population: the Rotterdam Scan Study. Stroke 2003; 34: 1126-1129. （レベル 2）
3) Debette S, Beiser A, DeCarli C, et al. Association of MRI markers of vascular brain injury with incident stroke, mild cognitive impairment, dementia, and mortality: the Framingham Offspring Study. Stroke 2010; 41: 600-606. （レベル 2）

4) Putaala J, Haapaniemi E, Kurkinen M, et al. Silent brain infarcts, leukoaraiosis, and longterm prognosis in young ischemic stroke patients. Neurology 2011; 76: 1742-1749. （レベル 3）
5) Vermeer SE, Prins ND, den Heijer T, et al. Silent brain infarcts and the risk of dementia and cognitive decline. N Engl J Med 2003; 348: 1215-1222. （レベル 1）
6) Vermeer SE, Longstreth WT Jr, Koudstaal PJ. Silent brain infarcts; a systematic review. Lancet Neurol 2007; 6: 611-619. （レベル 1）
7) Yao H, Miwa Y, Takashima Y, et al. Chronic kidney disease and subclinical lacunar infarction are independently associated with frontal lobe dysfunction in community-dwelling elderly subjects: the Sefuri brain MRI study. Hypertens Res 2011; 34: 1023-1028. （レベル 2）
8) Yanai I, Fujikawa T, Horiguchi J, et al. The 3-year course and outcome of patients with major depression and silent cerebral infarction. J Affect Disord 1998; 47: 25-30. （レベル 3）
9) Lei C, Deng Q, Li H, et al. Association Between Silent Brain Infarcts and Cognitive Function: A Systematic Review and Meta-Analysis. J Stroke Cerebrovasc Dis 2019; 28: 2376-2387. （レベル 2）
10) Bokura H, Kobayashi S, Yamaguchi S, et al. Silent brain infarction and subcortical white matter lesions increase the risk of stroke and mortality: a prospective cohort study. J Stroke Cerebrovasc Dis 2006; 15: 57-63. （レベル 3）
11) Nakagawa T, Sekizawa K, Nakajoh K, et al. Silent cerebral infarction: a potential risk for pneumonia in the elderly. J Intern Med 2000; 247: 255-259. （レベル 3）
12) Choi P, Ren M, Phan TG, et al. Silent infarcts and cerebral microbleeds modify the associations of white matter lesions with gait and postural stability: population-based study. Stroke 2012; 43: 1505-1510. （レベル 2）
13) Kobayashi M, Hirawa N, Morita S, et al. Silent brain infarction and rapid decline of kidney function in patients with CKD: a prospective cohort study. Am J Kidney Dis 2010; 56: 468-476. （レベル 2）
14) Kobayashi S, Okada K, Koide H, et al. Subcortical silent brain infarction as a risk factor for clinical stroke. Stroke 1997; 28: 1932-1939. （レベル 3）
15) Shinohara Y, Tohgi H, Hirai S, et al. Effect of the Ca antagonist nilvadipine on stroke occurrence or recurrence and extension of asymptomatic cerebral infarction in hypertensive patients with or without history of stroke (PICA Study). 1. Design and results at enrollment. Cerebrovasc Dis 2007; 24: 202-209. （レベル 3）
16) Kalantarian S, Ay H, Gollub RL, et al. Association between atrial fibrillation and silent cerebral infarctions: a systematic review and meta-analysis. Ann Intern Med 2014; 161: 650-658. （レベル 2）
17) Madhavan M, Graff-Radford J, Piccini JP, et al. Cognitive dysfunction in atrial fibrillation. Nat Rev Cardiol 2018; 15: 744-756. （レベル 2）
18) Kwon HM, Kim BJ, Lee SH, et al. Metabolic syndrome as an independent risk factor of silent brain infarction in healthy people. Stroke 2006; 37: 466-470. （レベル 2）
19) Kwon HM, Kim BJ, Park JH, et al. Significant association of metabolic syndrome with silent brain infarction in elderly people. J Neurol 2009; 256: 1825-1831. （レベル 2）
20) Chou CC, Lien LM, Chen WH, et al. Adults with late stage 3 chronic kidney disease are at high risk for prevalent silent brain infarction: a population-based study. Stroke 2011; 42: 2120-2125. （レベル 2）
21) Otani H, Kikuya M, Hara A, et al. Association of kidney dysfunction with silent lacunar infarcts and white matter hyperintensity in the general population: the Ohasama study. Cerebrovasc Dis 2010; 30: 43-50. （レベル 2）
22) P222-23 Bouchi R, Babazono T, Yoshida N, et al. Relationship between chronic kidney disease and silent cerebral infarction in patients with Type 2 diabetes. Diabet Med 2010: 538-543. （レベル 3）
23) Nomura K, Hamamoto Y, Takahara S, et al. Relationship between carotid intima-media thickness and silent cerebral infarction in Japanese subjects with type 2 diabetes. Diabetes Care 2010; 33: 168-170. （レベル 3）
24) Umemura T, Kawamura T, Sakakibara T, et al. Association of soluble adhesion molecule and C-reactive protein levels with

silent brain infarction in patients with and without type 2 diabetes. Curr Neurovasc Res 2008; 5: 106-111.（レベル 3）

25）Oncel C, Demir S, Guler S, et al. Association between cholesterols, homocysteine and silent brain infarcts. Intern Med J 2009; 39: 150-155.（レベル 2）

26）Ito S, Kono M, Komatsu K, 他. 頸動脈粥状硬化は全身の粥状硬化の指標になるか. Therapeutic Research 1998；19：379-392.（レベル 4）

27）Cho ER, Kim H, Seo HS, et al. Obstructive sleep apnea as a risk factor for silent cerebral infarction. J Sleep Res 2013; 22: 452-458.（レベル 3）

28）澤田徹. 無症候性脳血管障害の診断基準に関する研究. 脳卒中 1998；19：489-493.（レベル 4）

29）Longstreth WT Jr, Bernick C, Manolio TA, et al. Lacunar infarcts defined by magnetic resonance imaging of 3660 elderly people: the Cardiovascular Health Study. Arch Neurol 1998; 55: 1217-1225.（レベル 5）

30）Sasaki M, Hirai T, Taoka T, et al. Discriminating between silent cerebral infarction and deep white matter hyperintensity using combinations of three types of magnetic resonance images: a multicenter observer performance study. Neuroradiology 2008; 50: 753-758.（レベル 2）

31）Staals J, Makin SD, Doubal FN, et al. Stroke subtype, vascular risk factors, and total MRI brain small-vessel disease burden. Neurology 2014; 83: 1228-1234.（レベル 4）

Ⅴ 無症候性脳血管障害

1 無症候性脳梗塞および大脳白質病変

1-2　大脳白質病変

推奨

▶ 大脳白質病変を有する症例において、通常より積極的に降圧療法、スタチン投与、運動療法を考慮しても良い（推奨度C　エビデンスレベル低）。

解 説

1. 大脳白質病変と脳卒中リスク

　大脳白質病変自体が後述のように脳卒中のリスク因子である。大脳白質病変は経過とともに進行する場合が多く、改善することは通常ない[1]。大脳白質病変の4年間の経年変化を解析した結果では年に0.24 cm^3 ずつ増大し、うち36％は新たな病変であった[2]。また3年間の自然経過を見た結果では、皮質下白質での進行が多く、その危険因子として白質病変の存在、脳卒中既往、糖尿病であった[3]。わが国の脳ドックの追跡調査報告では高度な白質病変と無症候性脳梗塞の存在が最大の脳卒中発症の危険因子で、特に高度大脳白質病変のオッズ比（OR）10.6は無症候性脳梗塞の OR 8.8 よりも高かった[4]。本邦の多施設共同研究 PICA Study の最終報告では、特に脳室周囲病変（periventricular hyperintensity：PVH）、深部皮質下白質病変（deep and subcortical white matter hyperintensity：DSWMH）の重症度は将来の症候性脳梗塞発症に関係し、症候性脳梗塞の予知因子の一つであった[5]。明らかな脳卒中の既往がない高齢者の MRI を追跡した Rotterdam Scan Study は、平均4.2年の追跡で脳卒中発症との関係を検討し、脳卒中発症に関する比例ハザード比（多因子補正後）は、高度な PVH を有する群で4.7、DSWMH を有する群で3.6 と高く、高度大脳白質病変を有する例は脳卒中発症の高リスク群としている[6]。

2. 大脳白質病変と認知情動機能、日常生活動作

　大脳白質病変と認知情動機能との関連では、大うつ病[7]、認知障害[8-13]、感情障害[14]、軽度認知障害[15]、注意障害[16]、アパシー[17]などとの関連性が示されている。多発性ラクナ梗塞例では、PVH の広がりと認知機能の間に有意な負相関が認められてい

る[18]。また健常者における検討では、大脳白質病変の程度は遂行機能に関係し[19]、脳室拡大は言語性認知機能など皮質機能に関係することが示されている[20]。Framingham Offspring Study での縦断研究では、大脳白質病変の存在が脳卒中危険因子と独立して認知症の発症と関連した（ハザード比2.22）[21]。60歳以上の高齢者の認知機能と大脳白質病変部位との関連についてのレビューでは、DSWMH は PVH より強く認知機能を低下させ、一方 PVH は DSWMH よりも遂行機能、情報処理速度を低下させた[22]。大脳白質病変と身体機能の関連では、高齢者において白質病変が大きいと歩行速度は遅く（OR 1.56）、8年後の歩行速度の低下と関連し（OR 2.3）、さらにこの影響は DSWMH より PVH のほうが強かった[23]。急性期脳梗塞患者での大脳白質病変のうち PVH の存在は、発症30日後の modified Rankin Scale および Barthel Index を低下させた[24]。脳卒中発症後の QOL に対しても DSWMH が悪影響を及ぼすとされる[25]。

3. 大脳白質病変の危険因子

　大脳白質病変の最大の危険因子は高血圧である[4,5]。大脳白質病変は、高血圧非治療群に比して高血圧治療群で有意に軽度であり、早期からの積極的な血圧管理の重要性が指摘された[26,27]。SPRINT の結果、収縮期血圧 120 mmHg 未満の厳格管理は 140 mmHg 未満の通常管理と比べて大脳白質病変および軽度認知障害の進行を有意に抑えた[28,29]。Northern Manhattan Study における脳梗塞既往のない人の7年間の追跡調査では、拡張期血圧の上昇が白質病変の増加と関連していた[30]。大脳白質病変は上腕収縮期血圧および中心収縮期血圧と正相関した[31]。ROCAS Study でスタチンの白質病変に対する影響が検討され、重度の白質病変はシンバスタチン群でプラセボ群に比して2年間の病変増大

が有意に抑制された[32]。アトルバスタチンでも僅かではあるが白質病変縮小の効果が報告されている[33]。また、アンジオテンシンⅡ受容体拮抗薬（angiotensin Ⅱ receptor blocker：ARB）であるテルミサルタンは低用量ロスバスタチンとの併用により高血圧を有する患者の白質病変および認知機能を改善させた[34,35]。大脳白質病変のある高齢者の3年間の縦断研究で、身体的活動および運動により認知機能低下（ハザード比0.64）、認知症発症（ハザード比0.61）、血管性認知症発症（ハザード比0.42）のいずれも改善した[36]。脳ドックの5年間の縦断研究で慢性腎臓病も大脳白質病変の危険因子であると報告されている（OR 1.4）[37]。糖尿病の存在は白質病変の出現やその大きさと関連していたが、縦断的研究では白質病変の増大に関連するか否かに関して一致した結果が得られていない[38-41]。健康診断を受診したわが国の健常者での検討では、メタボリック症候群と大脳白質病変の間に有意な関連性が認められ、メタボリック症候群は、将来、大脳白質病変の発症リスクが高い比較的若年者の同定に役立つことが示唆された[42]。喫煙者は非喫煙者と比較して、65歳未満では高い頻度でPVHを有し、65歳以上ではDSWMHの程度が強かった[43]。

〔引用文献〕

1) Schmidt R, Fazekas F, Kapeller P, et al. MRI white matter hyperintensities: three-year follow-up of the Austrian Stroke Prevention Study. Neurology 1999; 53: 132-139.（レベル3）
2) Maillard P, Crivello F, Dufouil C, et al. Longitudinal follow-up of individual white matter hyperintensities in a large cohort of elderly. Neuroradiology 2009; 51: 209-220.（レベル2）
3) Gouw AA, van der Flier WM, Fazekas F, et al. Progression of white matter hyperintensities and incidence of new lacunes over a 3-year period: the Leukoaraiosis and Disability study. Stroke 2008; 39: 1414-1420.（レベル2）
4) 小林祥泰. 無症候性脳梗塞の臨床的意義. 神経研究の進歩 2001；45：450-460.（レベル3）
5) Shinohara Y, Tohgi H, Hirai S, et al. Effect of the Ca antagonist nilvadipine on stroke occurrence or recurrence and extension of asymptomatic cerebral infarction in hypertensive patients with or without history of stroke (PICA Study). 1. Design and results at enrollment. Cerebrovasc Dis 2007; 24: 202-209.（レベル3）
6) Vermeer SE, Hollander M, van Dijk EJ, et al. Silent brain infarcts and white matter lesions increase stroke risk in the general population: the Rotterdam Scan Study. Stroke 2003; 34: 1126-1129.（レベル2）
7) O'Brien J, Ames D, Chiu E, et al. Severe deep white matter lesions and outcome in elderly patients with major depressive disorder: follow up study. BMJ 1998; 317: 982-984.（レベル3）
8) de Groot JC, de Leeuw FE, Oudkerk M, et al. Cerebral white matter lesions and cognitive function: the Rotterdam Scan Study. Ann Neurol 2000; 47: 145-151.（レベル2）
9) O'Brien JT, Desmond P, Ames D, et al. Magnetic resonance imaging correlates of memory impairment in the healthy elderly: association with medial temporal lobe atrophy but not white matter lesions. Int J Geriatr Psychiatry 1997; 12: 369-374.（レベル3）

10) Prins ND, van Dijk EJ, den Heijer T, et al. Cerebral small-vessel disease and decline in information processing speed, executive function and memory. Brain 2005; 128: 2034-2041.（レベル3）
11) van Dijk EJ, Prins ND, Vrooman HA, et al. Progression of cerebral small vessel disease in relation to risk factors and cognitive consequences: Rotterdam Scan study. Stroke 2008; 39: 2712-2719.（レベル3）
12) Mosley TH Jr, Knopman DS, Catellier DJ, et al. Cerebral MRI findings and cognitive functioning: the Atherosclerosis Risk in Communities study. Neurology 2005; 64: 2056-2062.（レベル3）
13) Longstreth WT Jr, Arnold AM, Beauchamp NJ Jr, et al. Incidence, manifestations, and predictors of worsening white matter on serial cranial magnetic resonance imaging in the elderly: the Cardiovascular Health Study. Stroke 2005; 36: 56-61.（レベル3）
14) Doddy RS, Massman PJ, Mawad M, et al. Cognitive consequences of subcortical magnetic resonance imaging changes in Alzheimer's disease: comparison to small vessel ischemic vascular dementia. Neuropsychiatry Neuropsychol Behav Neurol 1998; 11: 191-199.（レベル3）
15) DeCarli C, Miller BL, Swan GE, et al. Cerebrovascular and brain morphologic correlates of mild cognitive impairment in the National Heart, Lung, and Blood Institute Twin Study. Arch Neurol 2001; 58: 643-647.（レベル3）
16) Ishikawa H, Meguro K, Ishii H, et al. Silent infarction or white matter hyperintensity and impaired attention task scores in a nondemented population: the Osaki-Tajiri Project. J Stroke Cerebrovasc Dis 2012; 21: 275-282.（レベル3）
17) Yao H, Takashima Y, Mori T, et al. Hypertension and white matter lesions are independently associated with apathetic behavior in healthy elderly subjects: the Sefuri brain MRI study. Hypertens Res 2009; 32: 586-590.（レベル3）
18) Fukuda H, Kobayashi S, Okada K, et al. Frontal white matter lesions and dementia in lacunar infarction. Stroke 1990; 21: 1143-1149.（レベル3）
19) Murray ME, Senjem ML, Petersen RC, et al. Functional impact of white matter hyperintensities in cognitively normal elderly subjects. Arch Neurol 2010; 67: 1379-1385.（レベル3）
20) Breteler MM, van Amerongen NM, van Swieten JC, et al. Cognitive correlates of ventricular enlargement and cerebral white matter lesions on magnetic resonance imaging. The Rotterdam Study. Stroke 1994; 25: 1109-1115.（レベル2）
21) Debette S, Beiser A, DeCarli C, et al. Association of MRI markers of vascular brain injury with incident stroke, mild cognitive impairment, dementia, and mortality: the Framingham Offspring Study. Stroke 2010; 41: 600-606.（レベル2）
22) Bolandzadeh N, Davis JC, Tam R, et al. The association between cognitive function and white matter lesion location in older adults: a systematic review. BMC Neurol 2012; 12: 126.（レベル1）
23) Soumare A, Elbaz A, Zhu Y, et al. White matter lesions volume and motor performances in the elderly. Ann Neurol 2009; 65: 706-715.（レベル2）
24) Liou LM, Chen CF, Guo YC, et al. Cerebral white matter hyperintensities predict functional stroke outcome. Cerebrovasc Dis 2010; 29: 22-27.（レベル4）
25) Tang WK, Liang HJ, Chen YK, et al. White matter hyperintensities and quality of life in acute lacunar stroke. Neurol Sci 2013; 34: 1347-1353.（レベル3）
26) Fukuda H, Kitani M. Differences between treated and untreated hypertensive subjects in the extent of periventricular hyperintensities observed on brain MRI. Stroke 1995; 26: 1593-1597.（レベル3）
27) Chobanian AV, Bakris GL, Black HR, et al. The Seventh Report of the Joint National Committee on Prevention, Detection, Evaluation, and Treatment of High Blood Pressure: the JNC 7 report. JAMA 2003; 28: 2560-2572.（レベル3）
28) Nasrallah IM, Pajewski NM, Auchus AP, et al. Association of Intensive vs Standard Blood Pressure Control With Cerebral White Matter Lesions. JAMA 2019; 322: 524-534.（レベル2）
29) Williamson JD, Pajewski NM, Auchus AP, et al. Effect of Intensive vs Standard Blood Pressure Control on Probable Dementia: a Randomized Clinical Trial. JAMA 2019; 321: 553-561.（レベル2）
30) Marcus J, Gardener H, Rundek T, et al. Baseline and longitudi-

nal increases in diastolic blood pressure are associated with greater white matter hyperintensity volume: the northern Manhattan study. Stroke 2011; 42: 2639-2641. （レベル 2）

31) Shrestha I, Takahashi T, Nomura E, et al. Association between central systolic blood pressure, white matter lesions in cerebral MRI and carotid atherosclerosis. Hypertens Res 2009; 32: 869-874. （レベル 4）

32) Mok VC, Lam WW, Fan YH, et al. Effects of statins on the progression of cerebral white matter lesion: Post hoc analysis of the ROCAS (Regression of Cerebral Artery Stenosis) study. J Neurol 2009; 256: 750-757. （レベル 2）

33) Tendolkar I, Enajat M, Zwiers MP, et al. One-year cholesterol lowering treatment reduces medial temporal lobe atrophy and memory decline in stroke-free elderly with atrial fibrillation: evidence from a parallel group randomized trial. Int J Geriatr Psychiatry 2012; 27: 49-58. （レベル 3）

34) Zhang H, Cui Y, Zhao Y, et al. Effects of sartans and low-dose statins on cerebral white matter hyperintensities and cognitive function in older patients with hypertension: a randomized, double-blind and placebo-controlled clinical trial. Hypertens Res 2019; 42: 717-729. （レベル 2）

35) Chen Y, Lu F, Zhang H, et al. The effect of telmisartan combined with rosuvastatin on the white matter lesions in elderly hypertensive patients. J Hypertens 2018; 36: e294. （レベル 2）

36) Verdelho A, Madureira S, Ferro JM, et al. Physical activity prevents progression for cognitive impairment and vascular dementia: results from the LADIS (Leukoaraiosis and Disabili-ty) study. Stroke 2012; 43: 3331-3335. （レベル 2）

37) Kuriyama N, Mizuno T, Ohshima Y, et al. Intracranial deep white matter lesions (DWLs) are associated with chronic kidney disease (CKD) and cognitive impairment: a 5-year follow-up magnetic resonance imaging (MRI) study. Arch Gerontol Geriatr 2013; 56: 55-60. （レベル 3）

38) van Elderen SG, de Roos A, de Craen AJ, et al. Progression of brain atrophy and cognitive decline in diabetes mellitus: a 3-year follow-up. Neurology 2010; 75: 997-1002. （レベル 3）

39) Reijmer YD, van den Berg E, de Bresser J, et al. Accelerated cognitive decline in patients with type 2 diabetes: MRI correlates and risk factors. Diabetes Metab Res Rev 2011; 27: 195-202. （レベル 3）

40) Espeland MA, Bryan RN, Goveas JS, et al. Influence of type 2 diabetes on brain volumes and changes in brain volumes: results from the Women's Health Initiative Magnetic Resonance Imaging studies. Diabetes Care 2013; 36: 90-97. （レベル 3）

41) Kooistra M, Geerlings MI, Mali WP, et al. Diabetes mellitus and progression of vascular brain lesions and brain atrophy in patients with symptomatic atherosclerotic disease. The SMART-MR study. J Neurol Sci 2013; 332: 69-74. （レベル 3）

42) Park K, Yasuda N, Toyonaga S, et al. Significant association between leukoaraiosis and metabolic syndrome in healthy subjects. Neurology 2007; 69: 974-978. （レベル 3）

43) Kim SH, Yun CH, Lee SY, et al. Agedependent association between cigarette smoking on white matter hyperintensities. Neurol Sci 2012; 33: 45-51. （レベル 4）

Ⅴ 無症候性脳血管障害

2 無症候性脳出血

無症候性脳出血

推奨

1. 無症候性脳出血および微小脳出血（microbleeds）に対して症候性脳出血発症予防のため降圧治療を行うことは妥当である（推奨度B　エビデンスレベル中）。

2. 無症候性脳出血または微小脳出血を伴う虚血性脳卒中例は、出血リスクと脳梗塞再発リスクを十分に検討した上で、抗血小板療法ないし抗凝固療法を控えることを考慮しても良い（推奨度C　エビデンスレベル低）。

3. 微小脳出血を伴う脳梗塞急性期症例に遺伝子組み換え組織型プラスミノゲン・アクティベータ（rt-PA）静注による血栓溶解療法や機械的血栓回収療法を行うことは妥当である（推奨度B　エビデンスレベル中）。

解 説

1. 無症候性脳出血

本症の原因としては高血圧性脳出血が最も頻度が高く、その多くが被殻外側（外包）出血である[1,2]。また、高血圧性脳出血による無症候性脳出血例の半数に脳梗塞が合併している[1,2]。症候性高血圧性脳出血例では無症候性脳出血が23～33％と高頻度に認められる[3,4]。アミロイドアンギオパチー、脳動静脈奇形、血管腫などの原因を持つ、二次性脳出血による無症候性脳出血については、頻度、自然歴は検討されていない。

無症候性脳出血例に血栓溶解療法[5]や機械的血栓回収療法、抗血小板薬や抗凝固薬を投与することによって新たな出血のリスクを高めるとした報告はない。

2. 微小脳出血

微小脳出血（microbleeds）の出現頻度は、高齢[6,7]、高血圧[8,9]、糖尿病[9]、大脳白質病変の程度の進行[9-12]、脳卒中の既往[9,13]、腎機能障害[14,15]や認知機能障害[16]によって高まる。特に脳出血の既往があることで、より微小脳出血の頻度が高まる[9,17]。部位別の検討では、皮質・皮質下の微小脳出血（superficial hemosiderosisを含む）は、高齢や認知症と関連して脳アミロイドアンギオパチーを反映し、基底核の微小脳出血は、高血圧、糖尿病、など動脈硬化と関連する高血圧性小血管病を反映する[17,18]。

微小脳出血を持つ場合、高血圧や糖尿病をコントロールすることで、将来の脳卒中予防効果が、微小脳出血を持たない場合と違いがあるかどうかは不明である。

微小脳出血の存在によって将来の脳梗塞、脳出血いずれの発症リスクも高まる[19-21]。これには人種差があり、アジア人ではより脳出血リスクが増加する。欧州人では脳出血増加は有意でなく、脳梗塞増加が有意である[19]。脳卒中関連死、心血管死は微小脳出血の存在によって高まる[22]。横断的研究において、抗血小板薬[23-25]、ワルファリン[24]、直接阻害型経口抗凝固薬（direct oral anticoagulant：DOAC）[26]を内服していると微小脳出血の頻度が高まる。特にワルファリンでその傾向が強い。

急性期脳梗塞に対する抗血小板薬併用療法は微小脳出血を上昇させない[27]。DOACはワルファリンと比較して微小脳出血を増加させない[28,29]。抗血栓療法を行っている群では微小脳出血を伴うことで脳出血を起こす危険が高まる[24]。脳梗塞や一過性脳虚血発作の既往を持つ場合、微小脳出血が5個以上は、長期的な抗血栓薬がもたらす有用性と出血性リスクが同等となるカットオフ値になりうる[30,31]。非弁膜症性心房細動を有する脳梗塞患者では、MRI上の微小脳出血の存在は微小脳出血のない患者と比較して、フォローアップ期間中の症候性脳内出血のリスクの増加と関連し、このリスクは特に5個以上の微小脳出血を有する患者で高い[32]。DOACの大規模臨床試験の後ろ向き解析では、非弁膜症性心

房細動を有する脳梗塞患者に対する DOAC やワルファリンの有用性は、微小脳出血の数や部位を問わず、出血性リスクを上回る[33]。

脳梗塞急性期における血栓溶解療法[34-36]や機械的血栓回収療法[37]では、微小脳出血の存在によって症候性脳出血のリスクが高まるという証拠はない。微小脳出血の存在は梗塞外の新たな微小脳出血のリスクになり[38,39]、微小脳出血 5〜10 個以上は出血性リスクを高めるが、血栓溶解療法の適応外項目と判断する証拠はない[40-44]。

〔引用文献〕

1) 中島ユミ，大須賀等，山本正博，他．無症候性脳内出血 MRI 所見からの検討．臨床神経学 1991；31：270-274.（レベル 4）

2) 篠原幸人．脳内出血 無症候性脳内出血 MRI による検出例．日本臨牀 1993；増刊 51：272-275.（レベル 4）

3) 岡田靖，佐渡島省三，朔義亮，他．高血圧性脳出血患者にみられる無症候性脳血管病変．脳卒中 1992；14：187-191.（レベル 4）

4) Offenbacher H, Fazekas F, Schmidt R, et al. MR of cerebral abnormalities concomitant withprimary intracerebral hematomas. AJNR Am J Neuroradiol 1996; 17: 573-578.（レベル 4）

5) Aoki J, Shibazaki K, Saji N, et al. Risk of intracerebral hemorrhage after thrombolysis in patients with asymptomatic hemorrhage on T2*. Cerebrovasc Dis 2014; 38: 107-116.（レベル 4）

6) Vernooij MW, van der Lugt A, Ikram MA, et al. Prevalence and risk factors of cerebral microbleeds: the Rotterdam Scan Study. Neurology 2008; 70: 1208-1214.（レベル 3）

7) Yang Q, Yang Y, Li C, et al. Quantitative assessment and correlation analysis of cerebral microbleed distribution and leukoaraiosis in stroke outpatients. Neurol Res 2015; 37: 403-409.（レベル 4）

8) Sun J, Soo YO, Lam WW, et al. Different distribution patterns of cerebral microbleeds in acute ischemic stroke patients with and without hypertension. Eur Neurol 2009; 62: 298-303.（レベル 4）

9) Cordonnier C, Al-Shahi Salman R, Wardlaw J. Spontaneous brain microbleeds: systematic review, subgroup analyses and standards for study design and reporting. Brain 2007; 130: 1988-2003.（レベル 2）

10) Kato H, Izumiyama M, Izumiyama K, et al. Silent cerebral microbleeds on T2*-weighted MRI: correlation with stroke subtype, stroke recurrence, and leukoaraiosis. Stroke 2002; 33: 1536-1540.（レベル 4）

11) Wardlaw JM, Lewis SC, Keir SL, et al. Cerebral microbleeds are associated with lacunar stroke defined clinically and radiologically, independently of white matter lesions. Stroke 2006; 37: 2633-2636.（レベル 4）

12) Poels MM, Ikram MA, van der Lugt A, et al. Incidence of cerebral microbleeds in the general population: the Rotterdam Scan Study. Stroke 2011; 42: 656-661.（レベル 3）

13) Wardlaw JM, Lewis SC, Keir SL, et al. Cerebral microbleeds are associated with lacunar stroke defined clinically and radiologically, independently of white matter lesions. Stroke 2006; 37: 2633-2636.（レベル 4）

14) Zhang JB, Liu LF, Li ZG, et al. Associations between biomarkers of renal function with cerebral microbleeds in hypertensive patients. Am J Hypertens 2015; 28: 739-745.（レベル 4）

15) Kim SH, Shin DW, Yun JM, et al. Kidney dysfunction and cerebral microbleeds in neurologically healthy adults. PLoS One 2017; 12: e0172210.（レベル 4）

16) Yates PA, Desmond PM, Phal PM, et al. Incidence of cerebral microbleeds in preclinical Alzheimer disease. Neurology 2014; 82: 1266-1273.（レベル 4）

17) Wang Z, Soo YO, Mok VC. Cerebral microbleeds: is antithrombotic therapy safe to administer? Stroke 2014; 45: 2811-2817.（レベル 2）

18) Pantoni L. Cerebral small vessel disease: from pathogenesis and clinical characteristics to therapeutic challenges. Lancet Neurol 2010; 9: 689-701.（レベル 3）

19) Charidimou A, Kakar P, Fox Z, et al. Cerebral microbleeds and recurrent stroke risk: systematic review and meta-analysis of prospective ischemic stroke and transient ischemic attack cohorts. Stroke 2013; 44: 995-1001.（レベル 2）

20) Bokura H, Saika R, Yamaguchi T, et al. Microbleeds are associated with subsequent hemorrhagic and ischemic stroke in healthy elderly individuals. Stroke 2011; 42: 1867-1871.（レベル 4）

21) Shoamanesh A, Pearce LA, Bazan C, et al. Microbleeds in the Secondary Prevention of Small Subcortical Strokes Trial: Stroke, mortality, and treatment interactions. Ann Neurol 2017; 82: 196-207.（レベル 4）

22) Altmann-Schneider I, Trompet S, de Craen AJ, et al. Cerebral Microbleeds ArePredictive of Mortality in the Elderly. Stroke 2011; 42: 638-644.（レベル 4）

23) Vernooij MW, Haag MD, van der Lugt A, et al. Use of antithrombotic drugs and the presence of cerebral microbleeds: the Rotterdam Scan Study. Arch Neurol 2009; 66: 714-720.（レベル 3）

24) Lovelock CE, Cordonnier C, Naka H, et al. Antithrombotic drug use, cerebral microbleeds, and intracerebral hemorrhage: a systematic review of published and unpublished studies. Stroke 2010; 41: 1222-1228.（レベル 2）

25) Qiu J, Ye H, Wang J, et al. Antiplatelet Therapy, Cerebral Microbleeds, and Intracerebral Hemorrhage: A Meta-Analysis. Stroke 2018; 49: 1751-1754.（レベル 2）

26) Horstmann S, Möhlenbruch M, Wegele C, et al. Prevalence of atrial fibrillation and association of previous antithrombotic treatment in patients with cerebral microbleeds. Eur J Neurol 2015; 22: 1355-1362.（レベル 4）

27) Wang Z, Xu C, Wang P, et al. Combined clopidogrel - aspirin treatment for high risk TIA or minor stroke does not increase cerebral microbleeds. Neurol Res 2015; 37: 993-997.（レベル 4）

28) Yokoyama M, Mizuma A, Terao T, et al. Effectiveness of Nonvitamin K Antagonist Oral Anticoagulants and Warfarin for Preventing Further Cerebral Microbleeds in Acute Ischemic Stroke Patients with Nonvalvular Atrial Fibrillation and At Least One Microbleed: CMB-NOW Multisite Pilot Trial. J Stroke Cerebrovasc Dis 2019; 28: 1918-1925.（レベル 4）

29) O'Donnell MJ, Eikelboom JW, Yusuf S, et al. Effect of apixaban on brain infarction and microbleeds: AVERROES-MRI assessment study. Am Heart J 2016; 178: 145-150.（レベル 3）

30) Soo YO, Yang SR, Lam WW, et al. Risk vs benefit of anti- thrombotic therapy in ischaemic stroke patients with cerebral microbleeds. J Neurol 2008; 255: 1679-1686.（レベル 4）

31) Wilson D, Werring DJ. Antithrombotic therapy in patients with cerebral microbleeds. Curr Opin Neurol 2017; 30: 38-47.（レベル 3）

32) Charidimou A, Karayiannis C, Song TJ, et al. Brain microbleeds, anticoagulation, and hemorrhage risk: Meta-analysis in stroke patients with AF. Neurology 2017; 89: 2317-2326.（レベル 2）

33) Shoamanesh A, Charidimou A, Sharma M, et al. Should Patients With Ischemic Stroke or Transient Ischemic Attack With Atrial Fibrillation and Microbleeds Be Anticoagulated? Stroke 2017; 48: 3408-3412.（レベル 2）

34) Fiehler J, Albers GW, Boulanger JM, et al. Bleeding risk analysis in stroke imaging before thromboLysis (BRASIL): pooled analysis of T2*-weighted magnetic resonance imaging data from 570 patients. Stroke 2007; 38: 2738-2744.（レベル 3）

35) Charidimou A, Kakar P, Fox Z, et al. Cerebral microbleeds and the risk of intracerebral haemorrhage after thrombolysis for acute ischaemic stroke: systematic review and meta-analysis. J Neurol Neurosurg Psychiatry 2013; 84: 277-280.（レベル 2）

36) Gattringer T, Eppinger S, Beitzke M, et al. Cortical Superficial Siderosis and Risk of Bleeding after Thrombolysis for Ischemic Stroke. Cerebrovasc Dis 2015; 40: 191-197.（レベル 4）

37) Shi ZS, Duckwiler GR, Jahan R, et al. Mechanical thrombectomy for acute ischemic stroke with cerebral microbleeds. J Neurointerv Surg 2016; 8: 563-567.（レベル 4）

38) Kimura K, Aoki J, Shibazaki K, et al. New appearance of extraischemic microbleeds on T2*-weighted magnetic resonance imaging 24 hours after tissue-type plasminogen acti-

vator administration. Stroke 2013; 44: 2776-2781. （レベル 4）

39) Prats-Sánchez L, Camps-Renom P, Sotoca-Fernández J, et al. Remote Intracerebral Hemorrhage After Intravenous Thrombolysis: Results From a Multicenter Study. Stroke 2016; 47: 2003-2009. （レベル 3）

40) Zand R, Tsivgoulis G, Singh M, et al. Cerebral Microbleeds and Risk of Intracerebral Hemorrhage Post Intravenous Thrombolysis. J Stroke Cerebrovasc Dis 2017; 26: 538-544. （レベル 4）

41) Charidimou A, Turc G, Oppenheim C, et al. Microbleeds, Cerebral Hemorrhage, and Functional Outcome After Stroke Thrombolysis. Stroke 2017; 48: 2084-2090. （レベル 2）

42) Tsivgoulis G, Zand R, Katsanos AH, et al. Risk of Symptomatic Intracerebral Hemorrhage After Intravenous Thrombolysis in Patients With Acute Ischemic Stroke and High Cerebral Microbleed Burden: A Meta-analysis. JAMA Neurol 2016; 73: 675-683. （レベル 2）

43) Shoamanesh A; Kwok CS; Lim PA, et al. Postthrombolysis intracranial hemorrhage risk of cerebral microbleeds in acute stroke patients: a systematic review and meta-analysis. Int J Stroke 2013; 8: 348-356. （レベル 2）

44) Dannenberg S, Scheitz JF, Rozanski M, et al. Number of cerebral microbleeds and risk of intracerebral hemorrhage after intravenous thrombolysis. Stroke 2014; 45: 2900-2905. （レベル 4）

V 無症候性脳血管障害

3 無症候性頚部・頭蓋内動脈狭窄・閉塞

3-1 無症候性頚部頚動脈狭窄・閉塞

推奨

1. 無症候性頚動脈狭窄は脳梗塞発症の原因となるため、一次予防として動脈硬化リスクファクターの管理が勧められる（推奨度A　エビデンスレベル中）。

2. 軽度から中等度の無症候性頚動脈狭窄に対しては、頚動脈内膜剥離術（CEA）および頚動脈ステント留置術（CAS）などの血行再建術は行わないよう勧められる（推奨度E　エビデンスレベル高）。

3. 高度の無症候性頚動脈狭窄では、抗血小板療法、降圧療法、スタチンによる脂質低下療法を含む最良の内科的治療による効果を十分に検討し、画像診断で脳卒中高リスクと判断した症例では、これに加えて、手術および周術期管理に熟達した術者と施設においてCEAを考慮することは妥当である（推奨度B　エビデンスレベル高）。

4. 高度の無症候性頚動脈狭窄で、CEAの標準・高リスク例では、CEAの代替療法として、適切な手技トレーニングを受けた術者によるCASを行うことを考慮することは妥当である（推奨度B　エビデンスレベル高）。

5. 虚血性心疾患に対するバイパス術前または同時に、無症候性頚動脈狭窄症に対してCEAを行うことは勧められない（推奨度D　エビデンスレベル中）。

6. 無症候性頚動脈閉塞に対するCEAやCASまたは他の外科的血行再建術、ならびに無症候性椎骨動脈狭窄・閉塞に対する外科的血行再建術や経皮的血管形成術／ステント留置術については、勧められない（推奨度D　エビデンスレベル低）。

解　説

一般市民における無症候性頚動脈狭窄症の頻度は、50％以上の中等度狭窄が0〜7.5％、70％以上の高度狭窄が0〜3.1％であり、高齢者および男性に多い[1,2]。50％以上の無症候性頚動脈狭窄を有する症例において、以前は同側脳卒中の発症率は年間1〜3％、同側脳卒中または一過性脳虚血発作の発症率は年間3〜5％であるとされていた。近年では内科治療の進歩・普及に伴い徐々に低下しており0.3％程度という報告もあるが、概ね0.5〜2％程度と推察される[3-6]。しかし心臓関連死は約3％にみられ、年間死亡率は7.7％にも及ぶとの報告もあり、全身病としての認識が必要である[7]。

無症候性頚部頚動脈狭窄・閉塞症例の脳梗塞一次予防に有効な薬物のエビデンスは示されていないが、一般的な脳梗塞一次予防の治療として、禁煙・節酒、高血圧、糖代謝異常、脂質異常などの動脈効果リスクファクターの管理が勧められる[3,8-11]。

頚動脈エコーによるIntima-media thickness（IMT）についてのメタ解析および報告によると、降圧薬やスタチン、および経口血糖降下薬のピオグリタゾンおよび抗血小板薬のシロスタゾールはIMT肥厚の進展抑制や退縮効果があるといわれている[12-16]。ただし、これらの薬物が頚動脈狭窄病変の進行やそれに伴う脳梗塞予防に有効であるかもしれないが、それを示すエビデンスはない。

中等度ないし軽度の無症候性頚動脈狭窄に対して、頚動脈内膜剥離術（carotid endartcrectomy：CEA）を推奨する根拠は明らかではない[17,18]。以前は、「狭窄率60％以上の高度の無症候性頚動脈狭窄では、抗血小板療法、降圧療法や脂質低下療法を含む適切な内科的治療に加えて、CEAを行ったほうが脳卒中の発症率が低い[17-20]。ただし、周術期の死亡または脳卒中発生率が3％未満の施設で行うことが勧められる[17,18,20,21]」とされてきた。近年の内科治療では前述のごとく、極端に脳卒中発症率が低い報告もあるが、同側のみならず全脳

卒中を対象とした報告では、年間発症率は概ね1％前後である。経頭蓋ドップラーや頚動脈エコーで脳卒中発症リスクを再評価した場合、年間脳卒中発症率は2〜3％程度まで上昇するとも言われている[22,23]。CEAの周術期リスクも近年は低下しており、無症候性頚動脈狭窄例に対するCEAは、患者の生命予後、外科手術のリスクなどを十分に考慮した上で適応を決定するべきとされている[24-29]。

高度の無症候性頚動脈狭窄に対し、頚動脈ステント留置術（carotid artery stenting：CAS）を行うことによる脳卒中の予防効果に関しては、内科的治療と比較したエビデンスは示されていない。CEAのハイリスク患者に対するランダム化比較試験（randomized controlled trial：RCT）のSAPPHIRE Studyおよび、CEAの通常リスク患者に対するRCTのCRESTのサブグループ解析などでは、CASの周術期ならびに長期成績はCEAと差がなかった[30-36]。ただし、ACT Ⅰおよびそのメタ解析では、脳卒中予防に関してのCASの非劣性は証明されたが、周術期合併症のリスクはCASが高かった[37,38]。2020年7月現在CEAとCASの有効性を直接比較するRCT、ACST2が進行中である[39]。2021年には初期経過の報告がなされる予定である。

虚血性心疾患合併例や頚部手術後・放射線治療などの患者に対するCEAの有効性に関しては、十分なエビデンスがなく、特に心臓バイパス術前、または同時に予防的にCEAを行うことは勧められない[40-45]。

無症候性頚動脈閉塞に対するCEAやCAS、extracranial-intracranial（EC-IC）bypass術、無症候性椎骨動脈狭窄・閉塞に対するバイパス術および経皮的な血管形成術/ステント留置術については現時点で推奨する科学的根拠はない。

〔引用文献〕

1) de Weerd M, Greving JP, Hedblad B, et al. Prevalence of asymptomatic carotid artery stenosis in the general population: an individual participant data meta-analysis. Stroke 2010; 41: 1294-1297. （レベル2）
2) Screening for asymptomatic carotid artery stenosis: recommendation statement. Am Fam Physician 2015; 91: 716J-716K. （レベル2）
3) Abbott AL. Medical (nonsurgical)intervention alone is now best for prevention of stroke associated with asymptomatic severe carotid stenosis: results of a systematic review and analysis. Stroke 2009; 40: e573-e583. （レベル2）
4) Hadar N, Raman G, Moorthy D, et al. Asymptomatic carotid artery stenosis treated with medical therapy alone: temporal trends and implications for risk assessment and the design of future studies. Cerebrovasc Dis 2014; 38: 163-173. （レベル2）
5) Abbott AL, Brunser AM, Giannoukas A, et al. Misconceptions regarding the adequacy of best medical intervention alone for asymptomatic carotid stenosis. J Vasc Surg 2020; 71: 257-269 （レベル1）
6) Pini R, Faggioli G, Vacirca A, et al. The fate of asymptomatic severe carotid stenosis in the era of best medical therapy. Brain Inj 2017; 31: 1711-1717. （レベル1）
7) Hackam DG. Prognosis of Asymptomatic Carotid Artery Occlusion: Systematic Review and Meta-Analysis. Stroke 2016; 47: 1253-1257. （レベル1）
8) Hicks CW, Talbott K, Canner JK, et al. Risk of disease progression in patients with moderate asymptomatic carotid artery stenosis: implications of tobacco use and dual antiplatelet therapy. Ann Vasc Surg 2015; 29: 1-8. （レベル4）
9) Giannopoulos A, Kakkos S, Abbott A, et al. Long-term Mortality in Patients with Asymptomatic Carotid Stenosis: Implications for Statin Therapy. Eur J Vasc Endovasc Surg 2015; 50: 573-582. （レベル2）
10) de Weerd M, Greving JP, Hedblad B, et al. Prediction of asymptomatic carotid artery stenosis in the general population: identification of high-risk groups. Stroke 2014; 45: 2366-2371. （レベル4）
11) Taneja S, Chauhan S, Kapoor PM, et al. Prevalence of carotid artery stenosis in neurologically asymptomatic patients undergoing coronary artery bypass grafting for coronary artery disease: Role of anesthesiologist in preoperative assessment and intraoperative management. Ann Card Anaesth 2016; 19: 76-83. （レベル3）
12) Wang JG, Staessen JA, Li Y, et al. Carotid intima-media thickness and antihypertensive treatment: a meta-analysis of randomized controlled trials. Stroke 2006; 37: 1933-1940. （レベル3）
13) Amarenco P, Labreuche J, Lavallee P, et al. Statins in stroke prevention and carotid atherosclerosis: systematic review and up-to-date meta-analysis. Stroke 2004; 35: 2902-2909. （レベル3）
14) Mazzone T, Meyer PM, Feinstein SB, et al. Effect of pioglitazone compared with glimepiride on carotid intima-media thickness in type 2 diabetes: a randomized trial. Jama 2006; 296: 2572-2581. （レベル3）
15) Katakami N, Kim YS, Kawamori R, et al. The phosphodiesterase inhibitor cilostazol induces regression of carotid atherosclerosis in subjects with type 2 diabetes mellitus: principal results of the Diabetic Atherosclerosis Prevention by Cilostazol (DAPC) study: a randomized trial. Circulation 2010; 121: 2584-2591. （レベル3）
16) Hamilton RD, Shield CE, Laughrun D. Progression of asymptomatic mild carotid artery stenosis: Implications for frequency of surveillance. Vasc Med 2017; 22: 411-417. （レベル3）
17) Endarterectomy for asymptomatic carotid artery stenosis. Executive Committee for the Asymptomatic Carotid Atherosclerosis Study. JAMA 1995; 273: 1421-1428. （レベル2）
18) Halliday A, Mansfield A, Marro J, et al. Prevention of disabling and fatal strokes by successful carotid endarterectomy in patients without recent neurological symptoms: randomised controlled trial. Lancet 2004; 363: 1491-1502. （レベル2）
19) Hobson RW 2nd, Weiss DG, Fields WS, et al. Efficacy of carotid endarterectomy for asymptomatic carotid stenosis. The Veterans Affairs Cooperative Study Group. N Engl J Med 1993; 328: 221-227. （レベル1）
20) Halliday A, Harrison M, Hayter E, et al. 10-year stroke prevention after successful carotid endarterectomy for asymptomatic stenosis(ACST-1): a multicentre randomised trial. Lancet 2010; 376: 1074-1084. （レベル1）
21) Arazi HC, Capparelli FJ, Linetzky B, et al. Carotid endarterectomy in asymptomatic carotid stenosis: a decision analysis. Clin Neurol Neurosurg 2008; 110: 472-479. （レベル3）
22) Gupta A, Kesavabhotla K, Baradaran H, et al. Plaque echolucency and stroke risk in asymptomatic carotid stenosis: a systematic review and meta - analysis. Stroke 2015; 46: 91-97. （レベル1）
23) Paraskevas KI, Nicolaides AN, Veith FJ. Carotid endarterectomy may be required in addition to best medical treatment for some patient subgroups with asymptomatic carotid stenosis. Vascular 2015; 23: 62-64. （レベル4）
24) Luebke T, Brunkwall J. Impact of Real-World Adherence with Best Medical Treatment on Cost-Effectiveness of Carotid End-

arterectomy for Asymptomatic Carotid Artery Stenosis. Ann Vasc Surg 2016; 30: 236-247.（レベル 3）

25) Eckstein HH, Reiff T, Ringleb P, et al. SPACE-2: A Missed Opportunity to Compare Carotid Endarterectomy, Carotid Stenting, and Best Medical Treatment in Patients with Asymptomatic Carotid Stenoses. Eur J Vasc Endovasc Surg 2016; 51: 761-765.（レベル 2）

26) Huibers A, de Waard D, Bulbulia R, et al. Clinical Experience amongst Surgeons in the Asymptomatic Carotid Surgery Trial-1. Cerebrovasc Dis 2016; 42: 339-345.（レベル 4）

27) Meltzer AJ, Agrusa C, Connolly PH, et al. Impact of Provider Characteristics on Outcomes of Carotid Endarterectomy for Asymptomatic Carotid Stenosis in New York State. Ann Vasc Surg 2017; 45: 56-61.（レベル 4）

28) Radak D, de Waard D, Halliday A, et al. Carotid endarterectomy has significantly lower risk in the last two decades: should the guidelines now be updated? J Cardiovasc Surg (Torino) 2018; 59: 586-599.（レベル 1）

29) Barkat M, Roy I, Antoniou SA, et al. Systematic review and network meta-analysis of treatment strategies for asymptomatic carotid disease. Sci Rep 2018; 8: 4458.（レベル 1）

30) Yadav JS, Wholey MH, Kuntz RE, et al. Protected carotid-artery stenting versus endarterectomy in high-risk patients. N Engl J Med 2004; 351: 1493-1501.（レベル 1）

31) Gurm HS, Yadav JS, Fayad P, et al. Long-term results of carotid stenting versus endarterectomy in high-risk patients. N Engl J Med 2008; 358: 1572-1579.（レベル 1）

32) Brott TG, Hobson RW 2nd, Howard G, et al. Stenting versus endarterectomy for treatment of carotid-artery stenosis. N Engl J Med 2010; 363: 11-23.（レベル 1）

33) Silver FL, Mackey A, Clark WM, et al. Safety of stenting and endarterectomy by symptomatic status in the Carotid Revascularization Endarterectomy Versus Stenting Trial (CREST). Stroke 2011; 42: 675-680.（レベル 1）

34) Bonati LH, Lyrer P, Ederle J, et al. Percutaneous transluminal balloon angioplasty and stenting for carotid artery stenosis. Cochrane Database Syst Rev 2012: CD000515.（レベル 1）

35) Mannheim D, Karmeli R. A prospective randomized trial comparing endarterectomy to stenting in severe asymptomatic carotid stenosis. J Cardiovasc Surg (Torino) 2017; 58: 814-817.（レベル 2）

36) Cui L, Han Y, Zhang S, et al. Safety of Stenting and Endarterectomy for Asymptomatic Carotid Artery Stenosis: A Meta-Analysis of Randomised Controlled Trials. Eur J Vasc Endovasc Surg 2018; 55: 614-624.（レベル 1）

37) Rosenfield K, Matsumura JS, Chaturvedi S, et al. Randomized Trial of Stent versus Surgery for Asymptomatic Carotid Stenosis. N Engl J Med 2016; 374: 1011-1020.（レベル 2）

38) Moresoli P, Habib B, Reynier P, et al. Carotid Stenting Versus Endarterectomy for Asymptomatic Carotid Artery Stenosis: A Systematic Review and Meta-Analysis. Stroke 2017; 48: 2150-2157.（レベル 1）

39) Bulbulia R, Halliday A. The Asymptomatic Carotid Surgery Trial-2 (ACST-2): an ongoing randomised controlled trial comparing carotid endarterectomy with carotid artery stenting to prevent stroke. Health Technol Assess 2017; 21: 1-40.（レベル 5）

40) Paciaroni M, Caso V, Acciarresi M, et al. Management of asymptomatic carotid stenosis in patients undergoing general and vascular surgical procedures. J Neurol Neurosurg Psychiatry 2005; 76: 1332-1336.（レベル 3）

41) Ghosh J, Murray D, Khwaja N, et al. The influence of asymptomatic significant carotid disease on mortality and morbidity in patients undergoing coronary artery bypass surgery. Eur J Vasc Endovasc Surg 2005; 29: 88-90（レベル 3）

42) Velissaris I, Kiskinis D, Anastasiadis K. Synchronous carotid artery stenting and open heart surgery. J Vasc Surg 2011; 53: 1237-1241.（レベル 3）

43) Naylor AR, Mehta Z, Rothwell PM. A systematic review and meta-analysis of 30-day outcomes following staged carotid artery stenting and coronary bypass. Eur J Vasc Endovasc Surg 2009; 37: 379-387.（レベル 3）

44) Wrede KH, Matsushige T, Goericke SL, et al. Non-enhanced magnetic resonance imaging of unruptured intracranial aneurysms at 7 Tesla: Comparison with digital subtraction angiography. Eur Radiol 2017; 27: 354-364.（レベル 4）

45) Weimar C, Bilbilis K, Rekowski J, et al. Safety of Simultaneous Coronary Artery Bypass Grafting and Carotid Endarterectomy Versus Isolated Coronary Artery Bypass Grafting: a Randomized Clinical Trial. Stroke 2017; 48: 2769-2775.（レベル 2）

V 無症候性脳血管障害

3 無症候性頸部・頭蓋内動脈狭窄・閉塞

3-2 無症候性頭蓋内動脈狭窄・閉塞

推奨

1. 頭蓋内の無症候性脳主幹動脈狭窄ならびに閉塞を有する患者の脳梗塞発症予防として、動脈硬化リスクファクターの管理を行うことは妥当である（推奨度B　エビデンスレベル低）。

2. 無症候性脳主幹動脈狭窄ならびに閉塞病変に対しては、他の心血管疾患の併存や出血性合併症のリスクなどを総合的に評価した上で、必要に応じて抗血小板療法を行うことを考慮しても良い（推奨度C　エビデンスレベル低）。

3. 無症候性脳主幹動脈狭窄ならびに閉塞病変に対する extracranial-intracranial（EC-IC）by-pass 術は、勧められない（推奨度D　エビデンスレベル低）。

4. 無症候性脳主幹動脈狭窄に対するステントを用いた血管形成術は、勧められない（推奨度D　エビデンスレベル低）。

解説

　無症候性頭蓋内脳動脈狭窄は、欧州では脳卒中や心筋梗塞の既往のない50歳以上の8.6％に[1]、中国では脳卒中や心筋梗塞の既往のない40歳以上の13％にみられた[2]。年齢・高血圧・糖尿病・左室肥大などの動脈硬化リスクファクターや心房細動は、無症候性頭蓋内脳動脈狭窄の有病率を高めることが報告されている[3]。無症候性頭蓋内脳動脈狭窄の自然歴を示すデータは乏しいが、無症候性中大脳動脈狭窄は虚血性脳血管障害のリスクとなりにくいことが報告されている[4,5]。無症候性頭蓋内脳動脈狭窄・閉塞に対する動脈硬化リスクファクターの管理による脳梗塞発症予防効果についての比較研究はないが、一般的な脳卒中発症予防としてリスクファクターの管理を行うことは妥当である。

　無症候性頭蓋内脳動脈狭窄に対する、抗血小板療法の脳梗塞発症予防効果は、それを検討した解析がなく、有効性を示すエビデンスはない。シロスタゾールが無症候性頭蓋内脳動脈狭窄の狭窄度を改善させるという症例集積研究は散見されるが、それについての大規模比較研究はない[6,7]。

　症候性内頸動脈および中大脳動脈閉塞あるいは狭窄症における脳虚血症状再発に関し、extracranial-intracranial（EC-IC）bypass 術は薬物療法単独と比べ有効でないという報告と[8,9]、有効であるという報告がある[10]。しかし、無症候性例に限定し

た解析は行われておらず、推奨できる科学的根拠はない。

　他疾患にて全身麻酔や血流遮断を要する手術が必要な症例、両側性病変などでは、個々の症例において治療法を考慮すべきである。脳主幹動脈閉塞性病変を有する症例において、対側病変に対する血行再建術や冠状動脈血行再建術に先行、または同時に EC-IC bypass 術を施行することについてはエビデンスがなく、症例ごとの検討が必要である[11]。

　症候性頭蓋内脳動脈狭窄に対する、ステントを用いた血管形成術は、積極的内科治療と比較して、30日以内の脳卒中再発や死亡率が高かった[12]。無症候性狭窄のみを対象とした治療報告はなく、推奨できる科学的根拠はない。

〔引用文献〕

1) Lopez-Cancio E, Dorado L, Millan M, et al. The Barcelona-Asymptomatic Intracranial Atherosclerosis（AsIA）study: prevalence and risk factors. Atherosclerosis 2012; 221: 221-225.（レベル1）

2) Zhang Q, Zhang S, Wang C, et al. Ideal cardiovascular health metrics on the prevalence of asymptomatic intracranial artery stenosis: a cross-sectional study. PLoS One 2013; 8: e58923.（レベル1）

3) Zhang Y, Wu S, Jia Z, et al. The relationship of asymptomatic intracranial artery stenosis and Framingham stroke risk profile in a Northern Chinese industrial city. Neurol Res 2012; 34: 359-365.（レベル3）

4) Kremer C, Schaettin T, Georgiadis D, et al. Prognosis of asymptomatic stenosis of the middle cerebral artery. J Neurol Neurosurg Psychiatry 2004; 75: 1300-1303.（レベル3）

5) Ni J, Yao M, Gao S, et al. Stroke risk and prognostic factors of asymptomatic middle cerebral artery atherosclerotic stenosis. J Neurol Sci 2011; 301: 63-65.（レベル3）

脳卒中治療ガイドライン 2021　189

6) Yamada K, Fujimoto Y. Efficacy of cilostazol for intracranial arterial stenosis evaluated by digital subtraction angiography/magnetic resonance angiography. Adv Ther 2011; 28: 866-878.（レベル4）

7) 新名主宏一，岡崎智治，新名主泰文．低用量シロスタゾール（プレタール）の症候性頭蓋内主幹動脈有意狭窄病変における狭窄改善効果およびその作用機序に関する検討．Progress in Medicine 2013；33：631-635.（レベル4）

8) The International Cooperative Study of Extracranial/Intracranial Arterial Anastomosis (EC/IC Bypass Study): Methodology and entry characteristics. The EC/IC Bypass Study Group. Stroke 1985; 16: 397-406.（レベル2）

9) Powers WJ, Clarke WR, Grubb RL Jr, et al. Extracranial-intracranial bypass surgery for stroke prevention in hemodynamic cerebral ischemia: the Carotid Occlusion Surgery Study randomized trial. JAMA2011; 306: 1983-1992.（レベル2）

10) 小川彰，JET Study Group．脳卒中の外科におけるEBM JET studyを中心に．脳神経外科ジャーナル　2001；10：596-603.（レベル2）

11) Suematsu Y, Nakano K, Sasako Y, et al. Conventional coronary artery bypass grafting in patients with total occlusion of the internal carotid artery. Heart Vessels 2000; 15: 256-262.（レベル3）

12) Chimowitz MI, Lynn MJ, Derdeyn CP, et al. Stenting versus aggressive medical therapy for intracranial arterial stenosis. N Engl J Med 2011; 365: 993-1003.（レベル2）

V 無症候性脳血管障害

4 未破裂脳動静脈奇形

未破裂脳動静脈奇形

推奨

▶ 未破裂脳動静脈奇形は、外科的治療介入ではなく症候に対する内科的治療を考慮しても良い**（推奨度 C　エビデンスレベル低）**。ただし、症例によっては、外科的治療、血管内治療、放射線治療の単独または組み合わせによる治療介入を考慮しても良い**（推奨度 C　エビデンスレベル低）**。

解　説

脳動静脈奇形の発見頻度は 1.12～1.42 人 /10 万人[1] であり、未破裂脳動静脈奇形の出血率は 1.3[2]～2.2％/年[3] である。脳動静脈奇形の初回出血による死亡率は 10％前後[4] であり、他疾患に起因する脳内出血と比較して永久的な神経学的脱落症状を残すことは少ない[5]。未破裂脳動静脈奇形の破裂危険因子は、深部のみの流出静脈、深部局在、合併動脈瘤の存在[3]、年齢の増加[2] が指摘されているが、確定的なものはなく、脳動静脈奇形に関する詳細な自然歴はまだ十分に解明できていない[6]。

未破裂脳動静脈奇形が発見された場合、頭痛やてんかんといった症候に対する内科的治療（いわゆる経過観察を含む）、あるいは外科的治療、血管内治療、放射線治療の単独または組み合わせによる治療介入が考慮される。経過観察を含む内科的治療と前述の治療介入を比較する唯一のランダム化比較試験である ARUBA の中間報告では、内科的治療のほうが 33 か月の時点では死亡ないし症候性脳卒中の危険性が低い[7] とされたが、長期の優位性は明らかでなく、研究方法の問題点も多く指摘されている[8]。

未破裂脳動静脈奇形の各治療方法の成績は、病変の大きさや局在、深部流出静脈、穿通枝の流入[9] などによって大きく異なり、外科的治療では Spetzler–Martin grade 1、2 に分類される脳動静脈奇形では、概ね良好な手術成績[10] で、grade 3 は病変により手術の適応やリスクが異なり、grade 4、5 は外科的治療のみでは治療困難である[11,12]。

放射線治療においても、Spetzler–Martin grade 1、2 に対しては、概ね良好な治療成績である[13] が、grade 3 ではやや低下[14] し、grade 4、5 では

少なくとも単回照射では有益ではない[15]。放射線治療後、血管造影上消失が得られるまで長期間を必要とするが、その間も出血リスク低減効果が期待できる[16,17]。

血管内治療は、単独での治療効果には限界がある[18,19] が、外科的治療の安全性を向上、放射線治療の待機中の安全性を向上させうる。

〔引用文献〕

1) Abecassis IJ, Xu DS, Batjer HH, et al. Natural history of brain arteriovenous malformations: a systematic review. Neurosurg Focus 2014; 37: E7.（レベル 2）
2) Kim H, Al-Shahi Salman R, McCulloch CE, et al. Untreated brain arteriovenous malformation: patient-level meta-analysis of hemorrhage predictors. Neurology 2014; 83: 590-597.（レベル 2）
3) Gross BA, Du R. Natural history of cerebral arteriovenous malformations: a meta-analysis. J Neurosurg 2013; 118: 437-443.（レベル 3）
4) Wilkins RH. Natural history of intracranial vascular malformations: a review. Neurosurgery 1985; 16: 421-430.（レベル 4）
5) Choi JH, Mast H, Sciacca RR, et al. Clinical outcome after first and recurrent hemorrhage in patients with untreated brain arteriovenous malformation. Stroke 2006; 37: 1243-1247.（レベル 4）
6) Rutledge WC, Ko NU, Lawton MT, et al. Hemorrhage rates and risk factors in the natural history course of brain arteriovenous malformations. Transl Stroke Res 2014; 5: 538-542.（レベル 2）
7) Mohr JP, Parides MK, Stapf C, et al. Medical management with or without interventional therapy for unruptured brain arteriovenous malformations (ARUBA): a multicentre, non-blinded, randomised trial. Lancet 2014; 383: 614-621.（レベル 2）
8) Magro E, Gentric JC, Darsaut TE, et al. Responses to ARUBA: a systematic review and critical analysis for the design of future arteriovenous malformation trials. J Neurosurg 2017; 126: 486-494.（レベル 5）
9) Hafez A, Koroknay-Pál P, Oulasvirta E, et al. The Application of the Novel Grading Scale (Lawton-Young Grading System) to Predict the Outcome of Brain Arteriovenous Malformation. Neurosurgery 2019; 84: 529-536.（レベル 4）
10) Cenzato M, Tartara F, D'Aliberti G, et al. Unruptured Versus Ruptured AVMs: Outcome Analysis from a Multicentric Consecutive Series of 545 Surgically Treated Cases. World Neurosurg 2018; 110: e374-e382.（レベル 4）
11) Starke RM, Komotar RJ, Hwang BY, et al. Treatment guidelines for cerebral arteriovenous malformation microsurgery. Br J Neurosurg 2009; 23: 376-386.（レベル 5）

12) Buis DR, Van Den Berg R, Lagerwaard FJ, et al. Brain arteriovenous malformations: from diagnosis to treatment. J Neurosurg Sci 2011; 55: 39-56.（レベル5）

13) Ding D, Starke RM, Kano H, et al. Stereotactic Radiosurgery for ARUBA (A Randomized Trial of Unruptured Brain Arteriovenous Malformations)-Eligible Spetzler-Martin Grade I and II Arteriovenous Malformations: A Multicenter Study. World Neurosurg 2017; 102: 507-517.（レベル3）

14) Ding D, Starke RM, Kano H, et al. Radiosurgery for Unruptured Brain Arteriovenous Malformations: An International Multicenter Retrospective Cohort Study. Neurosurgery 2017; 80: 888-898.（レベル3）

15) Patibandla MR, Ding D, Kano H, et al. Stereotactic radiosurgery for Spetzler-Martin Grade IV and V arteriovenous malformations: an international multicenter study. J Neurosurg 2018; 129: 498-507.（レベル3）

16) Hanakita S, Shin M, Koga T, et al. Risk Reduction of Cerebral Stroke After Stereotactic Radiosurgery for Small Unruptured Brain Arteriovenous Malformations. Stroke 2016; 47: 1247-1252.（レベル3）

17) Ding D, Chen CJ, Starke RM, et al. Risk of Brain Arteriovenous Malformation Hemorrhage Before and After Stereotactic Radiosurgery. Stroke 2019; 50: 1384-1391.（レベル3）

18) van Beijnum J, van der Worp HB, Buis DR, et al. Treatment of brain arteriovenous malformations: A systematic review and meta-analysis. JAMA 2011; 306: 2011-2019.（レベル3）

19) Yang W, Porras JL, Xu R, et al. Comparison of Hemorrhagic Risk in Intracranial Arteriovenous Malformations Between Conservative Management and Embolization as the Single Treatment Modality. Neurosurgery 2018; 82: 481-490.（レベル4）

Ⅴ 無症候性脳血管障害

5 未破裂脳動脈瘤

5-1　診断とスクリーニング

推奨

1. 未破裂脳動脈瘤の診断法のゴールドスタンダードは digital subtraction angiography（カテーテル法による）およびその 3 次元撮影像である。CT angiography（CTA）、MR angiography（MRA）などは近年の画質精度の向上により、低侵襲な代替え診断法として未破裂脳動脈瘤の診断および治療に用いることが妥当である（推奨度 B　エビデンスレベル中）。
ただし、これらの画像診断は 3 mm 未満の瘤や漏斗状変化、血管の蛇行の強い領域では偽陰性・偽陽性所見がみられることもあり、このような瘤に対して治療を検討する場合には、より慎重な画像評価を行うことが勧められる（推奨度 A　エビデンスレベル中）。

2. 脳動脈瘤の血流動態解析（CFD）や造影 MRA などにより、拡大傾向のある不安定な脳動脈瘤を検知できる可能性がある。これらの方法を追加することを考慮しても良い（推奨度 C　エビデンスレベル低）。

3. 未破裂脳動脈瘤のスクリーニングは、親子・兄弟 2 人以上に脳動脈瘤の既往歴がある場合、特に女性、喫煙、高血圧の既往がある場合には発見率が高く、スクリーニングを行うことは妥当である（推奨度 B　エビデンスレベル中）。

4. 多発性嚢胞腎を有する患者では脳動脈瘤のスクリーニングを行うことが妥当である（推奨度 B　エビデンスレベル中）。

解　説

1. 診断

　脳動脈瘤の診断の基本はカテーテル法による digital subtraction angiography（DSA）およびその 3 次元撮影画像であるが、画像技術の進歩により MR angiography（MRA）や 3 次元 computer tomographic angiography（3D CTA）などにより脳動脈瘤は極めて正確に診断が下せるようになっている。感度（sensitivity）は 76〜98％、特異度（specificity）は 85〜100％とされている[1-3]。5 mm 以下サイズの脳動脈瘤も、3T time-of flight（TOF）MRI 3 次元 volume rendering 画像を用いると、DSA と比較して 96〜97％の感度・特異度で診断されている[4]。False positive、false negative は漏斗状変化や血管蛇行の強い領域で多い。

　近年、脳動脈瘤の血流動態解析（computational flow dynamics：CFD）による安定、非安定動脈瘤の評価の試み[5-7]、動脈瘤壁の厚さの評価[8]、時間情報を加えた 4 次元 CTA にて血管や脳動脈瘤の拍動性を検証した研究[9,10]、フェルムキシトール造影による MRI によって不安定な動脈瘤壁（マクロファージの浸潤）を造影する方法[11]、も発表されている。脳動脈瘤のガドリニウム造影所見が不安定な動脈瘤を示すことや、病理学的には炎症やプラーク形成、血管新生や vasa vasorum の発達との関連が示されている[12,13]。動脈瘤造影所見は脳動脈瘤破裂因子のスコアである PHASES スコアや UCAS スコアとも対応することも示されている[14]。造影される動脈瘤は不安定である可能性もあり今後注目すべき所見の一つといえる。今後これらの方法の進歩により、個々の脳動脈瘤の破裂の危険性を検証できるような可能性もある。現時点では研究の段階であり、これらの所見の解釈には諸説がある[15]。今後の研究の成果が待たれる。

2. スクリーニング

　家族性未破裂脳動脈瘤の頻度・破裂リスクについては、MARS、FIA に代表される多くの検討があるが、家族 1 人以下の患者のスクリーニングでの動脈瘤発見率は 4％程度であり、孤発性の脳動脈瘤の頻度と有意差がない[16]。家族 2 人（兄弟の場合、親子では 3 人以上）以上の脳動脈瘤患者がいる場

合には、脳動脈瘤発見率は20.6％であった。特に女性、喫煙者、高血圧保有患者に発見率が高かった。さらにこれらの家族性脳動脈瘤は孤発性脳動脈瘤よりも破裂リスクが高かった[17]。同様な患者を5年ごとにスクリーニングフォローを継続した研究では、第1回目で11％に脳動脈瘤が発見され、その後第2回目8％、第3回目、第4回目はそれぞれ5％の新規脳動脈瘤が発見された[18]。

多発性嚢胞腎、タイプIV Ehlers Danlos症候群、大動脈狭窄症、小頭症性骨異形成性原発性小人症は脳動脈瘤を多発することで知られている[19,20]。多発性嚢胞腎を有する患者では脳動脈瘤が12.4％に発見され、特に出血の家族歴、脳動脈瘤保有の家族歴のある患者では高かった[21]。

ただしこれらのスクリーニングで発見される未破裂脳動脈瘤は小型のことが多く、スクリーニングの費用対効果に関しては有用ではないという報告が多い[22,23]。

〔引用文献〕

1) White PM, Wardlaw JM, Easton V. Can noninvasive imaging accurately depict intracranial aneurysms? A systematic review. Radiology 2000; 217: 361-370.（レベル1）
2) Chappell ET, Moure FC, Good MC. Comparison of computed tomographic angiography with digital subtraction angiography in the diagnosis of cerebral aneurysms: a meta-analysis. Neurosurgery 2003; 52: 624-631; discussion 630-631.（レベル1）
3) Sailer AM, Wagemans BA, Nelemans PJ, et al. Diagnosing intracranial aneurysms with MR angiography: systematic review and meta-analysis. Stroke 2014; 45: 119-126.（レベル1）
4) Li MH, Li YD, Gu BX, et al. Accurate diagnosis of small cerebral aneurysms ≦5 mm in diameter with 3.0-T MR angiography. Radiology 2014; 271: 553-560.（レベル2）
5) Shojima M, Oshima M, Takagi K, et al. Magnitude and role of wall shear stress on cerebral aneurysm: computational fluid dynamic study of 20 middle cerebral artery aneurysms. Stroke 2004; 35: 2500-2505.（レベル4）
6) Miura Y, Ishida F, Umeda Y, et al. Low wall shear stress is independently associated with the rupture status of middle cerebral artery aneurysms. Stroke 2013; 44: 519-521.（レベル4）
7) Cebral JR, Mut F, Weir J, et al. Association of hemodynamic characteristics and cerebral aneurysm rupture. AJNR Am J Neuroradiol 2011; 32. 264-270.（レベル4）
8) Tenjin H, Tanigawa S, Takadou M, et al. Relationship between preoperative magnetic resonance imaging and surgical findings: aneurysm wall thickness on highresolution t1-weighted imaging and contact with surrounding tissue on steady-state free precession imaging. Neurol Med Chir (Tokyo) 2013; 53:

336-342.（レベル4）
9) Kuroda J, Kinoshita M, Tanaka H, et al. Cardiac cycle-related volume change in unruptured cerebral aneurysms: a detailed volume quantification study using 4-dimensional CT angiography. Stroke 2012; 43: 61-66.（レベル4）
10) Hayakawa M, Maeda S, Sadato A, et al. Detection of pulsation in ruptured and unruptured cerebral aneurysms by electrocardiographically gated 3-dimensional computed tomographic angiography with a 320-row area detector computed tomography and evaluation of its clinical usefulness. Neurosurgery 2011; 69: 843-851.（レベル4）
11) Hasan D, Chalouhi N, Jabbour P, et al. Early change in ferumoxytol-enhanced magnetic resonance imaging signal suggests unstable human cerebral aneurysm: a pilot study. Stroke 2012; 43: 3258-3265.（レベル4）
12) Omodaka S, Endo H, Niizuma K, et al. Circumferential wall enhancement in evolving intracranial aneurysms on magnetic resonance vessel wall imaging. J Neurosurg 2018: 1-7.（レベル4）
13) Larsen N, von der Brelie C, Trick D, et al. Vessel Wall Enhancement in Unruptured Intracranial Aneurysms: An Indicator for Higher Risk of Rupture? High-Resolution MR Imaging and Correlated Histologic Findings. AJNR Am J Neuroradiol 2018; 39: 1617-1621.（レベル4）
14) Zhu C, Wang X, Degnan AJ, et al. Wall enhancement of intracranial unruptured aneurysm is associated with increased rupture risk and traditional risk factors. Eur Radiol 2018; 28: 5019-5026.（レベル4）
15) Meng H, Tutino VM, Xiang J, et al. High wss or low wss? complex interactions of hemodynamics with intracranial aneurysm initiation, growth, and rupture: toward a unifying hypothesis. AJNR Am J Neuroradiol 2014; 35: 1254-1262.（レベル4）
16) The Magnetic Resonance Angiography in Relatives of Patients with Subarachnoid Hemorrhage Study Group. Risks and benefits of screening for intracranial aneurysms in first-degree relatives of patients with sporadic subarachnoid hemorrhage. N Engl J Med 1999; 341: 1344-1350.（レベル3）
17) Broderick JP, Brown RD Jr, Sauerbeck L, et al. Greater rupture risk for familial as compared to sporadic unruptured intracranial aneurysms. Stroke 2009; 40: 1952-1957.（レベル3）
18) Bor AS, Rinkel GJ, van Norden J, et al. Long-term, serial screening for intracranial aneurysms in individuals with a family history of aneurysmal subarachnoid haemorrhage: a cohort study. Lancet Neurol 2014; 13: 385-392.（レベル3）
19) Vlak MH, Algra A, Brandenburg R, et al. Prevalence of unruptured intracranial aneurysms, with emphasis on sex, age, comorbidity, country, and time period: a systematic review and meta-analysis. Lancet Neurol 2011; 10: 626-636.（レベル2）
20) Thompson BG, Brown RD Jr, Amin-Hanjani S, et al. Guidelines for the Management of Patients With Unruptured Intracranial Aneurysms: A Guideline for Healthcare Professionals From the American Heart Association/American Stroke Association. Stroke 2015; 46: 2368-2400.（レベル5）
21) Xu HW, Yu SQ, Mei CL, et al. Screening for intracranial aneurysm in 355 patients with autosomal-dominant polycystic kidney disease. Stroke 2011; 42: 204-206.（レベル3）
22) Yoshimoto Y, Wakai S. Cost-effectiveness analysis of screening for asymptomatic, unruptured intracranial aneurysms. A mathematical model. Stroke 1999; 30: 1621-1627.（レベル5）
23) Li LM, Bulters DO, Kirollos RW. A mathematical model of utility for single screening of asymptomatic unruptured intracranial aneurysms at the age of 50 years. Acta Neurochir (Wien) 2012; 154: 1145-1152.（レベル5）

Ⅴ 無症候性脳血管障害

5 未破裂脳動脈瘤

5-2 発見された場合の対応

推奨

1. 未破裂脳動脈瘤が診断された場合、未破裂脳動脈瘤の自然歴（年間出血率）などの正確な情報を患者に示し、今後の方針について文書によるインフォームドコンセントを行うことが妥当である（推奨度 B　エビデンスレベル低）。

2. 未破裂脳動脈瘤診断により患者がうつ症状、不安を来すことがあり、うつ症状や不安が強度の場合は必要に応じてカウンセリングを考慮しても良い（推奨度 C　エビデンスレベル低）。

3. 患者と医療者間のリスクコミュニケーションがうまく構築できない場合、ビデオなどによる情報提供や、他医師または他施設によるセカンドオピニオンを考慮しても良い（推奨度 C　エビデンスレベル低）。

4. 未破裂脳動脈瘤を保有する場合、生活習慣の改善（禁煙、節酒）、規則的運動の実施、高血圧患者では積極的降圧治療が勧められる（推奨度 A　エビデンスレベル低）。

解 説

　未破裂脳動脈瘤は全体での破裂リスクは低いが、破裂リスクの高い群も存在する。UCAS Japan での 101 例の出血群では 39 例が死亡、32 例は modified Rankin Scale（mRS）3～5 の予後であり総計 64％が不良な転機となっており、未破裂脳動脈瘤が破裂した際には、死亡リスクや重度な障害を負うリスクが高い[1]。正確な自然歴情報を患者に与える必要がある。

　未破裂脳動脈瘤が診断されることにより不安が高まるという報告もされている[2,3]。脳動脈瘤が発見され治療が決定し待機中の患者の破裂率は、そうでない患者よりもずっと高いという報告もある[4]。患者は脳動脈瘤が発見されることで、かなり強度な精神的緊張を来している可能性がある。不安が強いと判断された場合には、カウンセリングなどを薦める。

　未破裂脳動脈瘤の自然経過や治療適応、治療法の選択については、患者は医師から伝えられた情報を正確に理解することが容易ではない。破裂リスク、治療のリスクは、患者は実際よりも高く捉える傾向がある。King らの検討[5]では、脳神経外科医と患者のペアで最良の治療に関する情報が合致したのは 61％のみであった。患者は医師が伝えたよりも治療のリスクをずっと高く（脳外科医 13％、患者 36％）捉えていた。また Yoshimoto ら[6]も患者のリスク

の捉え方について、52 人の患者で検証し、計算上一生での質調整生存年（quality-adjusted life year：QALY）減少が数％以下の小さな脳動脈瘤を有する患者でも、19％程度の危険性を払ってでもその危険を回避したい（治療を受けたい）と感じていることを示した。この患者の感じ方は 5 mm 未満の小型瘤患者でも、それより大きな瘤の患者でも変わりなく、特に小型瘤の保持者で、現実の QALY loss と患者の受け取る感覚の乖離は大きかった。Nozaki らはビデオを用いて脳動脈瘤の自然歴・治療リスクなどの説明を行い、ビデオなどの視聴は患者の疾患理解を深めることを示した[7]。

　欧米のデータでは未破裂脳動脈瘤を有する患者は高血圧や喫煙、運動不足など多重の生活習慣病リスクファクターをすでに持っていること[8]、また、死亡率は脳動脈瘤破裂や治療のリスクを除いても脳動脈瘤を持たない群よりも特に女性では高いことが報告されている[9]。UCAS Japan でも脳動脈瘤破裂で 39 人が亡くなっているが、その間 131 人が他の疾患で亡くなっている[1]。Juvela らの長期観察でも脳動脈瘤患者で亡くなったもののうちくも膜下出血で亡くなったのは 24％であり、他は他の疾患（脳卒中や心疾患、悪性腫瘍など）で亡くなっている[10]。

　生活習慣病と脳動脈瘤の破裂の関連も示唆されている。高血圧は未破裂脳動脈瘤の破裂因子であり[11,12]、脳動脈瘤の拡大のリスクにも挙げられてい

脳卒中治療ガイドライン 2021　195

るので[13]、積極的に降圧治療を受けることが推奨される。喫煙とアルコール摂取については、コホート研究で脳動脈瘤破裂と関連が証明されたものは、Juvela[14]の観察で喫煙が有意な破裂に関与する要素となった報告以外はないが、世界的に喫煙率の低下とともにくも膜下出血の頻度が低下していることは事実である[15,16]。また、くも膜下出血患者と未破裂患者の喫煙、飲酒との相関を検証した疫学検討では、喫煙期間、喫煙量、飲酒量ともにくも膜下出血との強い相関が認められている[17]。禁煙をすると、くも膜下出血の傾向は少し弱まるものの、非喫煙者と比較すると長期に喫煙の影響が残る。一方で、飲酒は禁酒したと同時にくも膜下出血の傾向が非飲酒者と同等となる[18]。1日に40g以上の大量飲酒（ワインボトル半分以上）は量依存的にくも膜下出血のリスクを高めることが知られている[19]。

脳動脈瘤発見をきっかけに生活習慣を見直し、より健康的生活を送るように指導していく必要がある。

〔引用文献〕

1) Morita A, Kirino T, Hashi K, et al. The natural course of unruptured cerebral aneurysms in a Japanese cohort. N Engl J Med 2012; 366: 2474-2482. （レベル2）

2) van der Schaaf IC, Brilstra EH, Rinkel GJ, et al. Quality of life, anxiety, and depression in patients with an untreated intracranial aneurysm or arteriovenous malformation. Stroke 2002; 33: 440-443. （レベル3）

3) van der Schaaf IC, Wermer MJ, Velthuis BK, et al. Psychosocial impact of finding small aneurysms that are left untreated in patients previously operated on for ruptured aneurysms. J Neurol Neurosurg Psychiatry 2006; 77: 748-752. （レベル3）

4) Geurts M, Timmers C, Greebe P, et al. Patients with unruptured intracranial aneurysms at the waiting list for intervention: risk of rupture. J Neurol 2014; 261: 575-578. （レベル3）

5) King JT Jr, Yonas H, Horowitz MB, et al. A failure to communi-cate: patients with cerebral aneurysms and vascular neuro-surgeons. J Neurol Neurosurg Psychiatry 2005; 76: 550-554. （レベル4）

6) Yoshimoto Y, Tanaka Y. Risk perception of unruptured intracra-nial aneurysms. Acta Neurochir (Wien) 2013; 155: 2029-2036. （レベル4）

7) Nozaki K, Okubo C, Yokoyama Y, et al. Examination of the ef-fectiveness of DVD decision support tools for patients with unruptured cerebral aneurysms. Neurol Med Chir (Tokyo) 2007; 47: 531-536; discussion 536. （レベル4）

8) Vlak MH, Rinkel GJ, Greebe P, et al. Independent risk factors for intracranial aneurysms and their joint effect: a case-con-trol study. Stroke 2013; 44: 984-987. （レベル4）

9) Pyysalo L, Luostarinen T, Keski-Nisula L, et al. Long-term ex-cess mortality of patients with treated and untreated unrup-tured intracranial aneurysms. J Neurol Neurosurg Psychiatry 2013; 84: 888-892. （レベル3）

10) Juvela S, Lehto H. Risk factors for all-cause death after diagno-sis of unruptured intracranial aneurysms. Neurology 2015; 84: 456-463. （レベル2）

11) Greving JP, Wermer MJ, Brown RD Jr, et al. Development of the PHASES score for prediction of risk of rupture of intracranial aneurysms: a pooled analysis of six prospective cohort stud-ies. Lancet Neurol 2014; 13: 59-66. （レベル2）

12) Tominari S, Morita A, Ishibashi T, et al. Prediction model for 3-year rupture risk of unruptured cerebral aneurysms in Japa-nese patients. Ann Neurol 2015; 77: 1050-1059. （レベル2）

13) Backes D, Rinkel GJE, Greving JP, et al. ELAPSS score for pre-diction of risk of growth of unruptured intracranial aneu-rysms. Neurology 2017; 88: 1600-1606. （レベル2）

14) Juvela S. Natural history of unruptured intracranial aneu-rysms: risks for aneurysm formation, growth, and rupture. Acta Neurochir Suppl (Wien) 2002; 82: 27-30. （レベル2）

15) Etminan N, Chang HS, Hackenberg K, et al. Worldwide Inci-dence of Aneurysmal Subarachnoid Hemorrhage According to Region, Time Period, Blood Pressure, and Smoking Preva-lence in the Population: A Systematic Review and Meta-anal-ysis. JAMA Neurol 2019; 76: 588-597. （レベル2）

16) Ikawa F, Morita A, Nakayama T, et al. A register-based SAH study in Japan: high incidence rate and recent decline trend based on lifestyle. J Neurosurg 2020: 1-9. （レベル3）

17) Can A, Castro VM, Ozdemir YH, et al. Association of intracrani-al aneurysm rupture with smoking duration, intensity, and cessation. Neurology 2017; 89: 1408-1415. （レベル4）

18) Can A, Castro VM, Ozdemir YH, et al. Alcohol Consumption and Aneurysmal Subarachnoid Hemorrhage. Transl Stroke Res 2018; 9: 13-19. （レベル4）

19) Andreasen TH, Bartek J Jr, Andresen M, et al. Modifiable risk factors for aneurysmal subarachnoid hemorrhage. Stroke 2013; 44: 3607-3612. （レベル5）

V 無症候性脳血管障害

5 未破裂脳動脈瘤

5-3 治療

推奨

1. 未破裂脳動脈瘤が発見された場合、年齢・健康状態などの患者の背景因子、サイズや部位・形状など病変の特徴から、未破裂脳動脈瘤の拡大・破裂リスク、および施設や術者の治療リスクを勘案して、治療の適応を検討することが妥当である (推奨度 B　エビデンスレベル低)。

2. 治療の適否や方針は十分なインフォームドコンセントを経て決定することが妥当である (推奨度 B　エビデンスレベル低)。

3. 未破裂脳動脈瘤の自然歴 (破裂リスク) から考察すれば、下記の特徴を有する病変はより破裂の危険性の高い群に属し、治療などを含めた慎重な検討をすることが妥当である。
   ①大きさ 5〜7 mm 以上の未破裂脳動脈瘤 (推奨度 B　エビデンスレベル中)
   ② 5 mm 未満であっても、
      A) 症候性の脳動脈瘤 (推奨度 B　エビデンスレベル低)
      B) 前交通動脈および内頚動脈−後交通動脈分岐部に存在する脳動脈瘤 (推奨度 B　エビデンスレベル中)
      C) Dome neck aspect 比が大きい・不整形・ブレブを有するなどの形態的特徴をもつ脳動脈瘤 (推奨度 B　エビデンスレベル低)

4. 経過観察する場合は、可能であれば半年から約 1 年ごとの画像による経過観察を行うことを考慮しても良い (推奨度 C　エビデンスレベル低)。特にサイズの大きなもの、部位が後方循環のもの、ブレブを有するもの、60 歳以上の高齢者、くも膜下出血の既往のある患者の動脈瘤は注意して観察することが妥当である (推奨度 B　エビデンスレベル中)。

5. 拡大傾向にある未破裂脳動脈瘤は、治療を再検討することが勧められる (推奨度 A　エビデンスレベル低)。

6. 積極的治療の選択は、開頭手術、血管内治療を実施するチームが協議の上で、それぞれの症例に最適な治療を決定することが妥当である (推奨度 B　エビデンスレベル低)。

7. 血管内治療においては、治療後も不完全閉塞や再発などについて経過を観察することが妥当である (推奨度 B　エビデンスレベル中)。

8. 開頭クリッピングの術後においても、長期間経過を追うことを考慮しても良い (推奨度 C　エビデンスレベル低)。

解 説

1. 治療適応の検討

　未破裂脳動脈瘤を治療するか、保存的経過観察をするかの判断は、患者の年齢 (余命)、健康度 (身体・神経合併症)、脳動脈瘤の大きさ、部位、形状、症状、治療の困難さなどを勘案してスコア化する試み (unruptured intracranial aneurysm treatment score：UIATS) が報告されている[1]。実際に治療になった症例と UIATS とを比較した検討に

よると、UIATS で治療を勧められる症例よりは実際に治療になる症例は少なく、UIATS に忠実に基づいて治療を決定すると、治療適応が広すぎる可能性がある[2]。本スコアは治療判断のスクリーニングには有用ではあるが、個別の症例での詳細な検討が必要である。さらに「V 無症候性脳血管障害　5 未破裂脳動脈瘤　5-2 発見された場合の対応」の項でまとめたように、患者の意思、発見されたことによる不安などの精神状態なども大きな治療判断の要素となる。

脳卒中治療ガイドライン 2021　197

2. インフォームドコンセントの有用性

未破裂脳動脈瘤診療におけるインフォームドコンセントの有用性に関するエビデンスは少ない。しかし、脳神経外科手術関連訴訟における未破裂脳動脈瘤関連の案件の多いことを鑑みると、インフォームドコンセントの重要性は強調される。未破裂脳動脈瘤症例のインフォームドコンセントを受けるプロセスにおいて、最も患者の理解につながる情報は、医師による説明、次いでビデオの試聴、パンフレットを用いた説明、オンライン情報などであるという報告もある[3]。わかりやすい説明と様々な補助システムを用いることで、患者の疾患や治療に関する理解を深める努力が必要である[4]。

3. 未破裂脳動脈瘤の自然歴（破裂リスク）

未破裂脳動脈瘤の自然歴（破裂リスク）に関しては、多くの後方視的研究が報告されている[5-9]。

前向きのコホート研究も多く報告されており、さらに詳細なデータが検討されている[10-13]。未破裂脳動脈瘤は破裂しやすいものでは年間20％程度のリスクで破裂するものもあれば、非常に破裂しにくく年間0.1％程度の破裂リスクしかないものもある。破裂のリスクを正確に予測することは困難であるが、いくつかの前向きコホート研究から予測モデルが作られている。PHASESモデルでは、人種、大きさ、部位、高血圧、年齢群、くも膜下出血の既往などを基に予測値を計測できる[14]。ただこのモデルは外部データでの検証がなされておらず、TRIPODという予測モデルの信頼性を示す基準では低い信用度のモデルとなっている[15]。一方で、日本人のコホート研究であるUCAS Japanのデータを用いた3年間の破裂予測モデルでは、予測値を東京慈恵会医科大学やSUAVe、UCAS IIなどの別の日本人自然歴データを用いて検証した[16]。すなわちこのモデルは日本人のみに当てはまるが、TRIPOD基準はType 3となり信頼性が高いモデルとなっている。このモデルでは大きさ、部位、高血圧、年齢群（高齢）、性別（女性）、形状がリスク因子となった。PHASESモデルでは形状のファクターはスコアに入っておらず、PHASESモデルを用いて破裂予測を計測すると、どうしてもUCAS予測モデルで予測した値よりは低い予測値となってしまう。日本人の患者ではUCAS Japanのデータに基づいた3年間の破裂リスク予測スコアを用いて計測したほうがより正確であると考えられる。これらの予測モデルの中でも、最も点数比重の大きな因子は大きさ

と部位となる。UCAS Japanでは大きさと部位別の破裂リスクが提示されており、特に前交通動脈瘤、内頚動脈—後交通動脈瘤は小さな動脈瘤でも破裂リスクが高くなる傾向がある。

またUCAS Japanでは形状も破裂に有意に関与する因子として報告され、先述のUCASを基にしたモデルでも加算因子に含まれている[12]。一方で動脈瘤の高さと頚部の比であるASPECT比や動脈瘤最大径と動脈瘤頚部に関与するすべての血管の平均直径との比であるサイズ比に関しては、未破裂脳動脈瘤と破裂脳動脈瘤の症例対照研究[17,18]で破裂脳動脈瘤群に高いことを示されている。ISUIAのデータから形状と破裂を検討した研究では、サイズ比と動脈瘤の高さが将来の破裂に有意に関与したことが示されている[19]。

4. 未破裂脳動脈瘤の拡大、形状の変化

未破裂脳動脈瘤の拡大や形状の変化は、その自然歴の中で、重要な要素となる。これを検知することは重要な治療の一手段と考えるべきである[20,21]。Backesらは脳動脈瘤の拡大が、くも膜下出血の既往（E）、部位（L、特に後方循環）、年齢（A）、人種（P）、サイズ（S）、形状（S）をスコア化（ELAPSSスコア）した合計で予測可能なことを示した。合計スコアが5点以上の症例では5年間での拡大リスクは10％程度あり、より慎重な対応が求められる[22]。

どの間隔で画像をとれば確実に拡大や形状変化を感知できるというデータは存在しない。UCAS Japan[12]やISUIA[10]、さらにそれらを包括したPHASES[14]の破裂の時期を見ると発見後早期が破裂を来しやすく、数年経つことによって破裂しにくくなる。初回の観察は比較的早期に行うことが勧められる。またELAPSSスコア[22]を指標に、拡大しやすい動脈瘤はより頻回に、拡大しにくい動脈瘤では間隔をあけて観察するという方法もある。例えばELAPSSスコアが5点未満であれば、拡大は年2％以下となる。このような症例では観察間隔を伸ばしても良いとも考えられる。ただしSUAVeなどからも小型の脳動脈瘤においても拡大し破裂を来す症例もあることに留意し、小型瘤であっても定期的な経過観察を推奨する必要がある[23]。

5. 拡大傾向にある未破裂脳動脈瘤

脳動脈瘤拡大や形状変化が証明された場合には、迅速な治療を検討すべきと考えられる。1,002例、1,325個の瘤を少なくとも年2回以上のMRAによる経過観察を行うと、年間1.8％に拡大やブレブの

発生を認め、変化した動脈瘤の年間破裂率は18.5％と極めて高いと報告されている[23]。

6. 積極的治療の選択

未破裂脳動脈瘤の積極的治療の選択に関して、開頭手術、血管内治療どちらが一般に優れているかという結論は出ていない。Propensity score を用いた解析やランダム化比較試験を行った検討も報告されている[24,25]。2000 年に発刊された以降の 50 症例以上を含む 114 研究、106,433 症例 108,263 瘤を検討したメタ解析[26]では血管内治療の合併症発生率は 4.96％、死亡率は 0.30％、開頭手術の合併症発生率は 8.34％、死亡率は 0.10％であった。血管内治療のリスクファクターは女性、糖尿、高脂血症、心臓合併症、広頚動脈瘤、後方循環瘤、ステント併用手術、ステント手術であった。開頭手術のリスクファクターは年齢、男性、血液凝固異常、抗凝固薬服用、喫煙、高血圧、糖尿病、うっ血性心不全、後方循環瘤、石灰化瘤であった。本研究では血管内治療でリスクが高い群、開頭手術でリスクが高い群を明らかとしている。糖尿病や心臓合併症、後方循環瘤はいずれの治療にも共通するリスクファクターであるが、血管内治療では、ステント手術で合併症発生率が高いことがわかり、wide neck の瘤は現時点ではアクセスが容易であれば開頭手術のほうが向いている可能性がある。一方、高齢者や石灰化したような瘤、血液凝固異常のある症例では血管内治療のほうが治療リスクが低いことがわかる。日本の高齢者脳動脈瘤治療成績の Diagnosis Procedure Combination（DPC）の解析（退院時 Barthel index の評価）では、血管内治療、症例の多い施設が治療予後が良好で、糖尿病、抗血小板薬、抗凝固薬が危険因子であった[27]。

治療決定においては、それぞれの治療に卓越したチーム間で協議して治療方針を決定することで、良好な治療成績が得られると考えられる[28]。

7. 血管内治療の根治性

未破裂脳動脈瘤治療後の長期成績に関しての報告は少ない。未破裂脳動脈瘤に対する血管内治療の根治性について、日本の JR-NET の報告では Guglielmi detachable coil（GDC）を用いて 57.7％に完全閉塞がなされたとしている[29]。2003 年から 2008 年に報告された未破裂脳動脈瘤に対する血管内治療報告のシステマティックレビューでは、治療合併症が 4.8％に認められ、直後の血管撮影では十分な閉塞が 86.1％になされていることを示した。

しかし、再発が 0.4～3.2 年の経過観察で 24.4％に認められ、再治療が 9.1％に行われていた。血管内治療後の動脈瘤破裂は年 0.2％であった[30]。未破裂脳動脈瘤に対する検討ではないが ISAT[24]でも血管内治療後の脳動脈瘤再発および破裂は比較的多くの症例で認められており、血管内治療後も不完全閉塞や再発などについて経過を注意深く観察することが推奨される。近年ステントや flow diverter デバイスのような、wide neck な動脈瘤や血管内治療では困難な症例を治療するための新しい治療デバイスが開発されており、低侵襲で合併症の少ない治療技術の開発が期待されている[31]。

8. 開頭手術後の長期経過観察

一方、開頭手術により治療された未破裂脳動脈瘤例の長期経過観察において、治療した脳動脈瘤の再発や新生した動脈瘤の破裂などによるくも膜下出血の発生率は 10 年で 1.4％、20 年で 12.4％であったという報告があり[32]、たとえクリッピングが完全でも長期の経過観察が必要である。Hokari らも未破裂脳動脈瘤クリッピング治療後の長期経過を報告し、くも膜下出血の発症率は年間 0.085％と低いが、他の脳卒中発症が年間 1.06％と高率であり注意深い経過観察が必要であるとしている[33]。

〔引用文献〕

1) Etminan N, Brown RD Jr, Beseoglu K, et al. The unruptured intracranial aneurysm treatment score: a multidisciplinary consensus. Neurology 2015; 85: 881-889.（レベル 5）
2) Ravindra VM, de Havenon A, Gooldy TC, et al. Validation of the unruptured intracranial aneurysm treatment score: comparison with real-world cerebrovascular practice. J Neurosurg 2018; 129: 100-106.（レベル 4）
3) Park J, Son W, Park KS, et al. Educational and interactive informed consent process for treatment of unruptured intracranial aneurysms. J Neurosurg 2017; 126: 825-830.（レベル 4）
4) Nozaki K, Okubo C, Yokoyama Y, et al. Examination of the effectiveness of DVD decision support tools for patients with unruptured cerebral aneurysms. Neurol Med Chir (Tokyo) 2007; 47: 531-536; discussion 536.（レベル 4）
5) Tsutsumi K, Ueki K, Morita A, et al. Risk of rupture from incidental cerebral aneurysms. J Neurosurg 2000; 93: 550-553.（レベル 4）
6) Morita A, Fujiwara S, Hashi K, et al. Risk of rupture associated with intact cerebral aneurysms in the Japanese population: a systematic review of the literature from Japan. J Neurosurg 2005; 102: 601-606.（レベル 3）
7) Juvela S, Porras M, Poussa K. Natural history of unruptured intracranial aneurysms: probability of and risk factors for aneurysm rupture. J Neurosurg 2008; 108: 1052-1060.（レベル 3）
8) Unruptured intracranial aneurysms--risk of rupture and risks of surgical intervention. International Study of Unruptured Intracranial Aneurysms Investigators. N Engl J Med 1998; 339: 1725-1733.（レベル 3）
9) Wermer MJ, van der Schaaf IC, Algra A, et al. Risk of rupture of unruptured intracranial aneurysms in relation to patient and aneurysm characteristics: an updated meta-analysis. Stroke 2007; 38: 1404-1410.（レベル 3）
10) Wiebers DO, Whisnant JP, Huston J 3rd, et al. Unruptured in-

tracranial aneurysms: natural history, clinical outcome, and risks of surgical and endovascular treatment. Lancet 2003; 362: 103-110. （レベル 2）

11) Sonobe M, Yamazaki T, Yonekura M, et al. Small unruptured intracranial aneurysm verification study: SUAVe study, Japan. Stroke 2010; 41: 1969-1977. （レベル 2）

12) Morita A, Kirino T, Hashi K, et al, Hashimoto N, et al. The natural course of unruptured cerebral aneurysms in a Japanese cohort. N Engl J Med 2012; 366: 2474-2482. （レベル 2）

13) Murayama Y, Takao H, Ishibashi T, et al. Risk Analysis of Unruptured Intracranial Aneurysms: Prospective 10-Year Cohort Study. Stroke 2016; 47: 365-371. （レベル 2）

14) Greving JP, Wermer MJ, Brown RD Jr, et al. Development of the PHASES score for prediction of risk of rupture of intracranial aneurysms: a pooled analysis of six prospective cohort studies. Lancet Neurol 2014; 13: 59-66. （レベル 2）

15) Collins GS, Reitsma JB, Altman DG, et al. Transparent Reporting of a multivariable prediction model for Individual Prognosis Or Diagnosis (TRIPOD). Ann Intern Med 2015; 162: 735-736. （レベル 5）

16) Tominari S, Morita A, Ishibashi T, et al. Prediction model for 3-year rupture risk of unruptured cerebral aneurysms in Japanese patients. Ann Neurol 2015; 77: 1050-1059. （レベル 2）

17) Ujiie H, Tamano Y, Sasaki K, et al. Is the aspect ratio a reliable index for predicting the rupture of a saccular aneurysm? Neurosurgery 2001; 48: 495-503. （レベル 4）

18) Tremmel M, Dhar S, Levy EI, et al. Influence of intracranial aneurysm-to-parent vessel size ratio on hemodynamics and implication for rupture: results from a virtual experimental study. Neurosurgery 2009; 64: 622-631. （レベル 4）

19) Mocco J, Brown RD Jr, Torner JC, et al. Aneurysm Morphology and Prediction of Rupture: An International Study of Unruptured Intracranial Aneurysms Analysis. Neurosurgery 2018; 82: 491-496. （レベル 3）

20) Gondar R, Gautschi OP, Cuony J, et al. Unruptured intracranial aneurysm follow-up and treatment after morphological change is safe: observational study and systematic review. J Neurol Neurosurg Psychiatry 2016; 87: 1277-1282. （レベル 3）

21) Malhotra A, Wu X, Forman HP, et al. Growth and Rupture Risk of Small Unruptured Intracranial Aneurysms: A Systematic Review. Ann Intern Med 2017; 167: 26-33. （レベル 5）

22) Backes D, Rinkel GJE, Greving JP, et al. ELAPSS score for prediction of risk of growth of unruptured intracranial aneurysms. Neurology 2017; 88: 1600-1606. （レベル 2）

23) Inoue T, Shimizu H, Fujimura M, et al. Annual rupture risk of growing unruptured cerebral aneurysms detected by magnet-ic resonance angiography. J Neurosurg 2012; 117: 20-25. （レベル 4）

24) Molyneux AJ, Birks J, Clarke A, et al. The durability of endovascular coiling versus neurosurgical clipping of ruptured cerebral aneurysms: 18 year follow-up of the UK cohort of the International Subarachnoid Aneurysm Trial (ISAT). Lancet 2015; 385: 691-697. （レベル 2）

25) Darsaut TE, Findlay JM, Magro E, et al. Surgical clipping or endovascular coiling for unruptured intracranial aneurysms: a pragmatic randomised trial. J Neurol Neurosurg Psychiatry 2017; 88: 663-668. （レベル 2）

26) Algra AM, Lindgren A, Vergouwen MDI, et al. Procedural Clinical Complications, Case-Fatality Risks, and Risk Factors in Endovascular and Neurosurgical Treatment of Unruptured Intracranial Aneurysms: A Systematic Review and Meta-analysis. JAMA Neurol 2019; 76: 282-293. （レベル 3）

27) Ikawa F, Michihata N, Akiyama Y, et al. Treatment Risk for Elderly Patients with Unruptured Cerebral Aneurysm from a Nationwide Database in Japan. World Neurosurg 2019; 132: e89-e98. （レベル 4）

28) Gerlach R, Beck J, Setzer M, et al. Treatment related morbidity of unruptured intracranial aneurysms: results of a prospective single centre series with an interdisciplinary approach over a 6 year period (1999-2005). J Neurol Neurosurg Psychiatry 2007; 78: 864-871. （レベル 4）

29) Shigematsu T, Fujinaka T, Yoshimine T, et al. Endovascular therapy for asymptomatic unruptured intracranial aneurysms: JR-NET and JR-NET2 findings. Stroke 2013; 44: 2735-2742. （レベル 3）

30) Naggara ON, White PM, Guilbert F, et al. Endovascular treatment of intracranial unruptured aneurysms: systematic review and meta-analysis of the literature on safety and efficacy. Radiology 2010; 256: 887-897. （レベル 2）

31) Bhatia KD, Kortman H, Orru E, et al. Periprocedural complications of second-generation flow diverter treatment using Pipeline Flex for unruptured intracranial aneurysms: a systematic review and meta-analysis. J Neurointerv Surg 2019; 11: 817-824. （レベル 3）

32) Tsutsumi K, Ueki K, Usui M, et al. Risk of subarachnoid hemorrhage after surgical treatment of unruptured cerebral aneurysms. Stroke 1999; 30: 1181-1184. （レベル 3）

33) Hokari M, Kuroda S, Nakayama N, et al. Long-term prognosis in patients with clipped unruptured cerebral aneurysms-increased cerebrovascular events in patients with surgically treated unruptured aneurysms. Neurosurg Rev 2013; 36: 567-571. （レベル 4）

VI

その他の
脳血管障害

Ⅵ その他の脳血管障害

CQ Ⅵ-a 動脈解離に対して抗血栓薬の投与は推奨されるか？

1. 虚血症状がない頭痛・頸部痛や偶発的に発見された動脈解離に対しては、抗血栓療法は有効ではない（推奨度D　エビデンスレベル低）。
2. 虚血症状を発症した頭蓋外動脈解離では、急性期に抗血栓療法（抗凝固療法または抗血小板療法）を考慮しても良い。抗凝固療法と抗血小板療法の有効性に差はない（推奨度C　エビデンスレベル低）。
3. 虚血発症の頭蓋内動脈解離でも、急性期に抗血栓療法（抗凝固療法または抗血小板療法）を考慮しても良い（推奨度C　エビデンスレベル低）。
4. 解離部に瘤形成が明らかな場合にはくも膜下出血発症の危険性があり、抗血栓療法は行うべきではない（推奨度E　エビデンスレベル低）。
5. 虚血発症の脳動脈解離における抗血栓療法の継続期間は3～6か月間を考慮するが、画像所見を参考として症例ごとに検討することが妥当である（推奨度B　エビデンスレベル低）。

解説

動脈解離に対する抗血栓療法の効果を検証したランダム化比較試験（randomized controlled trial：RCT）は抗凝固療法、抗血小板療法ともになく、このCQに対する回答を直接検証したエビデンスはない。

頭痛・頸部痛のみ、あるいは無症状で偶発的に発見された脳動脈解離については、SCADS-Japanでの無症候例の検討では、無症候、軽微な症状のみを呈する頭痛のみの52例のうち38例は抗血栓療法が行われていなかった。有症状例と比較して画像所見の悪化は多かったものの、退院時modified Rankin Scale（mRS）は外科的治療による合併症によりmRS 1となった3例以外の49例はmRS 0と予後良好だったと報告している[1]。また、後頭部痛や頸部痛のみを主訴とした椎骨動脈解離41例において安静と降圧のみの治療で、7日以内にpearl and string signを呈した21例のうち12例、fusiform dilatationを呈した6例のうち2例、narrowingを呈した14例のうち8例で改善が認められた[2]との報告がある。この様に虚血症状がない頭痛・頸部痛や他の理由による画像検査で偶発的に発見された動脈解離に対して抗血栓療法を行う必要はないと考えられる。

虚血発症の頭蓋外頸動脈解離では、急性期からの抗凝固療法（ヘパリン、続いてワルファリン）を推奨する報告[3,4]もあるが、有効性に関する科学的根拠はない。

抗凝固療法と抗血小板療法の比較では、CADISSで、頭蓋外内頸動脈解離と頭蓋外椎骨動脈解離における抗凝固療法と抗血小板療法の有効性に関して比較検討され、頭蓋外血管の動脈解離では1年間の脳卒中再発2.4％、脳卒中発症3.1％とリスクは低く、両治療群間で脳卒中発症予防、画像上の狭窄、および閉塞残存率に差はなかった[5]。Cochrane Database of Systematic Reviewによる観察研究の集計によると、頭蓋外内頸動脈解離における抗凝固療法と抗血小板療法の比較を行ったところ、死亡率、虚血性脳卒中の発症および出血性合併症の発症に関して有意差は認めなかった[6]。他のメタ解析、システマティックレビューでも同様の報告がなされており[7-9]、抗凝固療法と比較した安全性、使用する際の簡便さなどから頸部動脈解離に対して抗血小板療法を推奨する報告もある[7]。American Heart Association（AHA）/American State Association（ASA）のガイドラインでは頭蓋外内頸動脈および椎骨動脈解離による虚血性脳卒中または一過性脳虚血発作（transient ischemic attack：TIA）に対して、3～6か月の抗血栓療法を行うことが推奨されている[10]。

虚血発症の頭蓋内動脈解離では頻度は少ないが、解離性脳動脈瘤の破綻によるくも膜下出血の危険性があることから、一般に急性期の抗凝固療法は控え

るべきであるとされている[11,12]。一方で、頭蓋内動脈解離81例に急性期から抗凝固療法を行った報告では、治療開始後にくも膜下出血を発症した例はなかった[13]。また、頭蓋内外脳動脈解離に抗凝固療法、抗血小板療法を行った370例の検討では頭蓋内、頭蓋外動脈解離の間に虚血性、出血性脳卒中とも発症、予後に差はなかった[14]。くも膜下出血例の多くは画像検査にて解離部に瘤形成がみられることから、虚血発症であっても明らかな瘤形成がみられる時は、抗血栓療法は禁忌と考えられている[15,16]。解離部の画像所見は急性期には短時間のうちに変化しやすいことから、画像検査は繰り返し行う必要がある[16]。解離による閉塞血管は8日以内に30％、3か月以内に60～80％で再開通するという報告がある[12]ほか、3～6か月を過ぎると脳梗塞の再発、動脈解離の再発の危険性は少ないことも明らかとなっている[17-19]。したがって、特に発症から3～6か月に限って抗血栓療法による再発予防を行うことが勧められている[3,17]。可能であれば3か月ごとに画像検査を行い、その所見に基づいて抗血栓療法の必要性と薬剤選択を考慮すべきであろう。原則として6か月以降は、解離部に狭窄所見が残存していれば抗血小板薬を継続する。また、画像所見が完全に正常化していれば抗血栓薬を継続する必要はないと考えられる[16]。

〔引用文献〕

1) 松岡秀樹, 徳永梓, 渡邉順子, 他. 動脈解離診療の手引き. In：脳血管解離の病態と治療法の開発. 循環器病研究委託費18公-5 (SCADS-Japan). 大阪：国立循環器病センター内科脳血管部門 2009.（レベル4）

2) 越後整, 松井宏樹, 岡英輝, 他. 後頭部痛・頸部痛のみで発症した椎骨動脈解離の臨床像. Neurological Surgery 2013；41：305-310.（レベル4）

3) Schievink WI. Spontaneous dissection of the carotid and vertebral arteries. N Engl J Med 2001; 344: 898-906.（レベル4）

4) Norris JW. Extracranial arterial dissection: anticoagulation is the treatment of choice: for. Stroke 2005; 36: 2041-2042.（レ ベル4）

5) Kashani N, Ospel JM, Menon BK, et al. Influence of Guidelines in Endovascular Therapy Decision Making in Acute Ischemic Stroke: insights From UNMASK EVT. Stroke 2019; 50: 3578-3584.（レベル2）

6) Lyrer P, Engelter S. Antithrombotic drugs for carotid artery dissection. Cochrane Database Syst Rev 2010: CD000255.（レ ベル3）

7) Sarikaya H, da Costa BR, Baumgartner RW, et al. Antiplatelets versus anticoagulants for the treatment of cervical artery dissection: Bayesian meta-analysis. PLoS One 2013; 8: e72697.（レベル2）

8) Larsson SC, King A, Madigan J, et al. Prognosis of carotid dissecting aneurysms: Results from CADISS and a systematic review. Neurology 2017; 88: 646-652.（レベル2）

9) Chowdhury MM, Sabbagh CN, Jackson D, et al. Antithrombotic treatment for acute extracranial carotid artery dissections: a meta-analysis. Eur J Vasc Endovasc Surg 2015; 50: 148-156.（レベル2）

10) Kernan WN, Ovbiagele B, Black HR, et al. Guidelines for the prevention of stroke in patients with stroke and transient ischemic attack: A guideline for healthcare professionals from the american heart association/american stroke association. Stroke 2014; 45: 2160-2236.（レベル5）

11) Chen M, Caplan L. Intracranial dissections. Front Neurol Neurosci 2005; 20: 160-173.（レベル4）

12) Engelter ST, Brandt T, Debette S, et al. Antiplatelets versus anticoagulation in cervical artery dissection. Stroke 2007; 38: 2605-2611.（レベル4）

13) Metso TM, Metso AJ, Helenius J, et al. Prognosis and safety of anticoagulation in intracranial artery dissections in adults. Stroke 2007; 38: 1837-1842.（レベル4）

14) Daou B, Hammer C, Mouchtouris N, et al. Anticoagulation vs Antiplatelet Treatment in Patients with Carotid and Vertebral Artery Dissection: A Study of 370 Patients and Literature Review. Neurosurgery 2017; 80: 368-379.（レベル3）

15) 脇健盛.【頭頸部動脈解離】頭頸部動脈解離による虚血性脳血管障害 抗血栓療法の適応に関する議論を含めて. 神経内科 2003；59：385-391.（レベル5）

16) 髙木誠. 脳動脈解離（Cerebral artery dissection）の診断と治療の手引き. In：若年者脳卒中診療の手引き. 循環器病研究委託費12指-2 若年世代の脳卒中の診断, 治療, 予防戦略に関する全国多施設共同研究. 大阪：国立循環器病センター内科脳血管部門；2003. p.85-90.（レベル5）

17) Georgiadis D, Caso V, Baumgartner RW. Acute therapy and prevention of stroke in spontaneous carotid dissection. Clin Exp Hypertens 2006; 28: 365-370.（レベル4）

18) Lee VH, Brown RD Jr, Mandrekar JN, et al. Incidence and outcome of cervical artery dissection: a population-based study. Neurology 2006; 67: 1809-1812.（レベル4）

19) Sacco RL, Adams R, Albers G, et al. Guidelines for prevention of stroke in patients with ischemic stroke or transient ischemic attack: a statement for healthcare professionals from the American Heart Association/American Stroke Association Council on Stroke: co-sponsored by the Council on Cardiovascular Radiology and Intervention: the American Academy of Neurology affirms the value of this guideline. Circulation 2006; 113: e409-e449.（レベル4）

VI その他の脳血管障害

CQ VI-b 出血発症の脳静脈洞血栓症に抗凝固療法は推奨されるか？

▶ 出血を伴う例でも急性期の成人に対してヘパリンを使用することは妥当である（推奨度B エビデンスレベル中）。

解説

脳静脈洞血栓症に対する抗凝固療法の有用性に関しては2つのランダム化比較試験（RCT）が実施されている[1,2]。Einhäuplらは1991年に非感染性の脳静脈・静脈洞閉塞症を対象に行い、ヘパリン（未分画ヘパリン）静注群では新たな頭蓋内出血は認めず、プラセボ群に比して有意に機能予後および生命転帰を改善したと報告している[1]。EinhäuplらのRCTでは対照群での3例の死亡発生により早期終了となっている。一方、de Bruijnらが1999年に実施した低分子ヘパリンとプラセボの二重盲検試験の結果は低分子ヘパリン治療群がプラセボ群に比してやや有効であったが両群間に有意差は認めなかった。しかし、低分子ヘパリン治療群において脳内出血を伴う症例が増悪したり、新たな出血が出現したりすることはなく、ヘパリンの頭蓋内出血に対する安全性が確認された[2]。これらRCTの結果から2011年のAmerican Heart Association（AHA）/American Stroke Association（ASA）および2015年のEuropean Stroke Organization（ESO）の脳静脈洞血栓症に対するガイドラインにおいても頭蓋内出血を伴う症例においても抗凝固療法を推奨治療としている[3,4]。

これら2つのRCTに対するメタ解析が施行されており、79例の成人例において未分画ヘパリンもしくは低分子ヘパリンによる抗凝固療法は予後を改善する傾向を認めたが有意差は示さず、いずれの報告も抗凝固療法によって頭蓋内出血の増悪や新規発症はなく、本症の死亡や後遺症が減少することを示した[5,6]。

ただし、入院時に頭蓋内出血を認めてヘパリン治療を行った群ではその後の出血の増大に伴って予後が悪いという報告もある[7]。またAHA/ASAやESOのガイドラインが根拠とする上述のRCTは少数コホートであることのバイアスを危惧する報告や[8]、過去の非ランダム化試験では初発時に頭蓋内出血を認める例では急性期の抗凝固療法が意図的に避けられたとする報告もあり[9]、頭蓋内出血を伴う症例に対するfull doseヘパリンの投与については慎重であるべきとする報告もある[8]。

〔引用文献〕

1) Einhäupl KM, Villringer A, Meister W, et al. Heparin treatment in sinus venous thrombosis. Lancet 1991; 338: 597-600.（レベル2）
2) de Bruijn SF, Stam J. Randomized, placebo-controlled trial of anticoagulant treatment with low-molecular-weight heparin for cerebral sinus thrombosis. Stroke 1999; 30: 484-488.（レベル2）
3) Saposnik G, Barinagarrementeria F, Brown RD Jr, et al. Diagnosis and management of cerebral venous thrombosis: a statement for healthcare professionals from the American Heart Association/American Stroke Association. Stroke 2011; 42: 1158-1192.（レベル5）
4) Ferro JM. ESO-EAN Guideline on cerebral venous thrombosis. Eur J Neurol 2017; 24: 761.（レベル5）
5) Einhäupl K, Bousser MG, de Bruijn SF, et al. EFNS guideline on the treatment of cerebral venous and sinus thrombosis. Eur J Neurol 2006; 13: 553-559.（レベル5）
6) Stam J, de Bruijn SF, DeVeber G. Anticoagulation for cerebral sinus thrombosis. Cochrane Database Syst Rev 2002: CD002005（レベル3）
7) Busch MA, Hoffmann O, Einhäupl KM, et al. Outcome of heparin-treated patients with acute cerebral venous sinus thrombosis: influence of the temporal pattern of intracerebral haemorrhage. Eur J Neurol 2016; 23: 1387-1392.（レベル4）
8) Cundiff DK. Anticoagulants for cerebral venous thrombosis: harmful to patients? Stroke 2014; 45: 298-304.（レベル3）
9) Ferro JM, Correia M, Pontes C, et al. Cerebral vein and dural sinus thrombosis in Portugal: 1980-1998. Cerebrovasc Dis 2001; 11: 177-182.（レベル3）

Ⅵ その他の脳血管障害

1 動脈解離

1-1 内科的治療

推奨

1. 虚血症状を発症した頭蓋外動脈解離では、急性期に抗血栓療法（抗凝固療法または抗血小板療法）を考慮しても良い（推奨度 C　エビデンスレベル低）。

2. 抗凝固療法と抗血小板療法の有効性に差はなく、いずれの選択も妥当である（推奨度 B　エビデンスレベル中）。

3. 虚血発症の頭蓋内動脈解離でも、急性期に抗血栓療法（抗凝固療法または抗血小板療法）を考慮しても良い（推奨度 C　エビデンスレベル低）。しかし、解離部に瘤形成が明らかな場合にはくも膜下出血発症の危険性があり、抗血栓療法は行うべきではない（推奨度 E　エビデンスレベル低）。

4. 虚血発症の脳動脈解離における抗血栓療法の継続期間は 3〜6 か月間を考慮するが、画像所見を参考として症例ごとに検討することが妥当である（推奨度 B　エビデンスレベル低）。解離部の所見は時間経過とともに変化するので、可能であれば 3 か月ごとに CT angiography（CTA）、MR angiography（MRA）、脳血管撮影などで経時的に画像観察を行うことが妥当である（推奨度 B　エビデンスレベル低）。

5. 血栓溶解療法は、虚血発症の頭蓋外脳動脈解離症例に対して行うことを考慮しても良い（推奨度 C　エビデンスレベル低）。頭蓋内脳動脈解離症例では十分な科学的根拠はなく、慎重に症例を選択する必要がある（推奨度 C　エビデンスレベル低）。

解　説

　脳血管の動脈解離は欧米では頭蓋外内頚動脈に多いのに対し、わが国では頭蓋内椎骨動脈に多くみられる[1,2]。頭蓋外の動脈解離に伴う脳卒中は解離が頭蓋内に進展する場合を除き、ほぼすべてが脳虚血であるが、頭蓋内解離では脳虚血に加え、くも膜下出血の発症例も少なくない[1,2]。したがって、同じ虚血発症の動脈解離であっても、解離の部位別に治療方針を考える必要がある。

　脳動脈解離における脳虚血の発症機序としては、塞栓性機序もしくは狭窄病変に伴う血行力学的機序があるが、塞栓性機序がより重要と考えられる[3,4]。このため頭蓋外頚動脈解離では、急性期からの抗凝固療法（ヘパリン、続いてワルファリン）を推奨する報告[5,6]もあるが、これまでに抗凝固療法の効果を検証するためのランダム化比較試験（RCT）は実施されていないため、有効性に関する科学的根拠はない。

　抗凝固療法と抗血小板療法の比較では、CADISS

で、頭蓋外内頚動脈解離と頭蓋外椎骨動脈解離における抗凝固療法と抗血小板療法の有効性に関して比較検討され、頭蓋外血管の動脈解離では 1 年間の脳卒中再発 2.4％、脳卒中発症 3.1％とリスクは低く、両治療群間で脳卒中発症予防、画像上の狭窄、および閉塞残存率に差はなかった[7]。Cochrane Database of Systematic Review による観察研究の集計によると、頭蓋外内頚動脈解離における抗凝固療法と抗血小板療法の比較を行ったところ、死亡率、虚血性脳卒中の発症および出血性合併症の発症に関して有意差は認めなかった[8]。他のメタ解析、システマティックレビューでも同様の報告がなされており[9-11]、抗凝固療法と比較した安全性、使用する際の簡便さなどから頚部動脈解離に対して抗血小板療法を推奨する報告もある[9]。抗凝固療法の中では、直接阻害型経口抗凝固薬（direct oral anticoagulant：DOAC）とビタミン K 拮抗薬の比較では、両者の安全性、有効性に差がないことが観察研究で示されている[12,13]。

　血栓溶解療法に関しては、いくつかのメタ解析に

よると、頚部血管解離による脳梗塞では、174例の血栓溶解療法施行例、672例の非施行例を比較した報告では3か月後のmodified Rankin Scale（mRS）0～2の予後良好例の割合に差はなく、症候性頭蓋内出血、死亡率、脳卒中再発率は同等[14]だった。また、他の原因による脳梗塞と比較した安全性、転帰も同等の結果であった[4,15]。血栓溶解療法を施行された群では脳梗塞はより重度で、また解離血管が閉塞していることも多く、これらの因子を調整すると、血栓溶解療法を施行された群と施行されなかった群において転帰の差は認めなかったという報告もある[16]。頭蓋内脳動脈解離に対する血栓溶解療法についての報告はなく、安全性、有効性は不明である。また、大動脈解離の進展による脳動脈解離では、大動脈解離の悪化、大動脈瘤破裂の危険性があることから血栓溶解療法は禁忌である[17]。

虚血発症の頭蓋内動脈解離では頻度は少ないが、解離性脳動脈瘤の破綻によるくも膜下出血の危険性があることから、一般に急性期の抗凝固療法は控えるべきであるとされている[18,19]。一方で、頭蓋内動脈解離81例に急性期から抗凝固療法を行った報告では、治療開始後にくも膜下出血を発症した例はなかった[20]。また、頭蓋内外脳動脈解離に抗凝固療法、抗血小板療法を行った370例の検討では頭蓋内、頭蓋外動脈解離の間に虚血性、出血性脳卒中とも発症、予後に差はなかった[21]。しかし、頭蓋外解離と異なり、頭蓋内解離における脳虚血の主因は血行力学的な機序と考えられることからも、抗凝固療法の効果に対する疑問が提出されている。くも膜下出血例の多くは画像検査にて解離部に瘤形成がみられることから、明らかな瘤形成がみられる時は、抗血栓療法は禁忌と考えられている[22,23]。解離部の画像所見は急性期には短時間のうちに変化しやすいことから、画像検査は繰り返し行う必要がある[23]。解離による閉塞血管は8日以内に30％、3か月以内に60～80％で再開通するという報告がある[19]ほか、後頭部痛や頚部痛のみを主訴とした椎骨動脈解離41例において安静と降圧のみの治療で、7日以内にpearl and string signを呈した21例のうち12例、fusiform dilatationを呈した6例のうち2例、narrowingを呈した14例のうち8例に改善が認められた[24]との報告がある。また3～6か月を過ぎると脳梗塞の再発、動脈解離の再発の危険性は少ないことも明らかとなっている[25-27]。したがって、特に発症から3～6か月に限って抗血栓療法に

よる再発予防を行うことが勧められている[5,25]。また、American Heart Association（AHA）/American Stroke Association（ASA）のガイドラインでは頭蓋外内頚動脈および椎骨動脈解離による虚血性脳卒中または一過性脳虚血発作に対して、3～6か月の抗血栓療法を行うことが推奨されている[28]。可能であれば3か月ごとに画像検査を行い、その所見に基づいて抗血栓療法の必要性と薬剤選択を考慮すべきであろう。原則として6か月以降は、解離部に狭窄所見が残存していれば抗血小板薬を継続する。また、画像所見が完全に正常化していれば抗血栓薬を継続する必要はないと考えられる[23]。

〔引用文献〕

1) 山浦晶，吉本高志，橋本信夫，他．非外傷性頭蓋内解離性動脈病変の全国調査（第1報）．脳卒中の外科 1998；26：79-86.（レベル3）
2) 高木誠．若年層における脳血管障害Update 脳動脈解離．臨床神経学 2005；45：846-848.（レベル3）
3) Menon R, Kerry S, Norris JW, et al. Treatment of cervical artery dissection: a systematic review and meta-analysis. J Neurol Neurosurg Psychiatry 2008; 79: 1122-1127.（レベル2）
4) Zinkstok SM, Vergouwen MD, Engelter ST, et al. Safety and functional outcome of thrombolysis in dissection-related ischemic stroke: a meta-analysis of individual patient data. Stroke 2011; 42: 2515-2520.（レベル2）
5) Schievink WI. Spontaneous dissection of the carotid and vertebral arteries. N Engl J Med 2001; 344: 898-906.（レベル4）
6) Norris JW. Extracranial arterial dissection: anticoagulation is the treatment of choice: for. Stroke 2005; 36: 2041-2042.（レベル4）
7) Kashani N, Ospel JM, Menon BK, et al. Influence of Guidelines in Endovascular Therapy Decision Making in Acute Ischemic Stroke: insights From UNMASK EVT. Stroke 2019; 50: 3578-3584.（レベル2）
8) Lyrer P, Engelter S. Antithrombotic drugs for carotid artery dissection. Cochrane Database Syst Rev 2010: CD000255.（レベル3）
9) Sarikaya H, da Costa BR, Baumgartner RW, et al. Antiplatelets versus anticoagulants for the treatment of cervical artery dissection: Bayesian meta-analysis. PLoS One 2013; 8: e72697.（レベル2）
10) Larsson SC, King A, Madigan J, et al. Prognosis of carotid dissecting aneurysms: Results from CADISS and a systematic review. Neurology 2017; 88: 646-652.（レベル3）
11) Chowdhury MM, Sabbagh CN, Jackson D, et al. Antithrombotic treatment for acute extracranial carotid artery dissections; a meta-analysis. Eur J Vasc Endovasc Surg 2015; 50: 148-156.（レベル2）
12) Mustanoja S, Metso TM, Putaala J, et al. Helsinki experience on nonvitamin K oral anticoagulants for treating cervical artery dissection. Brain Behav 2015; 5: e00349.（レベル3）
13) Caprio FZ, Bernstein RA, Alberts MJ, et al. Efficacy and safety ot novel oral anticoagulants in patients with cervical artery dissections. Cerebrovasc Dis 2014; 38: 247-253.（レベル3）
14) Lin J, Sun Y, Zhao S, et al. Safety and Efficacy of Thrombolysis in Cervical Artery Dissection-Related Ischemic Stroke: A Meta-Analysis of Observational Studies. Cerebrovasc Dis 2016; 42: 272-279.（レベル2）
15) Tsivgoulis G, Zand R, Katsanos AH, et al. Safety and outcomes of intravenous thrombolysis in dissection-related ischemic stroke: an international multicenter study and comprehensive meta-analysis of reported case series. J Neurol 2015; 262: 2135-2143.（レベル2）
16) Engelter ST, Dallongeville J, Kloss M, et al. Thrombolysis in cervical artery dissection- data from the Cervical Artery Dissection and Ischaemic Stroke Patients (CADISP) database.

Eur J Neurol 2012; 19: 1199-1206.（レベル 4）

17) Fessler AJ, Alberts MJ. Stroke treatment with tissue plasminogen activator in the setting of aortic dissection. Neurology 2000; 54: 1010.（レベル 4）

18) Chen M, Caplan L. Intracranial dissections. Front Neurol Neurosci 2005; 20: 160-173.（レベル 4）

19) Engelter ST, Brandt T, Debette S, et al. Antiplatelets versus anticoagulation in cervical artery dissection. Stroke 2007; 38: 2605-2611.（レベル 4）

20) Metso TM, Metso AJ, Helenius J, et al. Prognosis and safety of anticoagulation in intracranial artery dissections in adults. Stroke 2007; 38: 1837-1842.（レベル 4）

21) Daou B, Hammer C, Mouchtouris N, et al. Anticoagulation vs Antiplatelet Treatment in Patients with Carotid and Vertebral Artery Dissection: A Study of 370 Patients and Literature Review. Neurosurgery 2017; 80: 368-379.（レベル 3）

22) 山脇健盛.【頭頸部動脈解離】頭頸部動脈解離による虚血性脳血管障害　抗血栓療法の適応に関する議論を含めて. 神経内科 2003；59：385-391.（レベル 5）

23) 髙木誠. 脳動脈解離（Cerebral artery dissection）の診断と治療の手引き. In：若年者脳卒中診療の手引き. 循環器病研究委託費 12 指-2　若年世代の脳卒中の診断，治療，予防戦略に関する全国多施設共同研究. 大阪：国立循環器病センター内科脳血管部門；

2003. p.85-90.（レベル 5）

24) 越後整，松井宏樹，岡英輝，他. 後頭部痛・頸部痛のみで発症した椎骨動脈解離の臨床像. Neurological Surgery　2013；41：305-310.（レベル 4）

25) Georgiadis D, Caso V, Baumgartner RW. Acute therapy and prevention of stroke in spontaneous carotid dissection. Clin Exp Hypertens 2006; 28: 365-370.（レベル 4）

26) Lee VH, Brown RD Jr, Mandrekar JN, et al. Incidence and outcome of cervical artery dissection: a population-based study. Neurology 2006; 67: 1809-1812.（レベル 4）

27) Sacco RL, Adams R, Albers G, et al. Guidelines for prevention of stroke in patients with ischemic stroke or transient ischemic attack: a statement for healthcare professionals from the American Heart Association/American Stroke Association Council on Stroke: co-sponsored by the Council on Cardiovascular Radiology and Intervention: the American Academy of Neurology affirms the value of this guideline. Circulation 2006; 113: e409-e449.（レベル 5）

28) Kernan WN, Ovbiagele B, Black HR, et al. Guidelines for the prevention of stroke in patients with stroke and transient ischemic attack: A guideline for healthcare professionals from the american heart association/american stroke association. Stroke 2014; 45: 2160-2236.（レベル 5）

Ⅵ その他の脳血管障害

1 動脈解離

1-2 頭蓋内・外動脈解離の外科治療

推奨

1. 出血性頭蓋内動脈解離では、発症後再出血を来すことが多く早期の診断および治療が妥当である（推奨度B　エビデンスレベル低）。

2. 外科的治療は直達手術と血管内治療があり、それぞれ利点および欠点があり、その適応は症例ごとに検討することが妥当である（推奨度B　エビデンスレベル低）。

解 説

1. 頭蓋外動脈解離

頭蓋外頸部動脈解離に対する外科治療を推奨するエビデンスはない。

2. 頭蓋内動脈解離の診断と再出血

頭蓋内動脈解離のうち、くも膜下出血で発症した破裂解離性脳動脈病変におけるもっとも強力な転帰不良因子は再出血であり、再出血の頻度は14〜69%とされている[1]。再出血は特に発症後24時間以内に生じることが多い[1-3]。

3. 非出血性動脈解離

非出血性動脈解離の転帰は比較的良好とされており、多くは保存的治療が選択される[4-8]。経過中に神経症状の悪化や画像上の悪化が認められる時は、個々の症例で治療法を検討する必要がある。

4. 動脈解離の術式の選択

外科的再出血予防法としては開頭手術と血管内治療があるが、椎骨動脈解離においては血管内治療が選択されることが多い[9]。

開頭手術では解離部位の近位部を動脈瘤クリップで閉塞する近位部閉塞と解離部の近位部および遠位部を閉塞する trapping がある[10,11]。いずれも有効な出血予防手技であるが、その適応は症例ごとに検討する[11-13]。出血部分の部分的クリッピングは再出血が多く、適応となる症例は限られる[14]。

血管内治療では解離部位を含めて親血管を閉塞する internal trapping が有効である[15,16]。

椎骨動脈の internal trapping 施行時に脳幹への穿通梗塞が起こることがあり注意が必要である。椎骨動脈解離性動脈瘤では椎骨動脈合流部から14 mm の部位から穿通枝が分枝し始める[17]。延髄

梗塞は近位椎骨動脈、長い距離の塞栓で起こりやすいため短い範囲での tight 塞栓が有用である[18,19]。

血管内治療によるフローダイバーターステント、ステント単独あるいはステント併用コイル塞栓術を用いた治療法の有用性も報告されており、今後出血性動脈解離治療の選択肢となる可能性が示唆されるが、本邦ではこのような治療法は未承認である[15,20]。

健側椎骨動脈が低形成の場合、後下小脳動脈を巻き込むには、上記治療法がいずれも困難な場合も多く、個々の症例で血行動態に基づいて治療法を検討する必要がある[21]。

〔引用文献〕

1) 小野純一, 平井伸治, 芹澤徹, 他. 椎骨脳底動脈系解離性動脈病変の転帰決定因子　再出血に影響を及ぼす因子の検討. 脳神経外科ジャーナル　2002；11：265-270.（レベル4）

2) Anxionnat R, de Melo Neto JF, Bracard S, et al. Treatment of hemorrhagic intracranial dissections. Neurosurgery 2003; 53: 289-301.（レベル4）

3) Sugiu K, Tokunaga K, Watanabe K, et al. Emergent endovascular treatment of ruptured vertebral artery dissecting aneurysms. Neuroradiology 2005; 47: 158-164.（レベル4）

4) Mizutani T. Natural course of intracranial arterial dissections. J Neurosurg 2011; 114: 1037-1044.（レベル4）

5) 越後整, 松井宏樹, 岡英輝, 他. 後頭部痛・頸部痛のみで発症した椎骨動脈解離の臨床像. Neurological Surgery　2013；41：305-310.（レベル4）

6) Kai Y, Nishi T, Watanabe M, et al. Strategy for treating unruptured vertebral artery dissecting aneurysms. Neurosurgery 2011; 69: 1085-1092.（レベル4）

7) Kim BM, Kim SH, Kim DI, et al. Outcomes and prognostic factors of intracranial unruptured vertebrobasilar artery dissection. Neurology 2011; 76: 1735-1741.（レベル4）

8) Kobayashi N, Murayama Y, Yuki I, et al. Natural course of dissecting vertebrobasilar artery aneurysms without stroke. AJNR Am J Neuroradiol 2014; 35: 1371-1375.（レベル4）

9) Carr K, Rincon F, Maltenfort M, et al. Incidence and morbidity of craniocervical arterial dissections in atraumatic subarachnoid hemorrhage patients who underwent aneurysmal repair. J Neurointerv Surg 2015; 7: 728-733.（レベル4）

10) Friedman AH, Drake CG. Subarachnoid hemorrhage from intracranial dissecting aneurysm. Journal of neurosurgery 1984; 60: 325-334.（レベル4）

11) Yonas H, Agamanolis D, Takaoka Y, et al. Dissecting intracranial aneurysms. Surgical neurology 1977; 8: 407-415.（レベル4）

12) Arimura K, Iihara K. Surgical Management of Intracranial Artery Dissection. Neurol Med Chir (Tokyo) 2016; 56: 517-523. （レベル 4）

13) Balik V, Yamada Y, Talari S, et al. State-of-Art Surgical Treatment of Dissecting Anterior Circulation Intracranial Aneurysms. J Neurol Surg A Cent Eur Neurosurg 2017; 78: 67-77. （レベル 4）

14) Ono H, Nakatomi H, Tsutsumi K, et al. Symptomatic recurrence of intracranial arterial dissections: follow-up study of 143 consecutive cases and pathological investigation. Stroke 2013; 44: 126-131. （レベル 4）

15) Sönmez Ö, Brinjikji W, Murad MH, et al. Deconstructive and Reconstructive Techniques in Treatment of Vertebrobasilar Dissecting Aneurysms: A Systematic Review and Meta-Analysis. AJNR Am J Neuroradiol 2015; 36: 1293-1298. （レベル 4）

16) Kashiwazaki D, Ushikoshi S, Asano T, et al. Long-term clinical and radiological results of endovascular internal trapping in vertebral artery dissection. Neuroradiology 2013; 55: 201-206. （レベル 4）

17) Mahmood A, Dujovny M, Torche M, et al. Microvascular anatomy of foramen caecum medulla oblongatae. J Neurosurg 1991; 75: 299-304. （レベル 4）

18) Aihara M, Naito I, Shimizu T, et al. Predictive factors of medullary infarction after endovascular internal trapping using coils for vertebral artery dissecting aneurysms. J Neurosurg 2018; 129: 107-113. （レベル 4）

19) Endo H, Matsumoto Y, Kondo R, et al. Medullary infarction as a poor prognostic factor after internal coil trapping of a ruptured vertebral artery dissection. J Neurosurg 2013; 118: 131-139. （レベル 4）

20) Joo JY, Ahn JY, Chung YS, et al. Treatment of intra- and extracranial arterial dissections using stents and embolization. Cardiovasc Intervent Radiol 2005; 28: 595-602. （レベル 4）

21) Shi L, Xu K, Sun X, et al. Therapeutic Progress in Treating Vertebral Dissecting Aneurysms Involving the Posterior Inferior Cerebellar Artery. Int J Med Sci 2016; 13: 540-555. （レベル 4）

VI その他の脳血管障害

1 動脈解離

1-3　頭蓋内・外動脈解離の血管内治療

推 奨

1. 無症候性の頭蓋内・外動脈解離に対する血管内治療は勧められない（推奨度 D　エビデンスレベル低）。

2. 脳虚血にて発生した頭蓋外動脈解離において、内科治療抵抗性の場合に血管内治療を行うことを考慮しても良い（推奨度 C　エビデンスレベル低）。

3. くも膜下出血にて発症した椎骨動脈解離において、後下小脳動脈および脳底動脈の血流が担保できる場合には、手技による延髄梗塞に留意しつつ、急性期に血管内治療を行うことは妥当である（推奨度 B　エビデンスレベル中）。

4. その他の症候性頭蓋内動脈解離に対する血管内治療は、内科治療や外科的治療が困難な場合に考慮しても良い（推奨度 C　エビデンスレベル低）。

解　説

頭蓋内・外動脈解離に対する血管内治療において、高いエビデンスレベルが担保された臨床研究は存在しない。昨今の血管内治療の普及やデバイスの進歩に伴い、ケースシリーズやそれらを元にしたメタ解析に関する文献が増加しているが、パブリケーション・バイアスは否めない。故に個々の症例で臨床症状や全身状態、病変の形状、部位、側副血行路や穿通枝分岐の有無といった周囲血管構築などを勘案し、最適な治療方針を検討するべきである。この際、血管内治療実施医だけでなく、multidisciplinary team によって方針が決定されることが望ましい。

動脈解離に対する血管内治療には、親動脈近位部閉塞、解離部のトラッピング、解離腔のコイル塞栓あるいはステント支援下コイル塞栓、解離部へのステントやフローダイバータの留置などが文献上、報告されている。特にステントやフローダイバータを使用する際は、抗血小板薬を含む抗血栓療法が必要であり、出血発症急性期では再出血を誘発する危険がある。本邦では出血発症急性期における動脈解離に対するステントやフローダイバータを用いた治療は未承認である。

脳虚血にて発症した頭蓋外動脈解離では内科的治療が優先される[1,2]。内科的治療抵抗性を有する場合には、内科的治療に加えて解離部を含む親動脈にステントを留置する治療が有効なことがある[3-5]。

くも膜下出血にて発症した頭蓋内椎骨動脈解離における転帰不良因子は、発症時の重症度と再出血である[6-8]。再出血は急性期に生じることが多く、可及的早期に血管内治療が施行されることが多い[9,10]。椎骨動脈解離に対する血管内治療は罹患椎骨動脈の順行性血流を遮断する方法（deconstructive treatment：親動脈近位部閉塞と解離部のトラッピング）と[11]、温存する方法（reconstructive treatment：解離腔のコイル塞栓あるいはステント支援下コイル塞栓、解離部へのステント留置）に分けられる[12]。両者の比較では、術後再出血率と臨床転帰は同等であるが、解離病変の再発率は温存する方法で高く、周術期虚血性合併症は遮断する方法で高い[7,13-17]。両側性病変の場合や反対側椎骨動脈が低・無形成である場合、解離部および近傍から穿通枝や前脊髄動脈、後下小脳動脈が分岐する場合など、個々の病変の血管構築に応じて治療方針を選択すべきである[18,19]。

その他の頭蓋内動脈解離病変では、虚血発症では内科的治療に優先されるが、内科的治療抵抗性の場合は血管内治療が考慮されることがある[20]。末梢脳動脈解離病変からの出血例では再出血予防目的にトラッピング術が選択されることがある[21,22]。内頚動脈や中大脳動脈、脳底動脈などの脳主幹動脈に発生した破裂動脈解離に対して、複数枚のステントを重ね合わせて留置する方法やステント支援下コイル塞

栓術、フローダイバータ留置などの血管内治療の有効性を示した文献が散見される[23-27]。本邦ではこのような治療法はいずれも未承認である。

無症候性動脈解離は自然歴が不明であるため、保存的治療を行いつつMRIなどの画像を用いて経過観察することが望ましい[28]。観察中に増大傾向を呈した無症候性病変に対して脳血管内治療が行われることがある[29-31]。

〔引用文献〕

1) Schievink WI. Spontaneous dissection of the carotid and vertebral arteries. N Engl J Med 2001; 344: 898-906.（レベル4）
2) Georgiadis D, Caso V, Baumgartner RW. Acute therapy and prevention of stroke in spontaneous carotid dissection. Clin Exp Hypertens 2006; 28: 365-370.（レベル4）
3) Zhang G, Chen Z. Medical and Interventional Therapy for Spontaneous Vertebral Artery Dissection in the Craniocervical Segment. Biomed Res Int 2017; 2017: 7859719.（レベル4）
4) Serkin Z, Le S, Sila C. Treatment of Extracranial Arterial Dissection: the Roles of Antiplatelet Agents, Anticoagulants, and Stenting. Curr Treat Options Neurol 2019; 21: 48.（レベル4）
5) 永尾征弥，長山剛太，長崎弘和，他．非出血発症の内頸動脈解離症例の臨床的検討．脳卒中 2019；41：279-286.（レベル4）
6) Yamada M, Kitahara T, Kurata A, et al. Intracranial vertebral artery dissection with subarachnoid hemorrhage: clinical characteristics and outcomes in conservatively treated patients. J Neurosurg 2004; 101: 25-30.（レベル4）
7) Zhao KJ, Fang YB, Huang QH, et al. Reconstructive Treatment of Ruptured Intracranial Spontaneous Vertebral Artery Dissection Aneurysms: Long-Term Results and Predictors of Unfavorable Outcomes. PLoS One 2013; 8: e67169.（レベル4）
8) Satow T, Ishii D, Iihara K, et al. Endovascular treatment for ruptured vertebral artery dissecting aneurysms: results from Japanese Registry of Neuroendovascular Therapy (JR-NET) 1 and 2. Neurol Med Chir (Tokyo) 2014; 54: 98-106.（レベル3）
9) Anxionnat R, de Melo Neto JF, Bracard S, et al. Treatment of hemorrhagic intracranial dissections. Neurosurgery 2003; 53: 289-301.（レベル4）
10) Chen Y, Guan JJ, Liu AH, et al. Outcome of cervicocranial artery dissection with different treatments: a systematic review and meta-analysis. J Stroke Cerebrovasc Dis 2014; 23: e177-e186.（レベル2）
11) Aihara M, Naito I, Shimizu T, et al. Predictive factors of medullary infarction after endovascular internal trapping using coils for vertebral artery dissecting aneurysms. J Neurosurg 2018; 129: 107-113.（レベル4）
12) Hernández-Durán S, Ogilvy CS. Clinical outcomes of patients with vertebral artery dissection treated endovascularly: a meta-analysis. Neurosurg Rev 2014; 37: 569-577.（レベル2）
13) Fang YB, Lin A, Kostynskyy A, et al. Endovascular treatment of intracranial vertebrobasilar artery dissecting aneurysms: Parent artery occlusion versus flow diverter. Eur J Radiol 2018; 99: 68-75.（レベル3）
14) Nakamura H, Fujinaka T, Nishida T, et al. Endovascular Therapy for Ruptured Vertebral Artery Dissecting Aneurysms: Results from Nationwide, Retrospective, Multi-Center Registries in Japan (JR-NET3). Neurol Med Chir (Tokyo) 2019; 59: 10-18.（レベル3）
15) Sönmez Ö, Brinjikji W, Murad MH, et al. Deconstructive and Reconstructive Techniques in Treatment of Vertebrobasilar Dissecting Aneurysms: A Systematic Review and Meta-Analysis. AJNR Am J Neuroradiol 2015; 36: 1293-1298.（レベル2）
16) Fang YB, Zhao KJ, Wu YN, et al. Treatment of ruptured vertebral artery dissecting aneurysms distal to the posterior inferior cerebellar artery: stenting or trapping? Cardiovasc Intervent Radiol 2015; 38: 592-599.（レベル3）
17) Tsuruta W, Yamamoto T, Ikeda G, et al. Spinal Cord Infarction in the Region of the Posterior Spinal Artery After Embolization for Vertebral Artery Dissection. Oper Neurosurg (Hagerstown) 2018; 15: 701-710.（レベル4）
18) Cho DY, Choi JH, Kim BS, et al. Comparison of Clinical and Radiologic Outcomes of Diverse Endovascular Treatments in Vertebral Artery Dissecting Aneurysm Involving the Origin of PICA. World Neurosurg 2019; 121: e22-e31.（レベル4）
19) Bhogal P, Brouwer PA, Söderqvistderqvist ÅK, et al. Patients with subarachnoid haemorrhage from vertebrobasilar dissection: treatment with stent-in-stent technique. Neuroradiology 2015; 57: 605-614.（レベル4）
20) Al-Mufti F, Kamal N, Damodara N, et al. Updates in the Management of Cerebral Infarctions and Subarachnoid Hemorrhage Secondary to Intracranial Arterial Dissection: A Systematic Review. World Neurosurg 2019; 121: 51-58.（レベル2）
21) Park W, Kwon DH, Ahn JS, et al. Treatment strategies for dissecting aneurysms of the posterior cerebral artery. Acta Neurochir (Wien) 2015; 157: 1633-1643.（レベル4）
22) Trivelato FP, Salles Rezende MT, Castro GD, et al. Endovascular treatment of isolated posterior inferior cerebellar artery dissecting aneurysms: parent artery occlusion or selective coiling? Clin Neuroradiol 2014; 24: 255-261.（レベル4）
23) Zhao P, Zhu D, Wen W, et al. Endovascular Treatment of Middle Cerebral Artery Dissecting Aneurysms: A 7-Year Single-Center Study. World Neurosurg 2018; 112: e119-e124.（レベル4）
24) Maus V, Mpotsaris A, Dorn F, et al. The Use of Flow Diverter in Ruptured, Dissecting Intracranial Aneurysms of the Posterior Circulation. World Neurosurg 2018; 111: e424-e433.（レベル4）
25) Li H, Zhang X, Li XF, et al. Predictors of Favorable Outcome of Intracranial Basilar Dissecting Aneurysm. J Stroke Cerebrovasc Dis 2015; 24: 1951-1956.（レベル3）
26) Corley JA, Zomorodi A, Gonzalez LF. Treatment of Dissecting Distal Vertebral Artery (V4) Aneurysms With Flow Diverters. Oper Neurosurg (Hagerstown) 2018; 15: 1-9.（レベル4）
27) Cho KC, Jeon P, Kim BM, et al. Saccular or dissecting aneurysms involving the basilar trunk: Endovascular treatment and clinical outcome. Neurol Res 2019; 41: 671-677.（レベル4）
28) Mizutani T. Natural course of intracranial arterial dissections. J Neurosurg 2011; 114: 1037-1044.（レベル4）
29) Kai Y, Nishi T, Watanabe M, et al. Strategy for treating unruptured vertebral artery dissecting aneurysms. Neurosurgery 2011; 69: 1085-1092.（レベル4）
30) Daou B, Hammer C, Chalouhi N, et al. Dissecting pseudoaneurysms: predictors of symptom occurrence, enlargement, clinical outcome, and treatment. J Neurosurg 2016; 125: 936-942.（レベル4）
31) Li C, Li Y, Jiang C, et al. Stent alone treatment for dissections and dissecting aneurysms involving the basilar artery. J Neurointerv Surg 2015; 7: 50-55.（レベル4）

Ⅵ その他の脳血管障害

2 大動脈解離

大動脈解離

推奨

▶ 大動脈解離を合併する脳梗塞では、アルテプラーゼ静注療法は行わないよう勧められる（推奨度E　エビデンスレベル低）。

解　説

脳梗塞患者の0.3〜0.7％にType A大動脈解離が併存する[1-3]。脳梗塞患者にType A大動脈解離が併存する予測因子としては、収縮期血圧左右差[2-4]、縦隔胸比拡大[3,4]、D-dimer上昇[1-4]、D-dimer/脳性ナトリウム利尿ペプチド（BNP）ratio[5]、さらには超音波検査上の総頸動脈解離[3,4]、MR angiography（MRA）上の右内頸動脈系描出不良[6]が有用である。

大動脈解離を伴う脳梗塞患者にアルテプラーゼ静注療法を実施して死亡した例が報告されており[7]、脳梗塞患者の超急性期には、上述の予測因子も参考に、大動脈解離を除外する必要がある。

一方、大動脈解離の6〜32％に脳梗塞が[4,8,9]、19％に何らかの原因による中枢神経症候が併存する。大動脈解離のうち5〜15％には胸背部痛を認めないが[8]、特に神経症候を有する患者では10〜55％が胸背部痛を伴わない[10,11]。Type A大動脈解離急性期における脳梗塞併存の予測因子として収縮期血圧左右差、縦隔胸比拡大、D-dimer上昇[9]が有用である。またType A大動脈解離外科手術後16％に脳卒中が続発し[12]、恒久的な神経障害を9％に続発する[13]。Type Bの術後でも12％に脳血管障害が続発する[14]。Type A大動脈解離外科手術後の脳卒中続発の予測因子としてBovine型大動脈弓、術前心肺蘇生、術前低灌流が挙げられる[12]。また術後の一時的神経障害の予測因子として造影CT上の解離の厚さ、総頸動脈、片側内頸動脈の造影不良[15]、恒久的神経障害の予測因子として術前意識障害[13]、術前麻痺[13]、手術時間、術前心筋虚血[13]、造影CT上の大動脈解離の長さ、大動脈弓部でのエントリー、片側内頸動脈の造影不良[15]が有用である。

大動脈解離の周術期における脳梗塞の予防につい

ても、脳梗塞発症時の治療のいずれについても、確立した知見はない。

〔引用文献〕

1) Yoshimuta T, Yokoyama H, Okajima T, et al. Impact of Elevated D-Dimer on Diagnosis of Acute Aortic Dissection With Isolated Neurological Symptoms in Ischemic Stroke. Circ J 2015; 79: 1841-1845. （レベル4）

2) Sakamoto Y, Koga M, Ohara T, et al. Frequency and Detection of Stanford Type A Aortic Dissection in Hyperacute Stroke Management. Cerebrovasc Dis 2016; 42: 110-116. （レベル4）

3) Tokuda N, Koga M, Ohara T, et al. Urgent Detection of Acute Type A Aortic Dissection in Hyperacute Ischemic Stroke or Transient Ischemic Attack. J Stroke Cerebrovasc Dis 2018; 27: 2112-2117. （レベル4）

4) Koga M, Iguchi Y, Ohara T, et al. Acute ischemic stroke as a complication of Stanford type A acute aortic dissection: a review and proposed clinical recommendations for urgent diagnosis. Gen Thorac Cardiovasc Surg 2018; 66: 439-445. （レベル4）

5) Okazaki T, Yamamoto Y, Yoda K, et al. The ratio of D-dimer to brain natriuretic peptide may help to differentiate between cerebral infarction with and without acute aortic dissection. J Neurol Sci 2014; 340: 133-138. （レベル4）

6) Matsubara S, Koga M, Ohara T, et al. Cerebrovascular imaging of cerebral ischemia in acute type A aortic dissection. J Neurol Sci 2018; 388: 23-27. （レベル4）

7) 篠原幸人，峰松一夫．アルテプラーゼ適正使用のための注意事項　胸部大動脈解離について．脳卒中　2008；30：443-444. （レベル4）

8) Gaul C, Dietrich W, Friedrich I, et al. Neurological symptoms in type A aortic dissections. Stroke 2007; 38: 292-297. （レベル4）

9) Ohara T, Koga M, Tokuda N, et al. Rapid Identification of Type A Aortic Dissection as a Cause of Acute Ischemic Stroke. J Stroke Cerebrovasc Dis 2016; 25: 1901-1906. （レベル4）

10) Shono Y, Akahoshi T, Mezuki S, et al. Clinical characteristics of type A acute aortic dissection with CNS symptom. Am J Emerg Med 2017; 35: 1836-1838. （レベル4）

11) Fessler AJ, Alberts MJ. Stroke treatment with tissue plasminogen activator in the setting of aortic dissection. Neurology 2000; 54: 1010. （レベル4）

12) Dumfarth J, Kofler M, Stastny L, et al. Stroke after emergent surgery for acute type A aortic dissection: predictors, outcome and neurological recovery. Eur J Cardiothorac Surg 2018; 53: 1013-1020. （レベル4）

13) Naito K, Nishida H, Takanashi S. Permanent Neurological Deficit in Surgical Repair for Acute Type A Aortic Dissection. Kyobu Geka 2016; 69: 299-303. （レベル4）

14) Al Adas Z, Shepard AD, Weaver MR, et al. Cerebrovascular injuries found in acute type B aortic dissections are associated with blood pressure derangements and poor outcome. J Vasc Surg 2018; 68: 1308-1313. （レベル4）

15) Zhao H, Wen D, Duan W, et al. Identification of CTA-Based Predictive Findings for Temporary and Permanent Neurological Dysfunction after Repair in Acute Type A Aortic Dissection. Sci Rep 2018; 8: 9740. （レベル4）

Ⅵ その他の脳血管障害

3 もやもや病（Willis 動脈輪閉塞症）

3-1 外科治療

推奨

1. 虚血症状を呈するもやもや病（Willis 動脈輪閉塞症）に対して、頭蓋外内血行再建術を行うことは妥当である（推奨度 B　エビデンスレベル低）。

2. 周術期の過灌流症候群に対しては、併存する脳虚血病態を鑑みて慎重に判断した上で、降圧を考慮しても良い（推奨度 C　エビデンスレベル低）。

解　説

1. 手術適応

　虚血発症のもやもや病に対しては血行再建術を行うことにより、一過性脳虚血発作の改善、脳梗塞のリスクの軽減、日常生活動作（activities of daily living：ADL）の改善、長期的高次脳機能予後の改善が得られることが報告されている[1-10]。また、single photon emission tomography（SPECT）や photon emission tomography（PET）において、術前の脳循環代謝に障害を認める症例に対して血行再建術を施行することにより、脳循環代謝の改善が得られることが報告されている[1,8,11]。

2. 手術手技

　もやもや病に対する血行再建術の方法としては、浅側頭動脈−中大脳動脈吻合術を代表とする直接血行再建術と encephalo-myo-synangiosis、encephalo-arterio-synangiosis、encephalo-duro-synangiosis、multiple burr hole surgery やそれらを組み合わせた間接血行再建術が用いられる。直接血行再建術単独、間接血行再建術単独、あるいは両者の複合術には、脳循環代謝の改善に伴う虚血発作の改善、脳梗塞リスクの軽減、術後 ADL の改善、長期的高次脳機能予後の改善効果がある[1-12]。成人例では間接血行再建術単独による効果は少なく、直接間接複合血行再建術または直接血行再建術が有効である[9,10,12-17]。さらに成人例に対する直接間接複合血行再建術は直接血行再建術単独と比較してバイパスの灌流範囲が広く、効果も大きい[16]。小児例においては直接血行再建術を含めた術式、間接血行再建術単独の術式ともに予後改善効果がある[18,19]。

　なお、もやもや病の狭窄病変に対する血管形成術などの血管内治療は効果が低く勧められない[20]。

3. 周術期管理

　周術期は非手術側も含めた虚血性合併症に留意し、血圧維持、normocapnea、十分な水分補給に加え、必要に応じた抗血小板薬の使用を考慮する[21]。もやもや病、特に成人例に対する直接血行再建術後には、局所過灌流による一過性局所神経脱落症状やまれに遅発性頭蓋内出血を生じることがあるため、急性期の脳循環動態評価による脳虚血と過灌流の鑑別を考慮する[22,23]。症候性過灌流に対しては降圧が有効であるが、遠隔部ならびに局所過灌流に隣接した大脳皮質における虚血性合併症（watershed shift 現象）には十分な留意が必要である[22-27]。ミノサイクリン塩酸塩やエダラボンの周術期投与には、症候性過灌流の予防効果がある[28,29]。

4. 術後評価

　血行再建術の効果は PET や SPECT による脳循環代謝の評価が有用である[1,8,11]。バイパスの発達の評価には、脳血管撮影だけでなく MR angiography も有用である[30,31]。

〔引用文献〕

1) Morimoto M, Iwama T, Hashimoto N, et al. Efficacy of direct revascularization in adult Moyamoya disease: haemodynamic evaluation by positron emission tomography. Acta Neurochir (Wien) 1999; 141: 377-384. （レベル 4）

2) 宮本享，永田泉，唐澤淳，他．もやもや病に対する直接バイパスの長期予後．脳卒中の外科　2000；28：111-114.（レベル 3）

3) Choi JU, Kim DS, Kim EY, et al. Natural history of moyamoya disease: Comparison of activity of daily living in surgery and non surgery groups. Clin Neurol Neurosurg 1997; 99 Suppl 2: S11-S18.（レベル 3）

4) Scott RM, Smith JL, Robertson RL, et al. Long-term outcome in children with moyamoya syndrome after cranial revascularization by pial synangiosis. J Neurosurg 2004; 100: 142-149.（レベル 3）

5) 松島善治，青柳傑，成相直，他．小児もやもや病患者の Wechsler

知能テストによる長期知能予後 Encepalo-duro-arterio-synan-giosis 施行後 10 年以上経過した患者の検討. 小児の脳神経 1996 ; 21 : 232-238. （レベル 3）

6) Kawaguchi T, Fujita S, Hosoda K, et al. Multiple burr-hole operation for adult moyamoya disease. J Neurosurg 1996; 84: 468-476. （レベル 4）

7) Houkin K, Kuroda S, Nakayama N. Cerebral revascularization for moyamoya disease in children. Neurosurg Clin N Am 2001; 12: 575-584. （レベル 3）

8) Kuroda S, Houkin K, Kamiyama H, et al. Regional cerebral hemodynamics in childhood moyamoya disease. Childs Nerv Syst 1995; 11: 584-590. （レベル 3）

9) Guzman R, Lee M, Achrol A, et al. Clinical outcome after 450 revascularization procedures for moyamoya disease. Clinical article. J Neurosurg 2009; 111: 927-935. （レベル 3）

10) Kim SK, Cho BK, Phi JH, et al. Pediatric moyamoya disease: An analysis of 410 consecutive cases. Ann Neurol 2010; 68: 92-101. （レベル 3）

11) Ikezaki K, Matsushima T, Kuwabara Y, et al. Cerebral circulation and oxygen metabolism in childhood moyamoya disease: a perioperative positron emission tomography study. J Neurosurg 1994; 81: 843-850. （レベル 4）

12) Jeon JP, Kim JE, Cho WS, et al. Meta-analysis of the surgical outcomes of symptomatic moyamoya disease in adults. J Neurosurg 2018; 128: 793-799. （レベル 3）

13) Mizoi K, Kayama T, Yoshimoto T, et al. Indirect revascularization for moyamoya disease: Is there a beneficial effect for adult patients? Surg Neurol 1996; 45: 548-549. （レベル 4）

14) Czabanka M, Vajkoczy P, Schmiedek P, et al. Age-dependent revascularization patterns in the treatment of moyamoya disease in a European patient population. Neurosurg Focus 2009; 26: E9. （レベル 3）

15) Lee SB, Kim DS, Huh PW, et al. Longterm follow-up results in 142 adult patients with moyamoya disease according to management modality. Acta Neurochir (Wien) 2012; 154: 1179-1187. （レベル 3）

16) Cho WS, Kim JE, Kim CH, et al. Long-term outcomes after combined revascularization surgery in adult moyamoya disease. Stroke 2014; 45: 3025-3031. （レベル 3）

17) Deng X, Gao F, Zhang D, et al. Direct versus indirect bypasses for adult ischemic-type moyamoya disease: a propensity score-matched analysis. J Neurosurg 2018; 128: 1785-1791. （レベル 3）

18) Matsushima T, Inoue T, Suzuki SO, et al. Surgical treatment of moyamoya disease in pediatric patients - Comparison between the results of indirect and direct revascularization procedures. Neurosurgery 1992; 31: 401-405. （レベル 4）

19) Ishikawa T, Houkin K, Kamiyama H, et al. Effects of surgical revascularization on outcome of patients with pediatric moyamoya disease. Stroke 1997; 28: 1170-1173. （レベル 3）

20) Khan N, Dodd R, Marks MP, et al. Failure of primary percutaneous angioplasty and stenting in the prevention of ischemia in Moyamoya angiopathy. Cerebrovasc Dis 2011; 31: 147-153. （レベル 4）

21) Iwama T, Hashimoto N, Yonekawa Y. The relevance of hemodynamic factors to perioperative ischemic complications in childhood moyamoya disease. Neurosurgery 1996; 38: 1120-1126. （レベル 3）

22) Fujimura M, Kaneta T, Mugikura S, et al. Temporary neurologic deterioration due to cerebral hyperper fusion after superficial temporal artery - middle cerebral artery anastomosis in patients with adult-onset moyamoya disease. Surg Neurol 2007; 67: 273-282. （レベル 3）

23) Fujimura M, Shimizu H, Inoue T, et al. Significance of focal cerebral hyperperfusion as a cause of transient neurologic deterioration after extracranial-intracranial bypass for moyamoya disease: comparative study with non- moyamoya patients using N-isopropyl-p-[(123)I]iodoamphetamine single-photon emission computed tomography. Neurosurgery 2011; 68: 957-965. （レベル 3）

24) Fujimura M, Inoue T, Shimizu H, et al. Efficacy of prophylactic blood pressure lowering according to a standardized postoperative management protocol to prevent symptomatic cerebral hyperperfusion after direct revascularization surgery for moyamoya disease. Cerebrovasc Dis 2012; 33: 436-445. （レベル 3）

25) Tashiro R; Fujimura M; Kameyama M, et al. Incidence and Risk Factors of the Watershed Shift Phenomenon after Superficial Temporal Artery-Middle Cerebral Artery Anastomosis for Adult Moyamoya Disease. Cerebrovasc Dis 2019; 47: 178-187. （レベル 3）

26) Kaku Y, Iihara K, Nakajima N, et al. Cerebral blood flow and metabolism of hyperperfusion after cerebral revascularization in patients with moyamoya disease. J Cereb Blood Flow Metab 2012; 32: 2066-2075. （レベル 3）

27) Uchino H, Kuroda S, Hirata K, et al. Predictors and clinical features of postoperative hyperperfusion after surgical revascularization for moyamoya disease: a serial single photon emission CT/positron emission tomography study. Stroke 2012; 43: 2610-2616. （レベル 3）

28) Fujimura M, Niizuma K, Inoue T, et al. Minocycline prevents focal neurological deterioration due to cerebral hyperperfusion after extracranial-intracranial bypass for moyamoya disease. Neurosurgery 2014; 74: 163-170; discussion 170. （レベル 3）

29) Uchino H, Nakayama N, Kazumata K, et al. Edaravone Reduces Hyperperfusion-Related Neurological Deficits in Adult Moyamoya Disease: Historical Control Study. Stroke 2016; 47: 1930-1932. （レベル 3）

30) Houkin K, Nakayama N, Kuroda S, et al. How does angiogenesis develop in pediatric moyamoya disease after surgery? A prospective study with MR angiography. Childs Nerv Syst 2004; 20: 734-741. （レベル 3）

31) Honda M, Kitagawa N, Tsutsumi K, et al. Magnetic resonance angiography evaluation of external carotid artery tributaries in moyamoya disease. Surg Neurol 2005; 64: 325-330. （レベル 3）

Ⅵ その他の脳血管障害

3 もやもや病（Willis 動脈輪閉塞症）

3-2　内科治療

推奨

1. 虚血発症もやもや病の超急性期においては、症例ごとの出血リスクを鑑みて慎重に判断した上で、遺伝子組み換え組織型プラスミノゲン・アクティベータ（rt-PA）による血栓溶解療法を考慮しても良い（推奨度 C　エビデンスレベル低）。

2. 虚血発症もやもや病の内科治療として抗血小板薬の服用を考慮しても良い（推奨度 C　エビデンスレベル低）。

3. 出血発症もやもや病において、虚血発作の出現に留意した上で、高血圧性脳出血と同様の降圧療法を行っても良い（推奨度 C　エビデンスレベル低）。

解　説

　もやもや病の内科治療は脳卒中急性期（虚血発症、出血発症）、慢性期の再発予防、無症候性もやもや病に大別される。

1. 脳卒中急性期

1）虚血発症

　虚血発症もやもや病の超急性期における遺伝子組み換え組織型プラスミノゲン・アクティベータ（recombinant tissue-type plasminogen activator：rt-PA）は、「静注血栓溶解（rt-PA）療法適正治療指針　第三版（2019 年）」に基づいて慎重投与を検討する[1]。成人の脳梗塞発症急性期では、アテローム血栓性脳梗塞の治療に準じてエダラボンや抗血栓療法が考慮されるが、明確なエビデンスはない。頭蓋内圧亢進を来すような大梗塞では脳圧降下薬の使用を考慮する。発熱に対する解熱薬、痙攣のコントロール、血糖の適正な管理、血中酸素飽和度の維持、抗潰瘍薬の予防投与なども有効と考えられる。人工呼吸管理が必要な場合は、normocapnea に留意する。血圧管理も一般的な脳梗塞治療に準じて、急性期には降圧しないことを原則とすべきであると考えられる。

　小児虚血型もやもや病に対する治療の報告は少ない。米国においてはアスピリンが一般的であるが、アスピリン抵抗性の場合、低分子ヘパリンが使用される[2]。鎌状赤血球症合併例では、薬物療法は無効であることが多く、輸血療法を考慮する[2]。なお、アスピリンが Reye's syndrome の危険性を増す可能性があることも念頭に置く必要がある。

2）出血発症

　出血発症もやもや病においても、高血圧性脳出血の治療に準じた降圧を行っても良いと考えられる。その場合、降圧に伴う虚血発作の出現に留意する必要があると考えられるが、明確なエビデンスはない。出血発作では、使用中の抗血小板薬や抗凝固療法の中止、ビタミン K、血液製剤や拮抗薬の使用を考慮する。

2. 慢性期の再発予防

　虚血発症もやもや病では、外科治療の適応を第一に検討する。内科治療では抗血小板薬が選択肢となるが[3]、長期投与は出血性変化を来す可能性があるため注意を要する。MRI T2*強調画像における微小出血の定期的検索が将来的な出血発作の予測に有効な可能性がある[4]。アスピリンが無効の場合には、クロピドグレルやシロスタゾールを考慮する。クロピドグレルは小児でも安全性が確認されている[5]。長期間の抗血小板薬多剤併用は出血合併症を起こすリスクが高いと考えられる。特に脳萎縮が存在する場合や脆弱なもやもや血管が豊富に存在する場合は、多剤併用は脳出血リスクを高める可能性がある[5]。

　脳卒中危険因子の管理は、脳卒中一般に準じて行う。過呼吸による虚血症状の誘発に関して、小児例では熱い食事（麺類、スープなど）、激しい運動、笛などの楽器吹奏、風船などを控えるよう生活指導する。幼小児では啼泣を避けること、また嘔吐や下痢に伴う脱水を避けることも重要である[2]。

脳卒中治療ガイドライン 2021　215

3. 無症候性もやもや病の内科的管理

　無症候性もやもや病においては、経過観察中に脳血管イベントの発生を来す可能性を考慮する[6]。慢性期の再発予防に準じて危険因子の管理、生活指導を行う。成人では出血発症が半数近くを占めるため無症候例に対する抗血小板薬の使用は慎重な検討を要する。

〔引用文献〕

1) 豊田一則, 井口保之, 岡田靖, 他. 静注血栓溶解（rt-PA）療法 適正治療指針 第三版. 脳卒中 2019 ; 41 : 205-246.（レベル5）
2) Smith ER, Scott RM. Spontaneous occlusion of the circle of Willis in children: pediatric moyamoya summary with proposed evidence-based practice guidelines. A review. J Neurosurg Pediatr 2012; 9: 353-360.（レベル4）
3) Yamada S, Oki K, Itoh Y, et al. Effects of Surgery and Antiplatelet Therapy in Ten-Year Follow-Up from the Registry Study of Research Committee on Moyamoya Disease in Japan. J Stroke Cerebrovasc Dis 2016; 25: 340-349. J Stroke（レベル3）
4) Kikuta K, Takagi Y, Nozaki K, et al. Asymptomatic microbleeds in moyamoya disease: T2* -weighted gradient-echo magnetic resonance imaging study. J Neurosurg 2005; 102: 470-475.（レベル3）
5) Soman T, Rafay MF, Hune S, et al. The risks and safety of clopidogrel in pediatric arterial ischemic stroke. Stroke 2006; 37: 1120-1122.（レベル4）
6) Kuroda S, Hashimoto N, Yoshimoto T, et al. Radiological findings, clinical course, and outcome in asymptomatic moyamoya disease: results of multicenter survey in Japan. Stroke 2007; 38: 1430-1435.（レベル3）

Ⅵ その他の脳血管障害

3 もやもや病（Willis 動脈輪閉塞症）

3-3　出血発症例に対する治療

推 奨

▶ 出血型もやもや病において、特に予後不良である後方出血例に対しては、再出血率の低下を目的とした頭蓋外内血行再建術を行うことが妥当である（推奨度 B　エビデンスレベル中）。

解 説

　もやもや病における頭蓋内出血は生命予後、機能予後を悪化させる最大の因子である[1]。出血の原因として、拡張した側副血行血管の血行力学的負荷による破綻や、側副血行路血管上に形成される末梢性動脈瘤の破裂などが推測されている。

　もやもや病に対する直接血行再建術後の脳血管撮影ではもやもや血管の消退や末梢性動脈瘤の消失が観察され[2,3]、出血型に対して直接血行再建術を施行することで再出血が有意に減少すると報告されてきた[4]。また、虚血発作を有する出血発症もやもや病に対しても血行再建術が有効とされている[4]。

　直接血行再建術の再出血予防効果を検証するためのランダム化比較試験である JAM Trial[5,6] が本邦で行われた。JAM Trial では、出血型もやもや病例が、両側大脳半球への直接血行再建術を行う群と内科的治療のみを行う群とに無作為割り付けされ、5年間の主要エンドポイント（再出血発作を含むすべての医学的有害事象）の発生率は、外科治療群において有意な低下がみられた。統計学的手法によっては結果が境界域にあったものの、直接血行再建術による再出血予防の有効性が示された。

　JAM Trial では、割り付け前に出血部位を前方と後方の2群に分類し、2群間で予後や手術効果を検討した[7]。その結果、後方出血群では非手術例の再出血率が年間 17.1％と著しく高く、手術の再出血予防効果も後方出血群で有意に高いことが示された。サブグループ解析において、後方出血の重要な関連因子として後大脳動脈狭窄と脈絡叢型側副路（choroidal anastomosis）の重要性が明らかとなった。脈絡叢型側副路の発達を認める半球における高い出血リスクが示され、血管撮影上の重要な予後因子として注目されている[8,9]。さらに脳循環不全を伴う出血半球においては、脳循環不全を伴わない出血半球と比較して再出血のリスクが高いことも明らかとなり、脳循環不全は、脈絡叢型側副路の有無とともに手術適応を判断する上での重要な因子と考えられる[10]。

〔引用文献〕

1) Han DH, Kwon OK, Byun BJ, et al. A co-operative study: clinical characteristics of 334 Korean patients with moyamoya disease treated at neurosurgical institutes (1976-1994). The Korean Society for Cerebrovascular Disease. Acta Neurochir (Wien) 2000; 142: 1263-1273.（レベル 3）

2) Kuroda S, Houkin K, Kamiyama H, et al. Effects of surgical revascularization on peripheral artery aneurysms in moyamoya disease: Report of three cases. Neurosurgery 2001; 49: 463-467.（レベル 4）

3) Houkin K, Kamiyama H, Abe H, et al. Surgical therapy for adult moyamoya disease. Can surgical revascularization revent the recurrence of intracerebral hemorrhage? Stroke 1996; 27: 1342-1346.（レベル 4）

4) Kawaguchi S, Okuno S, Sakaki T. Effect of direct arterial bypass on the prevention of future stroke in patients with the hemorrhagic variety of moyamoya disease. J Neurosurg 2000; 93: 397-401.（レベル 3）

5) Miyamoto S. Study design for a prospective randomized trial of extracranial-intracranial bypass surgery for adults with moyamoya disease and hemorrhagic onset - The Japan Adult Moyamoya Trial Group. Neurol Med Chir (Tokyo) 2004; 44: 218-219.（レベル 2）

6) Miyamoto S, Yoshimoto T, Hashimoto N, et al. Effects of extracranial-intracranial bypass for patients with hemorrhagic moyamoya disease: results of the Japan adult moyamoya trial. Stroke 2014; 45: 1415-1421.（レベル 2）

7) Takahashi JC, Funaki T, Houkin K, et al. Significance of the Hemorrhagic Site for Recurrent Bleeding: Prespecified Analysis in the Japan Adult Moyamoya Trial. Stroke 2016; 47: 37-43.（レベル 2）

8) Funaki T, JC, Houkin K, et al. Angiographic features of hemorrhagic moyamoya disease with high recurrence risk: a supplementary analysis of the Japan Adult Moyamoya Trial. J Neurosurg 2018; 128: 777-784.（レベル 2）

9) Funaki T, Takahashi JC, Houkin K, et al. High rebleeding risk associated with choroidal collateral vessels in hemorrhagic moyamoya disease: analysis of a nonsurgical cohort in the Japan Adult Moyamoya Trial. J Neurosurg 2018: 1-8.（レベル 2）

10) Takahashi JC, Funaki T, Houkin K, et al. Impact of cortical hemodynamic failure on both subsequent hemorrhagic stroke and effect of bypass surgery in hemorrhagic moyamoya disease: a supplementary analysis of the Japan Adult Moyamoya Trial. J Neurosurg 2020: 1-6.（レベル 2）

Ⅵ その他の脳血管障害

4 小児の脳血管障害（もやもや病を除く）

4-1 頭蓋内狭窄・閉塞

推奨

1. 小児の動脈性虚血（AIS）の原因として、もやもや病以外の arteriopathy があり、MRA による画像診断が勧められる（推奨度A　エビデンスレベル低）。Arteriopathy の存在は AIS 再発の危険因子であり、経時的な画像検査が勧められる（推奨度A　エビデンスレベル中）。再発予防のために、抗血栓療法を行うことは妥当である（推奨度B　エビデンスレベル低）。

2. 小児 AIS 超急性期における tissue plasminogen activator（t-PA）療法や機械的血栓回収療法の報告があるが、有効性が確立していない（推奨度C　エビデンスレベル低）。

3. 周産期 AIS は脳性麻痺の主原因であり、多くは出生3日以内のけいれん発作で発症して脳波異常を呈する。これらをみた場合には MRI による画像検査を行うことが勧められる（推奨度A　エビデンスレベル低）。

解 説

1. 小児の脳卒中

小児の脳卒中には、動脈性虚血（arterial ischemic stroke：AIS）、脳静脈・静脈洞血栓症（cerebral sinovenous thrombosis：CSVT）、頭蓋内出血（hemorrhagic stroke）がある[1]。

2. 小児 AIS

北米の前向き登録研究において、全小児 AIS の発生率は 1.72/10 万小児/年であり、周産期以後（生後29日以上18歳未満）の AIS の原因は arteriopathy（49%）、血栓性素因（35%）、心疾患（28%）であった[2]。Arteriopathy にはもやもや病、頭蓋内血管炎、脳動脈解離などの病態が含まれる[1]。また近年、病変部位と形態の視点から「片側性の内頚動脈またはその近位分枝の単発性狭窄・不整」を指す用語として「focal cerebral arteriopathy of childhood（FCA）」という用語が用いられる[3]。FCA は血管解離による FCA-dissection type（FCA-d）と、血管炎が推定される FCA-inflammation type（FCA-i）とに分けられる[3]。FCA-i にはウイルス先行感染との関連が示唆されるものがあり、特に varicella-zoster virus（VZV）の先行感染の関与が多く報告されている[1,4,5]。なお、欧米では鎌状赤血球症（sickle cell disease：SCD）に関連した AIS の報告が多いが[6]、アフリカ系人種の常染色体劣性遺伝疾患であり日本人にはみられない。

小児 AIS の画像診断には、放射線被曝と造影剤の問題から MR angiography（MRA）が推奨されるが、もやもや病では血管構築の評価のために digital subtraction angiography（DSA）が広く行われている[1]。急性期の初期治療には、抗血小板薬（アスピリン）または抗凝固薬（低分子ヘパリン、未分画ヘパリン）が使用される[1,7]。スイス・オーストラリアの多施設後方視的研究において、抗血栓療法とコルチコステロイドの併用が抗血栓療法単独よりも6か月後のアウトカムを改善したと報告されたが[8]、その有用性は未確立である[1]。抗ウイルス薬の有用性は確立されていない[1]。

小児 AIS の再発率は高く、国際共同研究を含む複数の前向き登録研究において arteriopathy の存在が再発の危険因子であった[9,10]。そのため MRI/MRA による病変の継続監視が推奨される[1]。慢性期の再発予防目的として抗血栓療法が行われる[11-13]。米国のコホート研究（1993～2004年）では抗血栓療法実施率51%の状況で AIS 全体の5年再発率は19%、arteriopathy 例では66%に達した[9]。その後の国際登録研究（2009～2014年）では87%に抗血栓療法が行われたが、AIS 再発率は1か月で6.8%、1年で12%に達し、やはり arteriopathy が再発リスク因子であった（ハザード比5.0）[10]。それでも、抗血栓療法を行わないと小児 AIS 再発は1.5～2倍になるとの報告があり[2]、広く実施されているのが現状である[11-13]。抗血小板

療法と抗凝固療法の比較研究はなく、その優劣は不明である。

小児 AIS 超急性期の血栓溶解療法については
ケースシリーズ報告があるものの[14]、有用性や薬物
の至適用量については不明である。2010 年に北米
で小児 AIS に対する tissue plasminogen activa-
tor（t-PA）のフェーズ I 臨床試験が開始された
が、登録症例数が増えず中止された[15]。また機械的
血栓回収療法についても少数例の報告に限られ、安
全性・有用性は未確立である[1,16]。

3. 周産期 AIS

周産期 AIS（胎生 28 週～生後 28 日）は脳性麻
痺（hemiplegic cerebral palsy）の主原因であ
る。頻度は 20/10 万出生と報告され[17]、それ以後
の小児虚血性脳卒中の 17 倍で、成人の large-ves-
sel ischemic stroke と同等である[17,18]。大多数
（85～90％）は満期産で生じるが[17,19]、早産児（≦
34 週）における発生率は 7/1,000 人で、満期産児
よりかなり高い[20]。多くは出生 3 日以内のけいれ
ん発作で発見され、ほぼ全例に脳波異常を認めるた
め、これらをみれば MRI 検査が推奨される[1,21]。
脳梗塞の多くは中大脳動脈領域に生じる[21]。

周産期 AIS のリスク因子には、母胎側の因子、
出産時合併症、新生児の合併疾患がある[22]。母胎因
子には不妊治療歴（ホルモン療法）、子癇前症（妊
娠高血圧腎症）、絨毛膜羊膜炎、早期破水、周産期
糖尿病、喫煙などが報告されている[17,23]。新生児側
の要因としては蘇生処置の実施や心臓疾患や血栓傾
向などの全身疾患などがある[19]。

周産期 AIS の再発はまれで、5 年再発率は 1.2％
と報告される[9]。このため血栓性素因や先天性心疾
患を除けば、予防的抗血栓療法は一般的ではな
い[1,19,22]。機能予後は不良で、3 分の 2 に片麻痺や
言語発達などの障害を遺す[21]。精神発達遅滞も少な
くなく、出生 2 年目で 31％に認めたとの報告があ
る[22]。

〔引用文献〕

1) Ferriero DM, Fullerton HJ, Bernard TJ, et al. Management of Stroke in Neonates and Children: A Scientific Statement From the American Heart Association/American Stroke Association. Stroke 2019; 50: e51-e96.（レベル 5）
2) deVeber GA, Kirton A, Booth FA, et al. Epidemiology and Outcomes of Arterial Ischemic Stroke in Children: The Canadian Pediatric Ischemic Stroke Registry. Pediatr Neurol 2017; 69: 58-70.（レベル 3）
3) Wintermark M, Hills NK, DeVeber GA, et al. Clinical and Imaging Characteristics of Arteriopathy Subtypes in Children with Arterial Ischemic Stroke: Results of the VIPS Study. AJNR Am J Neuroradiol 2017; 38: 2172-2179.（レベル 2）
4) Ganesan V, Prengler M, McShane MA, et al. Investigation of risk factors in children with arterial ischemic stroke. Ann Neurol 2003; 53: 167-173.（レベル 3）
5) Askalan R; Laughlin S; Mayank S, et al. Chickenpox and stroke in childhood: a study of frequency and causation. Stroke 2001; 32: 1257-1262.（レベル 3）
6) Estcourt LJ, Fortin PM, Hopewell S, et al. Interventions for preventing silent cerebral infarcts in people with sickle cell disease. Cochrane Database Syst Rev 2017: CD012389.（レベル 2）
7) Schechter T, Kirton A, Laughlin S, et al. Safety of anticoagulants in children with arterial ischemic stroke. Blood 2012; 119: 949-956.（レベル 4）
8) Steinlin M, Bigi S, Stojanovski B, et al. Focal Cerebral Arteriopathy: Do Steroids Improve Outcome? Stroke 2017; 48: 2375-2382.（レベル 3）
9) Fullerton HJ, Wu YW, Sidney S, et al. Risk of recurrent childhood arterial ischemic stroke in a population-based cohort: the importance of cerebrovascular imaging. Pediatrics 2007; 119: 495-501.（レベル 3）
10) Fullerton HJ, Wintermark M, Hills NK, et al. Risk of Recurrent Arterial Ischemic Stroke in Childhood: A Prospective International Study. Stroke 2016; 47: 53-59.（レベル 2）
11) Soman T, Rafay MF, Hune S, et al. The risks and safety of clopidogrel in pediatric arterial ischemic stroke. Stroke 2006; 37: 1120-1122.（レベル 4）
12) Bernard TJ, Goldenberg NA, Tripputi M, et al. Anticoagulation in childhood-onset arterial ischemic stroke with non-moyamoya arteriopathy: findings from the Colorado and German (COAG) collaboration. Stroke 2009; 40: 2869-2871.（レベル 4）
13) Chabrier S, Sébire G, Fluss J. Transient Cerebral Arteriopathy, Postvaricella Arteriopathy, and Focal Cerebral Arteriopathy or the Unique Susceptibility of the M1 Segment in Children With Stroke. Stroke 2016; 47: 2439-2441.（レベル 4）
14) Shi KL, Wang JJ, Li JW, et al. Arterial ischemic stroke: experience in Chinese children. Pediatr Neurol 2008; 38: 186-190.（レベル 3）
15) Rivkin MJ, deVeber G, Ichord RN, et al. Thrombolysis in pediatric stroke study. Stroke 2015; 46: 880-885.（レベル 5）
16) Hu YC, Chugh C, Jeevan D, et al. Modern endovascular treatments of occlusive pediatric acute ischemic strokes: case series and review of the literature. Childs Nerv Syst 2014; 30: 937-943.（レベル 5）
17) Lee J, Croen LA, Backstrand KH, et al. Maternal and infant characteristics associated with perinatal arterial stroke in the infant. JAMA 2005; 293: 723-729.（レベル 3）
18) Fullerton HJ, Wu YW, Zhao S, et al. Risk of stroke in children: ethnic and gender disparities. Neurology 2003; 61: 189-194.（レベル 3）
19) Kirton A, Armstrong-Wells J, Chang T, et al. Symptomatic neonatal arterial ischemic stroke: the International Pediatric Stroke Study. Pediatrics 2011; 128: e1402-e1410.（レベル 3）
20) Benders MJ, Groenendaal F, Uiterwaal CS, et al. Perinatal arterial stroke in the preterm infant. Semin Perinatol 2008; 32: 344-349.（レベル 3）
21) Schulzke S, Weber P, Luetschg J, et al. Incidence and diagnosis of unilateral arterial cerebral infarction in newborn infants. J Perinat Med 2005; 33: 170-175.（レベル 3）
22) Grunt S, Mazenauer L, Buerki SE, et al. Incidence and outcomes of symptomatic neonatal arterial ischemic stroke. Pediatrics 2015; 135: e1220-e1228.（レベル 3）
23) Darmency-Stamboul V, Chantegret C, Ferdynus C, et al. Antenatal factors associated with perinatal arterial ischemic stroke. Stroke 2012; 43: 2307-2312.（レベル 3）

VI その他の脳血管障害

4 小児の脳血管障害（もやもや病を除く）

4-2 その他

推奨

1. 小児（新生児を除く）の頭蓋内出血では血管異常や血液凝固異常の合併が多く、MRI/MRA や CTA による画像診断および血液学的検査が勧められる（推奨度A　エビデンスレベル中）。

2. 早産低出生体重児では経頭蓋エコーによる新生児脳室内出血のスクリーニングを行うことが勧められる（推奨度A　エビデンスレベル中）。頭蓋内圧亢進を伴う持続的な脳室拡大があるときには、適切な髄液管理を行うことが妥当である（推奨度B　エビデンスレベル低）。

3. 正期産新生児の頭蓋内出血では巣症状が明らかではないことが多い。痙攣、無呼吸、徐脈、意識障害を呈する場合には頭蓋内画像診断を行うことが勧められる（推奨度A　エビデンスレベル低）。

4. 小児（新生児を除く）の脳静脈・静脈洞血栓症（CSVT）に対して抗凝固療法を行うことは妥当である（推奨度B　エビデンスレベル中）。ただし新生児では頭蓋内出血を伴うことがあるため、有効性が確立していない（推奨度C　エビデンスレベル中）。

解説

小児（新生児を除く）の出血性脳卒中の頻度は 1.7〜5.1/10 万人/年と報告され[1-3]、小児脳卒中全体の約半数を占める。このうち約 75％で脳血管疾患や出血性素因、脳腫瘍などの基礎疾患を合併する[4]。

脳血管疾患では脳動静脈奇形（arteriovenous malformation：AVM）が最多であり、海綿状血管腫、脳動脈瘤がそれに次ぐ[1,2,5]。小児での出血発症は少ないものの、もやもや病も原因となりうる。成人未破裂 AVM に対する治療介入については ARUBA で否定的な結果が示されたが、この研究は小児を対象としておらず、各症例に応じて治療方針を検討すべきである。小児 AVM では摘出術、ガンマナイフ、血管内治療により全摘出または完全閉塞を確認しても再発リスクがあることが報告されており、継続的な経過観察が重要である[6]。脳動脈瘤全体における小児の割合は約 1〜5％とまれであり、破裂イベントは 0.18/10 万人/年で、10 代後半の高年齢児に多いと報告されている[5,7]。小児頭蓋内出血の原因として海綿状血管腫の頻度は低くなく、多発する場合には家族性海綿状血管腫の可能性がある[4]。

出血性素因には先天性疾患では血友病 A、血友病 B、von Willbrand 病、まれであるが第 VII 因子欠乏症、第 II 因子欠乏症、第 XIII 因子欠乏症、ビタミン K 依存性凝固因子欠乏症があり、後天性疾患では特発性血小板減少性紫斑病が挙げられる。血液学的検査（活性化部分トロンボプラスチン時間〔activated partial thromboplastin time：APTT〕、プロトロンビン時間〔prothrombin time：PT〕、フィブリノゲン、血算など）の異常を認めた場合、これらの疾患を念頭においてさらなる精査を行う[3,8]。前者は遺伝性疾患であるため、家族歴や過去の出血イベントの聴取も重要である。

早産低出生体重児、特に体重 1,500 g 未満の超低出生体重児では脳室内出血の合併が 15〜20％と報告される[4,9,10]。早産児の脳室内出血は胚芽層（germinal matrix）から出血する点で、正期産新生児、小児、成人の脳室内出血とは異なる病態である[11]。重症度は Palile ら（J Pediatr 92: 529, 1978）により 4 段階に分類され、Grade III〜IVでは特に死亡率および神経学的予後不良が多い[12-14]。水頭症は脳室内出血後の注意すべき合併症であり、経頭蓋エコーによる継続監視が必要である[11,15]。頭蓋内圧亢進を伴う持続性、進行性水頭症では間欠的・持続的髄液排出や脳室—腹腔シャント術が考慮されるが、髄液感染など合併症発生率は高く、脳室—腹腔シャント術ではその後の再建を要することも多い。

一時的な髄液排出の方法としては、腰椎穿刺、脳室穿刺、持続脳室ドレナージ、髄液リザーバー設置、脳室帽状腱膜下シャントなどが報告され、患児の状態に応じて適切な選択をする必要がある[16-18]。これまでインドメタシン、フェノバルビタール、ステロイド、アンチトロンビン、ビタミンK$_1$の投与や脳室内ストレプトキナーゼ髄注が脳室内出血発症抑制や出血後水頭症予防に効果があると考えられ複数の臨床試験が行われたが、明確な有効性を示されたものはない[19-26]。

　正期産新生児の症候性頭蓋内出血の頻度は報告や分娩様式によって異なるが、2.7〜5.3/10,000出生と報告されている[27-29]。主に硬膜下血腫、くも膜下出血であり、脳実質内出血や脳室内出血はまれである[27]。多くは生後2日以内に発症するが、頭痛や巣症状は明らかではない。痙攣、無呼吸、徐脈、意識障害を認めた場合には、適切な画像診断を行うことが勧められる[30-32]。なお、無症候性硬膜下血腫は8％の新生児で認め、従来考えられていたよりも新生児頭蓋内出血自体の頻度は高いとの報告がある[33]。

　脳静脈・静脈洞血栓症（CSVT）の頻度は0.25〜0.67/10万人/年と報告される[34-37]。約半数が新生児および乳児での発症であり、大部分で急性または慢性基礎疾患の合併が認められる[35]。新生児では周産期合併症（出生時低酸素症、早期破水、母胎感染など）が約半数で、脱水がそれに次ぐ[36,38-42]。小児の急性疾患では乳様突起炎などの急性頭頸部感染症、慢性基礎疾患では血栓性素因（プロテインC、プロテインS、アンチトロンビン欠乏など）、血液疾患（貧血など）、悪性腫瘍、炎症性腸疾患、ネフローゼ症候群が挙げられる[36,38,40,42]。CSVTの主症状は持続性、進行性の頭痛、嘔吐、意識障害であり、新生児では痙攣が多い。診断にはMRI/MR venography（MRV）が有用であり、CT/CT venography（CTV）よりも感度が勝る。罹患静脈洞は上矢状静脈洞（55％）、横静脈洞（51％）、直静脈洞（24％）が多く、約半数で複数の閉塞病変を認める[35]。治療は抗凝固療法が推奨されるが、新生児においては出生時頭蓋内出血の合併が危惧されること、出血性梗塞を来しやすいことから、抗凝固療法の可否ついては結論が出ていない[4,38]。予後に関して新生児で2〜20％の死亡と38〜59％の神経学的後遺症が、小児では4〜12％の死亡と4〜52％の神経学的後遺症が報告されており、新生児でより予後不良といえる[38]。

〔引用文献〕

1) Fullerton HJ, Wu YW, Zhao S, et al. Risk of stroke in children: ethnic and gender disparities. Neurology 2003; 61: 189-194. （レベル3）

2) Beslow LA, Licht DJ, Smith SE, et al. Predictors of outcome in childhood intracerebral hemorrhage: a prospective consecutive cohort study. Stroke 2010; 41: 313-318. （レベル3）

3) Giroud M, Lemesle M, Gouyon JB, et al. Cerebrovascular disease in children under 16 years of age in the city of Dijon, France: a study of incidence and clinical features from 1985 to 1993. J Clin Epidemiol 1995; 48: 1343-1348. （レベル3）

4) Ferriero DM, Fullerton HJ, Bernard TJ, et al. Management of Stroke in Neonates and Children: A Scientific Statement From the American Heart Association/American Stroke Association. Stroke 2019; 50: e51-e96. （レベル5）

5) Jordan LC, Johnston SC, Wu YW, et al. The importance of cerebral aneurysms in childhood hemorrhagic stroke: a population-based study. Stroke 2009; 40: 400-405. （レベル3）

6) Jimenez JE, Gersey ZC, Wagner J, et al. Role of follow-up imaging after resection of brain arteriovenous malformations in pediatric patients: a systematic review of the literature. J Neurosurg Pediatr 2017; 19: 149-156. （レベル4）

7) Hetts SW, English JD, Dowd CF, et al. Pediatric intracranial aneurysms: new and enlarging aneurysms after index aneurysm treatment or observation. AJNR Am J Neuroradiol 2011; 32: 2017-2022. （レベル3）

8) Chalmers EA, Alamelu J, Collins PW, et al. Intracranial haemorrhage in children with inherited bleeding disorders in the UK 2003-2015: A national cohort study. Haemophilia 2018; 24: 641-647. （レベル3）

9) du Plessis AJ. The role of systemic hemodynamic disturbances in prematurity-related brain injury. J Child Neurol 2009; 24: 1127-1140. （レベル5）

10) Gleissner M, Jorch G, Avenarius S. Risk factors for intraventricular hemorrhage in a birth cohort of 3721 premature infants. J Perinat Med 2000; 28: 104-110. （レベル3）

11) 宮嶋雅一，木村孝興，近藤聡英，他．【小児脳神経外科の課題】未熟児脳室内出血と出血後水頭症の周術期管理．脳神経外科ジャーナル 2013；22：276-282．（レベル5）

12) Radic JA, Vincer M, McNeely PD. Outcomes of intraventricular hemorrhage and posthemorrhagic hydrocephalus in a population-based cohort of very preterm infants born to residents of Nova Scotia from 1993 to 2010. J Neurosurg Pediatr 2015; 15: 580-588. （レベル3）

13) Han RH, McKinnon A, CreveCoeur TS, et al. Predictors of mortality for preterm infants with intraventricular hemorrhage: a population-based study. Childs Nerv Syst 2018; 34: 2203-2213. （レベル3）

14) Bolisetty S, Dhawan A, Abdel-Latif M, et al. Intraventricular hemorrhage and neurodevelopmental outcomes in extreme preterm infants. Pediatrics 2014; 133: 55-62. （レベル3）

15) Stoll BJ, Hansen NI, Bell EF, et al. Neonatal outcomes of extremely preterm infants from the NICHD Neonatal Research Network. Pediatrics 2010; 126: 443-456. （レベル3）

16) Vassilyadi M, Tataryn Z, Shamji MF, et al. Functional outcomes among premature infants with intraventricular hemorrhage. Pediatr Neurosurg 2009; 45: 247-255. （レベル4）

17) Willis B, Javalkar V, Vannemreddy P, et al. Ventricular reservoirs and ventriculoperitoneal shunts for premature infants with posthemorrhagic hydrocephalus: an institutional experience. J Neurosurg Pediatr 2009; 3: 94-100. （レベル4）

18) Whitelaw A, Lee-Kelland R. Repeated lumbar or ventricular punctures in newborns with intraventricular haemorrhage. Cochrane Database Syst Rev 2017: CD000216. （レベル1）

19) Whitelaw A, Odd DE. Intraventricular streptokinase after intraventricular hemorrhage in newborn infants. Cochrane Database Syst Rev 2007: CD000498. （レベル1）

20) Hübner ME, Ramirez R, Burgos J, et al. Mode of delivery and antenatal steroids and their association with survival and severe intraventricular hemorrhage in very low birth weight infants. J Perinatol 2016; 36: 832-836. （レベル3）

21) Wei JC, Catalano R, Profit J, et al. Impact of antenatal steroids on intraventricular hemorrhage in very-low-birth weight infants. J Perinatol 2016; 36: 352-356. （レベル3）

22) Leviton A, Kuban KC, Pagano M, et al. Antenatal corticosteroids appear to reduce the risk of postnatal germinal matrix hemorrhage in intubated low birth weight newborns. Pediat-

rics 1993; 91: 1083-1088.（レベル 3）

23) Bruschettini M, Romantsik O, Zappettini S, et al. Antithrombin for the prevention of intraventricular hemorrhage in very preterm infants. Cochrane Database Syst Rev 2016: CD011636.（レベル 1）

24) Whitelaw A. Postnatal phenobarbitone for the prevention of intraventricular hemorrhage in preterm infants. Cochrane Database Syst Rev 2001: CD001691.（レベル 1）

25) Foglia EE, Roberts RS, Stoller JZ, et al. Effect of Prophylactic Indomethacin in Extremely Low Birth Weight Infants Based on the Predicted Risk of Severe Intraventricular Hemorrhage. Neonatology 2018; 113: 183-186.（レベル 1）

26) El-Ganzoury MM, El-Farrash RA, Saad AA, et al. Antenatal administration of vitamin K1: relationship to vitamin K-dependent coagulation factors and incidence rate of periventricular-intraventricular hemorrhage in preterm infants; Egyptian randomized controlled trial. J Matern Fetal Neonatal Med 2014; 27: 816-820.（レベル 2）

27) Gupta SN, Kechli AM, Kanamalla US. Intracranial hemorrhage in term newborns: management and outcomes. Pediatr Neurol 2009; 40: 1-12.（レベル 3）

28) Towner D, Castro MA, Eby-Wilkens E, et al. Effect of mode of delivery in nulliparous women on neonatal intracranial injury. N Engl J Med 1999; 341: 1709-1714.（レベル 3）

29) Hanigan WC, Powell FC, Miller TC, et al. Symptomatic intracranial hemorrhage in full-term infants. Childs Nerv Syst 1995; 11: 698-707.（レベル 4）

30) Hong HS, Lee JY. Intracranial hemorrhage in term neonates. Childs Nerv Syst 2018; 34: 1135-1143.（レベル 4）

31) Sandberg DI, Lamberti-Pasculli M, Drake JM, et al. Spontaneous intraparenchymal hemorrhage in full-term neonates. Neurosurgery 2001; 48: 1042-1048.（レベル 4）

32) Brouwer AJ, Groenendaal F, Koopman C, et al. Intracranial hemorrhage in full-term newborns: a hospital-based cohort study. Neuroradiology 2010; 52: 567-576.（レベル 4）

33) Whitby EH, Griffiths PD, Rutter S, et al. Frequency and natural history of subdural haemorrhages in babies and relation to obstetric factors. Lancet 2004; 363: 846-851.（レベル 4）

34) Tuckuviene R, Christensen AL, Helgestad J, et al. Paediatric arterial ischaemic stroke and cerebral sinovenous thrombosis in Denmark 1994-2006: a nationwide population-based study. Acta Paediatr 2011; 100: 543-549.（レベル 1）

35) deVeber G, Andrew M, Adams C, et al. Cerebral sinovenous thrombosis in children. N Engl J Med 2001; 345: 417-423.（レベル 1）

36) Grunt S, Wingeier K, Wehrli E, et al. Cerebral sinus venous thrombosis in Swiss children. Dev Med Child Neurol 2010; 52: 1145-1150.（レベル 3）

37) Moharir MD, Shroff M, Pontigon AM, et al. A prospective outcome study of neonatal cerebral sinovenous thrombosis. J Child Neurol 2011; 26: 1137-1144.（レベル 3）

38) Ichord R. Cerebral Sinovenous Thrombosis. Front Pediatr 2017; 5: 163.（レベル 5）

39) Jordan LC, Rafay MF, Smith SE, et al. Antithrombotic treatment in neonatal cerebral sinovenous thrombosis: results of the International Pediatric Stroke Study. J Pediatr 2010; 156: 704-710. e2.（レベル 4）

40) Moharir MD, Shroff M, Stephens D, et al. Anticoagulants in pediatric cerebral sinovenous thrombosis: a safety and outcome study. Ann Neurol 2010; 67: 590-599.（レベル 4）

41) Berfelo FJ, Kersbergen KJ, van Ommen CH, et al. Neonatal cerebral sinovenous thrombosis from symptom to outcome. Stroke 2010; 41: 1382-1388.（レベル 3）

42) Ichord RN, Benedict SL, Chan AK, et al. Paediatric cerebral sinovenous thrombosis: findings of the International Paediatric Stroke Study. Arch Dis Child 2015; 100: 174-179.（レベル 3）

VI その他の脳血管障害

5 妊娠・分娩に伴う脳血管障害

妊娠・分娩に伴う脳血管障害

推奨

1. 妊娠中・分娩時・産褥期に脳卒中を疑う症状を有する場合は、頭部 CT や MRI などによる画像診断を行うことは妥当である（推奨度 B　エビデンスレベル低）。十分な科学的根拠はないが、脳血管障害を確定した場合は、専門的治療が可能な医療施設で治療することが妥当である（推奨度 B　エビデンスレベル低）。

2. 妊娠に関連した脳卒中においては、原則的に母体の治療を優先し、非妊娠時と同様に脳血管疾患の存在を念頭において精査を行い、適切な治療を開始することは妥当である（推奨度 B　エビデンスレベル低）。

3. 妊娠高血圧症候群は脳卒中の危険因子であり、産科と緊密な連絡をとり管理することは妥当である（推奨度 B　エビデンスレベル低）。

4. 器質的脳血管病変の合併は、必ずしも妊娠の禁忌とはいえない。しかし、妊娠中に脳卒中発症のリスクが上がる可能性があり、産科、小児科と連携した管理が妥当である（推奨度 B　エビデンスレベル低）。

解　説

　妊産婦脳卒中の頻度は、一般的な若年脳卒中発症率の約 3 倍とされる[1]。日本脳卒中学会の全国調査では、妊産婦脳卒中の発生率は 10.2/10 万出産であった。諸外国の報告と比較すると、脳卒中発症率は低いが、病型の内訳では出血性脳卒中の占める割合が高い（73.5%）[2]ことがわが国の特徴である。妊産婦脳卒中の中でも脳出血が高い死亡率と関連づけられることは（11.7〜25%）、都道府県、全国、厚生労働省の調査、海外の登録データなどで報告されている[3-6]。海外からの報告が主だが、産後も 6 か月から 1 年は脳卒中発症リスクが高いとされ（非妊娠女性の 1.2 倍[7]、妊娠全期間中脳卒中発症のうち産褥期が 41%[8]）、注意が必要である[9-11]。

　妊娠関連高血圧は妊産婦脳卒中の危険因子であり、本邦の全国調査では出血性脳卒中の 19.8% を占める[12-15]。妊娠高血圧腎症においては 6.0〜13.5/10,000 妊娠で脳卒中を発症したという報告があり、降圧療法の有用性も示唆されている[16]。妊娠高血圧腎症および子癇で神経症状を有する場合、半数近くに神経画像の異常所見が見られる[17,18]。妊産婦出血性脳卒中では発症から診断までの時間が予後に関連する[19,20]とされており、脳卒中を疑う症状

があれば遅滞なく画像評価を行うことが望ましい。

　器質的脳血管病変を合併した妊娠についての質の高い研究は存在しない。本邦の全国調査では、出血性脳卒中は脳動脈瘤（19.8%）、脳動静脈奇形（17.1%）と器質的病変が 1 位、2 位を占めている。一方で虚血性脳卒中は妊娠特有の状態に関連する可逆性脳血管収縮症候群（reversible cerebral vasoconstriction syndrome〔RCVS〕、24.3%）、静脈性梗塞（16.2%）がそれぞれ 1、2 位を占め、一般的な虚血性脳卒中は心原性、アテローム性、小血管性がそれぞれ 5.4% であった。分娩時の発症が中心の妊娠関連高血圧による脳卒中と比べて、器質的脳血管障害を合併する妊産婦脳卒中の発症時期には一定の傾向がない[2]。

　脳動静脈奇形、もやもや病などの器質的脳血管病変を有する女性において、妊娠は必ずしも禁忌とはいえない[21-26]。ただし、血圧管理には十分に留意する必要がある。器質的脳血管障害を有する妊婦における分娩方法についても質の高い研究は存在しない。もやもや病における報告がほとんどだが、硬膜外麻酔の併用などで血圧呼吸管理に注意すれば、必ずしも経腟分娩は禁忌とはいえない[27-32]。なお、脳動脈瘤破裂と妊娠の関連について、上述した全国調査の他に質の高い研究は見当たらなかった。

脳卒中治療ガイドライン 2021　223

妊娠中の脳梗塞急性期血栓回収療法では、十分な防護を行うことで胎児の放射線被曝を十分に低く抑えることが可能であり[33]、血栓回収療法を躊躇すべきではない。米国の大規模な検討では、脳梗塞急性期の妊産婦に対する iv-tPA 実施率（4.4％）は非妊産婦（7.9％）と比較して有意に低かったが、急性期血栓回収療法の実施率は妊産婦（11.8％）と非妊産婦（10.5％）で有意差はなく、短期成績でも有意差は見られなかった[34]。

〔引用文献〕

1) Swartz RH, Cayley ML, Foley N, et al. The incidence of pregnancy-related stroke: A systematic review and meta-analysis. Int J Stroke 2017; 12: 687-697.（レベル 2）
2) Yoshida K, Takahashi JC, Takenobu Y, et al. Strokes Associated With Pregnancy and Puerperium: A Nationwide Study by the Japan Stroke Society. Stroke 2017; 48: 276-282.（レベル 3）
3) Foo L, Bewley S, Rudd A. Maternal death from stroke: a thirty year national retrospective review. Eur J Obstet Gynecol Reprod Biol 2013; 171: 266-270.（レベル 3）
4) Yoshimatsu J, Ikeda T, Katsuragi S, et al. Factors contributing to mortality and morbidity in pregnancy-associated intracerebral hemorrhage in Japan. J Obstet Gynaecol Res 2014; 40: 1267-1273.（レベル 3）
5) Ohno Y, Furuhashi M, Ishikawa K, et al. Results of a questionnaire survey on pregnancy-associated stroke from 2005 to 2012 in Aichi Prefecture, Japan. Hypertens Res Pregnancy 2014; 2: 16-20.（レベル 2）
6) Katsuragi S, Tanaka H, Hasegawa J, et al. Analysis of preventability of stroke-related maternal death from the nationwide registration system of maternal deaths in Japan. J Matern Fetal Neonatal Med 2018; 31: 2097-2104.（レベル 3）
7) Cheng CA, Lee JT, Lin HC, et al. Pregnancy increases stroke risk up to 1 year postpartum and reduces long-term risk. QJM 2017; 110: 355-360.（レベル 3）
8) Ohno Y, Furuhashi M, Ishikawa K, et al. Results of a questionnaire survey on pregnancy-associated stroke from 2005 to 2012 in Aichi Prefecture, Japan. Hypertens Res Pregnancy 2014; 2: 16-20.（レベル 2）
9) Kamel H, Navi BB, Sriram N, et al. Risk of a thrombotic event after the 6-week postpartum period. N Engl J Med 2014; 370: 1307-1315.（レベル 3）
10) Ban L, Sprigg N, Abdul Sultan A, et al. Incidence of First Stroke in Pregnant and Nonpregnant Women of Childbearing Age: A Population-Based Cohort Study From England. J Am Heart Assoc 2017; 6: e004601.（レベル 3）
11) Hovsepian DA, Sriram N, Kamel H, et al. Acute cerebrovascular disease occurring after hospital discharge for labor and delivery. Stroke 2014; 45: 1947-1950.（レベル 3）
12) Leffert LR, Clancy CR, Bateman BT, et al. Hypertensive disorders and pregnancy-related stroke: frequency, trends, risk factors, and outcomes. Obstet Gynecol 2015; 125: 124-131.（レベル 3）
13) Too G, Wen T, Boehme AK, et al. Timing and Risk Factors of Postpartum Stroke. Obstet Gynecol 2018; 131: 70-78.（レベル 3）
14) Hasegawa J, Ikeda T, Sekizawa A, et al. Maternal Death Due to Stroke Associated With Pregnancy-Induced Hypertension. Circ J 2015; 79: 1835-1840.（レベル 4）
15) Yoshida K, Takahashi JC, Takenobu Y, et al. Strokes Associated With Pregnancy and Puerperium: A Nationwide Study by the Japan Stroke Society. Stroke 2017; 48: 276-282.（レベル 3）
16) Cleary KL, Siddiq Z, Ananth CV, et al. Use of Antihypertensive Medications During Delivery Hospitalizations Complicated by Preeclampsia. Obstet Gynecol 2018; 131: 441-450.（レベル 3）
17) Di X, Mai H, Zheng Z, et al. Neuroimaging findings in women who develop neurologic symptoms in severe preeclampsia with or without eclampsia. Hypertens Res 2018; 41: 598-604.（レベル 4）
18) Bojja V, Keepanasseril A, Nair PP, et al. Clinical and imaging profile of patients with new-onset seizures & a presumptive diagnosis of eclampsia - A prospective observational study. Pregnancy Hypertens 2018; 12: 35-39.（レベル 4）
19) Liang ZW, Lin L, Gao WL, et al. A clinical characteristic analysis of pregnancy-associated intracranial haemorrhage in China. Sci Rep 2015; 5: 9509.（レベル 4）
20) Yoshimatsu J, Ikeda T, Katsuragi S, et al. Factors contributing to mortality and morbidity in pregnancy-associated intracerebral hemorrhage in Japan. J Obstet Gynaecol Res 2014; 40: 1267-1273.（レベル 3）
21) Liu XJ, Wang S, Zhao YL, et al. Risk of cerebral arteriovenous malformation rupture during pregnancy and puerperium. Neurology 2014; 82: 1798-1803.（レベル 4）
22) Zhu D, Zhao P, Lv N, et al. Rupture Risk of Cerebral Arteriovenous Malformations During Pregnancy and Puerperium: A Single-Center Experience and Pooled Data Analysis. World Neurosurg 2018; 111: e308-e315.（レベル 4）
23) van Beijnum J, Wilkinson T, Whitaker HJ, et al. Relative risk of hemorrhage during pregnancy in patients with brain arteriovenous malformations. Int J Stroke 2017; 12: 741-747.（レベル 4）
24) Liu XJ, Zhang D, Wang S, et al. Intracranial hemorrhage from moyamoya disease during pregnancy and puerperium. Int J Gynaecol Obstet 2014; 125: 150-153.（レベル 3）
25) Fluss R, Ligas BA, Chan AW, et al. Moyamoya-Related Stroke Risk During Pregnancy: An Evidence-Based Reappraisal. World Neurosurg 2019; 129: e582-e585.（レベル 4）
26) Maragkos GA, Ascanio LC, Chida K, et al. Moyamoya disease in pregnancy: a systematic review. Acta Neurochir (Wien) 2018; 160: 1711-1719.（レベル 5）
27) Sato K, Yamada M, Okutomi T, et al. Vaginal Delivery under Epidural Analgesia in Pregnant Women with a Diagnosis of Moyamoya Disease. J Stroke Cerebrovasc Dis 2015; 24: 921-924.（レベル 4）
28) 細川幸希, 清澤研吉, 加藤里絵, 他. もやもや病合併妊娠症例の分娩様式に関する後方視的検討. 麻酔 2016；65：811-816.（レベル 4）
29) 田中佳世, 田中博明, 岩永直子, 他. もやもや病合併妊娠における硬膜外鎮痛分娩の検討. 分娩と麻酔 2015：99-103.（レベル 4）
30) Tanaka H, Katsuragi S, Tanaka K, et al. Vaginal delivery in pregnancy with Moyamoya disease: Experience at a single institute. J Obset Gynaecol Res 2015; 41: 517-522.（レベル 4）
31) Inayama Y, Kondoh E, Chigusa Y, et al. Moyamoya Disease in Pregnancy: A 20-Year Single-Center Experience and Literature Review. World Neurosurg 2019; 122: 684-691. e2.（レベル 4）
32) 富樫嘉津恵, 佐藤朗, 三浦広志, 他, もやもや病合併妊娠は帝王切開の適応か. 日本周産期・新生児医学会雑誌 2017；53：50-56.（レベル 4）
33) Tse GH, Balian V, Charalampatou P, et al. Foetal radiation exposure caused by mechanical thrombectomy in large-vessel ischaemic stroke in pregnancy. Neuroradiology 2019; 61: 443-449.（レベル 4）
34) Leffert LR, Clancy CR, Bateman BT, et al. Treatment patterns and short-term outcomes in ischemic stroke in pregnancy or postpartum period. Am J Obstet Gynecol 2016; 214: 723. e1-723. e11.（レベル 3）

Ⅵ その他の脳血管障害

6 脳静脈・静脈洞閉塞症

脳静脈・静脈洞閉塞症

推奨

1. 急性期において、未分画ヘパリンを用いた抗凝固療法が第一選択となる（推奨度 B　エビデンスレベル中）。未分画ヘパリンの代わりに低分子ヘパリンの使用を考慮しても良い（推奨度 C　エビデンスレベル低）。

2. ワルファリンによる経口抗凝固療法を少なくとも 3 か月以上は継続することが妥当である（推奨度 B　エビデンスレベル中）。

3. 予後不良因子を有する脳静脈洞血栓症に対する血栓溶解療法および機械的血栓回収療法を行うには、十分な科学的根拠がない（推奨度 C　エビデンスレベル中）。

4. 実質病変を有し脳ヘルニア徴候を認める重症例においては開頭減圧術を行うことは妥当である（推奨度 B　エビデンスレベル低）。

5. 痙攣を生じた場合には抗痙攣薬の投与は妥当である（推奨度 B　エビデンスレベル低）。

解説

脳静脈・静脈洞閉塞症に対する抗凝固療法の有用性を検証したランダム化比較試験（RCT）はわずかに 2 つしか行われていない[1,2]。1991 年に行われた RCT では、非感染性の脳静脈・静脈洞閉塞症を対象とし、ヘパリン（未分画ヘパリン）静注群がプラセボ群に比して有意に機能予後および生命転帰を改善したと報告している[1]。2011 年の American Heart Association（AHA）/American Stroke Association（ASA）および 2015 年の European Stroke Organization（ESO）の脳静脈洞血栓症に対するガイドラインにおいても頭蓋内出血の有無にかかわらず抗凝固療法を推奨治療としている[3,4]。一方、1999 年に行われた本症に対する低分子ヘパリンの皮下注と経口抗凝固療法の後療法の転帰改善効果を検証したもう一つの RCT では、低分子ヘパリンの皮下注と経口抗凝固療法の後療法を行った群はプラセボ群より良好な転帰をとったが有意差は認めなかった[2]。しかし、頭蓋内出血を伴う症例においても本治療による増悪は認められず抗凝固療法の安全性が証明された。その後未分画ヘパリンおよび低分子ヘパリン治療群を対象とした RCT のメタ解析が行われ、抗凝固療法による本症の死亡率および後遺症の明らかな減少を認め、新たな症候

性頭蓋内出血も観察されなかった[5]。

脳静脈・静脈洞閉塞症の治療における未分画ヘパリンと低分子ヘパリンの有効性と安全性を直接比較した RCT では、未分画ヘパリンと低分子ヘパリンの有効性に有意差は認めなかったが低分子ヘパリンは未分画ヘパリンに比べて明らかに死亡率が低かった[6]。非ランダム化試験ではあるが低分子ヘパリンのほうが未分画ヘパリンに比してより有効かつ安全であることが示された[7]。最近行われたメタ解析[8]および 2015 年の ESO ガイドライン[4]においても低分子ヘパリンの使用は勧められている。

経口抗凝固薬であるワルファリンに関しては日常臨床で広く用いられている。ヘパリンから経口抗凝固薬への切り替え時期や経口薬の継続期間に関する比較対照試験も行われていないが、経口抗凝固薬の長期投与の有益性に関する RCT が進行中である[9]。前述の RCT[2]ではヘパリンを 3 週間、次いで経口抗凝固薬を 10 週間使用している。抗凝固薬継続の有用性を評価する前向きコホート研究において、少なくとも 3 か月間のワルファリンの投与により 6〜12 か月後の転帰（modified Rankin Scale〔mRS〕0〜2）は良好であった[10]。脳静脈血栓症の再発や他の静脈血栓症の発症を予防するために発症から 3〜12 か月間の経口抗凝固薬の継続が勧められている[3,4]。また、新規経口抗凝固薬である di-

脳卒中治療ガイドライン 2021　225

rect oral anticoagulants（DOAC）についてはリバーロキサバン[11]とダビガトラン[12]のケースシリーズ報告があり、主要な出血合併症および血栓症再発は認めなかった。最近、脳静脈洞血栓症後の新規静脈血栓症予防に対するダビガトランとワルファリンの安全性および有効性に関するRCT[13]の結果が示され、両治療が安全かつ有効であることが示されたが、ダビガトランの非劣性、優越性までは示されておらず、また本邦では脳静脈洞血栓症に対するダビガトランの投与は保険適用外である。

血栓溶解療法に関しては全身あるいはカテーテルを用いて局所的にウロキナーゼ、tissue plasminogen activator（t-PA）などを投与して良好な結果を得た報告を認める[14,15]。しかしウロキナーゼ、t-PAの局所線溶療法は転帰を左右する出血合併症に関連することも示されており[16]、慎重な症例選択が求められる。また、ステントリトリーバーや吸引カテーテルを用いた機械的血栓回収術の有効性について複数のケースシリーズで示されており[17,18]、メタ解析においてもその安全性が示されている[19,20]。しかし最近、脳静脈洞血栓症に対する血管内治療の有効性を比較するRCT（TO-ACT）の結果が示された[21]。機能予後不良のリスクの高い脳静脈洞血栓症を対象に、通常の抗凝固療法と比べて抗凝固療法に加えて血管内治療を追加した群で12か月後の機能予後（mRS 0〜1）を比較したが、血管内治療の優位性は証明されなかった[21]。本RCTでは67例という少数コホートであることや早期の静脈洞再開通の評価が行われていないなどいくつかの制限が指摘されている。

減圧開頭術の有効性に関しては特に重症の脳静脈洞血栓症において救命および予後改善が示されている[22,23]、システマティックレビューにおいても重症例において救命のみならず良好な機能予後が得られる可能性が指摘されている[24]。エビデンスレベルは高くないものの倫理的観点からRCTは困難であり、救命および機能予後改善効果が見込まれることから2015年のESOガイドラインにおいても強く推奨されている[4]。

抗痙攣薬の投与による一次予防、二次予防の効果を支持するエビデンスはこれまでに示されていないが[25]、痙攣は急性期死亡と関連するため痙攣を認める症例では抗痙攣薬の投与は必要である[4,26]。

〔引用文献〕

1) Einhäupl KM, Villringer A, Meister W, et al. Heparin treatment in sinus venous thrombosis. Lancet 1991; 338: 597-600.（レベル2）
2) de Bruijn SF, Stam J. Randomized, placebo-controlled trial of anticoagulant treatment with low-molecular-weight heparin for cerebral sinus thrombosis. Stroke 1999; 30: 484-488.（レベル2）
3) Saposnik G, Barinagarrementeria F, Brown RD Jr, et al. Diagnosis and management of cerebral venous thrombosis: a statement for healthcare professionals from the American Heart Association/American Stroke Association. Stroke 2011; 42: 1158-1192.（レベル5）
4) Ferro JM. ESO-EAN Guideline on cerebral venous thrombosis. Eur J Neurol 2017; 24: 761.（レベル5）
5) Coutinho J, de Bruijn SF, Deveber G, et al. Anticoagulation for cerebral venous sinus thrombosis. Cochrane Database Syst Rev 2011: CD002005.（レベル2）
6) Misra UK, Kalita J, Chandra S, et al. Low molecular weight heparin versus unfractionated heparin in cerebral venous sinus thrombosis: A randomized controlled trial. Eur J Neurol 2012; 19: 1030-1036.（レベル3）
7) Coutinho JM, Ferro JM, Canhao P, et al. Unfractionated or low-molecular weight heparin for the treatment of cerebral venous thrombosis. Stroke 2010; 41: 2575-2580.（レベル3）
8) Al Rawahi B, Almegren M, Carrier M. The efficacy and safety of anticoagulation in cerebral vein thrombosis: A systematic review and meta-analysis. Thromb Res 2018; 169: 135-139.（レベル3）
9) Miranda B, Aaron S, Arauz A, et al. The benefit of EXtending oral antiCOAgulation treatment (EXCOA) after acute cerebral vein thrombosis (CVT): eXCOA-CVT cluster randomized trial protocol. Int J Stroke 2018; 13: 771-774.（レベル2）
10) Sartori MT, Zampieri P, Barbar S, et al. A prospective cohort study on patients treated with anticoagulants for cerebral vein thrombosis. Eur J Haematol 2012; 89: 177-182.（レベル3）
11) Geisbüsch C, Richter D, Herweh C, et al. Novel factor xa inhibitor for the treatment of cerebral venous and sinus thrombosis: first experience in 7 patients. Stroke 2014; 45: 2469-2471.（レベル4）
12) Mendonça MD, Barbosa R, Cruz-e-Silva V, et al. Oral direct thrombin inhibitor as an alternative in the management of cerebral venous thrombosis: a series of 15 patients. Int J Stroke 2015; 10: 1115-1118.（レベル4）
13) Ferro JM, Coutinho JM, Dentali F, et al. Safety and efficacy of dabigatran etexilate vs dose-adjusted warfarin in patients with cerebral venous thrombosis: a randomized clinical trial. JAMA Neurol 2019; 76: 1457-1465.（レベル2）
14) Viegas LD, Stolz E, Canhão P, et al. Systemic thrombolysis for cerebral venous and dural sinus thrombosis: a systematic review. Cerebrovasc Dis 2014; 37: 43-50.（レベル4）
15) Stam J, Majoie CB, van Delden OM, et al. Endovascular thrombectomy and thrombolysis for severe cerebral sinus thrombosis: a prospective study. Stroke 2008; 39: 1487-1490.（レベル4）
16) Dentali F, Squizzato A, Gianni M, et al. Safety of thrombolysis in cerebral venous thrombosis: a systematic review of the literature. Thromb Haemost 2010; 104: 1055-1062.（レベル1）
17) Siddiqui FM, Banerjee C, Zuurbier SM, et al. Mechanical thrombectomy versus intrasinus thrombolysis for cerebral venous sinus thrombosis: a non-randomized comparison. Interv Neuroradiol 2014; 20: 336-344.（レベル4）
18) Ma J, Shui S, Han X, et al. Mechanical thrombectomy with Solitaire AB stents for the treatment of intracranial venous sinus thrombosis. Acta Radiol 2016; 57: 1524-1530.（レベル4）
19) Siddiqui FM, Dandapat S, Banerjee C, et al. Mechanical thrombectomy in cerebral venous thrombosis: systematic review of 185 cases. Stroke 2015; 46: 1263-1268.（レベル3）
20) Ilyas A, Chen CJ, Raper DM, et al. Endovascular mechanical thrombectomy for cerebral venous sinus thrombosis: a systematic review. J Neurointerv Surg 2017; 9: 1086-1092.（レベル3）
21) Coutinho JM, Zuurbier SM, Bousser MG, et al. Effect of Endovascular Treatment With Medical Management vs Standard Care on Severe Cerebral Venous Thrombosis: The TO-ACT Randomized Clinical Trial. JAMA Neurol 2020; 77: 966-973.

（レベル 2）

22）Théaudin M, Crassard I, Bresson D, et al. Should decompressive surgery be performed in malignant cerebral venous thrombosis?: a series of 12 patients. Stroke 2010; 41: 727-731.（レベル 4）

23）Aaron S, Alexander M, Moorthy RK, et al. Decompressive craniectomy in cerebral venous thrombosis: a single centre experience. J Neurol Neurosurg Psychiatry 2013; 84: 995-1000.（レベル 4）

24）Ferro JM, Crassard I, Coutinho JM, et al. Decompressive surgery in cerebrovenous thrombosis: a multicenter registry and a systematic review of individual patient data. Stroke 2011; 42: 2825-2831.（レベル 3）

25）Price M, Günther A, Kwan JS. Antiepileptic drugs for the primary and secondary prevention of seizures after intracranial venous thrombosis. Cochrane Database Syst Rev 2016: CD005501.（レベル 3）

26）Ferro JM, Canhao P, Bousser MG, et al. Early seizures in cerebral vein and dural sinus thrombosis: risk factors and role of antiepileptics. Stroke 2008; 39: 1152-1158.（レベル 3）

Ⅵ その他の脳血管障害

7 可逆性脳血管攣縮症候群（RCVS）

可逆性脳血管攣縮症候群（RCVS）

推 奨

1. 可逆性脳血管攣縮症候群（RCVS）では原因となる薬剤を直ちに中止し、誘因となる行為を数日〜数週間避けることは妥当である（推奨度B　エビデンスレベル低）。

2. RCVS に対して nimodipine（本邦未承認）、ベラパミル、硫酸マグネシウム、ロメリジンの投与を考慮しても良い（推奨度C　エビデンスレベル低）。

3. RCVS の重症例では血管内治療を考慮しても良い（推奨度C　エビデンスレベル低）。

4. RCVS による脳梗塞に対して慢性期の再発予防に抗血栓療法は勧められない（推奨度D　エビデンスレベル低）。

5. RCVS に対してステロイドは使用しないよう勧められる（推奨度E　エビデンスレベル低）。

解　説

可逆性脳血管攣縮症候群（reversible cerebral vasoconstriction syndrome：RCVS）に関してはランダム化比較試験（RCT）、システマティックレビュー、メタ解析はなく、症例報告レベルにとどまる。

国際頭痛分類第3版[1]では、RCVS は労作、ヴァルサルヴァ手技、感情、入浴・シャワー、屈伸、性行為がしばしば引き金になり、典型的には1〜2週間雷鳴頭痛を繰り返すため、この期間はこれらの誘発行為を避けて安静にする。

RCVS は自然発生的に発症することもあるが、妊娠中の子癇前症に合併することもある[2]。出産後女性では産褥期の発症が多く、多くの症例が出産1〜2週以内に発症していた[2-5]。また、産褥期発症の RCVS では硬膜外麻酔、出血（帝王切開）、授乳の抑制、産後うつが原因との報告もある[2,6]。

大麻[7-10]、コカイン[7,10]、アンフェタミン、メタンフェタミン（MDMA）[11]といった覚醒剤などの違法薬物の使用歴、選択的セロトニン再取り込み阻害薬（selective serotonin reuptake inhibitors：SSRI）[12-14]、選択的ノルアドレナリン再取り込み阻害薬（selective-noradrenaline reuptake inhibitors：SNRI）[13]といった抗うつ薬、エフェドリン[15]などのα交感神経刺激薬、トリプタン[12,16]、エルゴタミン製剤、セロトニン作動薬（タンドスピロン、ミルタザピンなどの抗不安薬、ガスモチンな

ど）、免疫グロブリン製剤[17]、インターフェロンα製剤[7]、シクロホスファミド、タクロリムス[18]、フィンゴリモド[19]など免疫抑制薬の服用歴、ニコチンパッチ[7]、朝鮮人参[15]・ハーブなどの薬草の使用歴、大量飲酒[7]がないか必ず確認し、該当していれば直ちに中止する。赤血球輸血の副作用として生じることもある[20,21]。

RCVS の治療については症例報告やエキスパート・オピニオンに止まり、RCT はこれまで行われていない[13]。

血管攣縮に対する拡張薬としては nimodipine（本邦未承認）、ベラパミル、硫酸マグネシウムが用いられる。Nimodipine は1〜2 mL/時の投与速度で持続点滴静注を開始し、30〜60 mg 分4〜6の経口内服へ切り替え数週間で漸減する[6,13]（有効率64〜83％）[22]が、わが国では nimodipine が使用できないため、ニカルジピン[23]、ベラパミル[24,25]を用いる。硫酸マグネシウムも有効である[2,5,26]。重症例では nimodipine[27-29]、ベラパミル[30,31]、ミルリノン[32]の動脈内投与、エポプロステノールナトリウムの持続点滴静注[33]、血管内治療[34]の報告もあるが、死亡例も報告されている[3,35]。8つの研究、計18人のカルシウム拮抗薬動注療法の有効性の報告[36]がある。鎮静作用、血管拡張作用、フリーラジカル減少作用が期待されるプロポフォール持続点滴静注の有効性の報告がある[37,38]。

RCVS に対するステロイド投与は、短期間であっ

ても有効でないばかりか、かえって症候を悪化させるという報告があり、使用しないことが勧められる[12,13,31]。

〔引用文献〕

1) Headache Classification Committee of the International Headache Society (IHS) The International Classification of Headache Disorders, 3rd edition. Cephalalgia 2018; 38: 1-211. （レベル 2）
2) Singhal AB. Postpartum angiopathy with reversible posterior leukoencephalopathy. Arch Neurol 2004; 61: 411-416. （レベル 4）
3) Fugate JE, Wijdicks EF, Parisi JE, et al. Fulminant postpartum cerebral vasoconstriction syndrome. Arch Neurol 2012; 69: 111-117. （レベル 4）
4) Williams TL, Lukovits TG, Harris BT, et al. A fatal case of postpartum cerebral angiopathy with literature review. Arch Gynecol Obstet 2007; 275: 67-77. （レベル 4）
5) Singhal AB, Bernstein RA. Postpartum angiopathy and other cerebral vasoconstriction syndromes. Neurocrit Care 2005; 3: 91-97. （レベル 4）
6) Sattar A, Manousakis G, Jensen MB. Systematic review of reversible cerebral vasoconstriction syndrome. Expert Rev Cardiovasc Ther 2010; 8: 1417-1421. （レベル 3）
7) Ducros A, Boukobza M, Porcher R, et al. The clinical and radiological spectrum of reversible cerebral vasoconstriction syndrome. A prospective series of 67 patients. Brain 2007; 130: 3091-3101. （レベル 4）
8) Wolff V, Lauer V, Rouyer O, et al. Cannabis use, ischemic stroke, and multifocal intracranial vasoconstriction: a prospective study in 48 consecutive young patients. Stroke 2011; 42: 1778-1780. （レベル 4）
9) Wolff V, Armspach JP, Lauer V, et al. Ischaemic strokes with reversible vasoconstriction and without thunderclap headache: a variant of the reversible cerebral vasoconstriction syndrome? Cerebrovasc Dis 2015; 39: 31-38. （レベル 4）
10) Martin K, Rogers T, Kavanaugh A. Central nervous system angiopathy associated with cocaine abuse. J Rheumatol 1995; 22: 780-782. （レベル 4）
11) Hu CM, Lin YJ, Fan YK, et al. Isolated thunderclap headache during sex: Orgasmic headache or reversible cerebral vasoconstriction syndrome? J Clin Neurosci 2010; 17: 1349-1351. （レベル 4）
12) Singhal AB, Hajj-Ali RA, Topcuoglu MA, et al. Reversible cerebral vasoconstriction syndromes: analysis of 139 cases. Arch Neurol 2011; 68: 1005-1012. （レベル 4）
13) Ducros A. Reversible cerebral vasoconstriction syndrome. Lancet Neurol 2012; 11: 906-917. （レベル 3）
14) Singhal AB, Caviness VS, Begleiter AF, et al. Cerebral vasoconstriction and stroke after use of serotonergic drugs. Neurology 2002; 58: 130-133. （レベル 4）
15) Imai N, Yagi N, Konishi T, et al. Ischemic Stroke Associated with Cough and Cold Preparation Containing Methylephedrine and Supplement Containing Chinese Herbal Drugs. Intern Med 2010; 49: 335-338. （レベル 4）
16) Yoshioka S, Takano T, Ryujin F, et al. A pediatric case of reversible cerebral vasoconstriction syndrome with cortical subarachnoid hemorrhage. Brain Dev 2012; 34: 796-798. （レベル 4）
17) Doss-Esper CE, Singhal AB, Smith MS, et al. Reversible posterior leukoencephalopathy, cerebral vasoconstriction, and strokes after intravenous immune globulin therapy in guillain-barre syndrome. J Neuroimaging 2005; 15: 188-192. （レベル 4）
18) Inamo J, Kikuchi J, Suzuki K, et al. Reversible cerebral vasoconstriction syndrome triggered by tacrolimus mimicked neuropsychiatric involvement in systemic lupus erythematosus. Mod Rheumatol 2019; 3: 119-123. （レベル 4）

19) Kraemer M, Weber R, Herold M, et al. Reversible cerebral vasoconstriction syndrome associated with fingolimod treatment in relapsing-remitting multiple sclerosis three months after childbirth. Mult Scler 2015; 21: 1473-1475. （レベル 4）
20) Boughammoura A, Touzé E, Oppenheim C, et al. Reversible angiopathy and encephalopathy after blood transfusion. J Neurol 2003; 250: 116-118. （レベル 4）
21) Liang H, Xu Z, Zheng Z, et al. Reversible cerebral vasoconstriction syndrome following red blood cells transfusion: a case series of 7 patients. Orphanet J Rare Dis 2015; 10: 47. （レベル 4）
22) Chen SP, Fuh JL, Wang SJ. Reversible cerebral vasoconstriction syndrome: current and future perspectives. Expert Rev Neurother 2011; 11: 1265-1276. （レベル 3）
23) Liu HY, Fuh JL, Lirng JF, et al. Three paediatric patients with reversible cerebral vasoconstriction syndromes. Cephalalgia 2010; 30: 354-359. （レベル 4）
24) Oz O, Demirkaya S, Bek S, et al. Reversible cerebral vasoconstriction syndrome: case report. J Headache Pain 2009; 10: 295-298. （レベル 4）
25) Marsh EB, Ziai WC, Llinas RH. The Need for a Rational Approach to Vasoconstrictive Syndromes: Transcranial Doppler and Calcium Channel Blockade in Reversible Cerebral Vasoconstriction Syndrome. Case Rep Neurol 2016; 8: 161-171. （レベル 4）
26) 金子知香子，Shakespear Norshalena，土屋真理夫，他．妊娠後期可逆性脳血管攣縮症候群の1例とマグネシウム治療の考察．脳卒中　2014；36：333-336．（レベル 4）
27) Klein M, Fesl G, Pfister HW, et al. Intra-arterial nimodipine in progressive postpartum cerebral angiopathy. Cephalalgia 2009; 29: 279-282. （レベル 4）
28) Elstner M, Linn J, Müller-Schunk S, et al. Reversible cerebral vasoconstriction syndrome: a complicated clinical course treated with intra-arterial application of nimodipine. Cephalalgia 2009; 29: 677-682. （レベル 4）
29) Linn J, Fesl G, Ottomeyer C, et al. Intra-arterial application of nimodipine in reversible cerebral vasoconstriction syndrome: a diagnostic tool in select cases? Cephalalgia 2011; 31: 1074-1081. （レベル 4）
30) Farid H, Tatum JK, Wong C, et al. Reversible cerebral vasoconstriction syndrome: treatment with combined intra-arterial verapamil infusion and intracranial angioplasty. AJNR Am J Neuroradiol 2011; 32: E184-E187. （レベル 4）
31) French KF, Hoesch RE, Allred J, et al. Repetitive use of intra-arterial verapamil in the treatment of reversible cerebral vasoconstriction syndrome. J Clin Neurosci 2012; 19: 174-176. （レベル 4）
32) Bouchard M, Verreault S, Gariépy JL, et al. Intra-arterial milrinone for reversible cerebral vasoconstriction syndrome. Headache 2009; 49: 142-145. （レベル 4）
33) Gründe PO, Lundgren A, Bjartmarz H, et al. Segmental cerebral vasoconstriction: successful treatment of secondary cerebral ischaemia with intravenous prostacyclin. Cephalalgia 2010; 30: 890-895. （レベル 4）
34) Song JK, Fisher S, Seifert TD, et al. Postpartum cerebral angiopathy: atypical features and treatment with intracranial balloon angioplasty. Neuroradiology 2004; 46: 1022-1026. （レベル 4）
35) Singhal AB, Kimberly WT, Schaefer PW, et al. Case records of the Massachusetts General Hospital. Case 8-2009. A 36-year-old woman with headache, hypertension, and seizure 2 weeks post partum. N Engl J Med 2009; 360: 1126-1137. （レベル 4）
36) Al-Mufti F, Dodson V, Wajswol E, et al. Chemical angioplasty for medically refractory reversible cerebral vasoconstriction syndrome. Br J Neurosurg 2018; 32: 431-435. （レベル 4）
37) 高橋由佳子，中村毅，金田大太，他．プロポフォールが奏功したreversible cerebral vasoconstriction syndrome の2例．脳卒中　2013；35：369-374．（レベル 4）
38) 長田貴洋，下田雅美，重松秀明，他．RCVS における難治性頭痛に対するプロポフォールの有効性．日本頭痛学会誌　2014；41：264．（レベル 4）

VI

その他の脳血管障害

Ⅵ その他の脳血管障害

8 片頭痛

片頭痛

推 奨

1. 前兆のある女性の片頭痛患者には禁煙が勧められる（推奨度 A　エビデンスレベル中）。

2. 前兆のある女性の片頭痛患者には経口避妊薬、特にエストロゲン含有製剤は避け代替療法を行うことは妥当である（推奨度 B　エビデンスレベル中）。

3. 片頭痛の頻度が脳卒中と関連しているため、頻度が多い場合は予防療法を加味するなどして頻度の減少に努めることは妥当である（推奨度 B　エビデンスレベル低）。

4. 脳梗塞や一過性脳虚血発作（TIA）を発症していない卵円孔開存を有する片頭痛患者に対して卵円孔開存閉鎖術は勧められない（推奨度 D　エビデンスレベル中）。

解　説

1. 片頭痛と虚血性脳卒中

片頭痛、前兆の有無、年齢、喫煙、経口避妊薬と虚血性脳卒中について、1966 年から 2004 年 6 月までの 11 の症例対照研究、3 つのコホート研究、1 つの横断研究のシステマティックレビュー / メタ解析[1]、2009 年 1 月までの 13 の症例対照研究、10 のコホート研究、2 つの横断研究のシステマティックレビュー / メタ解析[2]、2009 年 2 月までの 13 の症例対照研究、8 つのコホート研究のメタ解析[3]によると、45 歳未満の前兆のある女性の片頭痛患者では虚血性脳卒中発症リスクが 2 倍、喫煙、経口避妊薬使用では 7～9 倍、片頭痛の発作頻度と虚血性脳卒中についての研究[4-6]によると、50 歳未満の前兆のある女性の片頭痛患者では年 12 回超の片頭痛発作で 2～10 倍に増大した。しかし、その年齢層の虚血性脳卒中年間発症率は 5～10 人/人口 10 万人当たりと絶対数が極めて少なく[7]、予防薬を用いるなどして片頭痛発作回数を月 1 回以下にコントロールして禁煙し、ピルを使用しないことが勧められる。2014 年の米国心臓協会の脳卒中治療ガイドライン[8]では、禁煙は class Ⅰ、エビデンスレベル B[2,9]、ピル使用回避は class Ⅱb、エビデンスレベル B[2]、片頭痛発作頻度減少は class Ⅱb、エビデンスレベル C[6,10]である。

2. 片頭痛と出血性脳卒中

2010 年米国 WHS を用いた研究では、45 歳以上の前兆のある片頭痛患者は出血性脳卒中のハザード比が有意に高かった[11]。2013 年 3 月までの 4 つの症例対照研究と 4 つのコホート研究のメタ解析でも片頭痛患者は非片頭痛患者に比べて出血性脳卒中に対する影響度が有意に高かった[12]。

3. 片頭痛、卵円孔開存症と卵円孔閉鎖術

8 つの症例対照研究のシステマティックレビュー[13]、メタ解析[14]において、前兆の有無にかかわらず片頭痛患者では非片頭痛患者に比べて有意に卵円孔開存症の合併が多かった。

卵円孔閉鎖術による片頭痛発作頻度の減少・消失を目的としたランダム化比較試験（RCT）がこれまで 3 つ行われたが、MIST[15]、PRIMA[16]、PREMIUM[17]のいずれも一次エンドポイントでは片頭痛発作頻度は有意には減少・消失しなかった。2013 年 8 月までの 18 の文献のメタ解析[18]では前兆の有無にかかわらず卵円孔開存閉鎖術後に片頭痛完全消失率が有意に低下して有効性が期待されたが、大部分が 100 例未満の少数例の検討、研究バイアスを払拭できないなどの問題点があった。これらの結果から、現時点では片頭痛発作頻度の減少・消失を目的として卵円孔を閉鎖することに明らかなエビデンスはない。

潜因性脳梗塞を有する患者に対する二次予防としての卵円孔閉鎖術については、片頭痛患者に限定した RCT、サブグループ解析がなく、エビデンスが確立していない。

〔引用文献〕

1) Etminan M, Takkouche B, Isorna FC, et al. Risk of ischaemic stroke in people with migraine: systematic review and meta-analysis of observational studies. BMJ 2005; 330: 63. (レベル 1)

2) Schurks M, Rist PM, Bigal ME, et al. Migraine and cardiovascular disease: systematic review and meta-analysis. BMJ 2009; 339: b3914. (レベル 1)

3) Spector JT, Kahn SR, Jones MR, et al. Migraine headache and ischemic stroke risk: an updated meta-analysis. Am J Med 2010; 123: 612-624. (レベル 1)

4) Donaghy M, Chang CL, Poulter N. Duration, frequency, recency, and type of migraine and the risk of ischaemic stroke in women of childbearing age. J Neurol Neurosurg Psychiatry 2002; 73: 747-750. (レベル 3)

5) MacClellan LR, Giles W, Cole J, et al. Probable migraine with visual aura and risk of ischemic stroke: the stroke prevention in young women study. Stroke 2007; 38: 2438-2445. (レベル 3)

6) Kurth T, Schurks M, Logroscino G, et al. Migraine frequency and risk of cardiovascular disease in women. Neurology 2009; 73: 581-588. (レベル 3)

7) Bousser MG, Conard J, Kittner S, et al. Recommendations on the risk of ischaemic stroke associated with use of combined oral contraceptives and hormone replacement therapy in women with migraine. The International Headache Society Task Force on Combined Oral Contraceptives & Hormone Replacement Therapy. Cephalalgia 2000; 20: 155-156. (レベル 3)

8) Meschia JF, Bushnell C, Boden-Albala B, et al. Guidelines for the primary prevention of stroke: a statement for healthcare professionals from the American Heart Association/American Stroke Association. Stroke 2014; 45: 3754-3832. (レベル 5)

9) Kurth T, Diener HC, Buring JE. Migraine and cardiovascular disease in women and the role of aspirin: subgroup analyses in the Women's Health Study. Cephalalgia 2011; 31: 1106-1115. (レベル 3)

10) Schürks M, Buring JE, Kurth T. Migraine, migraine features, and cardiovascular disease. Headache 2010; 50: 1031-1040. (レベル 2)

11) Kurth T, Kase CS, Schürks M, et al. Migraine and risk of haemorrhagic stroke in women: prospective cohort study. BMJ 2010; 341: c3659. (レベル 3)

12) Sacco S, Ornello R, Ripa P, et al. Migraine and hemorrhagic stroke: a meta-analysis. Stroke 2013; 44: 3032-3038. (レベル 1)

13) Lip PZ, Lip GY. Patent foramen ovale and migraine attacks: a systematic review. Am J Med 2014; 127: 411-420. (レベル 1)

14) Takagi H, Umemoto T. A meta-analysis of case-control studies of the association of migraine and patent foramen ovale. J Cardiol 2016; 67: 493-503. (レベル 1)

15) Dowson A, Mullen MJ, Peatfield R, et al. Migraine Intervention With STARFlex Technology (MIST) trial: a prospective, multicenter, double-blind, sham-controlled trial to evaluate the effectiveness of patent foramen ovale closure with STARFlex septal repair implant to resolve refractory migraine headache. Circulation 2008; 117: 1397-1404. (レベル 2)

16) Mattle HP, Evers S, Hildick-Smith D, et al. Percutaneous closure of patent foramen ovale in migraine with aura, a randomized controlled trial. Eur Heart J 2016; 37: 2029-2036. (レベル 2)

17) Tobis JM, Charles A, Silberstein SD, et al. Percutaneous Closure of Patent Foramen Ovale in Patients With Migraine: The PREMIUM Trial. J Am Coll Cardiol 2017; 70: 2766-2774. (レベル 2)

18) Kanwar SM, Noheria A, DeSimone CV, et al. Coincidental impact of transcatheter patent foramen ovale closure on migraine with and without aura - A comprehensive meta-analysis. Clin Trials Regul Sci Cardiol 2016; 15: 7-13. (レベル 1)

Ⅵ その他の脳血管障害

9 高血圧性脳症

高血圧性脳症

推奨

▶ 高血圧性脳症の治療には、迅速な降圧を行うことは妥当である（推奨度 B　エビデンスレベル低）。

解　説

高血圧性脳症は高血圧緊急症の１つである。高血圧緊急症は、単に血圧が異常に高いだけの状態ではなく、高度の上昇（多くは 180/120 mmHg 以上）によって、脳、心臓、腎臓などの臓器に急性の障害が生じる病態である[1]。

高血圧性脳症は、長期の高血圧患者では 220/110 mmHg 以上、正常血圧者では 160/100 mmHg 以上で発症しやすいとの指摘がある[2]。

高血圧性脳症では、頭痛、痙攣、意識障害などの症状が引き起こされる。また、その画像所見として、後頭葉優位の可逆性浮腫性変化を伴うことがある[3]。

同様の臨床症状や画像所見は、子癇や免疫抑制薬の使用例でも認められる。これらの病態をまとめて reversible posterior leukoencephalopathy syndrome（RPLS）と称されたり、posterior reversible encephalopathy syndrome（PRES）と称されることもある[4,5]。

子癇や免疫抑制薬使用例で発症した場合も、大部分の症例で血圧上昇を伴っているが、古典的な高血圧性脳症に比べて軽度の高血圧で生じることも多い。この病態が、血圧上昇だけでなく、内因性・外因性要因による血管内皮細胞損傷に伴う血管透過性亢進が加わり生じるためで[6]、シクロスポリンやタクロリムスは直接血管内皮細胞障害を来し、子癇においては、各種炎症性サイトカインの産生による血管内皮障害が血管透過性の一因となっていると考えられている[7]。このことは、高血圧性脳症の診断においては、血圧の絶対値だけでは判断できず、たとえば若年女性や子供のような、基礎の血圧が低い場合であっても、急激な血圧上昇によりこの病態を引き起こす可能性があることを認識しておくことが肝要である。

高血圧性脳症は、第一の治療目的は降圧である。しかし、症例の少ないことや緊急の病態であることより、治療のエンドポイントや有効性を定義するためのランダム化試験はない[8]。高血圧性脳症を対象として行われた臨床試験ではカルシウム拮抗薬の静注が推奨されている[9,10]。治療開始最初の 2～3 時間で 25% 程度の降圧がみられるように降圧を行う。ニカルジピンの静注は脳組織酸素供給を減少させず、神経徴候を伴う高血圧性緊急症の治療に有用である[11]。

〔引用文献〕

1) Rosei EA, Salvetti M, Farsang C. European Society of Hypertension Scientific Newsletter: treatment of hypertensive urgencies and emergencies. J Hypertens 2006; 24: 2482-2485. （レベル 4）
2) Vaughan CJ, Delanty N. Hypertensive emergencies. Lancet 2000; 356: 411-417. （レベル 4）
3) Schwartz RB, Jones KM, Kalina P, et al. Hypertensive encephalopathy: findings on CT, MR imaging, and SPECT imaging in 14 cases. AJR Am J Roentgenol 1992; 159: 379-383. （レベル 4）
4) Hinchey J, Chaves C, Appignani B, et al. A reversible posterior leukoencephalopathy syndrome. N Engl J Med 1996; 334: 494-500. （レベル 4）
5) Staykov D, Schwab S. Posterior reversible encephalopathy syndrome. J Intensive Care Med 2012; 27: 11-24. （レベル 4）
6) Ay H, Buonanno FS, Schaefer PW, et al. Posterior leukoencephalopathy without severe hypertension: utility of diffusion-weighted MRI. Neurology 1998; 51: 1369-1376. （レベル 4）
7) Camara-Lemarroy CR, Escobedo-Zúñiga N, Villarreal-Garza E, et al. Posterior reversible leukoencephalopathy syndrome (PRES) associated with severe eclampsia: Clinical and biochemical features. Pregnancy Hypertens 2017; 7: 44-49. （レベル 4）
8) Miller JB, Suchdev K, Jayaprakash N, et al. New Developments in Hypertensive Encephalopathy. Curr Hypertens Rep 2018; 20: 13. （レベル 4）
9) McNair A, Krogsgaard AR, Hilden T, et al. Reversibility of cerebral symptoms in severe hypertension in relation to acute antihypertensive therapy. Danish Multicenter study. Acta Med Scand Suppl 1985; 693: 107-110 （レベル 4）
10) Veglio F, Paglieri C, Rabbia F, et al. Hypertension and cerebrovascular damage. Atherosclerosis 2009; 205: 331-341. （レベル 4）
11) Narotam PK, Puri V, Roberts JM, et al. Management of hypertensive emergencies in acute brain disease: evaluation of the treatment effects of intravenous nicardipine on cerebral oxygenation. J Neurosurg 2008; 109: 1065-1074. （レベル 4）

Ⅵ その他の脳血管障害

10 脳アミロイド血管症

脳アミロイド血管症

推 奨

1. 脳アミロイド血管症に関連する脳出血に対する血腫吸引術を考慮しても良い（推奨度C　エビデンスレベル低）。

2. 脳アミロイド血管症が疑われ、高血圧を呈する患者に対して降圧療法を行うことは妥当である（推奨度B　エビデンスレベル低）。

3. 脳葉型脳出血の既往があり、脳アミロイド血管症が強く示唆される場合、抗血栓療法を行わない選択を考慮しても良い（推奨度C　エビデンスレベル低）。一方、合併する虚血性心血管イベントの発症リスクが著しく高ければ、脳出血のリスクが増加する可能性を十分に検討した上で、抗凝固療法や抗血小板療法を考慮しても良い（推奨度C　エビデンスレベル低）。

4. 主に亜急性白質脳症の病像を呈する脳アミロイド血管症関連血管炎あるいは炎症では、免疫抑制薬投与が妥当である（推奨度B　エビデンスレベル中）。

解 説

脳アミロイド血管症に関連する脳出血に対して外科的処置（血腫吸引術、ドレナージ、脳室—腹腔シャント、生検、脳葉切除術など）を行い、その手術が原因で脳出血が再発したとする報告[1]や手術例の54％が転帰良好であったとする報告[2]がある一方で、急性期に血腫吸引術を行い、転帰不良であった複数例の報告もある[3]。脳外科手術を受け病理学的に脳アミロイド血管症と診断した後ろ向きの検討では、22％の症例で術後に再出血を認め、16％が死亡しており、他の原因による脳出血の手術結果と同様の結果であった[4]。脳室内出血と75歳以上であることによって、手術後の死亡率は増加した[4]。葉型出血に対して血腫除去術を行った検討では、13％は退院前に死亡したが、47％は6〜12か月後の診察で良好な転帰を示した[5]。14文献278例のシステマティックレビューでは、術後の死亡率は25％で、高齢、脳室内出血、術前の認知症が転帰不良因子であった[5]。

多施設にてランダム化された2群の脳血管障害患者に対して、降圧薬とプラセボの投与を行った6,105例を平均3.9年間観察したPROGRESSのサブグループ解析では、16例の脳アミロイド血管症に関連した脳出血を認め、降圧療法によって脳出血の危険度が減少した[6]。

脳アミロイド血管症の確定診断には病理学的検討が必要であるが、MRIやCTを用いた診断基準が提唱されている（modified Boston criteria）[7]。本診断基準では、1）脳葉、皮質あるいは皮質下に限局する多発性出血（脳出血、微小出血、小脳出血はあっても良い）や皮質脳表ヘモジデリン沈着症（限局あるいは散在）の存在、2）年齢55歳以上、さらに3）その他の出血原因を認めない、ときに臨床的にほぼ確実な脳アミロイド血管症（probable）と診断される。また、1）脳葉、皮質あるいは皮質下に限局する単発性出血の際には、前述した2）と3）を満たすときに脳アミロイド血管症の疑い（possible）と診断される。さらに脳アミロイド血管症の診断や出血の原因精査に[11]C-Pittsburgh compound B（PiB）-PETやFlorbetapir-PETが有用とする報告がある[8,9]。皮質脳表ヘモジデリン沈着症は非外傷性皮質性くも膜下出血と関連し、一過性局所神経脱落徴候（transient focal neurological episode：TFNE）との関連が示唆されている[10,11]。

アポリポ蛋白E（ApoE）ε2は脳出血の危険因子であり[12-14]、脳出血再発リスクも高い[13,15]。皮質・皮質下微小出血を有する症例では背景に脳アミロイド血管症の可能性を考え、血栓溶解療法により遠隔出血を来すおそれがあるため注意を要する[16]。皮質脳表ヘモジデリン沈着症を有する患者では脳アミロ

脳卒中治療ガイドライン 2021　233

イド血管症関連脳出血が多く、疾患の進行との関連が示されている[17-19]。同様に円蓋部くも膜下出血を認める患者は症候性脳出血のリスクが高いとされる[20]。これらの画像所見を有する患者では出血性病変の出現に注意を要する[21]。脳アミロイド血管症においてはその画像所見が重度であるほど、再出血のリスクが高い。特にMRI画像を用いたスコアリングが出血予測に有用との報告があり、皮質脳表ヘモジデリン沈着症と半卵円中心における血管周囲腔の拡大が出血と相関するとされる[22]。

一方、血栓溶解療法後に脳出血を来して組織学的検討が行われた症例による検討では、同年代での脳アミロイド血管症の割合に比較して高率であった[23]。また、脳梗塞発症3時間以内に血栓溶解療法を受けて脳出血を認めた例では、脳出血を認めなかった例やコントロール症例と比較して有意に皮質のPiB-PETの集積が高かった[24]。また、65歳以上のワルファリン内服中の脳出血例の69％が脳葉型出血であり、脳葉型出血の64％に脳アミロイド血管症を認めた[25]。さらに、脳アミロイド血管症による脳葉型出血患者を対象とした研究では、アスピリン内服も脳葉型出血の再発の独立した危険因子であった[26]。

脳アミロイド血管症に関連する炎症では、病理学的に血管周囲あるいは血管壁内の炎症所見がみられ、副腎皮質ステロイド、シクロホスファミドやアザチオプリンなどの免疫抑制薬によって臨床症候が改善した症例群が報告されている[27-31]。脳アミロイド血管症に関連する炎症の診断には画像や髄液所見が参考となる。MRI画像においては葉型微小出血を多く認めること、大脳白質への浸潤影、脳軟膜の造影所見などの特徴が挙げられる[29,30]。また、髄液所見ではアミロイドβ抗体の検出や、IgG index、IL-8値が診断の一助となる可能性がある[31]。

〔引用文献〕

1) Matkovic Z, Davis S, Gonzales M, et al. Surgical risk of hemorrhage in cerebral amyloid angiopathy. Stroke 1991; 22: 456-461.（レベル4）

2) Izumihara A, Ishihara T, Iwamoto N, et al. Postoperative outcome of 37 patients with lobar intracerebral hemorrhage related to cerebral amyloid angiopathy. Stroke 1999; 30: 29-33.（レベル4）

3) Leblanc R, Preul M, Robitaille Y, et al. Surgical considerations in cerebral amyloid angiopathy. Neurosurgery 1991; 29: 712-718.（レベル4）

4) Petridis AK, Barth H, Buhl R, et al. Outcome of cerebral amyloid angiopathic brain haemorrhage. Acta Neurochir (Wien) 2008; 150: 889-895.（レベル4）

5) Zhang Y, Wang X, Schultz C, et al. Postoperative outcome of cerebral amyloid angiopathy-related lobar intracerebral hem-

6) Arima H, Tzourio C, Anderson C, et al. Effects of perindopril-based lowering of blood pressure on intracerebral hemorrhage related to amyloid angiopathy: the PROGRESS trial. Stroke 2010; 41: 394-396.（レベル3）

7) Greenberg SM, Charidimou A. Diagnosis of Cerebral Amyloid Angiopathy: Evolution of the Boston Criteria. Stroke 2018; 49: 491-497.（レベル5）

8) Baron JC, Farid K, Dolan E, et al. Diagnostic utility of amyloid PET in cerebral amyloid angiopathy-related symptomatic intracerebral hemorrhage. J Cereb Blood Flow Metab 2014; 34: 753-758.（レベル3）

9) Gurol ME, Becker JA, Fotiadis P, et al. Florbetapir-PET to diagnose cerebral amyloid angiopathy. Neurology 2016; 87: 2043-2049.（レベル3）

10) Charidimou A, Boulouis G, Fotiadis P, et al. Acute convexity subarachnoid haemorrhage and cortical superficial siderosis in probable cerebral amyloid angiopathy without lobar haemorrhage. J Neurol Neurosurg Psychiatry 2018; 89: 397-403.（レベル3）

11) Calviere L, Cuvinciuc V, Raposo N, et al. Acute Convexity Subarachnoid Hemorrhage Related to Cerebral Amyloid Angiopathy: Clinicoradiological Features and Outcome. J Stroke Cerebrovasc Dis 2016; 25: 1009-1016.（レベル3）

12) Woo D, Sauerbeck LR, Kissela BM, et al. Genetic and environmental risk factors for intracerebral hemorrhage: preliminary results of a populationbased study. Stroke 2002; 33: 1190-1195.（レベル2）

13) Tzourio C, Arima H, Harrap S, et al. APOE genotype, ethnicity, and the risk of cerebral hemorrhage. Neurology 2008; 70: 1322-1328.（レベル3）

14) Charidimou A, Martinez-Ramirez S, Shoamanesh A, et al. Cerebral amyloid angiopathy with and without hemorrhage: evidence for different disease phenotypes. Neurology 2015; 84: 1206-1212.（レベル2）

15) O'Donnell HC, Rosand J, Knudsen KA, et al. Apolipoprotein E genotype and the risk of recurrent lobar intracerebral hemorrhage. N Engl J Med 2000; 342: 240-245.（レベル2）

16) Prats-Sánchez L, Camps-Renom P, Sotoca-Fernández J, et al. Remote Intracerebral Hemorrhage After Intravenous Thrombolysis: Results From a Multicenter Study. Stroke 2016; 47: 2003-2009.（レベル3）

17) Charidimou A, Boulouis G, Xiong L, et al. Cortical superficial siderosis and first-ever cerebral hemorrhage in cerebral amyloid angiopathy. Neurology 2017; 88: 1607-1614.（レベル3）

18) Wollenweber FA, Opherk C, Zedde M, et al. Prognostic relevance of cortical superficial siderosis in cerebral amyloid angiopathy. Neurology 2019; 92: e792-e801.（レベル3）

19) Charidimou A, Boulouis G, Xiong L, et al. Cortical Superficial Siderosis Evolution. Stroke 2019; 50: 954-962.（レベル3）

20) Wilson D, Hostettler IC, Ambler G, et al. Convexity subarachnoid haemorrhage has a high risk of intracerebral haemorrhage in suspected cerebral amyloid angiopathy. J Neurol 2017; 264: 664-673.（レベル3）

21) Ni J, Auriel E, Jindal J, et al. The characteristics of superficial siderosis and convexity subarachnoid hemorrhage and clinical relevance in suspected cerebral amyloid angiopathy. Cerebrovasc Dis 2015; 39: 278-286.（レベル3）

22) Boulouis G, Charidimou A, Pasi M, et al. Hemorrhage recurrence risk factors in cerebral amyloid angiopathy: comparative analysis of the overall small vessel disease severity score versus individual neuroimaging markers. J Neurol Sci 2017; 380: 64-67.（レベル3）

23) McCarron MO, Nicoll JA. Cerebral amyloid angiopathy and thrombolysis-related intracerebral haemorrhage. Lancet Neurol 2004; 3: 484-492.（レベル4）

24) Ly JV, Rowe CC, Villemagne VL, et al. Cerebral beta-amyloid detected by Pittsburgh compound B positron emission topography predisposes to recombinant tissue plasminogen activator-related hemorrhage. Ann Neurol 2010; 68: 959-962.（レベル3）

25) Rosand J, Hylek EM, O'Donnell HC, et al. Warfarinassociated hemorrhage and cerebral amyloid angiopathy: a genetic and pathologic study. Neurology 2000; 55: 947-951.（レベル3）

26) Biffi A, Halpin A, Towfighi A, et al. Aspirin and recurrent intracerebral hemorrhage in cerebral amyloid angiopathy. Neurol-

ogy 2010; 75: 693-698.（レベル 3）

27) Castro Caldas A, Silva C, Albuquerque L, et al. Cerebral Amyloid Angiopathy Associated with Inflammation: Report of 3 Cases and Systematic Review. J Stroke Cerebrovasc Dis 2015; 24: 2039-2048.（レベル 2）

28) Corovic A, Kelly S, Markus HS. Cerebral amyloid angiopathy associated with inflammation: A systematic review of clinical and imaging features and outcome. Int J Stroke 2018; 13: 257-267.（レベル 2）

29) Salvarani C, Morris JM, Giannini C, et al. Imaging Findings of Cerebral Amyloid Angiopathy, A. beta.-Related Angiitis (ABRA), and Cerebral Amyloid Angiopathy -Related Inflammation: A Single-Institution 25-Year Experience. Medicine (Baltimore) 2016; 95: e3613.（レベル 3）

30) Renard D, Tatu L, Collombier L, et al. Cerebral Amyloid Angiopathy and Cerebral Amyloid Angiopathy-Related Inflammation: Comparison of Hemorrhagic and DWI MRI Features. J Alzheimers Dis 2018; 64: 1113-1121.（レベル 3）

31) Kimura A, Takemura M, Saito K, et al. Comparison of cerebrospinal fluid profiles in Alzheimer's disease with multiple cerebral microbleeds and cerebral amyloid angiopathy-related inflammation. J Neurol 2017; 264: 373-381.（レベル 4）

Ⅵ その他の脳血管障害

11 血管性認知症

11-1 抗認知症薬

推奨

1. 血管性認知症の発症予防と進展抑制を目的とした、高血圧症患者、脳梗塞患者、一過性脳虚血発作患者に対する降圧療法は確立していないが、考慮しても良い（推奨度C　エビデンスレベル低）。

2. 血管性認知症の発症予防と進展抑制を目的としたスタチン投与の有効性は確立していない。しかし、虚血性脳卒中患者においては降圧療法と抗血栓療法に併用して投与しても良い（推奨度C　エビデンスレベル低）。

3. 脳梗塞後の意欲低下に対してはニセルゴリンの投与を考慮しても良い（推奨度C　エビデンスレベル低）。

解　説

血管性認知症の発症予防と進展抑制には、血管性危険因子の厳格な管理が有効とされている[1]。管理・治療すべき血管性危険因子として、高血圧、2型糖尿病、高血糖、高インスリン血症、メタボリックシンドローム、脂質異常症、運動不足、過度の飲酒、肥満、喫煙に加えて、脳卒中の既往、心房細動、鬱血性心不全、冠動脈疾患、慢性腎臓病、末梢動脈疾患などが挙げられる。

中年期の血圧管理が老年期の認知機能に影響を及ぼすことは数多くの疫学研究から示唆されている。高齢者収縮期高血圧患者を対象に行われた大規模臨床試験 Syst-Eur[1] では、カルシウム拮抗薬（ニトレンジピン）投与群で血管性認知症を含めた認知症発症率が対照群よりも55％に低減し、さらに対照群では観察期間中に認知機能の低下がみられたが、実薬群では軽度ながら改善した。70歳以上の高血圧患者を対象にアンジオテンシンⅡ受容体拮抗薬（angiotensin Ⅱ receptor blocker：ARB）（カンデサルタン）の降圧治療の有用性を検証した大規模臨床試験 SCOPE[2] では、mini-mental state examination（MMSE）が24〜28点の症例において認知機能の低下と脳卒中発症のリスクを低減させた。厳格降圧（収縮期血圧120 mmHg未満）と通常降圧（140 mmHg未満）の認知症発症数への影響を調べた SPRINT MIND では、厳格降圧群で1,000人年当たり7.2例、標準降圧群で8.6例（ハ

ザード比0.83）であったが、有意ではなかった。副次評価項目の軽度認知障害（同0.81）および軽度認知障害と認知症疑いの複合転帰（同0.85）のリスクは有意に低下した[3]。脳梗塞もしくは一過性脳虚血発作の二次予防を目的とした大規模臨床試験 PROGRESS[4] において、アンジオテンシン変換酵素（angiotensin converting enzyme：ACE）阻害薬（ペリンドプリル）および利尿薬（インダパミド）を投与した患者群では、脳卒中の再発が有意に抑制され、さらに血管性認知症およびアルツハイマー病の発症が有意に少なく、認知機能低下を示した症例も有意に少なかった。以上の結果より、血圧の厳格な管理は脳卒中の再発を抑制するのみならず、認知機能の低下や認知症の発症を予防すると考えられている。同様にその他の降圧薬を用いた大規模臨床試験においても、実薬群において血管性認知症を含めた認知症の発症が抑制されるという結果が報告されている[5-8]。しかしながら、こうした大規模臨床試験のメタ解析の結果、認知症発症のリスク軽減効果は強くないこと、より長期の検討が必要であることが指摘されている[8-10]。スタチンによる認知症の発症抑制効果に関しては、アルツハイマー病に対する発症抑制効果に対して否定的な報告[11]もあるが、いわゆるストロングスタチンを用いた介入研究では肯定的な報告[12,13]が相次いでいる。血管性認知症に対してスタチンが発症抑制効果を示す報告[14]があり、虚血性脳卒中患者においては降圧療法と抗血栓療法にスタチンを加えた併用療法が認知機能低

下を抑制する効果を示すと報告されている[15]。

コリンエステラーゼ阻害薬であるドネペジルはNational Institute of Neurological Disorders and Stroke and Association Internationale pur la Rechrche et l'Enseignement en Neurosciences（NINDS-AIREN）の診断基準に沿って診断された血管性認知症において、二重盲検無作為割付臨床試験[16-20]で、プラセボ群に対して認知機能の有意な改善が認められた。ガランタミンも同様に、二重盲検無作為割付臨床試験[18,20-23]で、血管性認知症および脳血管障害を有するアルツハイマー病においてプラセボ群と比較して有意な改善が得られた。リバスチグミンはオープン試験[24]においてプラセボ群に比べて有効性が示された。保険適用外であるが、血管性認知症の中核症状の治療には、ドネペジル（エビデンスレベル高）、ガランタミン（エビデンスレベル中）、およびメマンチン（エビデンスレベル高）、リバスチグミン（エビデンスレベル低）の投与を考慮しても良い。

N-methyl-D-aspartate（NMDA）受容体拮抗薬のメマンチンも、ガランタミンと同様に、二重盲検無作為割付臨床試験[25-27]で、血管性認知症および脳血管障害を有するアルツハイマー病においてプラセボ群と比較して有意な改善が得られた。メマンチンは認知機能障害、気分、不安に対し効果が認められている[28]。

ニセルゴリンは、血管性認知障害の認知機能の改善に有用性が示され[29]、わが国では「脳梗塞後遺症に伴う慢性脳循環障害による意欲低下の改善」に対して保険適用を有する。nimodipine（本邦未承認）も複数の臨床試験の結果[30]から、血管性認知症と混合型認知症の治療に有用性が示された。イチョウ葉エキス（Gingko biloba）は血管性認知症を含む認知症の治療に有効性ありとの報告がある[31]。抑肝散は小数例の臨床試験[32,33]で行動心理症状の改善に有効であった。

〔引用文献〕

1) Forette F, Seux ML, Staessen JA, et al. Prevention of dementia in randomised double-blind placebo-controlled Systolic Hypertension in Europe (Syst-Eur) trial. Lancet 1998; 352: 1347-1351.（レベル2）
2) Skoog I, Lithell H, Hansson L, et al. Effect of baseline cognitive function and antihypertensive treatment on cognitive and cardiovascular Outcomes: Study on COgnition and Prognosis in the Elderly (SCOPE). Am J Hypertens 2005; 18: 1052-1059.（レベル2）
3) Williamson JD, Pajewski NM, Auchus AP, et al. Effect of Intensive vs Standard Blood Pressure Control on Probable Dementia: a Randomized Clinical Trial. JAMA 2019; 321: 553-561.（レベル2）
4) Tzourio C, Anderson C, Chapman N, et al. Effects of blood pressure lowering with perindopril and indapamide therapy on dementia and cognitive decline in patients with cerebrovascular disease. Arch Intern Med 2003; 163: 1069-1075.（レベル2）
5) Fogari R, Mugellini A, Zoppi A, et al. Effects of valsartan compared with enalapril on blood pressure and cognitive function in elderly patients with essential hypertension. Eur J Clin Pharmacol 2004; 59: 863-868.（レベル2）
6) Tedesco MA, Ratti G, Mennella S, et al. Comparison of losartan and hydrochlorothiazide on cognitive function and quality of life in hypertensive patients. Am J Hypertens, 1999; 12: 1130-1134.（レベル2）
7) Fogari R, Mugellini A, Zoppi A, et al. Effect of telmisartan/hydrochlorothiazide vs lisinopril/hydrochlorothiazide combination on ambulatory blood pressure and cognitive function in elderly hypertensive patients. J Hum Hypertens 2006; 20: 177-185.（レベル2）
8) Zhuang S, Li J, Wang X, et al. Renin-angiotensin system-targeting antihypertensive drugs and risk of vascular cognitive impairment: A meta-analysis. Neurosci Lett 2016; 615: 1-8.（レベル2）
9) McGuinness B, Todd S, Passmore P, et al. The effects of blood pressure lowering on development of cognitive impairment and dementia in patients without apparent prior cerebrovascular disease. Cochrane Database Syst Rev 2006: CD004034.（レベル1）
10) van Middelaar T, van Vught LA, van Gool WA, et al. Blood pressure-lowering interventions to prevent dementia: a systematic review and meta-analysis. J Hypertens 2018; 36: 1780-1787.（レベル1）
11) McGuinness B, Craig D, Bullock R, et al. Statins for the prevention of dementia. Cochrane Database Syst Rev 2009: CD003160.（レベル1）
12) Swiger KJ, Manalac RJ, Blumenthal RS, et al. Statins and cognition: a systematic review and menta-analysis of short-and long-term cognitive effects. Mayo Clin Proc 2013; 88: 1213-1221.（レベル2）
13) Chou CY, Chou YC, Chou YJ, et al. Statin use and incident dementia: a nationwide cohort study of Taiwan. Int J Cardiol 2014; 173: 305-310.（レベル2）
14) Suribhatla S, Dennis MS, Potter JF. A study of statin use in the prevention of cognitive impairment of vascular origin in the UK. J Neurol Sci 2005; 229-230.（レベル3）
15) Douiri A, McKevitt C, Emmett ES, et al. Long-term effects of secondary prevention on cognitive function in stroke paitients. Circulation 2013; 128: 1341-1348.（レベル3）
16) Wilkinson D, Doody R, Helme R, et al. Donepezil in vascular dementia: a randomized, placebo-controlled study. Neurology 2003; 61: 479-486.（レベル2）
17) Malouf R, Birks J. Donepezil for vascular cognitive impairment. Cochrane Database Syst Rev 2004: CD004395.（レベル1）
18) Gorelick PB, Secteri A, Black SE, et al. Vascular contributions to cognitive impairment and dementia: a statement for healthcare for healthcare professionals from the American Heart Association/American Stroke Association. Stroke 2011; 42: 2672-2712.（レベル5）
19) Roman GC, Wilkinson DG, Doody RS, et al. Donepezil in vascular dementia: combined analysis of two large-scale clinical trials. Dement Geriatr Cogn Disord 2005; 20: 338-344.（レベル2）
20) Chen YD, Zhang J, Wang Y, et al. Efficacy of Cholinesterase Inhibitors in Vascular Dementia: An Updated Meta-Analysis. Eur Neurol 2016; 75: 132-141.（レベル2）
21) Erkinjuntti T, Kurz A, Gauthier S, et al. Efficacy of galantamine in probable vascular dementia and AlzheimerLs disease combined with cerebrovascular disease: a randomised trial. Lancet 2002; 359: 1283-1290.（レベル2）
22) Briks J, Craig D. Galantamine for vascular cognitive impairment. Cochrane Database Syst Rev 2013: CD004746.（レベル1）
23) Auchus AP, Brashear HR, Salloway S, et al. Galantamine treatment of vascular dementia: randomized trial. Neurology 2007; 69: 448-458.（レベル2）
24) Moretti R, Torre P, Antonello RM, et al. Rivastigmine in subcortical vascular dementia: a randomized, controlled, open

VI

その他の脳血管障害

脳卒中治療ガイドライン 2021　237

12-month study in 208 patients. Am J Alzheimers Dis Other Demen 2003; 18: 265-272. （レベル 3）

25) Orgogozo JM, Rigaud AS, Stoffler A, et al. Efficacy and safety of memantine in patients with mild to moderate vascular dementia: a randomized, placebo-controlled trial (MMM 300). Stroke 2002; 33: 1834-1839. （レベル 2）

26) Wilcock G, Mobius HJ, Stoffler A. A double-blind, placebo-controlled multicentre study of memantine in mild to moderate vascular dementia (MMM500). Int Clin Psychopharmacol 2002; 17: 297-305. （レベル 2）

27) Kavirajan H, Schneider LS. Efficacy and adverse effects of cholinesterase inhibitors and memantine in vascular dementia: a meta-analysis of randomised controlled trials. Lancet Neurol 2007; 6: 782-792. （レベル 2）

28) McShane R, Westby MJ, Roberts E, et al. Memantine for dementia. Cochrane Database Syst Rev 2019: CD003154. （レベル 1）

29) Bes A, Orgogozo JM, Poncet M, et al. A 24-month, double-blind, placebo-controlled multicentre pilot study of the efficacy and safety of nicergoline 60 mg per day in elderly hypertensive patients with leukoaraiosis. Eur J Neurol 1999; 6: 313-322. （レベル 2）

30) Birks J, López-Arrieta J. Nimodipine for primary degenerative, mixed and vascular dementia. Cochrane Database Syst Rev 2002: CD000147. （レベル 2）

31) Kanowski S, Herrmann WM, Stephan K, et al. Proof of efficacy of the ginkgo biloba special extract EGb 761 in outpatients suffering from mild to moderate primary degenerative dementia of the Alzheimer type or multi-infarct dementia. Pharmacopsychiatry 1996; 29: 47-56. （レベル 2）

32) Iwasaki K, Satoh-Nakagawa T, Maruyama M, et al. A randomized, observer-blind, controlled trial of the traditional Chinese medicine Yi-Gan San for improvement of behavioral and psychological symptoms and activities of daily living in dementia patients. J Clin Psychiatry 2005; 66: 248-252. （レベル 3）

33) Nagata K, Yokoyama E, Yamazaki T, et al. Effects of yokukan-san on behavioral and psychological symptoms of vascular dementia: an open-label trial. Phytomedicine 2012; 19: 524-528. （レベル 3）

Ⅵ その他の脳血管障害

12 全身疾患に伴う脳血管障害

12-1 凝固亢進状態（Trousseau 症候群ほか）

推奨

1. 抗リン脂質抗体陽性者の脳梗塞の再発予防には、第一選択としてワルファリンの投与を考慮しても良い（推奨度C　エビデンスレベル低）。
   直接阻害型経口抗凝固薬（DOAC）に関してはワルファリンと比較して脳梗塞再発を抑制できない可能性があり、使用を勧められない（推奨度D　エビデンスレベル低）。

2. 抗リン脂質抗体陽性者の脳梗塞の再発予防において、全身性エリテマトーデス（SLE）合併例では副腎皮質ステロイドの投与を考慮しても良い（推奨度C　エビデンスレベル低）。

3. 高ホモシステイン血症には、脳梗塞再発予防目的に葉酸を使用することを考慮しても良い（推奨度C　エビデンスレベル低）。

4. 先天性血栓性素因に対する脳梗塞の再発予防では、prothrombin time-international normalized ratio（PT-INR）2.0〜3.0 のワルファリン療法を行うことを考慮しても良い（推奨度C　エビデンスレベル低）。

5. Trousseau 症候群（cancer associated thrombosis の一病型）に対する脳梗塞の再発予防では、原疾患の治療に加え抗凝固療法を行うことを考慮しても良い（推奨度C　エビデンスレベル低）。

解　説

　抗リン脂質抗体は、脳梗塞の危険因子であるとする肯定的な報告が多い。脳卒中患者の IgG 抗カルジオリピン抗体の陽性率は、8.2〜9.7％と高い[1,2]。高血圧、糖尿病、脂質異常症などの危険因子を認めない症例では、抗体陰性群 15.4％に比べて、抗体陽性群 36.4％と有意に高い[3]。抗体陽性者は、脳梗塞の発症率が陰性者の 2.31〜4 倍である[2,4,5]。抗リン脂質抗体陽性者の脳梗塞再発率は、1.4 年間の経過観察で 9.4％[6]、1.1 年間の経過観察で 35％[7]と高い。

　抗リン脂質抗体陽性者の脳梗塞の再発予防の検討では、抗凝固療法、抗血小板療法、副腎皮質ステロイド投与、血漿交換療法などがあるが、抗凝固療法が行われることが多く、高用量ワルファリン（prothrombin time-international normalized ratio［PT-INR］3.0 以上）が低用量ワルファリン（PT-INR 3.0 未満）およびアスピリンに比べて、より有効である[8,9]。アスピリン単独投与とアスピリン＋ワルファリン併用療法の再発予防効果を比較した小規模ランダム化比較試験（RCT）では、ワルファ

リン併用群のほうが抗リン脂質抗体症候群の脳梗塞再発予防に優れているという結果が得られている[10]。一方、ワルファリンの有用性に有意差がない[11,12]、あるいは出血リスクが増大したとする報告[13]もあり、一定の見解は得られていない。

　直接阻害型経口抗凝固薬（DOAC）とワルファリンをはじめとしたビタミン K 阻害薬（VKA）との RCT ではいずれも DOAC で脳梗塞など血栓性イベントの増多を認めており[14-16]、抗リン脂質抗体陽性者の脳梗塞再発予防に DOAC は推奨されない。

　副腎皮質ステロイドは、一時的に抗体価を低下させるが、脳梗塞の再発予防効果は明らかではない。ただし、全身性エリテマトーデス（systemic lupus erythematosus：SLE）合併例では使用される[17,18]。

　高ホモシステイン血症は、脳梗塞の危険因子であるとする肯定的な報告がある一方で[19]否定的な報告もある[20]。葉酸補充の効果に関しても一定の見解は得られておらず、脳卒中の初回発症を減少し、一次予防における有効性が示唆されたとするメタ解析の報告から[21]心血管疾患のリスク低下は認めなかったとする報告もある[22]。

　先天性血栓性素因が脳梗塞や一過性脳虚血発作

脳卒中治療ガイドライン 2021　239

（TIA）の発症リスクを高めるかについては明確なエビデンスはない。アンチトロンビン−Ⅲ、プロテインC、プロテインS、およびプラスミノゲン異常症および欠乏症[23]、第5凝固因子Leiden、プロトロンビンG20210Aの遺伝子変異などで動脈性脳梗塞との関連が疑われているが、多くは症例報告、症例対照研究の域にとどまっている[24]。複数の症例対照研究のメタ解析でも、これら先天性血栓性素因と脳梗塞発症の関連を明確に示せていない[24]。また、これら先天性血栓性素因は静脈血栓のリスクと考えられており、抗凝固療法が行われるが、動脈性の血栓における抗凝固療法の効果を検討したRCTは行われていない。

　悪性腫瘍に随伴する脳卒中は、CAT（cancer associated thrombosis）の一病型である。わが国ではTrousseau症候群という名称が用いられているが、国際的に明確な診断基準がない。傍腫瘍性神経症候群（paraneoplastic neurological syndrome）の一つでもある。凝固系の活性化に伴う播種性血管内凝固症候群（disseminated intravascular coagulation：DIC）や非細菌性血栓性心内膜炎（nonbacterial thrombotic endocarditis：NBTE）などが脳梗塞の発症誘因となると考えられており、再発予防には抗凝固療法を行う[25]。ワルファリン投与中にもかかわらず脳梗塞の再発を来した症例も報告されており、ヘパリン、低分子ヘパリン、ヘパリノイドが再発予防に有用とされている[26,27]。ヘパリンカルシウムの皮下注により、長期間の管理が可能であったとの報告もある[28]。DOACと他剤を比較したRCTは現時点では行われていない。

〔引用文献〕

1) Hess DC, Krauss J, Adams RJ, et al. Anticardiolipin antibodies: a study of frequency in TIA and stroke. Neurology 1991; 41: 525-528. （レベル4）
2) Anticardiolipin antibodies are an independent risk factor for first ischemic stroke. The Antiphospholipid Antibodies in Stroke Study (APASS) Group. Neurology 1993; 43: 2069-2073. （レベル4）
3) 北川泰久, 岡安裕之, 松岡康夫, 他. 脳梗塞における抗カルジオリピン抗体に関する検討. 臨床神経学 1991；31：391-395 （レベル4）
4) Anticardiolipin antibodies and the risk of recurrent thrombo-occlusive events and death. The Antiphospholipid Antibodies and Stroke Study Group (APASS). Neurology 1997; 48: 91-94. （レベル4）
5) Tuhrim S, Rand JH, Wu XX, et al. Elevated anticardiolipin antibody titer is a stroke risk factor in a multiethnic population independent of isotype or degree of positivity. Stroke 1999; 30: 1561-1565. （レベル4）
6) Clinical and laboratory findings in patients with antiphospholipid antibodies and cerebral ischemia. The Antiphospholipid Antibodies in Stroke Study Group. Stroke 1990; 21: 1268-1273. （レベル4）
7) Levine SR, Brey RL, Joseph CL, et al. Risk of recurrent thromboembolic events in patients with focal cerebral ischemia and antiphospholipid antibodies. The Antiphospholipid Antibodies in Stroke Study Group. Stroke 1992; 23: I29-I32. （レベル4）
8) Rosove MH, Brewer PM. Antiphospholipid thrombosis: clinical course after the first thrombotic event in 70 patients. Ann Intern Med 1992; 117: 303-308. （レベル4）
9) Khamashta MA, Cuadrado MJ, Mujic F, et al. The management of thrombosis in the antiphospholipid-antibody syndrome. N Engl J Med 1995; 332: 993-997. （レベル4）
10) Okuma H, Kitagawa Y, Yasuda T, et al. Comparison between single antiplatelet therapy and combination of antiplatelet and anticoagulation therapy for secondary prevention in ischemic stroke patients with antiphospholipid syndrome. Int J Med Sci 2009; 7: 15-18. （レベル2）
11) Brey RL. Preliminary concordance between antiphospholipid (aPL) assays in a subset of ischemic stroke patients enrolled in WARSS/APASS collaboration. 27th Int Stroke Conf Am Stroke Assoc 2002: 153. （レベル4）
12) Bala MM, Paszek E, Lesniak W, et al. Antiplatelet and anticoagulant agents for primary prevention of thrombosis in individuals with antiphospholipid antibodies. Cochrane Database Syst Rev 2018: CD012534. （レベル1）
13) Bala MM, Celinska-Lowenhoff M, Szot W, et al. Antiplatelet and anticoagulant agents for secondary prevention of stroke and other thromboembolic events in people with antiphospholipid syndrome. Cochrane Database Syst Rev 2017: CD012169. （レベル1）
14) Pengo V, Denas G, Zoppellaro G, et al. Rivaroxaban vs warfarin in high-risk patients with antiphospholipid syndrome. Blood 2018; 132: 1365-1371. （レベル2）
15) Ordi-Ros J, Sáez-Comet L, Pérez-Conesa M, et al. Rivaroxaban Versus Vitamin K Antagonist in Antiphospholipid Syndrome: a Randomized Noninferiority Trial. Ann Intern Med 2019; 171: 685-694. （レベル2）
16) Cortés-Hernández J, Sáez-Comet L, Mestre AR, et al. Rivaroxaban versus warfarin as secondary thromboprophylaxis in patients with antiphospholipid syndrome: a randomized, multicenter, open-label, clinical trial. Arthritis Rheumatol 2018; 70: 183. （レベル2）
17) Lubbe WF, Butler WS, Palmer SJ, et al. Fetal survival after prednisone suppression of maternal lupus-anticoagulant. Lancet 1983; 1: 1361-1363. （レベル4）
18) Branch DW, Scott JR, Kochenour NK, et al. Obstetric complications associated with the lupus anticoagulant. N Engl J Med 1985; 313: 1322-1326. （レベル4）
19) He Y, Li Y, Chen Y, et al. Homocysteine level and risk of different stroke types: a meta-analysis of prospective observational studies. Nutr Metab Cardiovasc Dis 2014; 24: 1158-1165. （レベル3）
20) Alfthan G, Pekkanen J, Jauhiainen M, et al. Relation of serum homocysteine and lipoprotein (a) concentrations to atherosclerotic disease in a prospective Finnish population based study. Atherosclerosis 1994; 106: 9-19. （レベル4）
21) Wang X, Qin X, Demirtas H, et al. Efficacy of folic acid supplementation in stroke prevention: a meta-analysis. Lancet 2007; 369: 1876-1882. （レベル1）
22) Clarke R, Halsey J, Lewington S, et al. Effects of lowering homocysteine levels with B vitamins on cardiovascular disease, cancer, and cause-specific mortality: Meta-analysis of 8 randomized trials involving 37 485 individuals. Arch Intern Med 2010; 170: 1622-1631. （レベル1）
23) 猪原匡史, 田中晴夫, 西村洋. 虚血性脳血管障害で発症した先天性protein C欠乏症の2症例. 脳卒中 1996；18：338-342. （レベル4）
24) Morris JG, Singh S, Fisher M. Testing for inherited thrombophilias in arterial stroke: can it cause more harm than good? Stroke 2010; 41: 2985-2990. （レベル4）
25) 内山真一郎. 【傍腫瘍性神経症候群 診断と治療の進歩】障害部位・病態による臨床病型 トルーソー症候群. 日本内科学会雑誌 2008；97：1805-1808. （レベル4）
26) 茂木正樹, 藤澤睦夫, 山下史朗, 他. 膵臓癌に合併したTrousseau症候群と考えられた1例. 脳卒中 2011；33：583-589. （レベル4）
27) 西脇知永, 永松晋作, 菊井祥二. 再発を繰り返したTrousseau症候群の1例. 神経内科 2008；69：490-493. （レベル4）
28) 上浪健, 森雅秀, 木村紀久, 他. Trousseau症候群を伴った肺癌の1例. 日本呼吸器学会誌 2012；1：363-367. （レベル4）

Ⅵ その他の脳血管障害

12 全身疾患に伴う脳血管障害

12-2 遺伝性脳血管障害

推奨

1. Fabry 病による脳梗塞例では酵素補充療法が勧められる（推奨度 A　エビデンスレベル高）。

2. CADASIL の脳卒中発症予防に、禁煙、適切な血圧管理を行うことは妥当である（推奨度 B　エビデンスレベル中）。

3. CADASIL および CARASIL では、脳出血のリスクが高まることに注意し、脳梗塞予防目的に抗血小板薬の投与を考慮しても良い（推奨度 C　エビデンスレベル低）。

4. CADASIL の脳梗塞の予防にロメリジン投与の有効性は確立していない（推奨度 C　エビデンスレベル低）。

解　説

1. Fabry 病による脳梗塞

脳梗塞を契機に診断された Fabry 病患者や Fabry 病と診断された後に脳梗塞を発症した患者に対して、本疾患の進行抑制効果のある酵素補充療法は勧められる[1]。

Fabry 病に対する酵素補充療法の効果は、これまでの無作為化試験の結果から、腎症や心筋症への有効性は示されているが、脳卒中を1次エンドポイントとした無作為化試験は実施されていない[1]。酵素補充療法を実施した複数のコホート研究とヒストリカルコントロールの結果を統合解析した報告では、脳血管障害の発症率は、通常量の酵素補充療法群が 3.5％（95％信頼区間〔CI〕0.024〜0.046）に対して、ヒストリカルコントロールの無治療群が 17.8％（CI 0.123〜0.240）と酵素補充療法群で有意に脳血管障害の発症率が低いことが示されている[2]。

一方、近年の大規模なコホート研究では、心筋症や腎症への有効性は示されているものの、脳卒中への有効性は示されていない[3]。以上の結果から、酵素補充療法の脳血管障害予防効果は一定の見解が得られていない。

単一施設のコホート研究では、脳血管障害の発症群は未発症群と比較して、脳血管障害の既往や腎症、心筋症、被角血管腫など脳以外の臓器障害の合併例が多く、これらが脳梗塞発症に関連することが示されている[4]。

脳卒中新規発症を1次エンドポイントとした無作為化試験の実施が困難な現状を踏まえ、白質病変の増加を指標とした無作為化試験が実施されている。本無作為化試験では、脳梗塞発症リスクの高い腎症合併例を対象としており、酵素補充療法の白質病変の増加抑制効果が示されているが、小規模で効果もわずかであった[5]。一方、コホート研究の統合解析では、複数のコホート研究で、酵素補充療法中にもかかわらず白質病変が増加したと報告されている[6]。近年の大規模なコホート研究でも酵素補充療法と白質病変の進行抑制との関連性は示されていない[7]。

したがって、酵素補充療法の白質病変増加抑制効果について一定の見解が得られていない。

2. CADASIL および CARASIL

CADASIL および CARASIL では根治的治療は開発されておらず、脳卒中を1次エンドポイントとした無作為化試験は実施されていない。コホート研究では、試験開始時の軽度の血圧高値や無症候性のラクナ梗塞の数が、3年間の追跡期間中の無症候性脳梗塞の新規発症の独立した因子であることが示されている[8]。また、試験開始時の MRI で微小出血を認めた群は微小出血のない群と比べて、3年間の追跡期間中の新規の無症候性脳梗塞発症が有意に多いことが示されている[9]。

過去のコホート研究では、喫煙群が非喫煙群よりも脳梗塞初発年齢が低いことや糖尿病や軽度の血圧高値が微小出血の増加の因子であると報告されている。したがって、CADASIL において血圧や喫煙な

脳卒中治療ガイドライン 2021　241

どの脳卒中の危険因子を管理することは、CADA-SIL の脳卒中予防のために推奨される。

3. 抗血小板薬

抗血小板薬については、コホート研究の対象者の84％（脳梗塞の既往のある患者の98％、脳梗塞の既往のない患者の74％）が抗血小板薬を服用されており、3年間の追跡期間中に脳出血合併例はなかったと報告されている[9]。

4. ロメリジン

ロメリジンに関しては、CADASIL の脳梗塞発症予防に、ロメリジンは効果があったという症例報告がある[10]。

〔引用文献〕

1) El Dib R, Gomaa H, Carvalho RP, et al. Enzyme replacement therapy for Anderson-Fabry disease. Cochrane Database Syst Rev 2016: CD006663.（レベル 1）

2) El Dib R, Gomaa H, Ortiz A, et al. Enzyme replacement therapy for Anderson- Fabry disease: A complementary overview of a Cochrane publication through a linear regression and a pooled analysis of proportions from cohort studies. PLoS One 2017; 12: e0173358.（レベル 4）

3) Anderson LJ, Wyatt KM, Henley W, et al. Long-term effectiveness of enzyme replacement therapy in Fabry disease: results from the NCS–LSD cohort study. J Inherit Metab Dis 2014; 37: 969–978.（レベル 3）

4) Liu D, Hu K, Schmidt M, et al. Value of the CHA2DS2–VASc score and Fabry-specific score for predicting new-onset or recurrent stroke/TIA in Fabry disease patients without atrial fibrillation. Clin Res Cardiol 2018; 107: 1111–1121.（レベル 4）

5) Fellgiebel A, Gartenschläger M, Wildberger K, et al. Enzyme replacement therapy stabilized white matter lesion progression in Fabry disease. Cerebrovasc Dis 2014; 38: 448–456.（レベル 2）

6) Rombach SM, Smid BE, Linthorst GE, et al. Natural course of Fabry disease and the effectiveness of enzyme replacement therapy: a systematic review and meta-analysis: effectiveness of ERT in different disease stages. J Inherit Metab Dis 2014; 37: 341–352.（レベル 3）

7) Stefaniak JD, Parkes LM, Parry-Jones AR, et al. Enzyme replacement therapy and white matter hyperintensity progression in Fabry disease. Neurology 2018; 91: e1413-e1422.（レベル 3）

8) Ling Y, De Guio F, Duering M, et al. Predictors and Clinical Impact of Incident Lacunes in Cerebral Autosomal Dominant Arteriopathy With Subcortical Infarcts and Leukoencephalopathy. Stroke 2017; 48: 283–289.（レベル 2）

9) Wilson HC, Hopkin RJ, Madueme PC, et al. Arrhythmia and Clinical Cardiac Findings in Children With Anderson- Fabry Disease. Am J Cardiol 2017; 120: 251–255.（レベル 2）

10) 水野敏樹. CADASIL の診断，病態，治療の進歩―本邦における CADASIL 診断基準の作成―. 臨床神経学 2012；52：303–313.（レベル 4）

VI その他の脳血管障害

12 全身疾患に伴う脳血管障害

12-3 線維筋性形成異常症

推奨

1. 狭窄が中等度以下で無症候の線維筋性形成異常症（fibromuscular dysplasia：FMD）においては、経時的な画像検査による経過観察と降圧治療を行うことは妥当である（推奨度B　エビデンスレベル低）。

2. 症候性病変に対して抗血栓療法を行うことは妥当である（推奨度B　エビデンスレベル低）。

3. 症候性病変に対して、症例を慎重に選択した上で外科治療あるいは血管内治療を考慮しても良い（推奨度C　エビデンスレベル低）。

解　説

　一過性脳虚血発作や脳梗塞、頭痛、めまいなどの臨床症候を有する線維筋性形成異常症において、主幹動脈の高度狭窄病変や解離性病変に対して、血管内治療や外科的治療を積極的に推奨する報告が散見される[1-5]。線維筋性形成異常症の臨床症状や症候では高血圧が最も多く、次いで頭痛、拍動性耳鳴り、浮動性眩暈と報告されている[6]。その一方で、頭頚部線維筋性形成異常症の自然経過については見解が分かれており、なかには脳血管造影検査あるいは超音波検査上で狭窄病変の進行を認める症例がある一方で、病状の進行が遅い無症候性の軽度狭窄病変から中等度狭窄病変に対しては経過観察や降圧治療で十分に対処できるとする報告もある[2,7-9]。米国およびフランスで行われたレジストリの結果をまとめた報告では、頭頚部線維筋性形成異常症は予後が良く、虚血発症例には抗血小板療法もしくは抗凝固療法が勧められている。外科治療介入は動脈瘤を除く頭頚部線維筋性形成異常症には症候性病変のみに行うよう勧められている[10,11]。

〔引用文献〕

1) Olin JW. Recognizing and managing fibromuscular dysplasia. Cleve Clin J Med 2007; 74: 273-274, 277-282.（レベル4）
2) Arning C, Grzyska U. Color Doppler imaging of cervicocephalic fibromuscular dysplasia. Cardiovasc Ultrasound 2004; 2: 7.（レベル4）
3) Van Damme H, Sakalihasan N, Limet R. Fibromuscular dysplasia of the internal carotid artery. Personal experience with 13 cases and literature review. Acta Chir Belg. 1999; 99: 163-168.（レベル4）
4) Chiche L, Bahnini A, Koskas F, et al. Occlusive fibromuscular disease of arteries supplying the brain: results of surgical treatment. Ann Vasc Surg 1997; 11: 496-504.（レベル4）
5) Curry TK, Messina LM. Fibromuscular dysplasia: when is intervention warranted? Semin Vasc Surg 2003; 16: 190-199.（レベル4）
6) Olin JW, Froehlich J, Gu X, et al. The United States Registry for Fibromuscular Dysplasia: results in the first 447 patients. Circulation 2012; 125: 3182-3190.（レベル2）
7) Stewart MT, Moritz MW, Smith RB 3rd, et al. The natural history of cartid fibromuscular dysplasia. J Vasc Surg 1986; 3: 305-310.（レベル4）
8) Wells RP, Smith RR. Fibromuscular dysplasia of the internal cartid artery: a long term follw-up. Neurosurgery 1982; 10: 39-43.（レベル4）
9) Plouin PF, Perdu J, La Batide-Alanore A, et al. Fibromuscular dysplasia. Orphanet J Rare Dis 2007; 2: 28.（レベル4）
10) Persu A, Giavarini A, Touzé E, et al. European consensus on the diagnosis and management of fibromuscular dysplasia. J Hypertens 2014; 32: 1367-1378.（レベル5）
11) O'Connor SC, Gornik HL. Recent developments in the understanding and management of fibromuscular dysplasia. J Am Heart Assoc 2014; 3: e001259.（レベル3）

Ⅵ その他の脳血管障害

12 全身疾患に伴う脳血管障害

12-4 高安動脈炎

推 奨

1. 高安動脈炎の治療においては、活動期には C reactive protein（CRP）を指標に炎症症候と臨床症候に対応しながら、副腎皮質ステロイドの投与量を調整し、MR angiography（MRA）あるいは CT angiography（CTA）による大動脈や腎動脈狭窄病変の経時的な観察を行うことは妥当である（推奨度 B　エビデンスレベル中）。多臓器障害や中枢神経障害を合併する急性期にはメチルプレドニゾロン・パルス療法を考慮しても良い（推奨度 C　エビデンスレベル低）。副腎皮質ステロイドの単剤治療に抵抗性もしくは再燃する患者では免疫抑制薬や生物学的製剤の併用を考慮しても良い（推奨度 C　エビデンスレベル低）。

2. 合併する血栓症の予防には、抗血小板薬の投与を行うことは妥当である（推奨度 B　エビデンスレベル低）。適切な内科的治療にもかかわらず、頻回な失神発作やめまいのため生活に支障を来している場合や、脳虚血による視力障害が出現した場合には血行再建を考慮しても良い（推奨度 C　エビデンスレベル低）。

解 説

高安動脈炎は進行性の疾患であるが、活動期に脳虚血症状を呈する場合には、神経学的脱落症状を悪化させずに活動期を乗り越え安定期を迎えることが重要である。近年では MRI や CT による血管造影検査の普及が本症の早期発見を可能とし、治療も早期に行われるため以前と比べて転帰が著しく改善している[1,2]。活動性を評価する画像診断としてはエコー、CT angiography（CTA）、MR angiography（MRA）、FDG-positron emission tomography（FDG-PET）があるが gold standard になるものはなく、さらなる研究、調査が望まれる[3]。転帰を決定するもっとも重要な病変は、腎動脈狭窄や大動脈縮窄症による高血圧、大動脈弁閉鎖不全症による鬱血性心不全、虚血性心疾患、心筋梗塞、解離性大動脈瘤、大動脈瘤破裂である。

内科療法としては、炎症の抑制を目的として副腎皮質ステロイドを使用し、C reactive protein（CRP）を指標とした炎症反応の程度と臨床症状に応じて投与量を加減しながら継続的、あるいは間欠的に投与する[1]。炎症反応が強い場合は、1日量プレドニゾロン 0.5〜1 mg/kg/日で開始するが、症状、年齢により適宜調整する[1]。多臓器障害や中枢神経障害を合併する急性期にはメチルプレドニゾロン・パルス療法（1 g または 15 mg/kg/日、3 日間連日投与）を考慮する[1]。副腎皮質ステロイドの単剤治療に抵抗性もしくは再燃する患者では免疫抑制薬であるメトトレキサート（MTX）、アザチオプリン（AZA）、シクロホスファミド（CY）[4]とステロイドとの併用療法[1]や生物学的製剤であるトシリズマブ（TCZ）、抗IL-6 受容体抗体製剤[5,6]や tumor necrosis factor（TNF）阻害薬[7]、とステロイドの併用投与が有効であるとの報告がある[1,8]。

合併する血栓症の予防には、抗血小板薬が使用される[1,2,9-11]。手術適応は、そのときの炎症反応の程度ではなく、脳虚血症状の重症度を目安に決定すべきとされている[12]。一方で血行再建を活動期に行うと死亡率が高く、寛解期に手術をすることを推奨している報告もある[13]。薬物治療が無効で、頻回に脳虚血症状を起こし、さらに将来大規模な心臓外科的手術（たとえば大動脈弁置換術など）が必要で、その際の脳血流を維持することが必須と考えられる場合には血行再建の手術適応とされる[12,14]。血管内治療は、未だ議論の余地が残されており、経皮的血管形成術を施行した 3 例中の 2 例に再狭窄を認めたとしている報告もある[15]。直達手術と血管内治療の使い分けとしてはショートセグメントの動脈狭窄には血管内治療を選択し、ロングセグメントの動脈狭窄には、バイパス術を選択するというシステマ

ティックレビューがある[10]。

血行再建術の方法は個々の症例の頭頚部血流動態や血管の状態に最適なものを選択する必要性があり、そのためには負荷試験を含めた脳循環代謝評価や胸部 CT などによる十分な検討が必要である[9,15]。

〔引用文献〕

1) 日本循環器学会, 日本医学放射線学会, 日本眼科学会, 他. 血管炎症候群の診療ガイドライン (2017年改訂版). 2018, Available at https://www.j-circ.or.jp/old/guideline/pdf/JCS2017_isobe_h.pdf（レベル5）

2) Kim HJ, Suh DC, Kim JK, et al. Correlation of neurological manifestations of TakayasuLs arteritis with cerebral angiographic findings. Clin Imaging 2005; 29: 79-85.（レベル4）

3) Barra L, Kanji T, Malette J, et al. Imaging modalities for the diagnosis and disease activity assessment of Takayasu's arteritis: A systematic review and meta-analysis. Autoimmun Rev 2018; 17: 175-187.（レベル2）

4) Sun Y, Ma L, Ma L, et al. Cyclophosphamide could be a better choice than methotrexate as induction treatment for patients with more severe Takayasu's arteritis. Rheumatol Int 2017; 37: 2019-2026.（レベル4）

5) Nishimoto N, Nakahara H, Yoshio-Hoshino N, et al. Successful treatment of a patient with Takayasu arteritis using a humanized anti-interleukin-6 receptor antibody. Arthritis Rheum. 2008; 58: 1197-1200.（レベル4）

6) Nakaoka Y, Isobe M, Takei S, et al. Efficacy and safety of tocilizumab in patients with refractory Takayasu arteritis: results from a randomised, double-blind, placebo-controlled, phase 3 trial in Japan (the TAKT study). Ann Rheum Dis 2018; 77: 348-354.（レベル3）

7) Molloy ES, Langford CA, Clark TM, et al. Anti-tumour necrosis factor therapy in patients with refractory Takayasu arteritis: long-term follow-up. Ann Rheum Dis 2008; 67: 1567-1569.（レベル4）

8) 下島恭弘, 池田修一.【膠原病に伴う神経・筋障害 診断と治療の進歩】膠原病・類縁疾患に伴う神経・筋障害の診断と治療 血管炎症候群. 日本内科学会雑誌 2010；99：1773-1782.（レベル4）

9) Kumral E, Evyapan D, Aksu K, et al. Microembolus detection in patients with TakayasuLs arteritis. Stroke 2002; 33: 712-716.（レベル4）

10) Keser G, Direskeneli H, Aksu K. Management of Takayasu arteritis: a systematic review. Rheumatology (Oxford) 2014; 53: 793-801.（レベル2）

11) de Souza AW, Machado NP, Pereira VM, et al. Antiplatelet therapy for the prevention of arterial ischemic events in takayasu arteritis. Circ J 2010; 74: 1236-1241.（レベル4）

12) Tada Y, Sato O, Ohshima A, et al. Surgical treatment of Takayasu arteritis. Heart Vessels Suppl 1992; 7: 159-167.（レベル4）

13) Rosa Neto NS, Shinjo SK, Levy-Neto M, et al. Vascular surgery: the main risk factor for mortality in 146 Takayasu arteritis patients. Rheumatol Int 2017; 37: 1065-1073.（レベル4）

14) 松本隆, 山田和雄, 間瀬光人, 他. 高安病による両側総頚動脈狭窄症に対する内胸動脈―内頚動脈吻合術. 脳卒中の外科 1998；26：206-210.（レベル4）

15) 間瀬光人, 山田和雄, 梅村淳, 他.【Large Vessel Diseases への治療戦略 現状と将来の展望】頚部血行再建術 大動脈炎症候群に伴う頚動脈閉塞性病変の血行再建術. The Mt. Fuji Workshop on CVD 2003；21：27-32.（レベル4）

Ⅵ その他の脳血管障害

12 全身疾患に伴う脳血管障害

12-5 血液造血器疾患（真性多血症、本態性血小板血症、血栓性血小板減少性紫斑病ほか）

推 奨

1. すべての真性赤血球増多症で脳梗塞予防のためヘマトクリット（Ht）値 45％未満を目標値とし瀉血を行い、低用量アスピリンの内服を考慮しても良い（推奨度C　エビデンスレベル中）。血栓症ハイリスク症例（60 歳以上、または血栓症の既往がある）では細胞減少療法（ヒドロキシウレア）の併用を考慮しても良い（推奨度C　エビデンスレベル中）。

2. 本態性血小板血症の血栓症ハイリスク症例（60 歳以上かつ*JAK2*V617F 遺伝子変異陽性、または血栓症の既往がある）では脳梗塞予防のために低用量アスピリンと細胞減少療法（ヒドロキシウレアもしくはアナグレライド）の併用を考慮しても良い（推奨度C　エビデンスレベル中）。

3. 本態性血小板血症で血小板数が 100 万/μL を超える症例では、後天性 von Willebrand syndrome を発症することがある。この場合は出血合併症のリスクが増加するため、血栓症ハイリスク症例では細胞減少療法後に血小板数が減少していることを確認してから低用量アスピリンの内服を考慮しても良い（推奨度C　エビデンスレベル低）。

解　説

骨髄増殖性腫瘍（myeloproliferative neoplasms：MPN）は、血液幹細胞の異常増殖により骨髄細胞が慢性的に増殖する血液疾患である[1]。MPN の発症には、*JAK2*V617F 遺伝子が関与しており、*JAK2*V617F 遺伝子変異によって JAK-STAT 系が恒常的に活性化されることで血液細胞が腫瘍性に増殖する[2]。*JAK2*V617F 遺伝子変異は、真性赤血球増多症（polycythemia vera：PV）の 95％以上、本態性血小板血症（essential thrombocythemia：ET）の約半数で認められる[3]。PV や ET は、虚血性心疾患および脳梗塞を含む血栓塞栓症の合併リスクが高い[4]。ドイツで行われた前向き観察研究の報告によると、MPN 発症後 3 年間での脳卒中累積発症頻度は PV で 25％、ET で 21％であった[5]。スウェーデンで行われた集団ベースコホート研究では、MPN の診断後 5 年間での脳血管障害発症リスクはコントロール群と比較して約 1.5 倍上昇していた[6]。しかし、再発予防のエビデンスは全血栓症に対しては確立されているものの、脳梗塞単独での一次および二次予防を検証した無作為化試験の報告はない。MPN の生命予後は比較的良好であり、合併する血栓症の予防が治療の主体となるた

め、血栓症のリスク層別化が重要である。PV 症例では、年齢 60 歳以上または血栓症の既往のある患者は、血栓症高リスク症例に分類される[7]。ET 症例では、ET 患者 891 例を対象とした多変量解析での予後予測モデル（IPSET-thrombosis）の改訂版において、60 歳以上かつ*JAK2*V617 遺伝子変異陽性、または血栓症の既往がある症例は、血栓症の高リスク群に分類される[8,9]。また、MPN の頭部 MRI の画像所見について調査した前向き観察研究では、頭部 MRI を施行した MPN 患者全体の 3 分の 1 で無症候性脳梗塞を認め、脳梗塞巣の約 35％は多発性の脳梗塞巣であったと報告している[10]。

PV における血栓症の発症予防に関しては、ヘマトクリット（Ht）値を 45％未満になるようにコントロールすることが勧められる。*JAK2*V617F 遺伝子変異陽性の PV365 症例に対して、瀉血あるいは細胞減少療法（ヒドロキシウレア）、または両者を用いて Ht 値を 45％未満にする群（低 Ht 群）と 45～50％にする群（高 Ht 群）で無作為に割り付け比較したところ、45％未満の群で有意に死亡率（低 Ht 群 2.7％ vs. 高 Ht 群 9.8％）や心血管系の血栓症発症率（低 Ht 群 4.4％ vs. 高 Ht 群 10.9％）が低下した（CYTO-PV）[11]。また、血栓症の既往のない PV518 症例を対象に行われた多施設共同試

験（ECLAP）では、低用量アスピリン内服群（100 mg/日）とプラセボ群に無作為に割り付け比較したところ、罹病期間や血小板数、細胞減少療法の有無に関係なく、心血管系イベントや動脈系血栓症の発症率を有意に低下させた（低用量アスピリン内服群 3.2% vs. プラセボ群 7.9%、p＝0.03）[12]。そのためすべての PV 症例において、瀉血療法および低用量アスピリン（81〜100 mg/日）の内服が推奨されている。血栓症高リスクの PV 症例では、瀉血療法、低用量アスピリン療法に加え、細胞減少療法（ヒドロキシウレア）の併用が勧められる[13]。ヒドロキシウレアの長期使用は白血病転化と関連があるため、若年や血栓症のリスクの低い症例では推奨されない。欧米では、若年者や妊娠中の患者であれば、細胞減少療法の代わりにインターフェロンα-2b の使用を考慮しても良いとされている[14]。

ET 患者の血栓症予防における抗血小板療法の有効性に関して、低〜中間リスク ET 症例ではランダム化比較試験（RCT）による明確なエビデンスはない。後方視的解析の結果では、低リスク ET 患者のうち JAK2V617F 遺伝子変異を有する患者と心血管リスク（高血圧、脂質異常症、喫煙）のある患者でアスピリンが血栓症予防に有効であった[15]。高リスク ET 症例 809 例を対象とした RCT では、動脈性血栓症の発症率はヒドロキシウレア＋低用量アスピリンがアナグレリド＋低用量アスピリンより有意に少なかった[16]。一方で、別の RCT（ANA-HYDRET）では、血栓合併症予防の治療として、アナグレリドのヒドロキシウレアに対する非劣性が示された[17]。これらの報告を踏まえて、高リスク症例や急性の血栓症を有する症例では低用量アスピリン療法と細胞減少療法の併用を初回治療として行うよう勧められる。ただし、細胞減少療法の選択に関しては明確なエビデンスは確立していないため、血液内科医と相談の上で検討することが望ましい。

ET 患者において、血小板増加（血小板数 100 万/μL 以上）は、重大な出血リスクとの関連が認められるが、血栓症のリスクとは関係がない[18]。血小板増多により von Willebrand 因子が低下すると後天性 von Willebrand syndrome を発症することがあり、出血リスクが高くなる。特に 100 万/μL を超えると出血のリスクを増加させるため[19]、低用量アスピリンの使用は出血性合併症を増加させる危険性があり、細胞減少療法で血小板が低下していることを確認してからアスピリンを投与することを考慮し

ても良い[20]。また、出血時には、出血がコントロールされるまで、アスピリンを中断するとともに、血小板数を正常化するために細胞減少療法の使用を考慮すべきである。

〔引用文献〕

1) Arber DA, Orazi A, Hasserjian R, et al. The 2016 revision to the World Health Organization classification of myeloid neoplasms and acute leukemia. Blood 2016; 127: 2391-2405. （レベル 1）

2) Kralovics R, Passamonti F, Buser AS, et al. A gain-of-function mutation of JAK2 in myeloproliferative disorders. N Engl J Med 2005; 352: 1779-1790. （レベル 2）

3) Tefferi A, Gilliland DG. Oncogenes in myeloproliferative disorders. Cell Cycle 2007; 6: 550-566. （レベル 2）

4) Gonthier A, Bogousslavsky J. [Cerebral infarction of arterial origin and haematological causation: the Lausanne experience and a review of the literature]. Rev Neurol (Paris) 2004; 160: 1029-1039. （レベル 2）

5) Kaifie A, Kirschner M, Wolf D, et al. Bleeding, thrombosis, and anticoagulation in myeloproliferative neoplasms (MPN): analysis from the German SAL-MPN-registry. J Hematol Oncol 2016; 9: 18. （レベル 3）

6) Hultcrantz M, Björkholm M, Dickman PW, et al. Risk for Arterial and Venous Thrombosis in Patients With Myeloproliferative Neoplasms: A Population-Based Cohort Study. Ann Intern Med 2018; 168: 317-325. （レベル 2）

7) Barbui T, Barosi G, Birgegard G, et al. Philadelphia-negative classical myeloproliferative neoplasms: critical concepts and management recommendations from European LeukemiaNet. J Clin Oncol 2011; 29: 761-770. （レベル 2）

8) Barbui T, Finazzi G, Carobbio A, et al. Development and validation of an International Prognostic Score of thrombosis in World Health Organization-essential thrombocythemia (IPSET-thrombosis). Blood 2012; 120: 5128-5133; quiz 5252. （レベル 2）

9) Barbui T, Vannucchi AM, Buxhofer-Ausch V, et al. Practice-relevant revision of IPSET-thrombosis based on 1019 patients with WHO-defined essential thrombocythemia. Blood Cancer J 2015; 5: e369. （レベル 2）

10) Nagai K, Shimoyama T, Yamaguchi H, et al. Clinical characteristics and brain MRI findings in myeloproliferative neoplasms. J Neurol Sci 2020; 416: 116990. （レベル 3）

11) Marchioli R, Finazzi G, Specchia G, et al. Cardiovascular events and intensity of treatment in polycythemia vera. N Engl J Med 2013; 368: 22-33. （レベル 2）

12) Landolfi R, Marchioli R, Kutti J, et al. Efficacy and safety of low-dose aspirin in polycythemia vera. N Engl J Med 2004; 350: 114-124. （レベル 2）

13) Mesa RA, Jamieson C, Bhatia R, et al. NCCN Guidelines Insights: Myeloproliferative Neoplasms, Version 2. 2018. J Natl Compr Canc Netw 2017; 15: 1193-1207. （レベル 2）

14) Fruchtman SM, Mack K, Kaplan ME, et al. From efficacy to safety: a Polycythemia Vera Study group report on hydroxyurea in patients with polycythemia vera. Semin Hematol 1997; 34: 17-23. （レベル 3）

15) Alvarez-Larrán A, Cervantes F, Pereira A, et al. Observation versus antiplatelet therapy as primary prophylaxis for thrombosis in low-risk essential thrombocythemia. Blood 2010; 116: 1205-1210; quiz 1387. （レベル 3）

16) Harrison CN, Campbell PJ, Buck G, et al. Hydroxyurea compared with anagrelide in high-risk essential thrombocythemia. N Engl J Med 2005; 353: 33-45. （レベル 2）

17) Gisslinger H, Gotic M, Holowiecki J, et al. Anagrelide compared with hydroxyurea in WHO-classified essential thrombocythemia: the ANAHYDRET Study, a randomized controlled trial. Blood 2013; 121: 1720-1728. （レベル 2）

18) H Campbell PJ, MacLean C, Beer PA, et al. Correlation of blood counts with vascular complications in essential thrombocythemia: analysis of the prospective PT1 cohort. Blood 2012; 120: 1409-1411. （レベル 2）

19) Michiels JJ. Acquired von Willebrand disease due to increasing platelet count can readily explain the paradox of thrombosis

and bleeding in thrombocythemia. Clin Appl Thromb Hemost 1999; 5: 147-151. (レベル 3)

20) Rottenstreich A, Kleinstern G, Krichevsky S, et al. Factors related to the development of acquired von Willebrand syndrome in patients with essential thrombocythemia and polycythemia vera. Eur J Intern Med 2017; 41: 49-54. (レベル 3)

VII

亜急性期以後の
リハビリテーション
診療

VII 亜急性期以後のリハビリテーション診療

CQ VII-a 回復期リハビリテーション病棟からの退院時期は、どのようにして決定すべきか？

▶ 回復期リハビリテーション病棟に入院した脳卒中患者は、回復のプラトーに達したと判断された時期に退院することを考慮しても良い（推奨度C　エビデンスレベル低）。

解説

本邦の現状として、脳卒中患者の回復期リハビリテーション病棟からの退院時期については明確な基準がなく、「入院下での訓練が必要ではなくなった時、もしくは入院下での訓練を継続できなくなった時」に退院が考慮される。具体的には、日常生活動作（activities of daily living：ADL）が自立した時、ゴールであった手段的ADLが自立した時などが退院時期となる。さらには、訓練を行っても症状や機能の改善がほぼみられなくなった時（いわゆる回復のプラトー状態にほぼ到達した時）も退院時期として適切と思われる。

脳卒中後にみられる回復のプラトー状態を検討したものとして、Copenhagen Stroke Studyがある。Copenhagen Stroke Studyの結果として、下肢麻痺の回復は軽度から中等度麻痺の場合は発症9週後以降にはみられにくく、重度麻痺の場合は発症11週以降にはみられにくいことが示された[1]。上肢麻痺の回復については、軽度から中等度麻痺の場合は発症6週後以降には回復がみられにくく、重度麻痺の場合は発症11週以降には回復がみられにくいことが報告されている[2]。また、ADLレベルの改善については、軽度麻痺では発症8.5週後以降には、中等度麻痺では発症13週後以降には、重度麻痺では発症17週後以降には、超重度麻痺では発症20週後以降にはみられにくかった[3]。

しかしながら、近年になり麻痺側上肢を強制使用させる訓練[4]や反復性経頭蓋磁気刺激と集中的上肢機能訓練の併用[5]が、ひとたびプラトー状態に達した後であっても脳卒中後片麻痺を回復させることもあると報告されているため、回復のプラトー状態の診断が容易ではなくなってきた。

以上から現状として、回復期リハビリテーション病棟に入院した脳卒中患者については、科学的根拠をもって勧められる退院時期の決定方法はない。今後に最適な退院時期についてのエビデンスを集積し、退院時期の決定方法を検討する必要がある。

〔引用文献〕

1) Jørgensen HS, Nakayama H, Raaschou HO, et al. Recovery of walking function in stroke patients: the Copenhagen Stroke Study. Arch Phys Med Rehabil 1995; 76: 27-32.（レベル3）
2) Nakayama H, Jørgensen HS, Raaschou HO, et al. Recovery of upper extremity function in stroke patients: the Copenhagen Stroke Study. Arch Phys Med Rehabil 1994; 75: 394-398.（レベル3）
3) Jørgensen HS, Nakayama H, Raaschou HO, et al. Outcome and time course of recovery in stroke. Part II: Time course of recovery. The Copenhagen Stroke Study. Arch Phys Med Rehabil 1995; 76: 406-412.（レベル3）
4) Wolf SL, Winstein CJ, Miller JP, et al. Effect of constraint-induced movement therapy on upper extremity function 3 to 9 months after stroke: the EXCITE randomized clinical trial. JAMA 2006; 296: 2095-2104.（レベル2）
5) Abo M, Kakuda W, Momosaki R, et al. Randomized, multicenter, comparative study of NEURO versus CIMT in post-stroke patients with upper limb hemiparesis: the NEURO-VERIFY Study. Int J Stroke 2014; 9: 607-612.（レベル2）

Ⅶ 亜急性期以後のリハビリテーション診療

CQ Ⅶ-b 尖足もしくは下垂足に対する短下肢装具の作製は、どの時期に考慮すべきか？

▶ 脳卒中後片麻痺による尖足もしくは下垂足に対して、特に時期にかかわらず、短下肢装具を作製することを考慮しても良い（推奨度C　エビデンスレベル低）。

解説

　脳卒中後片麻痺によって尖足もしくは下垂足を呈するようになると、かかと接地が適切に行えずつま先クリアランスが不良となる。その結果、麻痺側下肢に体重をかけることができなくなり、歩行が不安定となり転倒の危険性が高まる。尖足もしくは下垂足に対しては短下肢装具の装着が有用であり、これの装着によって歩行速度の改善、立位バランスの改善などが得られる。

　本邦においては、回復期リハビリテーション病棟入院中に短下肢装具が作製されることが多いが、脳卒中後片麻痺に対する短下肢装具の最適な作製時期およびその装着開始時期は明らかではない。

　発症後6週間以内に研究参加した脳卒中後片麻痺患者を対象としたランダム化比較試験（randomized controlled trial：RCT）では、研究参加後第1週から短下肢装具を装着した群と研究参加後第9週からそれを装着した群との間で、研究参加後第26週の時点における歩行機能とバランス機能が比較されたが、結果として両群間で有意な差を認めなかった[1]。同様の対象について経時的に三次元歩行解析を行い、短下肢装具装着による骨盤傾斜、股・膝・足関節の可動性の改善の大きさを検討した報告でも、装着の時期はその改善度に影響しなかった[2]。装着の時期が、その後における遊脚期の前脛骨筋の筋活動に影響しないことも報告された[3]。

　以上から、脳卒中後片麻痺を原因とする尖足もしくは下垂足に対していつ短下肢装具を作製するかについては、科学的根拠をもって勧められる最適な時期はなく、今後にエビデンスを集積する必要がある。

〔引用文献〕
1) Nikamp CD, Buurke JH, van der Palen J, et al. Six-month effects of early or delayed provision of an ankle-foot orthosis in patients with (sub) acute stroke: a randomized controlled trial. Clin Rehabil 2017; 31: 1616-1624.（レベル2）
2) Nikamp CDM, van der Palen J, Hermens HJ, et al. The influence of early or delayed provision of ankle-foot orthoses on pelvis, hip and knee kinematics in patients with sub-acute stroke: a randomized controlled trial. Gait Posture 2018; 63: 260-267.（レベル2）
3) Nikamp C, Buurke J, Schaake L, et al. Effect of long-term use of ankle-foot orthoses on tibialis anterior muscle electromyography in patients with sub-acute stroke: A randomized controlled trial. J Rehabil Med 2019; 51: 11-17.（レベル2）

Ⅶ 亜急性期以後のリハビリテーション診療

CQ Ⅶ-C　亜急性期以後の服薬アドヒアランスの低下は、脳卒中再発予防にどう影響するか？

▶ 服薬アドヒアランスの低下は、脳卒中のリスク管理を不十分とし再発予防薬の効果を減弱させるため、脳卒中を有意に増加させる。さまざまな工夫によって亜急性期以後も服薬アドヒアランスを高く維持することが再発予防の上で勧められる（推奨度Ａ　エビデンスレベル高）。

解説

脳卒中発作の退院後、服薬アドヒアランスは急激に低下することが知られており、2年後には降圧薬で74.2％、スタチンで56.1％、抗血小板薬で63.7％、ワルファリンで45.0％まで低下するというデータがある[1]。特に抗血栓薬の低アドヒアランス群は高アドヒアランス群よりも、脳卒中を発症する率が高く重症化しやすいことが多くの症例、対照試験やコホート研究で報告されている。抗血栓薬の中で直接阻害型経口抗凝固薬（direct oral anticoagulant：DOAC）はワルファリンに比較して半減期が短いため、わずかな期間のアドヒアランスの低下が直ちに脳梗塞の再発を招きやすく、しかもDOACは血液モニターできないためアドヒアランス低下を見落としやすい[2]。また、ワルファリンについてはSPORTIFをはじめ多くの試験にて、prothrombin time-international normalized ratio（PT-INR）コントロール不良群で有意に脳卒中や全身性塞栓症を起こしやすいことが報告されている[3]。さらに抗血小板薬についてのアドヒアランスの低下は脳卒中の再発を来すことが、大規模ランダム化比較試験（RCT）のサブグループ解析[4]やコホート研究[5]などで広く報告されている。

こうしたことから亜急性期以後には、さまざまな工夫によって服薬アドヒアランスを高く保つ試験が行われ、リスクコントロールおよび脳卒中再発予防に効果的であることが報告されてきている。

Cochrane Libraryでは2018年までの脳卒中二次予防における教育的・行動的介入によるリスク因子のコントロール改善の効果を検討した42試験（対象33,840人）をメタ解析した[6]。介入としては患者や医師の教育・行動改善および医療サービス組織改善などが含まれ、介入によって血圧は目標値に達する割合が増加したが、服薬アドヒアランスは改善せず、血圧以外の脂質、HbA1cなどのリスク因子データも改善しなかった[6]。

その後に発表されたINSPiRE-TMSは、ドイツとデンマークの多施設RCTで、脳梗塞・一過性脳虚血発作（transient ischemic attack：TIA）後の二次予防に対する患者サポートプログラムの有用性を検討したもので、頻回の外来受診でデータのフィードバックや治療へのアドヒアランスを高める面談を行うプログラムを施行した。平均3.6年の経過観察で、二次ターゲットである血圧、LDL-コレステロール、運動量、禁煙率などは有意に改善したが、主要心血管イベントの発症に有意差はつかなかった[7]。

ICARUSSモデルはオーストラリアにて考案された二次予防についての医療サポートプログラムで、脳卒中専門医、一般診療医、患者を双方向に統合するものである[8]。RCTによる検証でプログラム参加者は12か月後には高血圧、コレステロールや中性脂肪などの脂質異常、body mass index、運動機能、Barthel indexの改善がコントロール群と比較して有意差をもって認められた。

NAILED stroke risk factor trialでは、脳卒中やTIAの二次予防の患者に看護師が電話でのフォローアップ行ったところ、12か月後には標準フォローアップ群に比較して血圧およびLDL-コレステロールの値が目標値に達する割合が有意に増加した[9]。この有意差は36か月後も変わらず認められた[10]。

Kraftらのメタ解析では、主として看護師による電話フォローアップ（telemedicine）の脳卒中二次予防における効果を検証した11試験を評価し、telemedicine群ではコントロール群よりも有意に血圧が低下しており、死亡率も低下したと報告され

た[11]。

　薬剤師による服薬教育の効果を脳卒中・TIA の二次予防患者に対して検討した RCT では、アドヒアランスを改善することはできず、血栓予防薬へのアドヒアランスが経時的に低下するのも介入によって抑制できなかった[12]。

　また抗血小板薬、降圧薬、スタチンからなる複数の薬剤を合剤（polypill）で処方することにより、血圧や脂質異常のコントロール不良、抗血小板薬内服アドヒアランスが有意に向上することが、3 つの RCT のメタ解析にて示されている[13]。

〔引用文献〕

1) Glader EL, Sjölander M, Eriksson M, et al. Persistent use of secondary preventive drugs declines rapidly during the first 2 years after stroke. Stroke 2010; 41: 397-401.（レベル 3）
2) Salmasi S, Loewen PS, Tandun R, et al. Adherence to oral anticoagulants among patients with atrial fibrillation: a systematic review and meta-analysis of observational studies. BMJ Open 2020; 10: e034778.（レベル 1）
3) White HD, Gruber M, Feyzi J, et al. Comparison of outcomes among patients randomized to warfarin therapy according to anticoagulant control: results from SPORTIF III and V. Arch Intern Med 2007; 167: 239-245.（レベル 2）
4) Weimar C, Cotton D, Sha N, et al. Discontinuation of antiplatelet study medication and risk of recurrent stroke and cardiovascular events: results from the PRoFESS study. Cerebrovasc Dis 2013; 35: 538-543.（レベル 2）
5) Flynn RW, MacDonald TM, Murray GD, et al. Persistence, adherence and outcomes with antiplatelet regimens following

cerebral infarction in the Tayside Stroke Cohort. Cerebrovasc Dis 2012; 33: 190-197.（レベル 3）
6) Bridgwood B, Lager KE, Mistri AK, et al. Interventions for improving modifiable risk factor control in the secondary prevention of stroke. Cochrane Database Syst Rev 2018: CD009103.（レベル 1）
7) Ahmadi M, Laumeier I, Ihl T, et al. A support programme for secondary prevention in patients with transient ischaemic attack and minor stroke (INSPiRE-TMS): an open-label, randomised controlled trial. Lancet Neurol 2020; 19: 49-60 （レベル 2）
8) Joubert J, Davis SM, Donnan GA, et al. ICARUSS: An effective model for risk factor management in stroke survivors. Int J Stroke 2020; 15: 438-453.（レベル 2）
9) Irewall AL, Ögren J, Bergström L, et al. Nurse-Led, Telephone-Based, Secondary Preventive Follow-Up after Stroke or Transient Ischemic Attack Improves Blood Pressure and LDL Cholesterol: Results from the First 12 Months of the Randomized, Controlled NAILED Stroke Risk Factor Trial. PLoS One 2015; 10: e0139997.（レベル 2）
10) Ögren J, Irewall AL, Söderström L, et al. Long-term, telephone-based follow-up after stroke and TIA improves risk factors: 36-month results from the randomized controlled NAILED stroke risk factor trial. BMC Neurol 2018; 18: 153.（レベル 2）
11) Kraft P, Hillmann S, Rücker V, et al. Telemedical strategies for the improvement of secondary prevention in patients with cerebrovascular events-A systematic review and meta-analysis. Int J Stroke 2017; 12: 597-605.（レベル 1）
12) Hedegaard U, Kjeldsen LJ, Pottegård A, et al. Multifaceted intervention including motivational interviewing to support medication adherence after stroke/transient ischemic attack: a randomized trial. Cerebrovasc Dis Extra 2014; 4: 221-234.（レベル 2）
13) Selak V, Webster R, Stepien S, et al. Reaching cardiovascular prevention guideline targets with a polypill-based approach: a meta-analysis of randomised clinical trials. Heart 2019; 105: 42-48.（レベル 1）

Ⅶ 亜急性期以後のリハビリテーション診療

1 亜急性期以後のリハビリテーション診療の進め方

1-1　回復期のリハビリテーション診療

推奨

1. 回復期脳卒中患者に対して、日常生活動作（ADL）を向上させるために、もしくは在宅復帰率を高めるために、多職種連携に基づいた包括的なリハビリテーション診療を行うことが勧められる（推奨度 A　エビデンスレベル中）。

2. 回復期において、訓練時間を長くすることは妥当である（推奨度 B　エビデンスレベル中）。

3. 歩行障害が軽度の患者に対して、有酸素運動や筋力増強訓練を行うことが勧められる（推奨度 A　エビデンスレベル高）。

解　説

本邦においては、多職種連携に基づいた包括的なリハビリテーション診療を行う病床群として、回復期リハビリテーション病棟が整備されている[1]。リハビリテーション診療に関して、多職種連携に基づいた包括的管理を行う病床群では、それを行わない病床群と比較して、Functional Independence Measure（FIM）利得と在宅復帰率が有意に大きいと報告されている[2]。また、リハビリテーション診療に関する環境が整った病床群で治療を受けることが、より高い在宅復帰率と機能予後の改善につながることが最近のシステマティックレビューで報告されている[3]。

本邦の回復期リハビリテーション病棟入院患者のデータベースに基づいた研究では、多変量解析の結果として訓練時間が長くなると FIM 利得が高くなることが報告されている[4]。同様に、大規模データベースを用いた観察研究は、週 15 時間以上の訓練を行った場合は、それを行わなかった場合と比較して、FIM 利得、FIM 効率、在宅復帰率が有意に大きかったことを報告している[5]。

歩行障害が軽度の脳卒中患者においては、有酸素運動の有効性が報告されている[6]。また、回復期脳卒中患者に対する筋力増強訓練についても、それが有用であることを示した報告がある[7]。しかしながら、有酸素運動および筋力増強訓練のいずれに関しても、確固たる適応基準や課すべき負荷の頻度や強度についての統一された見解はない[7]。

〔引用文献〕

1) Miura S, Miyata R, Matsumoto S, et al. Quality Management Program of Stroke Rehabilitation Using Adherence to Guidelines: A Nationwide Initiative in Japan. J Stroke Cerebrovasc Dis 2019; 28: 2434-2441.（レベル 4）
2) Stineman MG, Xie D, Kurichi JE, et al. Comprehensive versus consultative rehabilitation services postacute stroke: Outcomes differ. J Rehabil Res Dev 2014; 51: 1143-1154.（レベル 3）
3) Alcusky M, Ulbricht CM, Lapane KL. Postacute Care Setting, Facility Characteristics, and Poststroke Outcomes: A Systematic Review. Arch Phys Med Rehabil 2018; 99: 1124-1140. e9.（レベル 2）
4) 徳永誠, 近藤克則. 研究と報告　脳卒中回復期における訓練時間と FIM 利得との関係　日本リハビリテーション・データベースの分析. 総合リハビリテーション　2014；42：245-252.（レベル 3）
5) Kamo T, Momosaki R, Suzuki K, et al. Effectiveness of Intensive Rehabilitation Therapy on Functional Outcomes After Stroke: A Propensity Score Analysis Based on Japan Rehabilitation Database. J Stroke Cerebrovasc Dis 2019; 28: 2537-2542.（レベル 3）
6) Sandberg K, Kleist M, Falk L, et al. Effects of Twice-Weekly Intense Aerobic Exercise in Early Subacute Stroke: A Randomized Controlled Trial. Arch Phys Med Rehabil 2016; 97: 1244-1253.（レベル 2）
7) Ammann BC, Knols RH, Baschung P, et al. Application of principles of exercise training in sub- acute and chronic stroke survivors: a systematic review. BMC Neurol 2014; 14: 167.（レベル 2）

Ⅶ 亜急性期以後のリハビリテーション診療

1 亜急性期以後のリハビリテーション診療の進め方

1-2　生活期のリハビリテーション診療

推奨

1. 在宅で生活する生活期脳卒中患者に対して、歩行機能を改善するために、もしくは日常生活動作（ADL）を向上させるために、トレッドミル訓練、歩行訓練、下肢筋力増強訓練を行うことが勧められる（推奨度A　エビデンスレベル高）。

2. 地域におけるグループ訓練やサーキットトレーニングを行うことが勧められる（推奨度A　エビデンスレベル高）。

3. 復職を目指す場合、就労意欲、就労能力、職場環境を適切に評価した上で、産業医との連携のもとに職業リハビリテーションを行うことは妥当である（推奨度B　エビデンスレベル低）。

4. インターネットなどを用いた遠隔リハビリテーション診療を導入することを考慮しても良い（推奨度C　エビデンスレベル低）。

5. 自動車運転再開の希望がある場合、その可否を慎重に判断することが勧められる（推奨度A　エビデンスレベル中）。

解　説

発症後1年以上が経過した生活期（慢性期）脳卒中患者であっても、外来でのリハビリテーション診療を行うことで歩行機能の改善、身体活動性の増加、転倒リスクの軽減が認められたとする報告がある[1]。脳卒中後片麻痺患者に対して歩行訓練もしくは上肢機能訓練を行うことで、発症2年後まで歩行機能および日常生活動作（ADL）の改善がみられたという報告もある[2]。在宅で生活する脳卒中患者に対して、理学療法士や作業療法士から構成される多職種チームがリハビリテーション診療を実施することでADLが有意に向上することを示したメタ解析がある[3,4]。また、多職種による介入を行うことで、精神的支援に対する家族もしくは介護者の満足度が高まるとされる[5]。発症後6か月以上経過した脳卒中患者においては、地域リハビリテーションとしてトレッドミル訓練、歩行訓練、下肢筋力増強訓練を行うことで歩行機能の改善のみならず[6]、身体活動性の向上、生活の質（quality of life：QOL）の向上、筋力の増強が得られる[7]。トレッドミル訓練を行うことで麻痺側のみならず非麻痺側についても下肢筋力が増強される[8]。また、トレッドミル訓練による歩行速度改善効果は、生活期においても急

性期および回復期と同等にみられる[9]。

地域におけるグループ訓練プログラムは、心肺持久力、バランス機能、麻痺側下肢筋力を向上させるのみならず、身体活動性を増して骨塩量減少を抑制する[10,11]。生活期脳卒中患者に対して4週間のサーキットトレーニングを行ったところ、歩行速度、心肺持久力、バランス機能が改善された[12]。下肢の筋力増強訓練と複数の課題を取り入れたサーキットトレーニングを併用して行うことで、歩行持久力とバランス機能が改善され、生活自立度が高まることを示すメタ解析もある[13]。

回復期以後に復職する脳卒中患者は少なくないが、復職率に影響する因子としては、年齢、就労意欲、片麻痺、学歴、ADL自立度、高次脳機能障害、うつ症状などが挙げられている[14-16]。就労支援に際しては、産業医と連携することで復職率が高くなる[17]。

地理的もしくは社会的な要因から外来でのリハビリテーション診療や地域リハビリテーションの施行が困難な場合、インターネットなどを用いた遠隔リハビリテーション診療が試みられることがある。遠隔リハビリテーション診療によって、上肢運動機能、うつ症状、生活自立度、バランス機能の改善がもたらされることを示したメタ解析がある[18-20]。リ

脳卒中治療ガイドライン2021　255

ハビリテーション科医師による遠隔システムを用い
た機能評価の有用性も報告されている[21]。

　自動車運転の再開は、脳卒中患者の社会参加にお
いて重要である。しかしながら現状では、自動車運
転再開の基準に関するエビデンスは乏しい。障害の
程度、脳卒中再発リスク、糖尿病などの合併症の有
無、てんかん発作の危険性、薬物の影響などを考慮
した上で、慎重に運転再開の可否を判断するのが良
い[22,23]。脳卒中発症後1年以内の運転再開は交通
事故のリスクを6倍にするというメタ解析の報告が
ある[22]。

　脳卒中後の性機能障害は比較的高頻度にみられ、
患者およびパートナーのQOLを障害する[24]。しか
しながら、それを改善させる介入方法が確立されて
おらず、一貫したエビデンスもない[25]。本邦の場合
これまでは、医療者が性機能障害に介入することは
まれであったため[26]、今後は医療者を対象として性
機能障害への介入に関する教育を進める必要がある[27]。

〔引用文献〕

1) Rodriquez AA, Black PO, Kile KA, et al. Gait training efficacy using a home-based practice model in chronic hemiplegia. Arch Phys Med Rehabil 1996; 77: 801-805.（レベル4）
2) Dam M, Tonin P, Casson S, et al. The effects of long-term rehabilitation therapy on poststroke hemiplegic patients. Stroke 1993; 24: 1186-1191（レベル4）
3) Legg L, Langhorne P. Rehabilitation therapy services for stroke patients living at home: systematic review of randomised trials. Lancet 2004; 363: 352-356.（レベル2）
4) Outpatient Service Trialists. Therapy-based rehabilitation services for stroke patients at home. Cochrane Database Syst Rev 2003: CD002925.（レベル2）
5) Lincoln NB, Walker MF, Dixon A, et al. Evaluation of a multi-professional community stroke team: a randomized controlled trial. Clin Rehabil 2004; 18: 40-47.（レベル2）
6) Ada L, Dean CM, Hall JM, et al. A treadmill and overground walking program improves walking in persons residing in the community after stroke: a placebo-controlled, randomized trial. Arch Phys Med Rehabil 2003; 84: 1486-1491.（レベル2）
7) Teixeira-Salmela LF, Olney SJ, Nadeau S, et al. Muscle strengthening and physical conditioning to reduce impairment and disability in chronic stroke survivors. Arch Phys Med Rehabil 1999; 80: 1211-1218.（レベル2）
8) Smith GV, Silver KH, Goldberg AP, et al. "Taskoriented" exercise improves hamstring strength and spastic reflexes in chronic stroke patients. Stroke 1999; 30: 2112-2118.（レベル4）

9) Mehrholz J, Thomas S, Elsner B. Treadmill training and body weight support for walking after stroke. Cochrane Database Syst Rev 2017: CD002840.（レベル2）
10) Marigold DS, Eng JJ, Dawson AS, et al. Exercise leads to faster postural reflexes, improved balance and mobility, and fewer falls in older persons with chronic stroke. J Am Geriatr Soc 2005; 53: 416-423.（レベル2）
11) Pang MY, Eng JJ, Dawson AS, et al. A community-based fitness and mobility exercise program for older adults with chronic stroke: a randomized, controlled trial. J Am Geriatr Soc 2005; 53: 1667-1674.（レベル1）
12) Dean CM, Richards CL, Malouin F. Task-related circuit training improves performance of locomotor tasks in chronic stroke: a randomized, controlled pilot trial. Arch Phys Med Rehabil 2000; 81: 409-417.（レベル2）
13) English C, Hillier SL, Lynch EA. Circuit class therapy for improving mobility after stroke. Cochrane Database Syst Rev 2017: CD007513.（レベル1）
14) 佐伯覚, 蜂須賀明子, 伊藤英明, 他. 脳卒中の復職の現状. 脳卒中 2019；41：411-416.（レベル4）
15) Saeki S, Toyonaga T. Determinants of early return to work after first stroke in Japan. J Rehabil Med 2010; 42: 254-258.（レベル4）
16) Kotila M, Waltimo O, Niemi ML, et al. The profile of recovery from stroke and factors influencing outcome. Stroke 1984; 15: 1039-1044.（レベル4）
17) 田中宏太佳, 豊永敏宏. 脳卒中患者の復職における産業医の役割 労災疾病等13分野医学研究・開発, 普及事業における「職場復帰のためのリハビリテーション」分野の研究から. 日本職業・災害医学会会誌 2009；57：29-38.（レベル4）
18) Bernocchi P, Vanoglio F, Baratti D, et al. Home-based telesurveillance and rehabilitation after stroke: a real-life study. Top Stroke Rehabil 2016; 23: 106-115.（レベル4）
19) Dodakian L, McKenzie AL, Le V, et al. A Home-Based Telerehabilitation Program for Patients With Stroke. Neurorehabil Neural Repair 2017; 31: 923-933.（レベル4）
20) Laver KE, Adey-Wakeling Z, Crotty M, et al. Telerehabilitation services for stroke. Cochrane Database Syst Rev 2020: CD010255.（レベル2）
21) 伊佐早健司, 鷹尾直誠, 土橋瑶子, 他. タブレット端末（iPad）を用いた遠隔診療による脳卒中患者転帰評価 NIH Stroke Scale, modified Rankin Scale, Barthel Index評価の妥当性. 脳卒中 2019；41：368-374.（レベル4）
22) Rabadi MH, Akinwuntan A, Gorelick P. The safety of driving a commercial motor vehicle after a stroke. Stroke 2010; 41: 2991-2996.（レベル1）
23) Akinwuntan AE, Feys H, De Weerdt W, et al. Prediction of driving after stroke: a prospective study. Neurorehabil Neural Repair 2006; 20: 417-423.（レベル3）
24) Kimura M, Murata Y, Shimoda K, et al. Sexual dysfunction following stroke. Compr Psychiatry 2001; 42: 217-222.（レベル3）
25) Stratton H, Sansom J, Brown-Major A, et al. Interventions for sexual dysfunction following stroke. Cochrane Database Syst Rev 2020: CD011189.（レベル2）
26) Vikan JK, Nilsson MI, Bushnik T, et al. Sexual health policies in stroke rehabilitation: A multi national study. J Rehabil Med 2019; 51: 361-368.（レベル4）
27) Rosenbaum T, Vadas D, Kalichman L. Sexual function in post-stroke patients: considerations for rehabilitation. J Sex Med 2014; 11: 15-21.（レベル4）

Ⅶ 亜急性期以後のリハビリテーション診療

1 亜急性期以後のリハビリテーション診療の進め方

1-3 機能改善と活動性維持のための患者および家族教育

推奨

1. 患者と家族もしくは介護者を対象とした、多職種チームによる情報提供（基本動作および日常生活動作〔ADL〕の現状、継続的な訓練の必要性とその内容、介護方法、脳卒中発症後のライフスタイル、福祉資源など）と脳卒中知識の啓発が勧められる（推奨度A　エビデンスレベル中）。

2. 危険因子の管理には、効果的な介護福祉サービス提供のための組織改編を目指した啓発と行動介入が勧められる（推奨度A　エビデンスレベル中）。

3. 患者の行動変容を長期的に継続させるために、対面、郵便、オンラインなどによって自己管理プログラムを提供することは妥当である（推奨度B　エビデンスレベル高）。

4. 家族もしくは介護者に対して、対面、郵便、オンラインなどによる支援を提供することは妥当である（推奨度B　エビデンスレベル中）。

解　説

　脳卒中発症後の機能改善や活動性の維持には、患者の個人的要因（重症度、合併症、動機、精神・認知機能など）、社会的要因（家族支援など）、環境的要因（居住地など）が関連する。したがって、患者と家族もしくは介護者への情報提供に際しては、これらの点への配慮が必要である。多職種チームによる退院に向けた環境調整と継続的な訓練のための計画立案は、早期の自宅退院を促し、退院後の自立度を改善させることがメタ解析で示されている[1]。

　メタ解析の結果として、患者への啓発や行動介入だけでは危険因子を改善できないことが示されたが、"効果的な介護福祉サービスのための組織改編を目指した介入"は血圧を目標レベルまで低下させることも示された[2]。ただし、このような介入を行っても血清脂質、血糖、体重には変化がみられなかった。また、本解析に含まれる個々の試験の対象例は少数で、方法も一定ではなかった。

　脳卒中患者に対して多職種が協力して電話・自宅訪問・病院受診での経過観察を行うことで、"身体・精神機能の改善や社会資源の有効活用などを包括的に支援するシステム"を導入することの有効性を検証したCOMPASS Studyによると、このようなシステム導入が90日後の機能転帰に影響を与えることはなかった[3]。しかしながら本試験では、機

能評価を施行できたのは全体の約60％の患者に過ぎず、介入効果が適切に反映されていない可能性がある。

　在宅生活を送る脳卒中患者を対象に、患者の行動変容を長期的に継続させることを目的として、"問題に自ら対応しながら新しい生活習慣に取り組み、安定した感情で生活を送れること"を目指す自己管理プログラムを導入したところ、生活の質（QOL）が向上し自己効力感（自ら適切な行動を選択し、それを遂行可能と認知できる能力）も高まったことが複数のランダム化比較試験（RCT）で示された[4]。ただし、個々の試験の対象例数は少なく、介入方法は対面、郵便、オンラインなど様々であった。

　脳卒中発症後の長期にわたる患者の療養には、家族もしくは介護者に対する支援が不可欠であるが、脳卒中の重症度、合併症、家族もしくは介護者の年齢などにより、必要とされる支援内容は異なる。"脳卒中患者の家族もしくは介護者を対象とした口腔ケアに関する教育プログラム"の有用性を検討したRCTは、このプログラムの提供によって対象者の知識と自己効力感が有意に向上したと報告している[5]。脳卒中患者夫婦に対して手紙を送ったのみの群と、手紙に加えて看護師や療法士の家庭訪問による心理学的アプローチを併用した在宅介護支援群を比較したRCTでは、介入によっていずれの群でも抑うつやストレスの軽減がみられたが、在宅介護支

援群ではさらに介護者の負担軽減も確認された[6]。

〔引用文献〕

1) Langhorne P, Baylan S. Early supported discharge services for people with acute stroke. Cochrane Database Syst Rev 2017: CD000443.（レベル 2）
2) Bridgwood B, Lager KE, Mistri AK, et al. Interventions for improving modifiable risk factor control in the secondary prevention of stroke. Cochrane Database Syst Rev 2018: CD009103.（レベル 2）
3) Duncan PW, Bushnell CD, Jones SB, et al. Randomized Pragmatic Trial of Stroke Transitional Care: The COMPASS Study. Circ Cardiovasc Qual Outcomes 2020; 13: e006285.（レベル 3）
4) Fryer CE, Luker JA, McDonnell MN, et al. Self management programmes for quality of life in people with stroke. Cochrane Database Syst Rev 2016: CD010442.（レベル 2）
5) Kuo YW, Yen M, Fetzer S, et al. A home-based training programme improves family caregivers' oral care practices with stroke survivors: a randomized controlled trial. Int J Dent Hyg 2016; 14: 82-91.（レベル 3）
6) Ostwald SK, Godwin KM, Cron SG, et al. Home-based psychoeducational and mailed information programs for stroke - caregiving dyads post-discharge: a randomized trial. Disabil Rehabil 2014; 36: 55-62.（レベル 2）

Ⅶ 亜急性期以後のリハビリテーション診療

2 亜急性期以後の障害に対するリハビリテーション診療

2-1 運動障害

推奨

1. 脳卒中後の運動障害に対して、課題に特化した訓練の量もしくは頻度を増やすことが勧められる（推奨度A　エビデンスレベル高）。

2. 自立している脳卒中患者に対して、集団でのサーキットトレーニングや有酸素運動を行うよう勧められる（推奨度A　エビデンスレベル高）。

3. 脳卒中後の運動障害に対する薬物療法の有効性は確立していない（推奨度C　エビデンスレベル中）。

解説

　脳卒中患者の運動障害は、片麻痺やバランス障害のみならず、不動による上下肢の筋萎縮や心肺持久力の低下などを原因とするが、実際にはこれらが混在することが多い。

　脳卒中患者を対象としたランダム化比較試験（RCT）のメタ解析の結果として、反復した課題特化型の訓練は、標準的な訓練あるいはプラセボ介入に比べて、上肢機能、歩行距離、歩行機能をより大きく改善させること、そしてその改善は転倒などの有害事象をみることなく発症後6か月まで持続することが確認された[1]。

　脳卒中患者に対して、複数の訓練から構成されるサーキットトレーニングを集団で行うことで、歩行距離、歩行速度、バランス機能が有意に改善されることがRCTのメタ解析で示された[2]。有酸素運動と筋力増強訓練を組み合わせた心臓リハビリテーションプログラムは、脳卒中患者の歩行速度、歩行機能、運動耐容能を有意に改善させ[3]、さらには収縮期血圧と空腹時血糖を低下させた[4]。しかしながら、脳卒中患者に対する心臓リハビリテーションプログラムが、脳卒中を含めた心血管疾患の発症予防につながるのか否かは明らかでない。

　脳卒中後の機能回復に関する薬物療法は、脳内神経伝達物質濃度を増加させることで機能回復の促進を目指している。RCTの結果として、デキストロ

アンフェタミンの投与は、脳梗塞発症3か月後における運動機能回復を有意に大きくすることはなかった[5]。脳卒中後の歩行不能患者に対して、レボドパとカルビドパの合剤であるコ－カレルドパを訓練に加えて6週間投与したところ、歩行機能の改善はそれを投与されなかった群と同等であった[6]。選択的セロトニン再取り込み阻害薬（selective serotonin reuptake inhibitor：SSRI）に関しても、RCTのメタ解析の結果より、脳卒中後の機能回復への有効性は示されなかった[7]。

〔引用文献〕

1) French B, Thomas LH, Coupe J, et al. Repetitive task training for improving functional ability after stroke. Cochrane Database Syst Rev 2016: CD006073.（レベル1）
2) English C, Hillier SL, Lynch EA. Circuit class therapy for improving mobility after stroke. Cochrane Database Syst Rev 2017: CD007513.（レベル1）
3) Regan EW, Handlery R, Beets MW, et al. Are Aerobic Programs Similar in Design to Cardiac Rehabilitation Beneficial for Survivors of Stroke? A Systematic Review and Meta-Analysis. J Am Heart Assoc 2019; 8: e012761.（レベル1）
4) Brouwer R, Wondergem R, Otten C, et al. Effect of aerobic training on vascular and metabolic risk factors for recurrent stroke: a meta-analysis. Disabil Rehabil 2019: 1-8.（レベル1）
5) Goldstein LB, Lennihan L, Rabadi MJ, et al. Effect of Dextroamphetamine on Poststroke Motor Recovery: A Randomized Clinical Trial. JAMA Neurol 2018; 75: 1494-1501.（レベル3）
6) Ford GA, Bhakta BB, Cozens A, et al. Safety and efficacy of co-careldopa as an add-on therapy to occupational and physical therapy in patients after stroke (DARS): a randomised, double-blind, placebo-controlled trial. Lancet Neurol 2019; 18: 530-538.（レベル2）
7) Legg LA, Tilney R, Hsieh CF, et al. Selective serotonin reuptake inhibitors (SSRIs) for stroke recovery. Cochrane Database Syst Rev 2019: CD009286.（レベル1）

Ⅶ 亜急性期以後のリハビリテーション診療

2 亜急性期以後の障害に対するリハビリテーション診療

2-2 日常生活動作（ADL）障害

推奨

1. 日常生活動作（ADL）を向上させるために、姿勢保持能力や下肢運動機能の改善を目的とした訓練を行うことは勧められる（推奨度A　エビデンスレベル高）。

2. 麻痺側上肢を強制使用させる訓練、課題指向型訓練、鏡像を用いた訓練、ロボットを用いた訓練を行うことは妥当である（推奨度B　エビデンスレベル中）。

3. 感覚刺激やバーチャルリアリティを用いた訓練を行うことを考慮しても良い（推奨度C　エビデンスレベル中）。

4. 反復性経頭蓋磁気刺激（rTMS）、経頭蓋直流電気刺激（tDCS）、電気刺激療法を行うことは妥当である（推奨度B　エビデンスレベル中）。

5. 在宅リハビリテーションを行うことは妥当である（推奨度B　エビデンスレベル中）。

解　説

　脳卒中のリハビリテーション診療では、片麻痺や失語症などの機能障害の改善が日常生活動作（activities of daily living：ADL）向上につながることもあれば、それらが解離することもある。すなわち、機能障害が改善してもADLが向上しないこともあれば、障害された機能が改善せずとも他の機能がそれを代償することでADLが向上することもある。

　姿勢保持能力や下肢運動機能の改善を目的とした訓練がADLを向上させることは、システマティックレビューで確認されている[1]。また、そのような訓練の施行量が多いほどADLの向上が大きくなること[1]、上肢機能訓練およびADL訓練がADLの向上に有効である[2]ことも報告されている。亜急性期から6か月間にわたって訓練を施行すると、痙縮の発症が減少してADLが向上する[3]。

　麻痺側上肢を強制使用させる訓練がADLに与える効果は、システマティックレビューでは確認されなかったが[4]、その後のランダム化比較試験（RCT）[5]ではその効果が確認された。麻痺側上肢を強制使用させる訓練と他の上肢機能訓練を併用することで、ADLが向上したという報告もある[6-8]。課題指向型訓練がADLを向上させるということが、システマティックレビュー[9]とその後のRCTで報告されて

いる[10]。しかしながら、課題指向型訓練と電気刺激療法の併用についてのRCTではADLの有意な向上を確認できなかった[11]。鏡像を用いた訓練がADLを向上させることもシステマティックレビュー[12]とその後のRCTで確認されている[13]が、この訓練のADL向上効果を示すことができなかった報告もある[14,15]。ロボットを用いた上肢機能訓練がADLを向上させることもシステマティックレビュー[16]とその後のRCTで確認されている[17]。一方で、ロボットを用いた上肢機能訓練に電気刺激療法を併用しても、集中的な上肢機能訓練を上回るADLの向上効果を示すことはできなかったとの報告もある[18]。また、ロボットを用いた下肢機能訓練は、ADLの向上をもたらしていない[19]。

　感覚刺激がADLに与える影響については、一定の結果が得られていない[20,21]。冷刺激や振動刺激については、それらがADLを向上させることは報告されていない[22]。バーチャルリアリティを用いた訓練が、認知的なADLを向上させることを報告したRCTがある[23]。しかしながら、通常の訓練に対するバーチャルリアリティの優越性を示すことができなかったRCTも複数ある[24-27]。また、電気刺激療法にバーチャルリアリティを用いた訓練を併用しても、ADL向上の程度が有意に大きくなることはなかった[28]。

　健側運動野への低頻度反復性経頭蓋磁気刺激（repetitive transcranial magnetic stimulation：rTMS）がADLを有意に向上させることが、複数のRCTで示されている[29,30]。一方で、運動野下肢領域[31]や頭頂葉[32]へのrTMSがADLに与える効果は確認されていない。経頭蓋直流電気刺激（transcranial direct current stimulation：tDCS）の適用がADLを向上させることを示したシステマティックレビュー[33]および複数のRCTがある[34-36]。しかしながら、このようなtDCSの効果を確認できなかった報告もある[37,38]。複数のRCTが、電気刺激療法のADL向上効果を示している[39-44]が、ロボットを用いた訓練と電気刺激療法の併用[45,46]やTMSのtheta burst stimulationと電気刺激療法の併用[47]はADLの有意な向上をもたらしていない。

RCTによって、入院中からの在宅リハビリテーションの指導および退院後の在宅リハビリテーションの施行はADLを向上させることが示されている[48]。大規模な多施設RCTは、自宅で麻痺側上肢を強制使用させる訓練を行うことでADLが有意に向上することを示した[49]。

〔引用文献〕

1) Pollock A, Baer G, Campbell P, et al. Physical rehabilitation approaches for the recovery of function and mobility following stroke. Cochrane Database Syst Rev 2014: CD001920.（レベル1）
2) Legg LA, Lewis SR, Schofield-Robinson OJ, et al. Occupational therapy for adults with problems in activities of daily living after stroke. Cochrane Database Syst Rev 2017: CD003585.（レベル1）
3) Bai YL, Hu YS, Wu Y, et al. Long-term three-stage rehabilitation intervention alleviates spasticity of the elbows, fingers, and plantar flexors and improves activities of daily living in ischemic stroke patients: a randomized, controlled trial. Neuroreport 2014; 25: 998-1005.（レベル2）
4) Corbetta D, Sirtori V, Castellini G, et al. Constraint-induced movement therapy for upper extremities in people with stroke. Cochrane Database Syst Rev 2015: CD004433.（レベル1）
5) Batool S, Soomro N, Amjad F, et al. To compare the effectiveness of constraint induced movement therapy versus motor relearning programme to improve motor function of hemiplegic upper extremity after stroke. Pak J Med Sci 2015; 31: 1167-1171.（レベル2）
6) Bang DH, Shin WS, Choi SJ. The effects of modified constraint - induced movement therapy combined with trunk restraint in subacute stroke: a double-blinded randomized controlled trial. Clin Rehabil 2015; 29: 561-569.（レベル2）
7) Bang DH, Shin WS, Choi HS. Effects of modified constraint-induced movement therapy with trunk restraint in early stroke patients: a single-blinded, randomized, controlled, pilot trial. NeuroRehabilitation 2018; 42: 29-35.（レベル2）
8) Nasb M, Li Z, S A Youssef A, et al. Comparison of the effects of modified constraint-induced movement therapy and intensive conventional therapy with a botulinum-a toxin injection on upper limb motor function recovery in patients with stroke. Libyan J Med 2019; 14: 1609304.（レベル2）
9) French B, Thomas LH, Coupe J, et al. Repetitive task training for improving functional ability after stroke. Cochrane Database Syst Rev 2016: CD006073.（レベル1）
10) Lewthwaite R, Winstein CJ, Lane CJ, et al. Accelerating Stroke Recovery: body Structures and Functions, Activities, Participation, and Quality of Life Outcomes From a Large Rehabilitation Trial. Neurorehabil Neural Repair 2018; 32: 150-165.（レベル2）
11) Kirac-Unal Z, Gencay-Can A, Karaca-Umay E, et al. The effect of task-oriented electromyography-triggered electrical stimulation of the paretic wrist extensors on upper limb motor function early after stroke: a pilot randomized controlled trial. Int J Rehabil Res 2019; 42: 74-81.（レベル2）
12) Thieme H, Morkisch N, Mehrholz J, et al. Mirror therapy for improving motor function after stroke. Cochrane Database Syst Rev 2018: CD008449.（レベル1）
13) Ding L, Wang X, Chen S, et al. Camera-Based Mirror Visual Input for Priming Promotes Motor Recovery, Daily Function, and Brain Network Segregation in Subacute Stroke Patients. Neurorehabil Neural Repair 2019; 33: 307-318.（レベル2）
14) Ding L, Wang X, Guo X, et al. Camera-Based Mirror Visual Feedback: potential to Improve Motor Preparation in Stroke Patients. IEEE Trans Neural Syst Rehabil Eng 2018; 26: 1897-1905.（レベル2）
15) Gurbuz N, Afsar SI, Ayas S, et al. Effect of mirror therapy on upper extremity motor function in stroke patients: a randomized controlled trial. J Phys Ther Sci 2016; 28: 2501-2506.（レベル2）
16) Mehrholz J, Pohl M, Platz T, et al. Electromechanical and robot-assisted arm training for improving activities of daily living, arm function, and arm muscle strength after stroke. Cochrane Database Syst Rev 2018: CD006876.（レベル1）
17) Iwamoto Y, Imura T, Suzukawa T, et al. Combination of Exoskeletal Upper Limb Robot and Occupational Therapy Improve Activities of Daily Living Function in Acute Stroke Patients. J Stroke Cerebrovasc Dis 2019; 28: 2018-2025.（レベル2）
18) Straudi S, Baroni A, Mele S, et al. The effects of a robot-assisted arm training plus hand functional electrical stimulation on recovery after stroke: a randomized clinical trial. Arch Phys Med Rehabil 2020; 101: 309-316.（レベル2）
19) Han EY, Im SH, Kim BR, et al. Robot-assisted gait training improves brachial-ankle pulse wave velocity and peak aerobic capacity in subacute stroke patients with totally dependent ambulation: Randomized controlled trial. Medicine (Baltimore) 2016; 95: e5078.（レベル2）
20) Lee YY, Lin KC, Wu CY, et al. Combining Afferent Stimulation and Mirror Therapy for Improving Muscular, Sensorimotor, and Daily Functions After Chronic Stroke: A Randomized, Placebo-Controlled Study. Am J Phys Med Rehabil 2015; 94: 859-868.（レベル2）
21) Lin KC, Chen YT, Huang PC, et al. Effect of mirror therapy combined with somatosensory stimulation on motor recovery and daily function in stroke patients: A pilot study. J Formos Med Assoc 2014; 113: 422-428.（レベル2）
22) Law LLF, Fong KNK, Li RKF. Multisensory stimulation to promote upper extremity motor recovery in stroke: a pilot study. Br J Occup Ther 2018; 81: 641-648.（レベル2）
23) Cho DR, Lee SH. Effects of virtual reality immersive training with computerized cognitive training on cognitive function and activities of daily living performance in patients with acute stage stroke: a preliminary randomized controlled trial. Medicine (Baltimore) 2019; 98: e14752.（レベル2）
24) Choi JH, Han EY, Kim BR, et al. Effectiveness of Commercial Gaming-Based Virtual Reality Movement Therapy on Functional Recovery of Upper Extremity in Subacute Stroke Patients. Ann rehabil med 2014; 38: 485-493.（レベル2）
25) Schuster-Amft C, Eng K, Suica Z, et al. Effect of a four-week virtual reality-based training versus conventional therapy on upper limb motor function after stroke: a multicenter parallel group randomized trial. PLoS One 2018; 13: e0204455.（レベル2）
26) Ballester BR, Maier M, San Segundo Mozo RM, et al. Counteracting learned non-use in chronic stroke patients with reinforcement-induced movement therapy. J Neuroeng Rehabil 2016; 13: 74.（レベル2）
27) Faria AL, Andrade A, Soares L, et al. Benefits of virtual reality based cognitive rehabilitation through simulated activities of daily living: a randomized controlled trial with stroke patients. J Neuroeng Rehabil 2016; 13: 96.（レベル2）
28) Lee SH, Lee JY, Kim MY, et al. Virtual Reality Rehabilitation

With Functional Electrical Stimulation Improves Upper Extremity Function in Patients With Chronic Stroke: a Pilot Randomized Controlled Study. Arch Phys Med Rehabil 2018; 99: 1447-1453. e1. （レベル 2）

29）Aşkın A, Tosun A, Demirdal ÜS. Effects of low-frequency repetitive transcranial magnetic stimulation on upper extremity motor recovery and functional outcomes in chronic stroke patients: a randomized controlled trial. Somatosens Mot Res 2017; 34: 102-107. （レベル 2）

30）Pan W, Wang P, Song X, et al. The effects of combined low frequency repetitive transcranial magnetic stimulation and motor imagery on upper extremity motor recovery following stroke. Front Neurol 2019; 10: 96. （レベル 2）

31）Huang YZ, Lin LF, Chang KH, et al. Priming With 1-Hz Repetitive Transcranial Magnetic Stimulation Over Contralesional Leg Motor Cortex Does Not Increase the Rate of Regaining Ambulation Within 3 Months of Stroke: a Randomized Controlled Trial. Am J Phys Med Rehabil 2018; 97: 339-345. （レベル 2）

32）Kim KU, Kim SH, An TG. The effects of repetitive transcranial magnetic stimulation (rTMS) on depression, visual perception, and activities of daily living in stroke patients. J Phys Ther Sci 2017; 29: 1036-1039. （レベル 2）

33）Elsner B, Kugler J, Pohl M, et al. Transcranial direct current stimulation (tDCS) for improving activities of daily living, and physical and cognitive functioning, in people after stroke. Cochrane Database Syst Rev 2016: CD009645. （レベル 1）

34）Andrade SM, Batista LM, Nogueira LL, et al. Constraint-induced movement therapy combined with transcranial direct current stimulation over premotor cortex improves motor function in severe stroke: a pilot randomized controlled trial. Rehabil Res Pract 2017; 2017: 6842549. （レベル 2）

35）Koo WR, Jang BH, Kim CR. Effects of Anodal Transcranial Direct Current Stimulation on Somatosensory Recovery After Stroke: A Randomized Controlled Trial. Am J Phys Med Rehabil 2018; 97: 507-513. （レベル 2）

36）Shaker HA, Sawan SAE, Fahmy EM, et al. Effect of transcranial direct current stimulation on cognitive function in stroke patients. Egypt J Neurol Psychiatr Neurosurg 2018; 54: 32. （レベル 2）

37）Fusco A, Assenza F, Iosa M, et al. The ineffective role of cathodal tDCS in enhancing the functional motor outcomes in early phase of stroke rehabilitation: an experimental trial. Biomed Res Int 2014; 2014: 547290. （レベル 2）

38）Koh CL, Lin JH, Jeng JS, et al. Effects of Transcranial Direct Current Stimulation With Sensory Modulation on Stroke Motor Rehabilitation: a Randomized Controlled Trial. Arch Phys Med Rehabil 2017; 98: 2477-2484. （レベル 2）

39）Tan Z, Liu H, Yan T, et al. The effectiveness of functional elec-

trical stimulation based on a normal gait pattern on subjects with early stroke: a randomized controlled trial. Biomed Res Int 2014; 2014: 545408. （レベル 2）

40）You G, Liang H, Yan T. Functional electrical stimulation early after stroke improves lower limb motor function and ability in activities of daily living. NeuroRehabilitation 2014; 35: 381-389. （レベル 2）

41）Kim T, Kim S, Lee B. Effects of Action Observational Training Plus Brain-Computer Interface-Based Functional Electrical Stimulation on Paretic Arm Motor Recovery in Patient with Stroke: a Randomized Controlled Trial. Occup Ther Int 2016; 23: 39-47. （レベル 2）

42）Chen CC, Tang YC, Hsu MJ, et al. Effects of the hybrid of neuromuscular electrical stimulation and noxious thermal stimulation on upper extremity motor recovery in patients with stroke: a randomized controlled trial. Top Stroke Rehabil 2019; 26: 66-72. （レベル 2）

43）Park JH. Effects of mental imagery training combined electromyogram-triggered neuromuscular electrical stimulation on upper limb function and activities of daily living in patients with chronic stroke: a randomized controlled trial. Disabil Rehabil 2019: 1-6. （レベル 2）

44）Zheng Y, Mao M, Cao Y, et al. Contralaterally controlled functional electrical stimulation improves wrist dorsiflexion and upper limb function in patients with early-phase stroke: a randomized controlled trial. J Rehabil Med 2019; 51: 103-108. （レベル 2）

45）Lee YY, Lin KC, Cheng HJ, et al. Effects of combining robot-assisted therapy with neuromuscular electrical stimulation on motor impairment, motor and daily function, and quality of life in patients with chronic stroke: a double-blinded randomized controlled trial. J Neuroeng Rehabil 2015; 12: 96. （レベル 2）

46）Dujović SD, Malešević J, Malešević N, et al. Novel multi-pad functional electrical stimulation in stroke patients: a single-blind randomized study. NeuroRehabilitation 2017; 41: 791-800. （レベル 2）

47）Khan F, Rathore C, Kate M, et al. The comparative efficacy of theta burst stimulation or functional electrical stimulation when combined with physical therapy after stroke: a randomized controlled trial. Clin Rehabil 2019; 33: 693-703. （レベル 2）

48）Rasmussen RS, Østergaard A, Kjær P, et al. Stroke rehabilitation at home before and after discharge reduced disability and improved quality of life: a randomised controlled trial. Clin Rehabil 2016; 30: 225-236. （レベル 2）

49）Barzel A, Ketels G, Stark A, et al. Home -based constraint-induced movement therapy for patients with upper limb dysfunction after stroke (HOMECIMT): a cluster-randomised, controlled trial. Lancet Neurol 2015; 14: 893-902. （レベル 1）

Ⅶ 亜急性期以後のリハビリテーション診療

2 亜急性期以後の障害に対するリハビリテーション診療

2-3 歩行障害
（1）歩行訓練

推奨

1. 歩行機能を改善させるために、頻回な歩行訓練を行うことが勧められる（推奨度 A　エビデンスレベル高）。

2. 亜急性期において、バイオフィードバックを含む電気機器を用いた訓練や部分免荷トレッドミル訓練（PBWSTT）を行うことは妥当である（推奨度 B　エビデンスレベル高）。

3. 歩行可能な発症後早期脳卒中患者に対して、歩行速度や耐久性を改善するためにトレッドミル訓練を行うことが勧められる（推奨度 A　エビデンスレベル高）。

4. 歩行ができない発症後 3 か月以内の脳卒中患者に対して、歩行補助ロボットを用いた歩行訓練を行うことは妥当である（推奨度 B　エビデンスレベル中）。

5. 下垂足を呈する脳卒中患者に対して、歩行機能を改善させるために機能的電気刺激（FES）を行うことは妥当である（推奨度 B　エビデンスレベル高）。

解 説

　頻回な歩行訓練が歩行速度や歩行耐久性を改善することは、明らかになっている[1]。亜急性期脳卒中においては、バイオフィードバックを含む電気機器を用いた訓練や部分免荷トレッドミル訓練（partial body weight-supported treadmill training：PBWSTT）を行ったほうが、通常の歩行訓練よりも有効性が高い[1]。ただし、亜急性期の重症患者に対する PBWSTT では、有害事象が多いことに注意を要する[2]。サーキットトレーニングは歩行速度を改善させるが[2]、バランス機能や歩行機能全体に与える影響は明らかではない[3,4]。歩行が自立している生活期患者に対する歩行訓練の強度決定については、一定の結論が得られていない[5,6]。

　歩行可能な患者に対するトレッドミル訓練は、歩行速度、歩行耐久性、バランス機能を改善させる[7,8]。しかしながら、通常の平地歩行訓練よりもトレッドミル訓練のほうが有効であることは確認されていない[9,10]。

　ロボットを用いた歩行訓練は、機器が高額であるなどの理由でいまだ広まってはいないが、近年においてはその発展が著しい。歩行ができない発症後 3 か月以内の脳卒中患者に対して、歩行補助ロボットを用いた歩行訓練を行うことで、歩行自立度の向上

および歩行速度の改善がみられた[11,12]。ロボットを用いることで早期からの反復歩行訓練が安全に施行可能となり[13]、バランス機能[14,15]も改善される。ただし、使用されるロボットは様々であるため、費用対効果を含めて継続した検討が必要である。バイオフィードバックや機能的電気刺激（functional electrical stimulation：FES）なども含めた装着型訓練装置のメタ解析では、ロボットを用いた訓練の有効性は明らかにされていない[16]。

　歩行障害に対する FES の効果は、短下肢装具と同等である[17-20]。特に、多チャンネル FES の導入による下肢運動機能の改善と[21]機能的脳画像における脳の活動性改善[22]が報告されている。ただし、FES を継続使用しても、それの装着が不要になるほどの歩行機能改善が将来的に得られることは確認されていない[20]。

　反復性経頭蓋磁気刺激（rTMS）は、急性期および生活期脳卒中患者の歩行能力や下肢運動機能を改善させると報告されており[23,24]、経頭蓋直流電気刺激（tDCS）は歩行訓練と併用した場合に有効である[25,26]。生活期脳卒中患者に対するバーチャルリアリティを用いた歩行訓練は、歩行速度の増加[27]、バランス機能の改善[28]、筋緊張や筋力の改善[29]をもたらすことが報告されている。

Ⅶ

亜急性期以後のリハビリテーション診療

脳卒中治療ガイドライン 2021　263

〔引用文献〕

1) Peurala SH, Karttunen AH, Sjögren T, et al. Evidence for the effectiveness of walking training on walking and self-care after stroke: a systematic review and meta‐analysis of randomized controlled trials. J Rehabil Med 2014; 46: 387–399.（レベル 1）

2) Nave AH, Rackoll T, Grittner U, et al. Physical Fitness Training in Patients with Subacute Stroke (PHYS–STROKE): multicentre, randomised controlled, endpoint blinded trial. BMJ 2019; 366: l5101.（レベル 2）

3) Bonini-Rocha AC, de Andrade ALS, Moraes AM, et al. Effectiveness of Circuit-Based Exercises on Gait Speed, Balance, and Functional Mobility in People Affected by Stroke: A Meta-Analysis. PM R 2018; 10: 398–409.（レベル 1）

4) English C, Hillier SL, Lynch EA. Circuit class therapy for improving mobility after stroke. Cochrane Database Syst Rev 2017: CD007513.（レベル 1）

5) Holleran CL, Rodriguez KS, Echauz A, et al. Potential contributions of training intensity on locomotor performance in individuals with chronic stroke. J Neurol Phys Ther 2015; 39: 95–102.（レベル 2）

6) Lamberti N, Straudi S, Malagoni AM, et al. Effects of low-intensity endurance and resistance training on mobility in chronic stroke survivors: a pilot randomized controlled study. Eur J Phys Rehabil Med 2017; 53: 228–239.（レベル 2）

7) Mehrholz J, Thomas S, Elsner B. Treadmill training and body weight support for walking after stroke. Cochrane Database Syst Rev 2017: CD002840.（レベル 1）

8) Tally Z, Boetefuer L, Kauk C, et al. The efficacy of treadmill training on balance dysfunction in individuals with chronic stroke: a systematic review. Top Stroke Rehabil 2017; 24: 539–546.（レベル 1）

9) Combs-Miller SA, Kalpathi Parameswaran A, Colburn D, et al. Body weight-supported treadmill training vs. overground walking training for persons with chronic stroke: a pilot randomized controlled trial. Clin Rehabil 2014; 28: 873–884.（レベル 2）

10) Gama GL, Celestino ML, Barela JA, et al. Effects of Gait Training With Body Weight Support on a Treadmill Versus Overground in Individuals With Stroke. Arch Phys Med Rehabil 2017; 98: 738–745.（レベル 2）

11) Mehrholz J, Thomas S, Werner C, et al. Electromechanical-assisted training for walking after stroke. Cochrane Database Syst Rev 2017: CD006185.（レベル 1）

12) Cho JE, Yoo JS, Kim KE, et al. Systematic Review of Appropriate Robotic Intervention for Gait Function in Subacute Stroke Patients. Biomed Res Int 2018; 2018: 4085298.（レベル 1）

13) Schröder J, Truijen S, Van Criekinge T, et al. Feasibility and effectiveness of repetitive gait training early after stroke: A systematic review and meta-analysis. J Rehabil Med 2019; 51: 78–88.（レベル 1）

14) Swinnen E, Beckwée D, Meeusen R, et al. Does robot-assisted gait rehabilitation improve balance in stroke patients? A systematic review. Top Stroke Rehabil 2014; 21: 87–100.（レベル 1）

15) Belas Dos Santos M, Barros de Oliveira C, Dos Santos A, et al. A Comparative Study of Conventional Physiotherapy versus Robot-Assisted Gait Training Associated to Physiotherapy in Individuals with Ataxia after Stroke. Behav Neurol 2018; 2018: 2892065.（レベル 2）

16) Powell L, Parker J, Martyn St-James M, et al. The Effectiveness of Lower-Limb Wearable Technology for Improving Activity and Participation in Adult Stroke Survivors: A Systematic Review. J Med Internet Res 2016; 18: e259.（レベル 1）

17) Dunning K, O'Dell MW, Kluding P, et al. Peroneal Stimulation for Foot Drop After Stroke: A Systematic Review. Am J Phys Med Rehabil 2015; 94: 649–664.（レベル 1）

18) Lin S, Sun Q, Wang H, et al. Influence of transcutaneous electrical nerve stimulation on spasticity, balance, and walking speed in stroke patients: A systematic review and meta-analysis. J Rehabil Med 2018; 50: 3–7.（レベル 1）

19) Prenton S, Hollands KL, Kenney LPJ, et al. Functional electrical stimulation and ankle foot orthoses provide equivalent therapeutic effects on foot drop: A meta-analysis providing direction for future research. J Rehabil Med 2018; 50: 129–139.（レベル 1）

20) Kafri M, Laufer Y. Therapeutic effects of functional electrical stimulation on gait in individuals post-stroke. Ann Biomed Eng 2015; 43: 451–466.（レベル 1）

21) Tan Z, Liu H, Yan T, et al. The effectiveness of functional electrical stimulation based on a normal gait pattern on subjects with early stroke: a randomized controlled trial. Biomed Res Int 2014; 2014: 545408.（レベル 2）

22) Zheng X, Chen D, Yan T, et al. A Randomized Clinical Trial of a Functional Electrical Stimulation Mimic to Gait Promotes Motor Recovery and Brain Remodeling in Acute Stroke. Behav Neurol 2018; 2018: 8923520.（レベル 2）

23) Vaz PG, Salazar APDS, Stein C, et al. Noninvasive brain stimulation combined with other therapies improves gait speed after stroke: a systematic review and meta-analysis. Top Stroke Rehabil 2019; 26: 201–213.（レベル 1）

24) Tung YC, Lai CH, Liao CD, et al. Repetitive transcranial magnetic stimulation of lower limb motor function in patients with stroke: a systematic review and meta-analysis of randomized controlled trials. Clin Rehabil 2019; 33: 1102–1112.（レベル 1）

25) Seo HG, Lee WH, Lee SH, et al. Robotic-assisted gait training combined with transcranial direct current stimulation in chronic stroke patients: a pilot double-blind, randomized controlled trial. Restor Neurol Neurosci 2017; 35: 527–536.（レベル 2）

26) Picelli A, Chemello E, Castellazzi P, et al. Combined effects of transcranial direct current stimulation (tDCS) and transcutaneous spinal direct current stimulation (tsDCS) on robot-assisted gait training in patients with chronic stroke: A pilot, double blind, randomized controlled trial. Restor Neurol Neurosci 2015; 33: 357–368.（レベル 2）

27) Rodrigues-Baroni JM, Nascimento LR, Ada L, et al. Walking training associated with virtual reality-based training increases walking speed of individuals with chronic stroke: systematic review with meta-analysis. Braz J Phys Ther 2014; 18: 502–512.（レベル 1）

28) Corbetta D, Imeri F, Gatti R. Rehabilitation that incorporates virtual reality is more effective than standard rehabilitation for improving walking speed, balance and mobility after stroke: a systematic review. J Physiother 2015; 61: 117–124.（レベル 1）

29) Lee HS, Park YJ, Park SW. The Effects of Virtual Reality Training on Function in Chronic Stroke Patients: A Systematic Review and Meta-Analysis. Biomed Res Int 2019; 2019: 7595639.（レベル 1）

Ⅶ 亜急性期以後のリハビリテーション診療

2 亜急性期以後の障害に対するリハビリテーション診療

2-3 歩行障害
（2）装具療法

推奨

1. 脳卒中後片麻痺で膝伸展筋筋力もしくは股関節周囲筋筋力が十分でない患者に対して、歩行機能を訓練するために長下肢装具を使用することは妥当である（推奨度B　エビデンスレベル低）。

2. 脳卒中後片麻痺で内反尖足がある患者に対して、歩行機能を改善させるために短下肢装具を使用することは妥当である（推奨度B　エビデンスレベル高）。

解　説

　長下肢装具は亜急性期以後においても、膝伸展筋筋力もしくは股関節周囲筋筋力が十分でない脳卒中後片麻痺患者の歩行訓練に用いられる。長下肢装具を用いることで麻痺側下肢の筋活動が促され、歩行時の下肢筋活動が正常パターンに近づき、下肢アライメントも改善される[1,2]。脳卒中後片麻痺患者に対して長下肢装具を使用することで、立位バランス機能が改善するとの報告[3]や、麻痺側下肢関節の屈曲伸展が促されるとの報告がある[4]。また、重度感覚障害がある場合にも、長下肢装具が用いられる[5]。しかしながら、長下肢装具を用いることで日常生活動作（ADL）が向上するとの報告はなく、生活期以後（在宅生活）で長下肢装具を使用することは多くない。

　金属支柱付き短下肢装具の使用により、動的バランスの改善、麻痺側下肢による立位時間の延長、麻痺側下肢の振り出しの改善、麻痺側下肢の安定性の改善がみられる。また、金属支柱付き短下肢装具の使用は、麻痺側大腿四頭筋の筋活動を増加させる[6]。プラスチック製短下肢装具の使用が、歩行速度を高めて歩行の安定性を改善させるという報告もある[7,8]。短下肢装具を使用することで、立位バランスの左右対称性、1分間あたりの歩数、歩行速度が改善する[9-11]。短下肢装具を処方された患者では、それを処方されなかった患者と比較して回復期リハビリテーション病棟入院中におけるADLの向上が大きかったとの報告もある[12]。歩行困難な脳卒中患者に短下肢装具を使用すると、Functional Ambulation Categoriesで評価される歩行能力が改善して、患者の満足度も良好となる[13]。

〔引用文献〕

1) 大畑光司．【理学療法と下肢装具】歩行獲得を目的とした装具療法 長下肢装具の使用とその離脱．理学療法ジャーナル　2017；51：291-299．（レベル4）
2) 増田知子．【脳血管障害治療としての下肢装具と運動療法】エビデンスからみた下肢装具と理学療法．The Japanese Journal of Rehabilitation Medicine　2019；56：277-281．（レベル4）
3) Ota T, Hashidate H, Shimizu N, et al. Early effects of a knee-ankle-foot orthosis on static standing balance in people with subacute stroke. J Phys Ther Sci 2019; 31: 127-131. （レベル3）
4) Boudarham J, Zory R, Genet F, et al. Effects of a knee-ankle-foot orthosis on gait biomechanical characteristics of paretic and non-paretic limbs in hemiplegic patients with genu recurvatum. Clin Biomech (Bristol, Avon) 2013; 28: 73-78. （レベル3）
5) 木村公宣，越智光宏，佐伯覚．【脳卒中リハビリテーション医療update】脳卒中患者の歩行障害と下肢装具．MEDICAL REHABILITATION　2019；53-59．（レベル4）
6) Hesse S, Werner C, Matthias K, et al. Non-velocity-related effects of a rigid double-stopped ankle-foot orthosis on gait and lower limb muscle activity of hemiparetic subjects with an equinovarus deformity. Stroke 1999; 30: 1855-1861. （レベル4）
7) Erel S, Uygur F, Engin Simsek I, et al. The effects of dynamic ankle-foot orthoses in chronic stroke patients at three-month follow-up: a randomized controlled trial. Clin Rehabil 2011; 25: 515-523. （レベル2）
8) Abe H, Michimata A, Sugawara K, et al. Improving Gait Stability in Stroke Hemiplegic Patients with a Plastic Ankle-Foot Orthosis. Tohoku J Exp Med 2009; 218: 193-199. （レベル3）
9) Tyson SF, Thornton HA. The effect of a hinged ankle foot orthosis on hemiplegic gait: objective measures and users' opinions. Clin Rehabil 2001; 15: 53-58. （レベル4）
10) Wang RY, Yen L, Lee CC, et al. Effects of an ankle-foot orthosis on balance performance in patients with hemiparesis of different durations. Clin Rehabil 2005; 19: 37-44. （レベル4）
11) Sheffler LR, Hennessey MT, Naples GG, et al. Peroneal nerve stimulation versus an ankle foot orthosis for correction of footdrop in stroke: impact on functional ambulation. Neurorehabil Neural Repair 2006; 20: 355-360. （レベル4）
12) Momosaki R, Abo M, Watanabe S, et al. Effects of ankle-foot orthoses on functional recovery after stroke: a propensity score analysis based on Japan rehabilitation database. PLoS One 2015; 10: e0122688. （レベル3）
13) Tyson SF, Rogerson L. Assistive walking devices in nonambulant patients undergoing rehabilitation after stroke: the effects on functional mobility, walking impairments, and patients' opinion. Arch Phys Med Rehabil 2009; 90: 475-479. （レベル2）

Ⅶ

亜急性期以後のリハビリテーション診療

Ⅶ 亜急性期以後のリハビリテーション診療

2 亜急性期以後の障害に対するリハビリテーション診療

2-4 上肢機能障害

推奨

1. 軽度から中等度の上肢麻痺に対しては、麻痺側上肢を強制使用させる訓練など特定の動作の反復を含む訓練を行うよう勧められる（推奨度 A　エビデンスレベル高）。

2. ロボットを用いた上肢機能訓練を行うことは妥当である（推奨度 B　エビデンスレベル高）。

3. 中等度から重度の上肢麻痺に対して、もしくは肩関節亜脱臼に対して、神経筋電気刺激を行うことは妥当である（推奨度 B　エビデンスレベル中）。

4. 視覚刺激や運動イメージの想起を用いた訓練を行うことは妥当である（推奨度 B　エビデンスレベル中）。

5. 患者の選択と安全面に注意した上で、反復性経頭蓋磁気刺激（rTMS）や経頭蓋直流電気刺激（tDCS）を行うことを考慮しても良い（推奨度 C　エビデンスレベル中）。

解　説

　軽度から中等度の脳卒中後上肢麻痺患者に対して、特定の動作の反復を含む機能訓練を行うことで、上肢運動機能の改善が得られる[1]。特に、課題指向型訓練[2]、非麻痺側上肢を抑制して生活の中で麻痺側上肢を強制使用させる訓練の有用性が明らかにされている[3-5]。麻痺側上肢を強制使用させる訓練は特別な機器を必要としないこともあり広く導入することが可能であるが、亜急性期以前に同訓練を行った場合には効果が確認できなかったとする報告がある[5]。

　中等度から重度の上肢麻痺患者においては、ロボットを用いた訓練を集中的に行うことが有効であることが示されている[6-9]。同訓練による効果は、脳卒中発症後1か月以内であってもみられる[10]。なお、本邦では、ロボットを用いた訓練の一部がすでに保険適用となっている。脳波所見などに基づいてフィードバックを行う brain-machine interface（BMI）を応用した訓練の有用性も報告されている[11-14]。中等度から重度の上肢麻痺に対して、筋電図に同期させて神経筋電気刺激を行うことがある[15]。また、重度の上肢麻痺を呈する患者に多くみられる肩関節亜脱臼に対しても、神経筋電気刺激の有用性が報告されている[16]。なお、肩関節亜脱臼に対してはスリングが有用な場合もあるが、その効果は装着している間に限られると報告されている[17]。

　上肢麻痺に対して、運動の観察に基づく訓練[18,19]や鏡像を用いた訓練[20-22]など視覚刺激を応用した訓練が行われることがある。また、上肢の運動イメージを想起する訓練[23-26]やバーチャルリアリティを用いた訓練[27]の有効性も報告されている。反復性経頭蓋磁気刺激（rTMS）[28,29]および経頭蓋直流電気刺激（tDCS）[30,31]が上肢麻痺を改善することを示した報告があるが、患者の選択と安全面への配慮が重要である。一方で、課題指向型訓練と rTMS の併用については、最近のランダム化比較試験（RCT）ではrTMSの訓練への上乗せ効果が確認されていない[32]。

　促通手技を反復する訓練が、軽度から中等度の上肢麻痺を改善させることが RCT で報告されている[33]。末梢への振動刺激[34]、感覚刺激[35]、迷走神経電気刺激[36]が行われることもある。しかしながら、これらの療法についてはいまだ文献数が少なく、システマティックレビューなどによる検証が十分になされていない。

〔引用文献〕

1) Pollock A, Farmer SE, Brady MC, et al. Interventions for improving upper limb function after stroke. Cochrane Database Syst Rev 2014: CD010820.（レベル 2）

2) French B, Thomas LH, Coupe J, et al. Repetitive task training for improving functional ability after stroke. Cochrane Database Syst Rev 2016: CD006073.（レベル 2）

3) Shi YX, Tian JH, Yang KH, et al. Modified constraint-induced movement therapy versus traditional rehabilitation in patients with upper-extremity dysfunction after stroke: a systematic review and meta-analysis. Arch Phys Med Rehabil 2011; 92: 972–982.（レベル 1）

4) Corbetta D, Sirtori V, Castellini G, et al. Constraint-induced movement therapy for upper extremities in people with stroke. Cochrane Database Syst Rev 2015: CD004433.（レベル 2）

5) Etoom M, Hawamdeh M, Hawamdeh Z, et al. Constraint-induced movement therapy as a rehabilitation intervention for upper extremity in stroke patients: systematic review and meta-analysis. Int J Rehabil Res 2016; 39: 197–210.（レベル 2）

6) Bertani R, Melegari C, De Cola MC, et al. Effects of robot-assisted upper limb rehabilitation in stroke patients: a systematic review with meta-analysis. Neurol Sci 2017; 38: 1561–1569.（レベル 1）

7) Mehrholz J, Pohl M, Platz T, et al. Electromechanical and robot-assisted arm training for improving activities of daily living, arm function, and arm muscle strength after stroke. Cochrane Database Syst Rev 2018: CD006876.（レベル 2）

8) Cho KH, Song WK. Robot-Assisted Reach Training With an Active Assistant Protocol for Long-Term Upper Extremity Impairment Poststroke: A Randomized Controlled Trial. Arch Phys Med Rehabil 2019; 100: 213–219.（レベル 2）

9) Conroy SS, Wittenberg GF, Krebs HI, et al. Robot-Assisted Arm Training in Chronic Stroke: Addition of Transition-to-Task Practice. Neurorehabil Neural Repair 2019; 33: 751–761.（レベル 2）

10) Dehem S, Gilliaux M, Stoquart G, et al. Effectiveness of upper-limb robotic-assisted therapy in the early rehabilitation phase after stroke: A single-blind, randomised, controlled trial. Ann Phys Rehabil Med 2019; 62: 313–320.（レベル 3）

11) Monge-Pereira E, Ibanez-Pereda J, Alguacil-Diego IM, et al. Use of Electroencephalography Brain-Computer Interface Systems as a Rehabilitative Approach for Upper Limb Function After a Stroke: A Systematic Review. PM R 2017; 9: 918–932.（レベル 2）

12) Cervera MA, Soekadar SR, Ushiba J, et al. Brain-computer interfaces for post-stroke motor rehabilitation: a meta-analysis. Ann Clin Transl Neurol 2018; 5: 651–663.（レベル 2）

13) Carvalho R, Dias N, Cerqueira JJ. Brain-machine interface of upper limb recovery in stroke patients rehabilitation: A systematic review. Physiother Res Int 2019; 24: e1764.（レベル 2）

14) Bai Z, Fong KNK, Zhang JJ, et al. Immediate and long-term effects of BCI-based rehabilitation of the upper extremity after stroke: a systematic review and meta-analysis. J Neuroeng Rehabil 2020; 17: 57.（レベル 2）

15) Monte-Silva K, Piscitelli D, Norouzi-Gheidari N, et al. Electromyogram-Related Neuromuscular Electrical Stimulation for Restoring Wrist and Hand Movement in Poststroke Hemiplegia: A Systematic Review and Meta-Analysis. Neurorehabil Neural Repair 2019; 33: 96–111.（レベル 2）

16) Lee JH, Baker LL, Johnson RE, et al. Effectiveness of neuromuscular electrical stimulation for management of shoulder subluxation post-stroke: a systematic review with meta-analysis. Clin Rehabil 2017; 31: 1431–1444.（レベル 2）

17) Arya KN, Pandian S, Puri V. Rehabilitation methods for reducing shoulder subluxation in post-stroke hemiparesis: a systematic review. Top Stroke Rehabil 2018; 25: 68–81.（レベル 2）

18) Borges LR, Fernandes AB, Melo LP, et al. Action observation for upper limb rehabilitation after stroke. Cochrane Database Syst Rev 2018: CD011887.（レベル 2）

19) Zhang B, Kan L, Dong A, et al. The effects of action observation training on improving upper limb motor functions in people with stroke: A systematic review and meta-analysis. PLoS One 2019; 14: e0221166.（レベル 2）

20) Chan WC, Au-Yeung SSY. Recovery in the Severely Impaired Arm Post-Stroke After Mirror Therapy: A Randomized Controlled Study. Am J Phys Med Rehabil 2018; 97: 572–577.（レベル 3）

21) Thieme H, Morkisch N, Mehrholz J, et al. Mirror therapy for improving motor function after stroke. Cochrane Database Syst Rev 2018: CD008449.（レベル 2）

22) Antoniotti P, Veronelli L, Caronni A, et al. No evidence of effectiveness of mirror therapy early after stroke: an assessor-blinded randomized controlled trial. Clin Rehabil 2019; 33: 885–893.（レベル 2）

23) Guerra ZF, Lucchetti ALG, Lucchetti G. Motor Imagery Training After Stroke: A Systematic Review and Meta-analysis of Randomized Controlled Trials. J Neurol Phys Ther 2017; 41: 205–214.（レベル 2）

24) Lopez ND, Monge Pereira E, Centeno EJ, et al. Motor imagery as a complementary technique for functional recovery after stroke: a systematic review. Top Stroke Rehabil 2019; 26: 576–587.（レベル 2）

25) Machado TC, Carregosa AA, Santos MS, et al. Efficacy of motor imagery additional to motor-based therapy in the recovery of motor function of the upper limb in post-stroke individuals: a systematic review. Top Stroke Rehabil 2019; 26: 548–553.（レベル 2）

26) Song K, Wang L, Wu W. Mental practice for upper limb motor restoration after stroke: an updated meta-analysis of randomized controlled trials. Top Stroke Rehabil 2019; 26: 87–93.（レベル 1）

27) Laver KE, Lange B, George S, et al. Virtual reality for stroke rehabilitation. Cochrane Database Syst Rev 2017: CD008349.（レベル 2）

28) Zhang L, Xing G, Fan Y, et al. Short- and Long-term Effects of Repetitive Transcranial Magnetic Stimulation on Upper Limb Motor Function after Stroke: a Systematic Review and Meta-Analysis. Clin Rehabil 2017; 31: 1137–1153.（レベル 2）

29) Dionisio A, Duarte IC, Patricio M, et al. The Use of Repetitive Transcranial Magnetic Stimulation for Stroke Rehabilitation: A Systematic Review. J Stroke Cerebrovasc Dis 2018; 27: 1–31.（レベル 2）

30) Elsner B, Kwakkel G, Kugler J, et al. Transcranial direct current stimulation (tDCS) for improving capacity in activities and arm function after stroke: a network meta-analysis of randomised controlled trials. J Neuroeng Rehabil 2017; 14: 95.（レベル 2）

31) Bornheim S, Croisier JL, Maquet P, et al. Transcranial direct current stimulation associated with physical-therapy in acute stroke patients - A randomized, triple blind, sham-controlled study. Brain Stimul 2020; 13: 329–336.（レベル 2）

32) Harvey RL, Edwards D, Dunning K, et al. Randomized Sham-Controlled Trial of Navigated Repetitive Transcranial Magnetic Stimulation for Motor Recovery in Stroke. Stroke 2018; 49: 2138–2146.（レベル 2）

33) Shimodozono M, Noma T, Nomoto Y, et al. Benefits of a repetitive facilitative exercise program for the upper paretic extremity after subacute stroke: a randomized controlled trial. Neurorehabil Neural Repair 2013; 27: 296–305.（レベル 2）

34) Costantino C, Galuppo L, Romiti D. Short-term effect of local muscle vibration treatment versus sham therapy on upper limb in chronic post-stroke patients: a randomized controlled trial. Eur J Phys Rehabil Med 2017; 53: 32–40.（レベル 3）

35) Conforto AB, Dos Anjos SM, Bernardo WM, et al. Repetitive Peripheral Sensory Stimulation and Upper Limb Performance in Stroke: A Systematic Review and Meta-analysis. Neurorehabil Neural Repair 2018; 32: 863–871.（レベル 3）

36) Engineer ND, Kimberley TJ, Prudente CN, et al. Targeted Vagus Nerve Stimulation for Rehabilitation After Stroke. Front Neurosci 2019; 13: 280.（レベル 3）

Ⅶ 亜急性期以後のリハビリテーション診療

2 亜急性期以後の障害に対するリハビリテーション診療

2-5 痙縮

推 奨

1. 脳卒中後の上下肢痙縮を軽減させるために、もしくはその運動機能を改善させるために、ボツリヌス毒素療法を行うことが勧められる（推奨度Ａ　エビデンスレベル高）。ボツリヌス毒素療法は生活期に行われることが多いが、亜急性期に行うことも妥当である（推奨度Ｂ　エビデンスレベル中）。

2. フェノールによる運動点ブロックを行うことは妥当である（推奨度Ｂ　エビデンスレベル中）。

3. 装具療法を行うことは妥当である（推奨度Ｂ　エビデンスレベル中）。

4. 経皮的末梢神経電気刺激（TENS）を行うことは勧められる（推奨度Ａ　エビデンスレベル高）。

5. 痙縮の軽減もしくは日常生活動作（ADL）の改善を目的として、髄腔内バクロフェンポンプ療法（ITB）を行うことは妥当である（推奨度Ｂ　エビデンスレベル中）。

6. 有害事象に注意した上で経口筋弛緩薬を投与することは妥当である（推奨度Ｂ　エビデンスレベル高）。

解 説

　ボツリヌス毒素療法が上下肢痙縮を有意に軽減させることは、十分に確認されている[1-4]。毒素投与によって、上下肢の運動機能が有意に改善することも示されている[2-4]。ただし、これらの運動機能改善を持続させるためには、訓練を継続して併用することが重要である[5,6]。ボツリヌス毒素療法については、長期的に投与を繰り返した場合にも有害事象発生が増加することはない[7]。上肢痙縮に対して長期的に投与した場合、手指衛生や鎮痛に対する患者満足度が高くなり、生活の質（QOL）も向上する[8]。筋電針やエコーなどのガイドを使用した上でボツリヌス毒素投与を行うと、痙縮の軽減が有意に大きくなる[9,10]。ボツリヌス毒素療法は、発症後3か月以内に施行された場合でも関節運動を改善させ、痙縮関連疼痛を軽減する[11]。亜急性期に改訂Ashworthスケール（modified Ashworth Scale：mAS）2以上を呈した患者にボツリヌス毒素を投与した場合、症候性の痙縮が出現して再投与を要するまでにかかる日数は、プラセボ投与の場合と比較して有意に長くなっており、毒素投与が痙縮の発生を減らしその増悪を遅らせることが示唆された[12]。

　また、亜急性期に下肢痙縮筋にボツリヌス毒素を投与した場合、8週間後における下肢運動機能、日常生活動作（ADL）、痙縮の改善が有意に大きくなっていた[13]。

　フェノールによる運動点ブロックは、手技の難易度が高く有害事象発生リスクも伴うが、長期的にはボツリヌス毒素療法と同等の痙縮軽減効果を示すと報告されている[14]。

　手関節痙縮に対する持続伸展装具の使用は、メタ解析で有効性が示されているが、質の高いランダム化比較試験の報告は少ない[15]。ボツリヌス毒素療法後の足関節痙縮に対して、伸展持続時間の長いテーピングが有効とする報告もある[16]。

　上肢痙縮に対する経皮的末梢神経電気刺激（transcranial electrical nerve stimulation：TENS）の報告は少ないが、下肢痙縮に対するTENSの効果は明確に示されている。下肢痙縮へのTENSは痙縮を有意に軽減させ、静的バランスおよび歩行速度を改善させる[17]。ただし、その効果はボツリヌス毒素療法よりは小さい[18]。TENSを施行する際には、神経に沿ってもしくは筋腹に刺激電極を設置するのが良い[19]。

　髄腔内バクロフェンポンプ療法（intrathecal baclofen therapy：ITB）は痙縮の軽減や ADL の向上に有効であるが、治療関連有害事象発生率が20％以上と高く、その導入には注意が必要である[20]。

経口筋弛緩薬については、チザニジンはバクロフェンやジアゼパムと同等の効果を示した[21]。ダントロレンナトリウムも痙縮を軽減させる[22]。ただし、経口筋弛緩薬の投与が運動機能を改善させるか否かを検討したメタ解析ではその有効性は確認されず、一方で有害事象が増えることが示唆された[23]。

体外衝撃波治療（extracorporeal shock wave therapy：ESWT）は、複数のメタ解析で痙縮を軽減させることが示されているが、各研究の内容は均一ではない[24-26]。反復性経頭蓋磁気刺激（rTMS）による上肢痙縮の軽減効果はメタ解析で示されているが、解析された研究の質は高くない[27,28]。経頭蓋直流電気刺激（tDCS）の痙縮に対する有効性は、メタ解析では否定されている[29]。局所的筋振動刺激は盲検化が困難であるが、上肢痙縮に対する有効性がシステマティックレビューで示されている[30]。

〔引用文献〕

1) Dong Y, Wu T, Hu X, et al. Efficacy and safety of botulinum toxin type A for upper limb spasticity after stroke or traumatic brain injury: a systematic review with meta-analysis and trial sequential analysis. Eur J Phys Rehabil Med 2017; 53: 256-267.（レベル 1）

2) Sun LC, Chen R, Fu C, et al. Efficacy and Safety of Botulinum Toxin Type A for Limb Spasticity after Stroke: A Meta-Analysis of Randomized Controlled Trials. Biomed Res Int 2019; 2019: 8329306.（レベル 1）

3) Wu T, Li JH, Song HX, et al. Effectiveness of Botulinum Toxin for Lower Limbs Spasticity after Stroke: A Systematic Review and Meta-Analysis. Top Stroke Rehabil 2016; 23: 217-223.（レベル 1）

4) Devier D, Harnar J, Lopez L, et al. Rehabilitation plus OnabotulinumtoxinA Improves Motor Function over OnabotulinumtoxinA Alone in Post-Stroke Upper Limb Spasticity: A Single-Blind, Randomized Trial. Toxins (Basel) 2017; 9: 216.（レベル 2）

5) Roche N, Zory R, Sauthier A, et al. Effect of rehabilitation and botulinum toxin injection on gait in chronic stroke patients: a randomized controlled study. J Rehabil Med 2015; 47: 31-37.（レベル 2）

6) Prazeres A, Lira M, Aguiar P, et al. Efficacy of physical therapy associated with botulinum toxin type a on functional performance in post-stroke spasticity: a randomized, double-blinded, placebo-controlled trial. Neurol Int 2018; 10: 20-23.（レベル 2）

7) Marciniak C, Munin MC, Brashear A, et al. IncobotulinumtoxinA Efficacy and Safety in Adults with Upper-Limb Spasticity Following Stroke: results from the Open-Label Extension Period of a Phase 3 Study. Adv Ther 2019; 36: 187-199.（レベル 2）

8) Marque P, Denis A, Gasq D, et al. Botuloscope: 1-year follow-up of upper limb post-stroke spasticity treated with botulinum toxin. Ann Phys Rehabil Med 2019; 62: 207-213.（レベル 2）

9) Picelli A, Roncari L, Baldessarelli S, et al. Accuracy of botulinum toxin type A injection into the forearm muscles of chronic stroke patients with spastic flexed wrist and clenched fist: manual needle placement evaluated using ultrasonography. J Rehabil Med 2014; 46: 1042-1045.（レベル 4）

10) Picelli A, Lobba D, Midiri A, et al. Botulinum toxin injection into the forearm muscles for wrist and fingers spastic overactivity in adults with chronic stroke: a randomized controlled trial comparing three injection techniques. Clin Rehabil 2014; 28: 232-242.（レベル 2）

11) Rosales RL, Efendy F, Teleg ES, et al. Botulinum toxin as early intervention for spasticity after stroke or non-progressive brain lesion: A meta-analysis. J Neurol Sci 2016; 371: 6-14.（レベル 1）

12) Rosales RL, Balcaitiene J, Berard H, et al. Early abobotulinumtoxina (Dysport) in post-stroke adult upper limb spasticity: ONTIME pilot study. Toxins 2018; 10: 253.（レベル 2）

13) Tao W, Yan D, Li JH, et al. Gait improvement by low-dose botulinum toxin A injection treatment of the lower limbs in subacute stroke patients. J Phys Ther Sci 2015; 27: 759-762.（レベル 2）

14) Kirazli Y, On AY, Kismali B, et al. Comparison of phenol block and botulinus toxin type A in the treatment of spastic foot after stroke: a randomized, double-blind trial. Am J Phys Med Rehabil 1998; 77: 510-515.（レベル 2）

15) Salazar AP, Pinto C, Ruschel Mossi JV, et al. Effectiveness of static stretching positioning on post-stroke upper-limb spasticity and mobility: Systematic review with meta-analysis. Ann Phys Rehabil Med 2019; 62: 274-282.（レベル 1）

16) Santamato A, Micello MF, Panza F, et al. Adhesive taping vs. daily manual muscle stretching and splinting after botulinum toxin type A injection for wrist and fingers spastic overactivity in stroke patients: a randomized controlled trial. Clin Rehabil 2015; 29: 50-58.（レベル 2）

17) Lin S, Sun Q, Wang H, et al. Influence of transcutaneous electrical nerve stimulation on spasticity, balance, and walking speed in stroke patients: a systematic review and meta-analysis. J Rehabil Med 2018; 50: 3-7.（レベル 1）

18) Picelli A, Dambruoso F, Bronzato M, et al. Efficacy of therapeutic ultrasound and transcutaneous electrical nerve stimulation compared with botulinum toxin type A in the treatment of spastic equinus in adults with chronic stroke: a pilot randomized controlled trial. Top Stroke Rehabil 2014; 21 Suppl 1: S8-S16.（レベル 2）

19) Mahmood A, Veluswamy SK, Hombali A, et al. Effect of Transcutaneous Electrical Nerve Stimulation on Spasticity in Adults With Stroke: A Systematic Review and Meta-analysis. Arch Phys Med Rehabil 2019; 100: 751-768.（レベル 1）

20) Creamer M, Cloud G, Kossmehl P, et al. Intrathecal baclofen therapy versus conventional medical management for severe poststroke spasticity: results from a multicentre, randomised, controlled, open-label trial (SISTERS). J Neurol Neurosurg Psychiatry 2018; 89: 642-650.（レベル 2）

21) Lataste X, Emre M, Davis C, et al. Comparative profile of tizanidine in the management of spasticity. Neurology 1994; 44: S53-S59.（レベル 1）

22) Gracies JM, Nance P, Elovic E, et al. Traditional pharmacological treatments for spasticity. Part II: General and regional treatments. Muscle Nerve Suppl 1997; 6: S92-S120.（レベル 2）

23) Lindsay C, Kouzouna A, Simcox C, et al. Pharmacological interventions other than botulinum toxin for spasticity after stroke. Cochrane Database Syst Rev 2016: CD010362.（レベル 1）

24) Xiang J, Wang W, Jiang W, et al. Effects of extracorporeal shock wave therapy on spasticity in post-stroke patients: A systematic review and meta-analysis of randomized controlled trials. J Rehabil Med 2018; 50: 852-859.（レベル 1）

25) Guo P, Gao F, Zhao T, et al. Positive Effects of Extracorporeal Shock Wave Therapy on Spasticity in Poststroke Patients: A Meta-Analysis. J Stroke Cerebrovasc Dis 2017; 26: 2470-2476.（レベル 1）

26) Wu YT, Yu HK, Chen LR, et al. Extracorporeal Shock Waves Versus Botulinum Toxin Type A in the Treatment of Poststroke Upper Limb Spasticity: A Randomized Noninferiority Trial. Arch Phys Med Rehabil 2018; 99: 2143-2150.（レベル 2）

27) McIntyre A, Mirkowski M, Thompson S, et al. A Systematic Review and Meta-Analysis on the Use of Repetitive Transcranial Magnetic Stimulation for Spasticity Poststroke. PM R 2018; 10: 293-302.（レベル 1）

28) Rastgoo M, Naghdi S, Nakhostin Ansari N, et al. Effects of re-

petitive transcranial magnetic stimulation on lower extremity spasticity and motor function in stroke patients. Disabil Rehabil 2016; 38: 1918-1926.（レベル2）

29) Elsner B, Kugler J, Pohl M, et al. Transcranial direct current stimulation for improving spasticity after stroke: A systematic review with meta-analysis. J Rehabil Med 2016; 48: 565-570.（レベル1）

30) Alashram AR, Padua E, Romagnoli C, et al. Effectiveness of focal muscle vibration on hemiplegic upper extremity spasticity in individuals with stroke: A systematic review. NeuroRehabilitation 2019; 45: 471-481.（レベル1）

Ⅶ 亜急性期以後のリハビリテーション診療

2 亜急性期以後の障害に対するリハビリテーション診療

2-6 疼痛

推 奨

1. 中枢性疼痛に対して、プレガバリンを投与することは妥当である（推奨度 B　エビデンスレベル中）。

2. ガバペンチン、ラモトリギン、アミトリプチリン、選択的セロトニン再取り込み阻害薬（SSRI）の投与を考慮しても良い（推奨度 C　エビデンスレベル低）。

3. 中枢性疼痛に対して、反復性経頭蓋磁気刺激（rTMS）を行うことを考慮しても良い（推奨度 C　エビデンスレベル中）。また、大脳皮質電気刺激（MCS）や脊髄電気刺激（SCS）を行うことを考慮しても良い（推奨度 C　エビデンスレベル低）。

4. 複合性局所疼痛症候群（肩手症候群）に対して、訓練と併用して鍼治療を行うことは勧められる（推奨度 A　エビデンスレベル高）。また、少量の副腎皮質ステロイドを投与することや、通常の訓練に上肢の有酸素運動を加えることは妥当である（推奨度 B　エビデンスレベル中）。

解 説

プレガバリンは、脳卒中後の中枢性疼痛に有効であることが確認されており[1-4]、30％以上の鎮痛効果がみられることもある。しかしながら、プレガバリンを内服する際には、めまい、眠気、浮腫、体重増加などの副作用に注意する必要がある[2]。ガバペンチン、ラモトリギン、アミトリプチリンが中枢性疼痛に有効であるとする報告があるが、いずれの検討においても対象患者数は多くない[5-7]。ガバペンチンを投与する際には、めまい、傾眠、浮腫が発生しうる[5]。ラモトリギンの副作用は皮膚の発疹や頭痛であり[5]、アミトリプチリンは倦怠感や口喝を生じさせることがある[5]。選択的セロトニン再取り込み阻害薬（SSRI）は、中枢性疼痛の出現後 1 年以内に使用された場合に有効であると報告されている[2]。中枢性疼痛に対するカルバマゼピンの有効性を明らかに示す報告はないが、臨床上ではこれの鎮痛効果が確認されることもある[2]。よって、カルバマゼピンを投与する場合には、薬剤の効果を慎重に見極めることが望ましい。

大脳皮質運動野などに対する反復性経頭蓋磁気刺激（rTMS）が中枢性疼痛に有効であることを示す報告がある[2,5,8-14]。rTMS の施行に関しては重大な有害事象の報告は少ないが[10]、さらなる有用性の検討が必要である。

大脳運動野に刺激電極を埋め込む大脳皮質電気刺激（motor cortex stimulation：MCS）は、中枢性疼痛の改善に有効であると報告されており[5,15]、特に薬剤無効例においてこれの導入が明らかな鎮痛効果を示すことがある[5]。脊髄電気刺激（spinal cord stimulation：SCS）も中枢性疼痛を改善させることができ[15-18]、難治性疼痛に対してこれが導入されることもある[15]。

複合性局所疼痛症候群（肩手症候群）に対して訓練と併用して鍼治療を行うと、上肢運動機能の改善、疼痛の軽減、日常生活動作の向上がみられることがメタ解析で示されている[19]。少量の副腎皮質ステロイドを 4 週間だけ内服するよりも、それを 4 週間以上内服したほうが疼痛などの症状改善がより大きかった[20]。通常の訓練に上肢エルゴメーター訓練などの上肢有酸素運動を加えることで、疼痛などの症状改善がより大きくなった[21]。鏡像を用いた訓練の併用[22]やパミドロン酸の投与[23]が症状改善に有効とする報告もある。

〔引用文献〕

1) Derry S, Bell RF, Straube S, et al. Pregabalin for neuropathic pain in adults. Cochrane Database Syst Rev 2019: CD007076. （レベル 1）

2) Treister AK, Hatch MN, Cramer SC, et al. Demystifying Post-stroke Pain: From Etiology to Treatment. PM R 2017; 9: 63-75. （レベル 2）

3) 種井隆文, 梶田泰一, 竹林成典, 他.【脳卒中後疼痛（Post-stroke Pain）】脳卒中後疼痛　薬物治療の実際. ペインクリニック

脳卒中治療ガイドライン 2021　271

2018；39：879-886.（レベル4）

4) Vranken JH, Dijkgraaf MG, Kruis MR, et al. Pregabalin in patients with central neuropathic pain: a randomized, double-blind, placebo-controlled trial of a flexible-dose regimen. Pain 2008; 136: 150-157.（レベル2）

5) Kumar B, Kalita J, Kumar G, et al. Central poststroke pain: a review of pathophysiology and treatment. Anesth Analg 2009; 108: 1645-1657.（レベル3）

6) Leijon G, Boivie J. Central post-stroke pain--a controlled trial of amitriptyline and carbamazepine. Pain 1989; 36: 27-36.（レベル2）

7) Vestergaard K, Andersen G, Gottrup H, et al. Lamotrigine for central poststroke pain: a randomized controlled trial. Neurology 2001; 56: 184-190.（レベル2）

8) Chen CC, Chuang YF, Huang AC, et al. The antalgic effects of non-invasive physical modalities on central post-stroke pain: a systematic review. J Phys Ther Sci 2016; 28: 1368-1373.（レベル1）

9) Choi GS, Chang MC. Effects of high-frequency repetitive transcranial magnetic stimulation on reducing hemiplegic shoulder pain in patients with chronic stoke: a randomized controlled trial. Int J Neurosci 2017: 1-7.（レベル3）

10) 細見晃一, 齋藤洋一.【脳卒中後疼痛（Post-stroke Pain）】脳卒中後疼痛 経頭蓋磁気刺激の効果と除痛機序. ペインクリニック 2018；39：889-896.（レベル4）

11) Hasan M, Whiteley J, Bresnahan R, et al. Somatosensory change and pain relief induced by repetitive transcranial magnetic stimulation in patients with central poststroke pain. Neuromodulation 2014; 17: 731-736; discussion 736.（レベル4）

12) 細見晃一, 清水豪士, 後藤雄子, 他. 中枢性脳卒中後疼痛に対するニューロモデュレーション療法. PAIN RESEARCH 2018；33：18-25.（レベル4）

13) 齋藤洋一.【エビデンスに基づく経頭蓋磁気刺激（TMS）治療】難治性疼痛に対する反復経頭蓋磁気刺激療法（rTMS）の効果と適応. The Japanese Journal of Rehabilitation Medicine 2019；56：33-37.（レベル4）

14) Khedr EM, Kotb H, Kamel NF, et al. Longlasting antalgic effects of daily sessions of repetitive transcranial magnetic stimulation in central and peripheral neuropathic pain. J Neurol Neurosurg Psychiatry 2005; 76: 833-838.（レベル2）

15) 細見晃一, 清水豪士, 後藤雄子, 他. 中枢性脳卒中後疼痛に対するニューロモデュレーション療法. PAIN RES 2018；33：18-25.（レベル4）

16) 上利崇, 伊達勲.【ニューロモデュレーション技術の新たな展開】脊髄刺激療法 Post-stroke pain に対する SCS. ペインクリニック 2014；35：1333-1342.（レベル4）

17) 細見晃一, 齋藤洋一.【各種疼痛に対する脊髄刺激療法】中枢性脳卒中後疼痛に対する脊髄刺激療法. ペインクリニック 2015；36：1163-1172.（レベル4）

18) 上利崇.【脳卒中後疼痛（Post-stroke Pain）】脳卒中後疼痛 脊髄刺激療法の方法と有用性. ペインクリニック 2018；39：897-904.（レベル4）

19) Liu S, Zhang CS, Cai Y, et al. Acupuncture for Post-stroke Shoulder-Hand Syndrome: A Systematic Review and Meta-Analysis. Front Neurol 2019; 10: 433.（レベル1）

20) Kalita J, Misra U, Kumar A, et al. Long-term Prednisolone in Post- stroke Complex Regional Pain Syndrome. Pain Physician 2016; 19: 565-574.（レベル2）

21) Topcuoglu A, Gokkaya NK, Ucan H, et al. The effect of upper-extremity aerobic exercise on complex regional pain syndrome type I: a randomized controlled study on subacute stroke. Top Stroke Rehabil 2015; 22: 253-261.（レベル2）

22) Pervane Vural S, Nakipoglu Yuzer GF, Sezgin Ozcan D, et al. Effects of Mirror Therapy in Stroke Patients With Complex Regional Pain Syndrome Type 1: A Randomized Controlled Study. Arch Phys Med Rehabil 2016; 97: 575-581.（レベル2）

23) Eun Young H, Hyeyun K, Sang Hee I. Pamidronate effect compared with a steroid on complex regional pain syndrome type I: Pilot randomised trial. Neth J Med 2016; 74: 30-35.（レベル2）

Ⅶ 亜急性期以後のリハビリテーション診療

2 亜急性期以後の障害に対するリハビリテーション診療

2-7 摂食嚥下障害

推奨

1. 嚥下障害を改善するために、嚥下訓練を行うことが勧められる（推奨度 A　エビデンスレベル高）。

2. 頭部挙上訓練および頚部の抵抗運動訓練、舌の抵抗運動訓練、呼吸筋訓練を行うことは妥当である（推奨度 B　エビデンスレベル中）。また、開口訓練および最大喉頭挙上位置を持続する訓練を行うことを考慮しても良い（推奨度 C　エビデンスレベル中）。

3. 摂食嚥下障害がある患者に対して、間欠的経管栄養を行うことを考慮しても良い（推奨度 C　エビデンスレベル低）。

4. バルーンカテーテル訓練を行うことを考慮しても良い（推奨度 C　エビデンスレベル中）。

5. 反復性経頭蓋磁気刺激（rTMS）や経頭蓋直流電気刺激（tDCS）を行うことは妥当である（推奨度 B　エビデンスレベル高）。

6. 咽頭部への経皮的電気刺激を行うことは妥当である（推奨度 B　エビデンスレベル高）。

7. 反復性末梢性磁気刺激（rPMS）を行うことを考慮しても良い（推奨度 C　エビデンスレベル中）。

解 説

　最近のシステマティックレビューにおいて、嚥下訓練が嚥下障害を改善させ、在院日数や肺炎発症率を減少させることが確認されている[1]。複数のランダム化比較試験（RCT）において、頭部挙上訓練や頚部の抵抗運動訓練が嚥下障害を改善させることが示されている[2-8]。舌の抵抗運動訓練[9]および呼吸筋訓練[10-12]が嚥下障害を改善することも、それぞれ複数の RCT で報告されているが、その効果を明らかに示すことができなかった RCT もある[13,14]。開口訓練は咽頭残留を軽減させることで[15]、最大喉頭挙上位置を数秒間持続させる訓練（メンデルゾーン手技）は舌骨運動を改善させる[16]ことで嚥下機能を改善させる。

　本邦の多施設で施行された後向き観察研究において、間欠的経管栄養を導入された患者では、経鼻胃管で栄養管理されていた患者に比して経口摂取能力の獲得率が有意に高かったことが示された[17]。また、バルーンカテーテル訓練が嚥下障害を改善することも報告されている[18]。

　反復性経頭蓋磁気刺激（rTMS）が嚥下障害を改善することは、複数のシステマティックレビューで確認されている[19-23]。特に、運動野咽頭筋領域に対する rTMS[24-28]、および運動野前頚部筋領域に対する rTMS が嚥下障害を改善する[29-31]。rTMS による迷走神経刺激が嚥下障害の改善に有効であったことを示す報告もある[32]。複数のシステマティックレビューにおいて、経頭蓋直流電気刺激（tDCS）による嚥下障害の改善が確認されている[19-21,23]。さらには、RCT によって、特に大脳運動野咽頭筋領域に対する tDCS が嚥下障害を改善することが示されている[33-36]。

　複数のシステマティックレビューによると、咽頭部への経皮的電気刺激が嚥下障害を改善する[23,37,38]。前頚部筋に対する経皮的電気刺激が嚥下障害を改善することを報告した RCT も複数ある[24,39-45]。カテーテル電極を挿入することで行う咽頭筋への電気刺激が、気管カニューレの離脱を促進するとの報告があるが[46]、この電気刺激が嚥下機能に与える効果は明らかではない[47,48]。

　舌骨上筋群への反復性末梢性磁気刺激（repetitive peripheral magnetic stimulation：rPMS）が、嚥下障害を改善することを示した RCT がある[49]。

〔引用文献〕

1) Bath PM, Lee HS, Everton LF. Swallowing therapy for dysphagia in acute and subacute stroke. Cochrane Database Syst Rev 2018: CD000323.（レベル 1）

2) Gao J, Zhang HJ. Effects of chin tuck against resistance exercise versus Shaker exercise on dysphagia and psychological state after cerebral infarction. Eur J Phys Rehabil Med 2017; 53: 426-432.（レベル 2）

3) Don Kim K, Lee HJ, Lee MH, et al. Effects of neck exercises on swallowing function of patients with stroke. J Phys Ther Sci 2015; 27: 1005-1008.（レベル 2）

4) Park JS, An DH, Oh DH, et al. Effect of chin tuck against resistance exercise on patients with dysphagia following stroke: a randomized pilot study. NeuroRehabilitation 2018; 42: 191-197.（レベル 2）

5) Choi JB, Shim SH, Yang JE, et al. Effects of Shaker exercise in stroke survivors with oropharyngeal dysphagia. NeuroRehabilitation 2017; 41: 753-757.（レベル 2）

6) Ploumis A, Papadopoulou SL, Theodorou SJ, et al. Cervical isometric exercises improve dysphagia and cervical spine malalignment following stroke with hemiparesis: a randomized controlled trial. Eur J Phys Rehabil Med 2018; 54: 845-852.（レベル 2）

7) Kim HH, Park JS. Efficacy of modified chin tuck against resistance exercise using hand-free device for dysphagia in stroke survivors: a randomised controlled trial. J Oral Rehabil 2019; 46: 1042-1046.（レベル 2）

8) Park JS, Lee G, Jung YJ. Effects of game-based chin-tuck against resistance exercise vs head-lift exercise in patients with dysphagia after stroke: an assessor-blind, randomized controlled trial. J Rehabil Med 2019; 51: 749-754.（レベル 2）

9) Kim HD, Choi JB, Yoo SJ, et al. Tongue-to-palate resistance training improves tongue strength and oropharyngeal swallowing function in subacute stroke survivors with dysphagia. J Oral Rehabil 2017; 44: 59-64.（レベル 2）

10) Moon JH, Jung JH, Won YS, et al. Effects of expiratory muscle strength training on swallowing function in acute stroke patients with dysphagia. J Phys Ther Sci 2017; 29: 609-612.（レベル 2）

11) Eom MJ, Chang MY, Oh DH, et al. Effects of resistance expiratory muscle strength training in elderly patients with dysphagic stroke. NeuroRehabilitation 2017; 41: 747-752.（レベル 2）

12) Park JS, Oh DH, Chang MY, et al. Effects of expiratory muscle strength training on oropharyngeal dysphagia in subacute stroke patients: a randomised controlled trial. J Oral Rehabil 2016; 43: 364-372.（レベル 2）

13) Park JS, Kim HJ, Oh DH. Effect of tongue strength training using the Iowa Oral Performance Instrument in stroke patients with dysphagia. J Phys Ther Sci 2015; 27: 3631-3634.（レベル 2）

14) Guillén-Solà A, Messagi Sartor M, Bofill Soler N, et al. Respiratory muscle strength training and neuromuscular electrical stimulation in subacute dysphagic stroke patients: a randomized controlled trial. Clin Rehabil 2017; 31: 761-771.（レベル 2）

15) Koyama Y, Sugimoto A, Hamano T, et al. Proposal for a Modified Jaw Opening Exercise for Dysphagia: A Randomized, Controlled Trial. Tokai J Exp Clin Med 2017; 42: 71-78.（レベル 2）

16) McCullough GH, Kim Y. Effects of the Mendelsohn maneuver on extent of hyoid movement and UES opening post-stroke. Dysphagia 2013; 28: 511-519.（レベル 2）

17) Sugawara H, Ishikawa M, Takayama M, et al. Effect of tube feeding method on establishment of oral intake in stroke patients with dysphagia: comparison of intermittent tube feeding and nasogastric tube feeding. Jpn J Compr Rehabil Sci 2015; 6: 1-5.（レベル 4）

18) Wei X, Yu F, Dai M, et al. Change in Excitability of Cortical Projection After Modified Catheter Balloon Dilatation Therapy in Brainstem Stroke Patients with Dysphagia: A Prospective Controlled Study. Dysphagia 2017; 32: 645-656.（レベル 2）

19) Yang SN, Pyun SB, Kim HJ, et al. Effectiveness of Non-invasive Brain Stimulation in Dysphagia Subsequent to Stroke: A Systemic Review and Meta-analysis. Dysphagia 2015; 30: 383-391.（レベル 1）

20) Momosaki R, Kinoshita S, Kakuda W, et al. Noninvasive brain stimulation for dysphagia after acquired brain injury: a systematic review. J Med Invest 2016; 63: 153-158.（レベル 1）

21) Pisegna JM, Kaneoka A, Pearson WG Jr, et al. Effects of non-invasive brain stimulation on post-stroke dysphagia: A systematic review and meta-analysis of randomized controlled trials. Clin Neurophysiol 2016; 127: 956-968.（レベル 1）

22) Liao X, Xing G, Guo Z, et al. Repetitive transcranial magnetic stimulation as an alternative therapy for dysphagia after stroke: a systematic review and meta-analysis. Clin Rehabil 2017; 31: 289-298.（レベル 1）

23) Chiang CF, Lin MT, Hsiao MY, et al. Comparative Efficacy of Noninvasive Neurostimulation Therapies for Acute and Subacute Poststroke Dysphagia: A Systematic Review and Network Meta-analysis. Arch Phys Med Rehabil 2019; 100: 739-750. e4.（レベル 1）

24) Lim KB, Lee HJ, Yoo J, et al. Effect of Low-Frequency rTMS and NMES on Subacute Unilateral Hemispheric Stroke With Dysphagia. Ann rehabil med 2014; 38: 592-602.（レベル 2）

25) Michou E, Mistry S, Jefferson S, et al. Characterizing the mechanisms of central and peripheral forms of neurostimulation in chronic dysphagic stroke patients. Brain Stimul 2014; 7: 66-73.（レベル 2）

26) Du J, Yang F, Liu L, et al. Repetitive transcranial magnetic stimulation for rehabilitation of poststroke dysphagia: A randomized, double-blind clinical trial. Clin Neurophysiol 2016; 127: 1907-1913.（レベル 2）

27) Park E, Kim MS, Chang WH, et al. Effects of Bilateral Repetitive Transcranial Magnetic Stimulation on Post-Stroke Dysphagia. Brain Stimul 2017; 10: 75-82.（レベル 2）

28) Cheng IKY, Chan KMK, Wong CS, et al. Neuronavigated high-frequency repetitive transcranial magnetic stimulation for chronic post-stroke dysphagia: a randomized controlled study. J Rehabil Med 2017; 49: 475-481.（レベル 2）

29) Tarameshlu M, Ansari NN, Ghelichi L, et al. The effect of repetitive transcranial magnetic stimulation combined with traditional dysphagia therapy on poststroke dysphagia: a pilot double-blinded randomized-controlled trial. Int J Rehabil Res 2019; 42: 133-138.（レベル 2）

30) Zhang C, Zheng X, Lu R, et al. Repetitive transcranial magnetic stimulation in combination with neuromuscular electrical stimulation for treatment of post-stroke dysphagia. J Int Med Res 2019; 47: 662-672.（レベル 2）

31) Unluer NO, Temucin CM, Demir N, et al. Effects of Low-Frequency Repetitive Transcranial Magnetic Stimulation on Swallowing Function and Quality of Life of Post-stroke Patients. Dysphagia 2019; 34: 360-371.（レベル 2）

32) Lin WS, Chou CL, Chang MH, et al. Vagus nerve magnetic modulation facilitates dysphagia recovery in patients with stroke involving the brainstem - A proof of concept study. Brain Stimul 2018; 11: 264-270.（レベル 2）

33) Ahn YH, Sohn HJ, Park JS, et al. Effect of bihemispheric anodal transcranial direct current stimulation for dysphagia in chronic stroke patients: a randomized clinical trial. J Rehabil Med 2017; 49: 30-35（レベル 2）

34) Shigematsu T, Fujishima I, Ohno K. Transcranial direct current stimulation improves swallowing function in stroke patients. Neurorehabil Neural Repair 2013; 27: 363-369.（レベル 2）

35) Pingue V, Priori A, Malovini A, et al. Dual Transcranial Direct Current Stimulation for Poststroke Dysphagia: A Randomized Controlled Trial. Neurorehabil Neural Repair 2018; 32: 635-644.（レベル 2）

36) Wang ZY, Chen JM, Lin ZK, et al. Transcranial direct current stimulation improves the swallowing function in patients with cricopharyngeal muscle dysfunction following a brainstem stroke. Neurol Sci 2020; 41: 569-574.（レベル 2）

37) Chen YW, Chang KH, Chen HC, et al. The effects of surface neuromuscular electrical stimulation on post-stroke dysphagia: a systemic review and meta-analysis. Clin Rehabil 2016; 30: 24-35.（レベル 1）

38) Tan C, Liu Y, Li W, et al. Transcutaneous neuromuscular electrical stimulation can improve swallowing function in patients with dysphagia caused by non-stroke diseases: a meta-analysis. J Oral Rehabil 2013; 40: 472-480.（レベル 1）

39) Meng P, Zhang S, Wang Q, et al. The effect of surface neuromuscular electrical stimulation on patients with post-stroke dysphagia. J Back Musculoskelet Rehabil 2018; 31: 363-370.（レベル 2）

40) Rofes L, Arreola V, López I, et al. Effect of surface sensory and motor electrical stimulation on chronic poststroke oropharyngeal dysfunction. Neurogastroenterol Motil 2013; 25: 888-e701. （レベル 2）

41) Zhang M, Tao T, Zhang ZB, et al. Effectiveness of Neuromuscular Electrical Stimulation on Patients With Dysphagia With Medullary Infarction. Arch Phys Med Rehabil 2016; 97: 355-362. （レベル 2）

42) Huang KL, Liu TY, Huang YC, et al. Functional outcome in acute stroke patients with oropharyngeal Dysphagia after swallowing therapy. J Stroke Cerebrovasc Dis 2014; 23: 2547-2553. （レベル 2）

43) Park JS, Oh DH, Hwang NK, et al. Effects of neuromuscular electrical stimulation combined with effortful swallowing on post-stroke oropharyngeal dysphagia: a randomised controlled trial. J Oral Rehabil 2016; 43: 426-434. （レベル 2）

44) Sproson L, Pownall S, Enderby P, et al. Combined electrical stimulation and exercise for swallow rehabilitation post-stroke: a pilot randomized control trial. Int J Lang Commun Disord 2018; 53: 405-417. （レベル 2）

45) Simonelli M, Ruoppolo G, Iosa M, et al. A stimulus for eating. The use of neuromuscular transcutaneous electrical stimulation in patients affected by severe dysphagia after subacute stroke: a pilot randomized controlled trial. NeuroRehabilitation 2019; 44: 103-110. （レベル 2）

46) Dziewas R, Stellato R, van der Tweel I, et al. Pharyngeal electrical stimulation for early decannulation in tracheotomised patients with neurogenic dysphagia after stroke (PHAST-TRAC): a prospective, single-blinded, randomised trial. Lancet Neurol 2018; 17: 849-859. （レベル 2）

47) Bath PM, Scutt P, Love J, et al. Pharyngeal Electrical Stimulation for Treatment of Dysphagia in Subacute Stroke: A Randomized Controlled Trial. Stroke 2016; 47: 1562-1570. （レベル 2）

48) Vasant DH, Michou E, O'Leary N, et al. Pharyngeal Electrical Stimulation in Dysphagia Poststroke: A Prospective, Randomized Single-Blinded Interventional Study. Neurorehabil Neural Repair 2016; 30: 866-875. （レベル 2）

49) Momosaki R, Abo M, Watanabe S, et al. Functional magnetic stimulation using a parabolic coil for dysphagia after stroke. Neuromodulation 2014; 17: 637-641; discussion 641. （レベル 2）

Ⅶ 亜急性期以後のリハビリテーション診療

2 亜急性期以後の障害に対するリハビリテーション診療

2-8 低栄養

推奨

1. 脳卒中患者の栄養状態を評価して、十分なエネルギーを投与することは妥当である（推奨度 B　エビデンスレベル低）。

2. 日常生活動作（ADL）を向上させるために、必須アミノ酸の投与を行うことは妥当である（推奨度 B　エビデンスレベル中）。

解　説

　低栄養患者では日常生活動作（ADL）が低く[1,2]、死亡率[2-4]や入院費が高く[3]、入院期間が長く[3]なることが示されている。本邦の報告によると、回復期リハビリテーション病棟において栄養状態が良好な群では ADL の向上度は年齢による違いを認めないが、低栄養群では高齢であるほど ADL の向上度が低いことが示されている[5]。また、低栄養は感染症発症[4]、心血管合併症発症[4]にも関連している。本邦の後向き観察研究によると、低栄養は経口摂取能力が獲得不能となるリスクであることが示されている[6]。また、入院初期の十分なエネルギー摂取が ADL の向上や合併症の発症軽減と関連していること[7]、入院初期の栄養状態改善やエネルギー摂取増加が ADL の向上と関連していること[8]、栄養状態の改善が ADL の向上と関連していること[9]も報告されている。

　ランダム化比較試験（RCT）において、脳卒中患者の非麻痺肢では異化が亢進しているが、必須アミノ酸の投与によって同肢における異化を抑えることができると報告されている[10]。サルコペニアを有する脳卒中患者を対象に行った RCT は、ロイシン高濃度含有アミノ酸サプリメントを投与した上で低負荷の筋力増強訓練を施行すると、アミノ酸を投与せずに訓練だけを行った群に比して ADL が有意により大きく改善することを示している[11]。

〔引用文献〕

1) Vahlberg B, Zetterberg L, Lindmark B, et al. Functional performance, nutritional status, and body composition in ambulant community - dwelling individuals 1–3 years after suffering from a cerebral infarction or intracerebral bleeding. BMC Geriatr 2016; 16: 48.（レベル 3）

2) Bembenek JP, Karlinski M, Niewada M, et al. Measurement of Nutritional Status Using Body Mass Index, Waist-to-Hip Ratio, and Waist Circumference to Predict Treatment Outcome in Females and Males with Acute First-Ever Ischemic Stroke. J Stroke Cerebrovasc Dis 2018; 27: 132–139.（レベル 3）

3) Gomes F, Emery PW, Weekes CE. Risk of Malnutrition Is an Independent Predictor of Mortality, Length of Hospital Stay, and Hospitalization Costs in Stroke Patients. J Stroke Cerebrovasc Dis 2016; 25: 799–806.（レベル 3）

4) Church C, Price C, Pandyan AD, et al. Randomized controlled trial to evaluate the effect of surface neuromuscular electrical stimulation to the shoulder after acute stroke. Stroke 2006; 37: 2995–3001.（レベル 3）

5) Fujitaka Y, Tanaka N, Nakadai H, et al. Differences in FIM improvement rate stratified by nutritional status and age in stroke patients in kaifukuki (convalescent) rehabilitation ward. Jpn J Compr Rehabil Sci 2017; 8: 98–103.（レベル 3）

6) Nishioka S, Okamoto T, Takayama M, et al. Malnutrition risk predicts recovery of full oral intake among older adult stroke patients undergoing enteral nutrition: Secondary analysis of a multicentre survey (the APPLE study). Clin Nutr 2017; 36: 1089–1096.（レベル 4）

7) Kokura Y, Wakabayashi H, Nishioka S, et al. Nutritional intake is associated with activities of daily living and complications in older inpatients with stroke. Geriatr Gerontol Int 2018; 18: 1334–1339.（レベル 4）

8) Nii M, Maeda K, Wakabayashi H, et al. Nutritional Improvement and Energy Intake Are Associated with Functional Recovery in Patients after Cerebrovascular Disorders. J Stroke Cerebrovasc Dis 2016; 25: 57–62.（レベル 4）

9) Nishioka S, Wakabayashi H, Nishioka E, et al. Nutritional Improvement Correlates with Recovery of Activities of Daily Living among Malnourished Elderly Stroke Patients in the Convalescent Stage: A Cross-Sectional Study. J Acad Nutr Diet 2016; 116: 837–843.（レベル 3）

10) Aquilani R, Boselli M, D'Antona G, et al. Unaffected arm muscle hypercatabolism in dysphagic subacute stroke patients: the effects of essential amino acid supplementation. Biomed Res Int 2014; 2014: 964365.（レベル 2）

11) Yoshimura Y, Bise T, Shimazu S, et al. Effects of a leucine-enriched amino acid supplement on muscle mass, muscle strength, and physical function in post-stroke patients with sarcopenia: a randomized controlled trial. Nutrition 2019; 58: 1–6.（レベル 2）

Ⅶ 亜急性期以後のリハビリテーション診療

2 亜急性期以後の障害に対するリハビリテーション診療

2-9 排尿障害

推奨

1. 排尿障害の評価として、残尿測定、排尿日誌による排尿パターンの観察、尿流動態検査を行うことは勧められる（推奨度A　エビデンスレベル低）。

2. 骨盤底筋群訓練、経皮的電気刺激、バイオフィードバック、薬物療法を行うことは妥当である（推奨度B　エビデンスレベル中）。

3. 下部尿路通過障害に対して、経尿道的前立腺切除術（TUR-P）を行うことは妥当である（推奨度B　エビデンスレベル中）。

解　説

脳卒中患者の40％から60％に排尿障害がみられ、その発症1年後にも15％の患者では持続して確認される[1-3]。排尿障害は身体機能や生活の質（QOL）に影響し、自宅退院率を低下させ、患者、介護者、家族の心理的負担にもなる[2,4]。排尿障害に伴って、尿道カテーテル留置が長くなり、尿路感染症の合併リスクも高まる[5,6]。

排尿機能の評価としては、残尿測定と排尿日誌などによる排尿パターンの観察が重要であり、さらには尿路感染症のチェックのための検尿も必要である[7-9]。また、排尿障害の病型判定のためには、尿流動態検査が有用である[7,10]。尿流動態検査に基づいた分類では、脳卒中患者の排尿障害は排尿筋の過緊張（過活動）によるものが最も多く、結果的に切迫尿意や切迫失禁を呈することが多い[2,11]。

骨盤底筋群訓練によって、排尿機能およびQOLが改善することが報告されている[12,13]。経皮的電気刺激により、排尿回数、夜間頻尿、切迫頻尿の回数が減少し、排尿の自立が促される[1,14,15]。膀胱内圧を測定して患者にフィードバックすることで、排尿筋の緊張を随意的に低下させる訓練（バイオフィードバック）の有用性も報告されている[16]。薬物治療としては、排尿筋の過活動に対して副交感神経遮断薬（抗コリン薬）もしくはβ_3アドレナリン受容体作動薬を、排尿筋の収縮不全に対してアセチルコリン受容体刺激薬もしくはコリンエステラーゼ阻害薬を、尿道の過緊張に対して$\alpha1$受容体遮断薬を、尿道の低緊張に対して$\alpha1$受容体刺激薬を投与す

る[1,7,10]。下部尿路通過障害に対しては、経尿道的前立腺切除術（transurethral resection of the prostate：TUR-P）が有用である[17,18]。

〔引用文献〕

1) Thomas LH, Coupe J, Cross LD, et al. Interventions for treating urinary incontinence after stroke in adults. Cochrane Database Syst Rev 2019: CD004462.（レベル2）

2) Panfili Z, Metcalf M, Griebling TL. Contemporary Evaluation and Treatment of Poststroke Lower Urinary Tract Dysfunction. Urol Clin North Am 2017; 44: 403-414.（レベル5）

3) Cai W, Wang J, Wang L, et al. Prevalence and risk factors of urinary incontinence for post-stroke inpatients in Southern China. Neurourol Urodyn 2015; 34: 231-235.（レベル4）

4) van Kuijk AA, van der Linde H, van Limbeek J. Urinary incontinence in stroke patients after admission to a postacute inpatient rehabilitation program. Arch Phys Med Rehabil 2001; 82: 1407-1411.（レベル4）

5) Kong KH, Young S. Incidence and outcome of poststroke urinary retention: a prospective study. Arch Phys Med Rehabil 2000; 81: 1464-1467.（レベル4）

6) Net P, Karnycheff F, Vasse M, et al. Urinary tract infection after acute stroke: Impact of indwelling urinary catheterization and assessment of catheter-use practices in French stroke centers. Rev Neurol (Paris) 2018; 174: 145-149.（レベル4）

7) 鈴木康之，江井裕紀，古田昭，他．【脳卒中リハビリテーションの最前線―実践とエビデンス】排尿障害へのアプローチ．Journal of Clinical Rehabilitation　2017；26：1128-1135.（レベル5）

8) 鈴木みゆき，徳重あつ子．高齢男性の回復期脳卒中片麻痺患者における排尿状態と非麻痺側上肢・下肢筋肉量との関係．日本健康医学会雑誌　2017；26：103-111.（レベル4）

9) 上山真美，小泉美佐子．脳血管疾患患者における尿道留置カテーテルから自排尿獲得に向けたケアプロトコールの開発と有用性．日本創傷・オストミー・失禁管理学会誌　2015；18：340-347.（レベル4）

10) 補永薫．【排尿ケアとリハビリテーション】脳卒中患者．総合リハビリテーション　2017；45：993-998.（レベル5）

11) Gelber DA, Good DC, Laven LJ, et al. Causes of urinary incontinence after acute hemispheric stroke. Stroke 1993; 24: 378-382.（レベル4）

12) Shin DC, Shin SH, Lee MM, et al. Pelvic floor muscle training for urinary incontinence in female stroke patients: a randomized, controlled and blinded trial. Clin Rehabil 2016; 30: 259-267.（レベル2）

13) Tibaek S, Gard G, Dehlendorff C, et al. Is Pelvic Floor Muscle Training Effective for Men With Poststroke Lower Urinary Tract Symptoms? A Single-Blinded Randomized, Controlled

脳卒中治療ガイドライン2021　277

Trial. Am J Mens Health 2017; 11: 1460-1471.（レベル2）

14) Liu Y, Xu G, Luo M, et al. Effects of Transcutaneous Electrical Nerve Stimulation at Two Frequencies on Urinary Incontinence in Poststroke Patients: A Randomized Controlled Trial. Am J Phys Med Rehabil 2016; 95: 183-193.（レベル2）

15) Guo ZF, Liu Y, Hu GH, et al. Transcutaneous electrical nerve stimulation in the treatment of patients with poststroke urinary incontinence. Clin Interv Aging 2014; 9: 851-856.（レベル2）

16) Middaugh SJ, Whitehead WE, Burgio KL, et al. Biofeedback in treatment of urinary incontinence in stroke patients. Biofeedback Self Regul 1989; 14: 3-19.（レベル4）

17) 塩見努，安川元信，吉井将人，他．慢性期脳卒中332症例の排尿管理．日本泌尿器科学会雑誌　1992；83：2029-2036.（レベル4）

18) 夏目修，安川元信，吉井将人，他．脳卒中患者の尿路管理におけるTUR-Pの検討．泌尿器科紀要　1992；38：1123-1127.（レベル4）

Ⅶ 亜急性期以後のリハビリテーション診療

2 亜急性期以後の障害に対するリハビリテーション診療

2-10 失語症および構音障害

推奨

1. 失語症に対して系統的な評価を行うことが勧められる（推奨度 A　エビデンスレベル中）。失語症に対する評価法として、標準失語症検査（SLTA）や西部失語症検査バッテリー（WAB）日本語版を用いることが勧められる（推奨度 A　エビデンスレベル中）。

2. 失語症に対して、言語聴覚訓練を行うことが勧められる（推奨度 A　エビデンスレベル高）。

3. グループ訓練やコンピュータ機器を用いた訓練を行うことは妥当である（推奨度 B　エビデンスレベル高）。

4. 口頭言語をコミュニケーション手段として強制使用させる訓練を行うことを考慮しても良い（推奨度 C　エビデンスレベル中）。

5. 反復性経頭蓋磁気刺激（rTMS）や経頭蓋直流電気刺激（tDCS）を行うことを考慮しても良い（推奨度 C　エビデンスレベル低）。

6. 脳卒中後の失語症に対する薬物療法の有効性は、確立していない（推奨度 C　エビデンスレベル低）。

7. 構音障害に対して、言語訓練を行うことを考慮しても良い（推奨度 C　エビデンスレベル低）。

解 説

失語症の評価は、失語症のタイプと重症度を正確に診断して、その後の回復を客観的に判定するために必要である。本邦では、標準失語症検査（standard language test of aphasia：SLTA）もしくは西部失語症検査バッテリー（western aphasia battery：WAB）日本語版を用いてその評価が行われることが多い[1,2]。WAB についてはその信頼性および妥当性が、すでに十分に確立されている[3]。

言語聴覚訓練が失語症を有意に改善させることは、複数のランダム化比較試験（RCT）およびメタ解析の結果として確認されている[1,2,4-6]。メタ解析の結果によると、言語聴覚訓練の時間を長くしたほうが失語症の回復が有意に大きくなる[5,7,8]。訓練を行う時期については、発症後早期における集中的訓練の有効性を示す報告[9]や、発症から長時間が経過してからであっても同訓練が有効であることを示す報告[10]がある。訓練提供者の選択が言語機能改善に与える影響については、言語聴覚士[11]や特別な教育を受けたボランティア[12]による訓練の効果が有意に大きいことを示した報告がある一方で、訓練提供者の選択が訓練効果には影響しないことを示した報告[13-15]もある。訓練内容については、失語症のタイプに基づいた言語聴覚訓練が効果的である[16]。

失語症に対するグループ訓練が言語機能を有意に改善することが確認されており[5]、グループ訓練と個別訓練との間においてその効果に差異がないとする報告[17]がある。また、コンピュータを用いた言語聴覚訓練の効果も報告されている[6,18-20]。

失語症に対して、ジェスチャーや絵カードなどを使用することなく、口頭言語だけをコミュニケーション手段として強制使用させる訓練があるが、これの有用性については一定の結論が得られていない[21-24]。

失語症に対する反復性経頭蓋磁気刺激（rTMS）や経頭蓋直流電気刺激（tDCS）の効果については、それを明らかに示した報告[25-32]とその効果を確認できなかった報告[33-36]の両者がある。rTMS と tDCS の有用性については、今後にさらなる検討が必要である。

薬物療法については、ピラセタムの効果が確認されているが、その副作用に注意すべきとの報告がある[37-40]。RCT でガランタミン[41]、レボドパ[42]、メ

マンチン[43,44]が失語症に有効であることが報告されているが、いずれの試験においても研究対象患者が少なかった。

構音障害に対する言語聴覚訓練の効果は、明らかとはなっていない[45,46]。

〔引用文献〕

1) 種村純，小嶋知幸，佐野洋子，他．失語症言語治療に関する後方視的研究　標準失語症検査得点の改善とその要因．高次脳機能研究　2012；32：497-513．（レベル4）

2) 三村將，佐野洋子，立石雅子，他．わが国における失語症言語治療の効果，メタアナリシス．高次脳機能研究　2010；30：42-52．（レベル4）

3) Shewan CM, Kertesz A. Reliability and validity characteristics of the Western Aphasia Battery (WAB). J Speech Hear Disord 1980; 45: 308-324. （レベル2）

4) Brady MC, Kelly H, Godwin J, et al. Speech and language therapy for aphasia following stroke. Cochrane Database Syst Rev 2012: CD000425. （レベル1）

5) Cicerone KD, Langenbahn DM, Braden C, et al. Evidence-based cognitive rehabilitation: updated review of the literature from 2003 through 2008. Arch Phys Med Rehabil 2011; 92: 519-530. （レベル1）

6) Maas MB, Lev MH, Ay H, et al. The prognosis for aphasia in stroke. J Stroke Cerebrovasc Dis 2012; 21: 350-357. （レベル4）

7) Bhogal SK, Teasell R, Speechley M. Intensity of aphasia therapy, impact on recovery. Stroke 2003; 34: 987-993. （レベル1）

8) Bakheit AM, Shaw S, Barrett L, et al. A prospective, randomized, parallel group, controlled study of the effect of intensity of speech and language therapy on early recovery from poststroke aphasia. Clin Rehabil 2007; 21: 885-894. （レベル2）

9) Godecke E, Hird K, Lalor EE, et al. Very early poststroke aphasia therapy: a pilot randomized controlled efficacy trial. Int J Stroke 2012; 7: 635-644. （レベル2）

10) Wertz RT, Weiss DG, Aten JL, et al. Comparison of clinic, home, and deferred language treatment for aphasia. A Veterans Administration Cooperative Study. Arch Neurol 1986; 43: 653-658. （レベル2）

11) Shewan CM, Kertesz A. Effects of speech and language treatment on recovery from aphasia. Brain Lang 1984; 23: 272-299. （レベル2）

12) Kagan A, Black SE, Duchan FJ, et al. Training volunteers as conversation partners using "Supported Conversation for Adults with Aphasia" (SCA): a controlled trial. J Speech Lang Hear Res 2001; 44: 624-638. （レベル3）

13) Meikle M, Wechsler E, Tupper A, et al. Comparative trial of volunteer and professional treatments of dysphasia after stroke. Br Med J 1979; 2: 87-89. （レベル2）

14) David R, Enderby P, Bainton D. Treatment of acquired aphasia: speech therapists and volunteers compared. J Neurol Neurosurg Psychiatry 1982; 45: 957-961. （レベル2）

15) Meinzer M, Streiftau S, Rockstroh B. Intensive language training in the rehabilitation of chronic aphasia: Efficient training by laypersons. J Int Neuropsychol Soc 2007; 13: 846-853. （レベル2）

16) Doesborgh SJ, van de Sandt-Koenderman MW, Dippel DW, et al. Effects of semantic treatment on verbal communication and linguistic processing in aphasia after stroke: a randomized controlled trial. Stroke 2004; 35: 141-146. （レベル2）

17) Wertz RT, Collins MJ, Weiss D, et al. Veterans Administration cooperative study on aphasia: a comparison of individual and group treatment. J Speech Hear Res 1981; 24: 580-594. （レベル2）

18) Palmer R, Enderby P, Cooper C, et al. Computer therapy compared with usual care for people with long-standing aphasia poststroke: a pilot randomized controlled trial. Stroke 2012; 43: 1904-1911. （レベル2）

19) Varley R, Cowell PE, Dyson L, et al. Self-Administered Computer Therapy for Apraxia of Speech: Two-Period Randomized Control Trial With Crossover. Stroke 2016; 47: 822-828. （レベル3）

20) Doesborgh SJ, van de Sandt-Koenderman MW, Dippel DW, et al. Effects of semantic treatment on verbal communication and linguistic processing in aphasia after stroke: a randomized controlled trial. Stroke 2004; 35: 141-146. （レベル2）

21) Pulvermuller F, Neininger B, Elbert T, et al. Constraint-induced therapy of chronic aphasia after stroke. Stroke 2001; 32: 1621-1626. （レベル2）

22) Woldag H, Voigt N, Bley M, et al. Constraint-Induced Aphasia Therapy in the Acute Stage: What Is the Key Factor for Efficacy? A Randomized Controlled Study. Neurorehabil Neural Repair 2017; 31: 72-80. （レベル2）

23) Szaflarski JP, Ball AL, Vannest J, et al. Constraint-Induced Aphasia Therapy for Treatment of Chronic Post-Stroke Aphasia: A Randomized, Blinded, Controlled Pilot Trial. Med Sci Monit 2015; 21: 2861-2869. （レベル3）

24) Zhang J, Yu J, Bao Y, et al. Constraint-induced aphasia therapy in post-stroke aphasia rehabilitation: A systematic review and meta-analysis of randomized controlled trials. PLoS One 2017; 12: e0183349. （レベル1）

25) Thiel A, Hartmann A, Rubi-Fessen I, et al. Effects of noninvasive brain stimulation on language networks and recovery in early poststroke aphasia. Stroke 2013; 44: 2240-2246. （レベル2）

26) Barwood CH, Murdoch BE, Whelan BM, et al. The effects of low frequency Repetitive Transcranial Magnetic Stimulation (rTMS) and sham condition rTMS on behavioural language in chronic non-fluent aphasia: Short term outcomes. NeuroRehabilitation 2011; 28: 113-128. （レベル2）

27) Fridriksson J, Richardson JD, Baker JM, et al. Transcranial direct current stimulation improves naming reaction time in fluent aphasia: a double-blind, sham-controlled study. Stroke 2011; 42: 819-821. （レベル2）

28) Rosso C, Arbizu C, Dhennain C, et al. Repetitive sessions of tDCS to improve naming in post-stroke aphasia: Insights from an individual patient data (IPD) meta-analysis. Restor Neurol Neurosci 2018; 36: 107-116. （レベル1）

29) Meinzer M, Darkow R, Lindenberg R, et al. Electrical stimulation of the motor cortex enhances treatment outcome in post-stroke aphasia. Brain 2016; 139: 1152-1163. （レベル2）

30) de Aguiar V, Paolazzi CL, Miceli G. tDCS in post-stroke aphasia: the role of stimulation parameters, behavioral treatment and patient characteristics. Cortex 2015; 63: 296-316. （レベル2）

31) Otal B, Olma MC, Flöel A, et al. Inhibitory non-invasive brain stimulation to homologous language regions as an adjunct to speech and language therapy in post-stroke aphasia: a meta-analysis. Front Hum Neurosci 2015; 9: 236. （レベル1）

32) Ren CL, Zhang GF, Xia N, et al. Effect of low-frequency rTMS on aphasia in stroke patients: a meta-analysis of randomized controlled trials. PLoS One 2014; 9: e102557. （レベル1）

33) Waldowski K, Seniow J, Lesniak M, et al. Effect of low-frequency repetitive transcranial magnetic stimulation on naming abilities in early-stroke aphasic patients: a prospective, randomized, double-blind sham-controlled study. ScientificWorldJournal 2012; 2012: 518-568. （レベル2）

34) Volpato C, Cavinato M, Piccione F, et al. Birbaumer N. Transcranial direct current stimulation (tDCS) of Broca's area in chronic aphasia: A controlled outcome study. Behav Brain Res 2013; 247: 211-216. （レベル2）

35) Elsner B, Kugler J, Pohl M, et al. Transcranial direct current stimulation (tDCS) for improving aphasia in patients after stroke. Cochrane Database Syst Rev 2013: CD009760. （レベル2）

36) Elsner B, Kugler J, Pohl M, et al. Transcranial direct current stimulation (tDCS) for improving aphasia in patients with aphasia after stroke. Cochrane Database Syst Rev 2015: CD009760. （レベル1）

37) Greener J, Enderby P, Whurr R. Pharmacological treatment for aphasia following stroke. Cochrane Database Syst Rev 2001: CD000424. （レベル1）

38) Enderby P, Broeckx J, Hospers W, et al. Effect of piracetam on recovery and rehabilitation after stroke: a double-blind, placebo-controlled study. Clin Neuropharmacol 1994; 17: 320-331. （レベル2）

39) Kessler J, Thiel A, Karbe H, et al. Piracetam improves activated blood flow and facilitates rehabilitation of poststroke aphasic patients. Stroke 2000; 31: 2112-2116. （レベル2）

40) Zhang J, Wei R, Chen Z, et al. Piracetam for Aphasia in Post-stroke Patients: A Systematic Review and Meta-analysis of Randomized Controlled Trials. CNS Drugs 2016; 30: 575–587. （レベル 1）

41) Hong JM, Shin DH, Lim TS, et al. Galantamine administration in chronic post-stroke aphasia. J Neurol Neurosurg Psychiatry 2012; 83: 675–680. （レベル 3）

42) Seniow J, Litwin M, Litwin T, et al. New approach to the rehabilitation of post-stroke focal cognitive syndrome: effect of levodopa combined with speech and language therapy on functional recovery from aphasia. J Neurol Sci 2009; 283: 214–218. （レベル 3）

43) Berthier ML, Green C, Lara JP, et al. Memantine and con-straint-induced aphasia therapy in chronic poststroke aphasia. Ann Neurol 2009; 65: 577–585. （レベル 3）

44) Barbancho MA, Berthier ML, Navas-Sánchez P, et al. Bilateral brain reorganization with memantine and constraint-induced aphasia therapy in chronic post- stroke aphasia: An ERP study. Brain Lang 2015; 145-146: 1–10. （レベル 2）

45) Mackenzie C. Dysarthria in stroke: a narrative review of its description and the outcome of intervention. Int J Speech Lang Pathol 2011; 13: 125–136. （レベル 4）

46) Mackenzie C, Muir M, Allen C, et al. Non- speech oro-motor exercises in post- stroke dysarthria intervention: a randomized feasibility trial. Int J Lang Commun Disord 2014; 49: 602–617. （レベル 3）

Ⅶ 亜急性期以後のリハビリテーション診療

2 亜急性期以後の障害に対するリハビリテーション診療

2-11 高次脳機能障害（失語症を除く）

推奨

1. 脳卒中発症後に、認知機能障害の有無や程度を評価することは勧められる（推奨度A　エビデンスレベル中）。また、その評価結果を患者の家族に伝えることは妥当である（推奨度B　エビデンスレベル中）。

2. 半側空間無視に対して、反復性経頭蓋磁気刺激（rTMS）、経頭蓋直流電気刺激（tDCS）、視覚探索訓練、プリズム眼鏡を用いた訓練を行うことは妥当である（推奨度B　エビデンスレベル中）。また、鏡像を用いた訓練、冷水・振動・電気刺激を用いた訓練、アイパッチを用いた訓練を行うことを考慮しても良い（推奨度C　エビデンスレベル低）。

3. 記憶障害に対して、記憶訓練を行うことは妥当である（推奨度B　エビデンスレベル中）。

4. 注意障害に対して、コンピュータを用いた訓練、attention process training（APT）、代償法の指導、身体活動や余暇活動を行うことは妥当である（推奨度B　エビデンスレベル中）。

5. 失行に対して、戦略的訓練や身振りを用いた訓練を行うことは妥当である（推奨度B　エビデンスレベル中）。

6. 認知機能障害に対して、有酸素運動を行うことや身体活動を増やすことは妥当である（推奨度B　エビデンスレベル中）。

解　説

　脳卒中患者において、認知機能障害の有無や程度を評価することは重要である。そして、その情報を患者家族に伝えることで、家族の介護負担が軽減される傾向がある[1]。全般的な認知機能障害に対して、ニューロフィードバック療法、バーチャルリアリティを用いた訓練、鍼治療などの有効性が報告されているが、十分なエビデンスはそろっていない[2-5]。認知機能改善を目指した訓練が日常生活動作（ADL）に与える影響については、質の高い報告は知られていない[6-10]。

　半側空間無視に関するシステマティックレビューによると、訓練を行うことで即時的な無視症状の改善は得られるが、その長期的効果やADLへの影響は確認されていない[11]。半側空間無視に対しては、無視症状の改善を図る訓練でADLの向上を目指すよりも、直接的にADL訓練そのものを行うほうが効果的であるとする報告[12-14]が多い。近年になり、反復性経頭蓋磁気刺激（rTMS）や経頭蓋直流電気刺激（tDCS）が半側空間無視を改善させることが報告されており[15-21]、視覚探索訓練[16]、プリズム眼鏡を用いた訓練[22,23]の有効性も確認されている。また、鏡像を用いた訓練[24,25]、冷水・振動・電気刺激を用いた訓練[26-30]、アイパッチを用いた訓練[31,32]が無視症状やADLを改善するとの報告もある。薬物療法としては、ニコチンが無視症状を改善させるとの報告があるが、総じて有効性が明確に示された薬剤はない[16,33]。

　システマティックレビューによると、記憶障害に対する記憶訓練は、主観的な評価の短期的な改善をもたらすが、それの長期的な改善はもたらさないとされている。同時に、他覚的評価を改善させることはないと報告されている[34]。脳卒中患者に対する記憶訓練が、ワーキングメモリーを改善させることを示したメタ解析がある[35]。

　注意障害がある脳卒中患者に対しては、作業時間を短縮させる、休息をとらせる、周囲の聴覚的もしくは視覚的外乱を排除するなどの環境調整を行う[36]。コンピュータを用いた訓練[37-39]や、障害されている注意機能領域に対する訓練を繰り返すattention process training（APT）[40]が注意機能の

改善に有効であると報告されている。代償法の指導の有用性[41]や、身体活動や余暇活動の有用性[42]を示す報告もある。注意障害に対する訓練が特定の注意機能を改善させることを示すシステマティックレビューがあるが、その効果の持続やADLへの般化については明らかにされていない[43]。脳卒中後の注意障害に対して、明らかな有効性を示している薬剤はない[44]。

失行に対する戦略的訓練は、訓練を行った動作および他の動作を改善する[45,46]のみならず、ADLも向上させる[47]。身振りを用いた訓練も、失行症状とADLを改善する[48]。また、生活に即した訓練が失行に有効であるとの報告もある[49]。ただし、失行に関しては、総じて質の高い研究報告は少ない[50]。

遂行機能障害については、コンピュータやビデオゲームを用いた訓練が改善をもたらすとの報告があるが、有効性が明確に示された訓練はない[51-54]。

有酸素運動や身体活動が脳卒中患者の認知機能を改善させることが報告されている[55-58]。

脳卒中後の認知機能障害に対する薬物療法については、「VIその他の脳血管障害　11血管性認知症　11-1抗認知症薬」の項を参照することが望ましい。

〔引用文献〕

1) McKinney M, Blake H, Treece KA, et al. Evaluation of cognitive assessment in stroke rehabilitation. Clin Rehabil 2002; 16: 129-136. （レベル2）
2) van Heugten C, Gregorio GW, Wade D. Evidence-based cognitive rehabilitation after acquired brain injury: a systematic review of content of treatment. Neuropsychol Rehabil 2012; 22: 653-673. （レベル1）
3) Renton T, Tibbles A, Topolovec-Vranic J. Neurofeedback as a form of cognitive rehabilitation therapy following stroke: A systematic review. PLoS One 2017; 12: e0177290. （レベル1）
4) Aminov A, Rogers JM, Middleton S, et al. What do randomized controlled trials say about virtual rehabilitation in stroke? A systematic literature review and meta-analysis of upper-limb and cognitive outcomes. J Neuroeng Rehabil 2018; 15: 29. （レベル1）
5) Liu F, Li ZM, Jiang YJ, et al. A meta-analysis of acupuncture use in the treatment of cognitive impairment after stroke. J Altern Complement Med 2014; 20: 535-544. （レベル1）
6) Hoffmann T, Bennett S, Koh CL, et al. A systematic review of cognitive interventions to improve functional ability in people who have cognitive impairment following stroke. Top Stroke Rehabil 2010; 17: 99-107. （レベル1）
7) Hoffmann T, Bennett S, Koh CL, et al. Occupational therapy for cognitive impairment in stroke patients. Cochrane Database Syst Rev 2010: CD006430. （レベル1）
8) Yoo C, Yong MH, Chung J, et al. Effect of computerized cognitive rehabilitation program on cognitive function and activities of living in stroke patients. J Phys Ther Sci 2015; 27: 2487-2489. （レベル2）
9) Wentink MM, Berger MA, de Kloet AJ, et al. The effects of an 8-week computer-based brain training programme on cognitive functioning, QoL and self-efficacy after stroke. Neuropsychol Rehabil 2016; 26: 847-865. （レベル2）
10) van de Ven RM, Buitenweg JI, Schmand B, et al. Brain training improves recovery after stroke but waiting list improves equally: A multicenter randomized controlled trial of a computer-based cognitive flexibility training. PLoS One 2017; 12: e0172993. （レベル2）
11) Bowen A, Hazelton C, Pollock A, et al. Cognitive rehabilitation for spatial neglect following stroke. Cochrane Database Syst Rev 2013: CD003586. （レベル1）
12) Edmans JA, Webster J, Lincoln NB. A comparison of two approaches in the treatment of perceptual problems after stroke. Clin Rehabil 2000; 14: 230-243. （レベル2）
13) Osawa A, Maeshima S. Family participation can improve unilateral spatial neglect in patients with acute right hemispheric stroke. European neurology 2010; 63: 170-175. （レベル2）
14) Liu KPY, Hanly J, Fahey P, et al. A Systematic Review and Meta-Analysis of Rehabilitative Interventions for Unilateral Spatial Neglect and Hemianopia Poststroke From 2006 Through 2016. Arch Phys Med Rehabil 2019; 100: 956-979. （レベル2）
15) Yang NY, Zhou D, Chung RC, et al. Rehabilitation interventions for unilateral neglect after stroke: a systematic review from 1997 through 2012. Front Hum Neurosci 2013: 187. （レベル2）
16) Ting DS, Pollock A, Dutton GN, et al. Visual neglect following stroke: current concepts and future focus. Surv Ophthalmol 2011; 56: 114-134. （レベル2）
17) Lisa LP, Jughters A, Kerckhofs E. The effectiveness of different treatment modalities for the rehabilitation of unilateral neglect in stroke patients: a systematic review. NeuroRehabilitation 2013; 33: 611-620. （レベル1）
18) Koch G, Bonni S, Giacobbe V, et al. θ-burst stimulation of the left hemisphere accelerates recovery of hemispatial neglect. Neurology 2012; 78: 24-30. （レベル3）
19) Mylius V, Ayache SS, Zouari HG, et al. Stroke rehabilitation using noninvasive cortical stimulation: hemispatial neglect. Expert Rev Neurother 2012; 12: 983-991. （レベル3）
20) Fan J, Li Y, Yang Y, et al. Efficacy of Noninvasive Brain Stimulation on Unilateral Neglect After Stroke: A Systematic Review and Meta-analysis. Am J Phys Med Rehabil 2018; 97: 261-269. （レベル1）
21) Salazar APS, Vaz PG, Marchese RR, et al. Noninvasive Brain Stimulation Improves Hemispatial Neglect After Stroke: A Systematic Review and Meta-Analysis. Arch Phys Med Rehabil 2018; 99: 355-366. e1. （レベル1）
22) Barrett AM, Goedert KM, Basso JC. Prism adaptation for spatial neglect after stroke: translational practice gaps. Nat Rev Neurol 2012; 8: 567-577. （レベル2）
23) Mizuno K, Tsuji T, Takebayashi T, et al. Prism adaptation therapy enhances rehabilitation of stroke patients with unilateral spatial neglect: a randomized, controlled trial. Neurorehabil Neural Repair 2011; 25: 711-720. （レベル2）
24) Thieme H, Bayn M, Wurg M, et al. Mirror therapy for patients with severe arm paresis after stroke--a randomized controlled trial. Clin Rehabil 2013; 27: 314-324. （レベル3）
25) Pandian JD, Arora R, Kaur P, et al. Mirror therapy in unilateral neglect after stroke (MUST trial): a randomized controlled trial. Neurology 2014; 83: 1012-1017. （レベル2）
26) Sturt R, David Punt T. Caloric vestibular stimulation and postural control in patients with spatial neglect following stroke. Neuropsychol Rehabil 2013; 23: 299-316. （レベル3）
27) Kerkhoff G, Schenk T. Rehabilitation of neglect: an update. Neuropsychologia 2012; 50: 1072-1079. （レベル3）
28) Schindler I, Kerkhoff G, Karnath HO, et al. Neck muscle vibration induces lasting recovery in spatial neglect. J Neurol Neurosurg Psychiatry 2002; 73: 412-419. （レベル2）
29) Schroder A, Wist ER, Homberg V. TENS and optokinetic stimulation in neglect therapy after cerebrovascular accident: a randomized controlled study. Eur J Neurol 2008; 15: 922-927. （レベル3）
30) Saevarsson S, Kristjansson A, Halsband U. Strength in numbers: combining neck vibration and prism adaptation produces additive therapeutic effects in unilateral neglect. Neuropsychol Rehabil 2010; 20: 704-724. （レベル3）
31) Tsang MH, Sze KH, Fong KN. Occupational therapy treatment with right half-field eye-patching for patients with subacute stroke and unilateral neglect: a randomised controlled trial. Disabil Rehabil 2009; 31: 630-637. （レベル2）
32) Aparicio-López C, García-Molina A, García-Fernández J, et al. Cognitive rehabilitation with right hemifield eye-patching for patients with sub- acute stroke and visuo-spatial neglect: a

脳卒中治療ガイドライン 2021　283

randomized controlled trial. Brain Inj 2015; 29: 501-507.（レベル2）

33) Luvizutto GJ, Bazan R, Braga GP, et al. Pharmacological interventions for unilateral spatial neglect after stroke. Cochrane Database Syst Rev 2015: CD010882.（レベル1）

34) das Nair R, Cogger H, Worthington E, et al. Cognitive rehabilitation for memory deficits after stroke. Cochrane Database Syst Rev 2016: CD002293.（レベル1）

35) Elliott M, Parente F. Efficacy of memory rehabilitation therapy: a meta-analysis of TBI and stroke cognitive rehabilitation literature. Brain Inj 2014; 28: 1610-1616.（レベル1）

36) National Clinical Guidelines for Stroke 2nd ed. 4.2.4 Attention. London: Royal College of Physicians of London; 2004. p.58.（レベル5）

37) Gray JM, Robertson I, Pentland B, et al. Microcomputer-based attentional retraining after brain damage: A randomised group controlled trial. Neuropsychol Rehabil 1992; 2: 97-115.（レベル2）

38) Westerberg H, Jacobaeus H, Hirvikoski T, et al. Computerized working memory training after stroke--a pilot study. Brain Inj 2007; 21: 21-29.（レベル2）

39) Cho HY, Kim KT, Jung JH. Effects of computer assisted cognitive rehabilitation on brain wave, memory and attention of stroke patients: a randomized control trial. J Phys Ther Sci 2015; 27: 1029-1032.（レベル3）

40) Barker-Collo SL, Feigin VL, Lawes CM, et al. Reducing attention deficits after stroke using attention process training: a randomized controlled trial. Stroke 2009; 40: 3293-3298.（レベル2）

41) Winkens I, Van Heugten CM, Wade DT, et al. Efficacy of time pressure management in stroke patients with slowed information processing: a randomized controlled trial. Arch Phys Med Rehabil 2009; 90: 1672-1679.（レベル2）

42) Liu-Ambrose T, Eng JJ. Exercise training and recreational activities to promote executive functions in chronic stroke: a proof-of-concept study. J Stroke Cerebrovasc Dis 2015; 24: 130-137.（レベル2）

43) Loetscher T, Lincoln NB. Cognitive rehabilitation for attention deficits following stroke. Cochrane Database Syst Rev 2013: CD002842.（レベル1）

44) Sivan M, Neumann V, Kent R, et al. Pharmacotherapy for treatment of attention deficits after non-progressive acquired brain injury. A systematic review. Clin Rehabil 2010; 24: 110-121.（レベル1）

45) Geusgens CA, van Heugten CM, Cooijmans JP, et al. Transfer effects of a cognitive strategy training for stroke patients with apraxia. J Clin Exp Neuropsychol 2007; 29: 831-841.（レベル2）

46) Geusgens C, van Heugten C, Donkervoort M, et al. Transfer of training effects in stroke patients with apraxia: an exploratory study. Neuropsychol Rehabil 2006; 16: 213-229.（レベル2）

47) Donkervoort M, Dekker J, Stehmann-Saris FC, et al. Efficacy of strategy training in left hemisphere stroke patients with apraxia: A randomised clinical trial. Neuropsychol Rehabil 2001; 11: 549-566.（レベル2）

48) Smania N, Aglioti SM, Girardi F, et al. Rehabilitation of limb apraxia improves daily life activities in patients with stroke. Neurology 2006; 67: 2050-2052.（レベル2）

49) Cantagallo A, Maini M, Rumiati RI. The cognitive rehabilitation of limb apraxia in patients with stroke. Neuropsychol Rehabil 2012; 22: 473-488.（レベル5）

50) West C, Bowen A, Hesketh A, et al. Interventions for motor apraxia following stroke. Cochrane Database Syst Rev 2008: CD004132.（レベル1）

51) Chung CS, Pollock A, Campbell T, et al. Cognitive rehabilitation for executive dysfunction in adults with stroke or other adult non-progressive acquired brain damage. Cochrane Database Syst Rev 2013: CD008391.（レベル1）

52) Poulin V, Korner-Bitensky N, Dawson DR, et al. Efficacy of executive function interventions after stroke: a systematic review. Top Stroke Rehabil 2012; 19: 158-171.（レベル1）

53) Poulin V, Korner-Bitensky N, Bherer L, et al. Comparison of two cognitive interventions for adults experiencing executive dysfunction post-stroke: a pilot study. Disabil Rehabil 2017; 39: 1-13.（レベル3）

54) Rozental-Iluz C, Zeilig G, Weingarden H, et al. Improving executive function deficits by playing interactive video-games: secondary analysis of a randomized controlled trial for individuals with chronic stroke. Eur J Phys Rehabil Med 2016; 52: 508-515.（レベル2）

55) Zheng G, Zhou W, Xia R, et al. Aerobic Exercises for Cognition Rehabilitation following Stroke: A Systematic Review. J Stroke Cerebrovasc Dis 2016; 25: 2780-2789.（レベル1）

56) Quaney BM, Boyd LA, McDowd JM, et al. Aerobic exercise improves cognition and motor function poststroke. Neurorehabil Neural Repair 2009; 23: 879-885.（レベル2）

57) Cumming TB, Tyedin K, Churilov L, et al. The effect of physical activity on cognitive function after stroke: a systematic review. Int Psychogeriatr 2012; 24: 557-567.（レベル1）

58) Blanchet S, Richards CL, Leblond J, et al. Cardiorespiratory fitness and cognitive functioning following short-term interventions in chronic stroke survivors with cognitive impairment: a pilot study. Int J Rehabil Res 2016; 39: 153-159.（レベル3）

Ⅶ 亜急性期以後のリハビリテーション診療

2 亜急性期以後の障害に対するリハビリテーション診療

2-12 脳卒中後うつ

推 奨

1. 脳卒中後うつ（PSD）は、日常生活動作（ADL）や認知機能を障害するため、その有無と程度を評価することが勧められる（推奨度A　エビデンスレベル低）。

2. うつ症状を改善させるために、薬物療法を行うことが勧められる（推奨度A　エビデンスレベル中）。

3. PSDに対して、選択的セロトニン再取り込み阻害薬（SSRI）、三環系抗うつ薬を投与することは妥当である（推奨度B　エビデンスレベル低）。セロトニン・ノルアドレナリン再取り込み阻害薬（SNRI）の投与を考慮しても良い（推奨度C　エビデンスレベル低）。

4. うつ症状を改善させるために、有酸素運動や筋力増強訓練を行うこと、在宅リハビリテーションや地域リハビリテーションを継続すること、余暇活動への参加を促すことを考慮しても良い（推奨度C　エビデンスレベル低）。

5. 多職種による心理療法を行うことは妥当である（推奨度B　エビデンスレベル中）。

6. 鍼治療、反復性経頭蓋磁気刺激（rTMS）、経頭蓋直流電気刺激（tDCS）を行うことを考慮しても良い（推奨度C　エビデンスレベル中）。

解 説

脳卒中後うつ（post-stroke depression：PSD）は、脳卒中患者全体の33％にみられ[1]、発症1年後まで症状が継続することも少なくない[2-4]。PSD発症の要因として、女性、65歳以下、喫煙、疼痛、一人暮らし、経済状態不良、余暇における低い満足度、要介護状態、施設入所者などが挙げられる[5-7]。PSDが存在する場合、日常生活動作（ADL）[8-10]や認知機能[10-12]が障害される。PSDは回復期リハビリテーション診療の遂行を阻害しないが[13]、健康関連の生活の質（QOL）を有意に低下させて[14]、社会参加を阻害する[15]。

抗うつ薬の投与によってPSDが改善することが、システマティックレビューで確認されている[16,17]。選択的セロトニン再取り込み阻害薬（SSRI）であるfluoxetine（本邦未承認）[18]やエスシタロプラム[19]、三環系抗うつ薬であるノルトリプチリン[20]、トラゾドン[21]の投与はPSDを改善する。fluoxetineやエスシタロプラムは、新規のPSD発症リスクを軽減するが[22-24]、エスシタロプラムは急性期にみられる中等度から重度PSDに対しては効果を示

していない[25]。セロトニン・ノルアドレナリン再取り込み阻害薬（serotonin noradrenaline reuptake inhibitor：SNRI）であるreboxetine（本邦未承認）[26]やミルナシプラン[27]のPSDに対する有効性も報告されているが、これらについては今後にエビデンスの蓄積が待たれる。抗うつ薬によるPSDの改善に伴って、ADL[21,24,28,29]や認知機能[11,30]が有意に改善し、これらの改善は長期的に維持される[30]。ただし、抗うつ薬を投与してもうつ症状やADLの改善がみられないこともある[31,32]。抗うつ薬によるPSDの改善が、患者の生存率の向上につながるとの報告もある[33]。内科的な投薬がPSDにおよぼす影響も検討されており、ピオグリタゾン[34]、HMG-CoA還元酵素阻害薬[35,36]、ガストロジン（天然のフェノール）[37]の内服が、うつ症状やそれによるADL障害を改善すると報告されている。

脳卒中の発症後に有酸素運動や筋力増強訓練を行うことで、その後における重度PSDの発症を予防できる可能性がある[38]。PSDを発症して自宅に退院した後に、在宅リハビリテーションもしくは地域リハビリテーションを継続することで、うつ症状とADLが有意に改善することも報告されている[39,40]。

脳卒中治療ガイドライン2021　285

また、余暇活動についての教育プログラムを提供し、余暇活動への参加を増やしたことでうつ症状の改善が得られている[41]。介護者が歩行訓練や下肢機能訓練を提供することで、脳卒中患者においてのみならず介護者においてもうつ症状の改善、不安症状や倦怠感の軽減をもたらすとの報告がある[42]。また、社会的支援を介入させることでPSDの寛解率が有意に高まるとも報告されている[43]。

PSD発症後の在宅患者に対して、多職種による心理療法を介入したところ、うつ症状と身体機能の有意な改善が認められた[44,45]。

メタ解析によると、鍼治療はPSDを改善すると報告されている[46-48]。鍼治療は、薬物療法よりもうつ症状を有意に改善するも、早期の鍼治療開始がPSDの発症を低下させることは確認されていない[49]。PSDに対する反復性経頭蓋磁気刺激（rTMS）[50-52]や経頭蓋直流電気刺激（tDCS）[53]の抗うつ効果も報告されているが、十分なエビデンスはそろっていない。

〔引用文献〕

1) Hackett ML, Yapa C, Parag V, et al. Frequency of depression after stroke. A systematic review of observational studies. Stroke 2005; 36: 1330-1340. （レベル 2）
2) Limampai P, Wongsrithep W, Kuptniratsaikul V. Depression after stroke at 12-month follow-up: a multicenter study. Int J Neurosci 2017: 1-6. （レベル 3）
3) 加治芳明, 平田幸一, 片山泰朗, 他. 本邦における Post Stroke Depression の多施設共同研究による実態調査. 神経治療学 2017；34：37-42. （レベル 3）
4) Burvill PW, Johnson GA, Jamrozik KD, et al. Prevalence of depression after stroke: the Perth Community Stroke Study. Br J Psychiatry 1995; 166: 320-327. （レベル 3）
5) Eriksson M, Asplund K, Glader EL, et al. Self-reported depression and use of antidepressants after stroke: a national survey. Stroke 2004; 35: 936-941. （レベル 3）
6) Vermeer J, Rice D, McIntyre A, et al. Correlates of depressive symptoms in individuals attending outpatient stroke clinics. Disabil Rehabil 2017; 39: 43-49. （レベル 3）
7) Lin FH, Yih DN, Shih FM, et al. Effect of social support and health education on depression scale scores of chronic stroke patients. Medicine (Baltimore) 2019; 98: e17667. （レベル 2）
8) Singh A, Black SE, Herrmann N, et al. Functional and neuro-anatomic correlations in poststroke depression: the Sunnybrook Stroke Study. Stroke 2000; 31: 637-644. （レベル 4）
9) Paolucci S, Antonucci G, Grasso MG, et al. Post-stroke depression, antidepressant treatment and rehabilitation results. A case-control study. Cerebrovasc Dis 2001; 12: 264-271. （レベル 4）
10) Parikh RM, Lipsey JR, Robinson RG, et al. Two-year longitudinal study of post-stroke mood disorders: dynamic changes in correlates of depression at one and two years. Stroke 1987; 18: 579-584. （レベル 4）
11) Narushima K, Chan KL, Kosier JT, et al. Does cognitive recovery after treatment of poststroke depression last? A 2-year follow-up of cognitive function associated with poststroke depression. Am J Psychiatry 2003; 160: 1157-1162. （レベル 4）
12) Kang HJ, Bae KY, Kim SW, et al. Impact of acute phase depression on functional outcomes in stroke patients over 1 year. Psychiatry Res 2018; 267: 228-231. （レベル 3）
13) Blöchl M, Meissner S, Nestler S. Does depression after stroke

14) Teoh V, Sims J, Milgrom J. Psychosocial predictors of quality of life in a sample of community-dwelling stroke survivors: a longitudinal study. Top Stroke Rehabil 2009; 16: 157-166. （レベル 4）
15) Sienkiewicz-Jarosz H, Milewska D, Bochynska A, et al. Predictors of depressive symptoms in patients with stroke - a three-month follow-up. Neurol Neurochir Pol 2010; 44: 13-20. （レベル 3）
16) Allida S, Cox KL, Hsieh CF, et al. Pharmacological, psychological, and non-invasive brain stimulation interventions for treating depression after stroke. Cochrane Database Syst Rev 2020: CD003437. （レベル 1）
17) Xu XM, Zou DZ, Shen LY, et al. Efficacy and feasibility of anti-depressant treatment in patients with post-stroke depression. Medicine (Baltimore) 2016; 95: e5349. （レベル 1）
18) Wiart L, Petit H, Joseph PA, et al. Fluoxetine in early poststroke depression: a double-blind placebo-controlled study. Stroke 2000; 31: 1829-1832. （レベル 2）
19) Gao J, Lin M, Zhao J, et al. Different interventions for post-ischaemic stroke depression in different time periods: a single-blind randomized controlled trial with stratification by time after stroke. Clin Rehabil 2017; 31: 71-81. （レベル 2）
20) Lipsey JR, Robinson RG, Pearlson GD, et al. Nortriptyline treatment of post-stroke depression: a double-blind study. Lancet 1984; 1: 297-300. （レベル 2）
21) Reding MJ, Orto LA, Winter SW, et al. Antidepressant therapy after stroke. A double-blind trial. Arch Neurol 1986; 43: 763-765. （レベル 2）
22) Gu SC, Wang CD. Early Selective Serotonin Reuptake Inhibitors for Recovery after Stroke: A Meta-Analysis and Trial Sequential Analysis. J Stroke Cerebrovasc Dis 2018; 27: 1178-1189. （レベル 1）
23) Lee EJ, Kim JS, Chang DI, et al. Differences in therapeutic responses and factors affecting post-stroke depression at a later stage according to baseline depression. J Stroke 2018; 20: 258-267. （レベル 3）
24) Effects of fluoxetine on functional outcomes after acute stroke (FOCUS): a pragmatic, double-blind, randomised, controlled trial. Lancet 2019; 393: 265-274. （レベル 2）
25) Kim JS, Lee EJ, Chang DI, et al. Efficacy of early administration of escitalopram on depressive and emotional symptoms and neurological dysfunction after stroke: a multicentre, double-blind, randomised, placebo-controlled study. Lancet Psychiatry 2017; 4: 33-41. （レベル 2）
26) Rampello L, Alvano A, Chiechio S, et al. An evaluation of efficacy and safety of reboxetine in elderly patients affected by "retarded" post-stroke depression. A random, placebo-controlled study. Arch Gerontol Geriatr 2005; 40: 275-285. （レベル 2）
27) Kimura M, Kanetani K, Imai R, et al. Therapeutic effects of milnacipran, a serotonin and noradrenaline reuptake inhibitor, on post-stroke depression. Int Clin Psychopharmacol 2002; 17: 121-125. （レベル 4）
28) Chemerinski E, Robinson RG, Kosier JT. Improved recovery in activities of daily living associated with remission of post-stroke depression. Stroke 2001; 32. 113-117. （レベル 4）
29) Narushima K, Robinson RG. The effect of early versus late antidepressant treatment on physical impairment associated with poststroke depression: is there a time-related therapeutic window? J Nerv Ment Dis 2003; 191: 645-652. （レベル 2）
30) Kimura M, Robinson RG, Kosier JT. Treatment of cognitive impairment after poststroke depression: a double-blind treatment trial. Stroke 2000; 31: 1482-1486. （レベル 3）
31) Chen Y, Guo JJ, Zhan S, et al. Treatment effects of antidepressants in patients with post-stroke depression: a meta-analysis. Ann Pharmacother 2006; 40: 2115-2122. （レベル 2）
32) Hackett ML, Anderson CS, House A, et al. Interventions for treating depression after stroke. Cochrane Database Syst Rev 2008: CD003437. （レベル 2）
33) Jorge RE, Robinson RG, Arndt S, et al. Mortality and poststroke depression: a placebo-controlled trial of antidepressants. Am J Psychiatry 2003; 160: 1823-1829. （レベル 3）
34) Hu Y, Xing H, Dong X, et al. Pioglitazone is an effective treatment for patients with post-stroke depression combined with

type 2 diabetes mellitus. Exp Ther Med 2015;10:1109-1114. （レベル 3）

35) Kim JM, Stewart R, Kang HJ, et al. A prospective study of statin use and poststroke depression. J Clin Psychopharmacol 2014; 34: 72-79. （レベル 3）

36) Kang HJ, Bae KY, Kim SW, et al. Effects of interleukin-6, interleukin-18, and statin use, evaluated at acute stroke, on poststroke depression during 1-year follow-up. Psychoneuroendocrinology 2016; 72: 156-160. （レベル 3）

37) Li G, Ma Y, Ji J, et al. Effects of gastrodin on 5-ht and neurotrophic factor in the treatment of patients with post-stroke depression. Exp Ther Med 2018; 16: 4493-4498. （レベル 3）

38) Lai SM, Studenski S, Richards L, et al. Therapeutic exercise and depressive symptoms after stroke. J Am Geriatr Soc 2006; 54: 240-247. （レベル 2）

39) Chaiyawat P, Kulkantrakorn K. Randomized controlled trial of home rehabilitation for patients with ischemic stroke: impact upon disability and elderly depression. Psychogeriatrics 2012; 12: 193-199. （レベル 2）

40) Graven C, Brock K, Hill K, et al. Are rehabilitation and/or care co-ordination interventions delivered in the community effective in reducing depression, facilitating participation and improving quality of life after stroke? Disabil Rehabil 2011; 33: 1501-1520. （レベル 2）

41) Desrosiers J, Noreau L, Rochette A, et al. Effect of a home leisure education program after stroke: a randomized controlled trial. Arch Phys Med Rehabil 2007; 88: 1095-1100. （レベル 2）

42) Vloothuis JDM, Mulder M, Nijland RHM, et al. Caregiver-mediated exercises with e-health support for early supported discharge after stroke (CARE4STROKE): a randomized controlled trial. PLoS One 2019; 14: e0214241. （レベル 3）

43) Lin FH, Yih DN, Shih FM, et al. Effect of social support and health education on depression scale scores of chronic stroke patients. Medicine (Baltimore) 2019; 98: e17667. （レベル 2）

44) Wang SB, Wang YY, Zhang QE, et al. Cognitive behavioral therapy for post-stroke depression: A meta-analysis. J Affect Disord 2018; 235: 589-596. （レベル 1）

45) Towfighi A, Ovbiagele B, El Husseini N, et al. Poststroke Depression: A Scientific Statement for Healthcare Professionals From the American Heart Association/American Stroke Association. Stroke 2017; 48: e30-e43. （レベル 1）

46) Hung CY, Wu XY, Chung VC, et al. Overview of systematic reviews with meta-analyses on acupuncture in post-stroke cognitive impairment and depression management. Integr Med Res 2019; 8: 145-159. （レベル 1）

47) Yang A, Wu HM, Tang JL, et al. Acupuncture for stroke rehabilitation. Cochrane Database Syst Rev 2016: CD004131. （レベル 1）

48) Zhang XY, Li YX, Liu DL, et al. The effectiveness of acupuncture therapy in patients with post-stroke depression: An updated meta-analysis of randomized controlled trials. Medicine (Baltimore) 2019; 98: e15894. （レベル 1）

49) Lu CY, Huang HC, Chang HH, et al. Acupuncture Therapy and Incidence of Depression After Stroke. Stroke 2017; 48: 1682-1684. （レベル 3）

50) 堀翔太，藤本修平，杉田翔．脳卒中後うつに対するリハビリテーション分野の治療法とその効果　ランダム化比較試験のシステマティック・レビュー．老年精神医学雑誌　2018；29：527-539.

51) Gu SY, Chang MC. The Effects of 10-Hz Repetitive Transcranial Magnetic Stimulation on Depression in Chronic Stroke Patients. Brain Stimul 2017; 10: 270-274. （レベル 3）

52) Shen X, Liu M, Cheng Y, et al. Repetitive transcranial magnetic stimulation for the treatment of post-stroke depression: A systematic review and meta-analysis of randomized controlled clinical trials. J Affect Disord 2017; 211: 65-74. （レベル 1）

53) Valiengo LC, Goulart AC, De Oliveira JF, et al. Transcranial direct current stimulation for the treatment of post-stroke depression: results from a randomised, sham-controlled, double-blinded trial. J Neurol Neurosurg Psychiatry 2017; 88: 170-175. （レベル 2）

Ⅶ 亜急性期以後のリハビリテーション診療

2 亜急性期以後の障害に対するリハビリテーション診療

2-13 精神症状（脳卒中後うつを除く）

推奨

1. 脳卒中後にみられる、せん妄・妄想・感情障害などの精神症状に対して、定期的な評価を行うことは妥当である（推奨度B　エビデンスレベル低）。

2. 脳卒中後アパシー（PSA）に対して、反復性経頭蓋磁気刺激（rTMS）を行うことを考慮しても良い（推奨度C　エビデンスレベル低）。

3. 脳卒中後の不安症状に対して、患者と家族に対する教育、認知訓練、身体活動の指導を行うことを考慮しても良い（推奨度C　エビデンスレベル低）。

4. 脳卒中後の精神症状（うつ症状を除く）に対する薬物療法の有効性は、確立していない（推奨度C　エビデンスレベル低）。

解　説

　脳卒中の急性期から慢性期にかけて、せん妄、妄想、感情障害（無気力、不安、疲労）などの精神症状がみられることがあり、これは日常生活動作（ADL）や生活の質（QOL）を障害する[1]。

　脳卒中後アパシー（post-stroke apathy：PSA）は脳卒中の全経過中に9〜28%[2-5]の頻度で発症する。PSA発症の背景因子として学歴や糖尿病の関連が指摘されており[3]、PSAの発症は認知機能やADLにも影響を与える[3,4,6]。脳卒中発症からPSA併発までは平均3か月間であり、症状の持続は平均5.6か月間であった[6]。Motor relearning programにはPSAの発症を予防する効果があると報告されている[7]。前頭葉内側面および前部帯状回への高頻度の反復性経頭蓋磁気刺激（rTMS）の施行によってPSAが改善したとの報告もある[8]。

　脳卒中発症後1年間において、不安症状は47%にみられた[9]。患者と家族に対する教育、認知訓練、身体活動などから構成される包括的なプログラムは、不安症状を有意に改善させた[10]。地域の脳卒中リハビリテーションチームが身体活動を促すように指導することで、不安症状が改善したとの報告もある[11]。また、水中での身体活動も不安症状を有意に改善させている[12]。

　脳卒中後倦怠感（post-stroke fatigue：PSF）は、女性患者や高齢患者でみられることが多く、脳卒中後うつよりも高頻度に出現する。脳卒中発症に伴う有酸素性能力の低下や炎症反応の慢性的持続がPSFの原因と推測されている。PSFは脳卒中後うつ（PSD）に合併することが多く、PSFの経過はPSDやPSAの経過と相関することがある[13]。介護者によって提供される有酸素運動や筋力増強訓練は、脳卒中患者および介護者におけるPSFの発症のみならず、不安症状やPSDの発症も減少させると報告されている[14]。

　PSA、不安症状、PSFに対する薬物療法は、いずれも十分な有効性が確認されていない。

〔引用文献〕

1) Stangeland H, Orgeta V, Bell V. Poststroke psychosis: a systematic review. J Neurol Neurosurg Psychiatry 2018; 89: 879-885.（レベル1）

2) Lohner V, Brookes RL, Hollocks MJ, et al. Apathy, but not depression, is associated with executive dysfunction in cerebral small vessel disease. PLoS One 2017; 12: e0176943.（レベル3）

3) Tang WK, Lau CG, Mok V, et al. Apathy and health-related quality of life in stroke. Arch Phys Med Rehabil 2014; 95: 857-861.（レベル3）

4) van Almenkerk S, Smalbrugge M, Depla MF, et al. Apathy among institutionalized stroke patients: prevalence and clinical correlates. Am J Geriatr Psychiatry 2015; 23: 180-188.（レベル3）

5) Harris AL, Elder J, Schiff ND, et al. Post-stroke apathy and hypersomnia lead to worse outcomes from acute rehabilitation. Transl Stroke Res 2014; 5: 292-300.（レベル3）

6) Mikami K, Jorge RE, Moser DJ, et al. Incident apathy during the first year after stroke and its effect on physical and cognitive recovery. Am J Geriatr Psychiatry 2013; 21: 848-854.（レベル3）

7) Chen L, Xiong S, Liu Y, et al. Comparison of Motor Relearning Program versus Bobath Approach for Prevention of Post-stroke Apathy: a Randomized Controlled Trial. J Stroke Cerebrovasc Dis 2019; 28: 655-664.（レベル3）

8) Sasaki N, Hara T, Yamada N, et al. The Efficacy of High-Frequency Repetitive Transcranial Magnetic Stimulation for Im-

proving Apathy in Chronic Stroke Patients. Eur Neurol 2017; 78: 28-32.（レベル 2）

9）White JH, Attia J, Sturm J, et al. Predictors of depression and anxiety in community dwelling stroke survivors: a cohort study. Disabil Rehabil 2014; 36: 1975-1982.（レベル 3）

10）Cheng C, Liu X, Fan W, et al. Comprehensive Rehabilitation Training Decreases Cognitive Impairment, Anxiety, and Depression in Poststroke Patients: a Randomized, Controlled Study. J Stroke Cerebrovasc Dis 2018; 27: 2613-2622.（レベル 2）

11）Allen L, Richardson M, McIntyre A, et al. Community stroke rehabilitation teams: providing home-based stroke rehabilitation in Ontario, Canada. Can J Neurol Sci 2014; 41: 697-703.（レベル 3）

12）Aidar FJ, Jacó de Oliveira R, Gama de Matos D, et al. A randomized trial of the effects of an aquatic exercise program on depression, anxiety levels, and functional capacity of people who suffered an ischemic stroke. J Sports Med Phys Fitness 2018; 58: 1171-1177.（レベル 2）

13）Douven E, Köhler S, Schievink SHJ, et al. Temporal Associations between Fatigue, Depression, and Apathy after Stroke: Results of the Cognition and Affect after Stroke, a Prospective Evaluation of Risks Study. Cerebrovasc Dis 2017; 44: 330-337.（レベル 3）

14）Vloothuis JDM, Mulder M, Nijland RHM, et al. Caregiver-mediated exercises with e-health support for early supported discharge after stroke (CARE4STROKE): a randomized controlled trial. PLoS One 2019; 14: e0214241.（レベル 3）

Ⅶ 亜急性期以後のリハビリテーション診療

2 亜急性期以後の障害に対するリハビリテーション診療

2-14 体力低下

推奨

1. 脳卒中後片麻痺患者に対して、トレッドミル、エルゴメーター、反復運動などを用いて体力の評価を行うことは妥当である（推奨度B　エビデンスレベル低）。

2. 心肺持久力を高めるために、有酸素運動もしくは"有酸素運動と下肢筋力増強訓練の併用療法"を行うことは勧められる（推奨度A　エビデンスレベル中）。

3. 下肢筋力を増加させるために、麻痺側下肢の筋力増強訓練を行うことは妥当である（推奨度B　エビデンスレベル中）。

解　説

脳卒中後片麻痺患者では、体力の指標となる最大酸素摂取量、予測最大酸素摂取量、乳酸性作業閾値、換気性作業閾値などが健常者と比べて低値である[1-4]。脳卒中後片麻痺患者の体力評価は、トレッドミル[1,5]、エルゴメーター[6]を使用して行うが、これらの負荷がかけられないような重度麻痺の患者に対しては、片側上肢エルゴメーター[2,7]、ベッドサイド基本動作[3]、反復起立動作[8]、体幹前後屈運動[9]、骨盤挙上負荷運動[10]に基づいて評価を行う。

生活期にある脳卒中後片麻痺患者に対して、エルゴメーターによる有酸素運動を行ったところ、最大酸素摂取量の増加、運動時の収縮期血圧低下[11]、自律神経機能の改善がみられた[12]。脳卒中後片麻痺患者がトレッドミルを用いた有酸素運動を行うことで、最大酸素摂取量や6分間歩行距離などが向上し[13,14]、耐糖能と末梢循環機能が改善することも示されている[15,16]。水中訓練は、最大酸素摂取量および歩行速度を有意に増加させる[17]。さらには、脳卒中後片麻痺患者に対する有酸素運動が、有酸素性能力を改善させることを示したメタ解析[18]とシステマティックレビュー[19,20]がある。

発症後6か月以内の脳卒中後片麻痺患者に対して、エルゴメーターを用いた有酸素運動と下肢筋力増強訓練を併用したところ、最大酸素摂取量、6分間歩行距離などの有意な改善が確認された[21]。生活期脳卒中患者に対して、歩行、ステップ動作、サイクルエルゴメーターのような有酸素運動と下肢筋力増強訓練の併用療法を行ったところ、身体活動性、

麻痺側下肢筋力、生活の質（QOL）などが改善した[22,23]。また、有酸素運動、四肢筋力増強訓練、タンデム歩行訓練、片足起立などのバランス課題から構成された課題指向型訓練プログラムは、最大酸素摂取量、6分間歩行距離、麻痺側下肢筋力の改善に有効であった[24]。

等運動性収縮や漸増的抵抗運動を用いた麻痺側下肢の筋力増強訓練によって、下肢の筋力は有意に増加する[25-29]。脳卒中患者に対する筋力増強訓練が歩行機能に与える影響については、様々な報告があり一定の見解を得ていない[25,26,28,30,31]。リーチ動作、立ち上がり動作、ステップ動作、立位バランス動作などから構成される課題指向型のサーキットトレーニングは、麻痺側および非麻痺側の下肢筋力を増加して、歩行や起居動作も改善した[32]。

〔引用文献〕

1) 塚越和巳, 飯田勝, 高木博史, 他. Anaerobic Threshold からみた脳血管障害片麻痺者の全身持久性評価の検討. 総合リハビリテーション　1993；21：585-591.（レベル4）

2) 原行弘. 脳卒中患者の上肢運動負荷　片側上肢エルゴメーターを用いた体力測定および体力と握力との関係. リハビリテーション医学　1996；33：24-32.（レベル4）

3) 森英二. 脳卒中片麻痺患者の基本動作に関する運動生理学的研究. リハビリテーション医学　1996；33：49-60.（レベル4）

4) Potempa K, Braun LT, Tinknell T, et al. Benefits of aerobic exercise after stroke. Sports Med 1996; 21: 337-346.（レベル3）

5) Macko RF, Katzel LI, Yataco A, et al. Low-velocity graded treadmill stress testing in hemiparetic stroke patients. Stroke 1997; 28: 988-992.（レベル4）

6) 間嶋満, 近藤徹, 江口清, 他. 脳卒中患者における AT レベルでの全身持久力訓練の効果　若年群と老年群における検討. リハビリテーション医学　1998；35：485-490.（レベル4）

7) Monga TN, Deforge DA, Williams J, et al. Cardiovascular responses to acute exercise in patients with cerebrovascular accidents. Arch Phys Med Rehabil 1988; 69: 937-940.（レベル4）

8) 大隈秀信, 緒方甫, 美津島隆, 他. 脳卒中片麻痺患者に対する AT (anaerobic threshold) 決定のための運動負荷方法としての反復

起立動作の検討. リハビリテーション医学 1994；31：165-172.（レベル 4）

9) 園田茂, 岡島康友, 椿原彰夫, 他. 体幹前後屈運動負荷法による脳卒中片麻痺患者の持久力測定. リハビリテーション医学 1989；26：93-96.（レベル 4）

10) Tsuji T, Liu M, Tsujiuchi K, et al. Bridging activity as a mode of stress testing for persons with hemiplegia. Arch Phys Med Rehabil 1999; 80: 1060-1064.（レベル 4）

11) Potempa K, Lopez M, Braun LT, et al. Physiological outcomes of aerobic exercise training in hemiparetic stroke patients. Stroke 1995; 26: 101-105.（レベル 2）

12) Jin H, Jiang Y, Wei Q, et al. Effects of aerobic cycling training on cardiovascular fitness and heart rate recovery in patients with chronic stroke. NeuroRehabilitation 2013; 32: 327-335.（レベル 4）

13) Pohl M, Mehrholz J, Ritschel C, et al. Speed-dependent treadmill training in ambulatory hemiparetic stroke patients: a randomized controlled trial. Stroke 2002; 33: 553-558.（レベル 2）

14) Macko RF, Ivey FM, Forrester LW, et al. Treadmill exercise rehabilitation improves ambulatory function and cardiovascular fitness in patients with chronic stroke: a randomized, controlled trial. Stroke 2005; 36: 2206-2211.（レベル 2）

15) Ivey FM, Ryan AS, Hafer-Macko CE, et al. Treadmill aerobic training improves glucose tolerance and indices of insulin sensitivity in disabled stroke survivors: a preliminary report. Stroke 2007; 38: 2752-2758.（レベル 2）

16) Ivey FM, Hafer-Macko CE, Ryan AS, et al. Impaired leg vasodilatory function after stroke: adaptations with treadmill exercise training. Stroke 2010; 41: 2913-2917.（レベル 2）

17) Chu KS, Eng JJ, Dawson AS, et al. Water-based exercise for cardiovascular fitness in people with chronic stroke: a randomized controlled trial. Arch Phys Med Rehabil 2004; 85: 870-874.（レベル 2）

18) Pang MY, Eng JJ, Dawson AS, et al. The use of aerobic exercise training in improving aerobic capacity in individuals with stroke: a meta-analysis. Clin Rehabil 2006; 20: 97-111.（レベル 2）

19) Saunders DH, Greig CA, Young A, et al. Physical fitness training for stroke patients. Cochrane Database Syst Rev 2004: CD003316.（レベル 1）

20) Saunders DH, Sanderson M, Brazzelli M, et al. Physical fitness training for stroke patients. Cochrane Database Syst Rev 2013: CD003316.（レベル 1）

21) Duncan P, Studenski S, Richards L, et al. Randomized clinical trial of therapeutic exercise in subacute stroke. Stroke 2003; 34: 2173-2180.（レベル 2）

22) Teixeira-Salmela LF, Olney SJ, Nadeau S, et al. Muscle strengthening and physical conditioning to reduce impairment and disability in chronic stroke survivors. Arch Phys Med Rehabil 1999; 80: 1211-1218.（レベル 2）

23) Mead GE, Greig CA, Cunningham I, et al. Stroke: a randomized trial of exercise or relaxation. J Am Geriatr Soc 2007; 55: 892-899.（レベル 2）

24) Pang MY, Eng JJ, Dawson AS, et al. A community-based fitness and mobility exercise program for older adults with chronic stroke: a randomized, controlled trial. J Am Geriatr Soc 2005; 53: 1667-1674.（レベル 2）

25) Inaba M, Edberg E, Montgomery J, et al. Effectiveness of functional training, active exercise, and resistive exercise for patients with hemiplegia. Phys Ther 1973; 53: 28-35.（レベル 2）

26) Kim CM, Eng JJ, MacIntyre DL, et al. Effects of isokinetic strength training on walking in persons with stroke: a double-blind controlled pilot study. J Stroke Cerebrovasc Dis 2001; 10: 265-273.（レベル 2）

27) Moreland JD, Goldsmith CH, Huijbregts MP, et al. Progressive resistance strengthening exercises after stroke: a single-blind randomized controlled trial. Arch Phys Med Rehabil 2003; 84: 1433-1440.（レベル 2）

28) Ouellette MM, LeBrasseur NK, Bean JF, et al. High-intensity resistance training improves muscle strength, self-reported function, and disability in longterm stroke survivors. Stroke 2004; 35: 1404-1409.（レベル 2）

29) Lee MJ, Kilbreath SL, Singh MF, et al. Effect of progressive resistance training on muscle performance after chronic stroke. Med Sci Sports Exerc 2010; 42: 23-34.（レベル 2）

30) Sharp SA, Brouwer BJ. Isokinetic strength training of the hemiparetic knee: effects on function and spasticity. Arch Phys Med Rehabil 1997; 78: 1231-1236.（レベル 4）

31) Weiss A, Suzuki T, Bean J, et al. High intensity strength training improves strength and functional performance after stroke. Am J Phys Med Rehabil 2000; 79: 369-376.（レベル 4）

32) Yang YR, Wang RY, Lin KH, et al. Task-oriented progressive resistance strength training improves muscle strength and functional performance in individuals with stroke. Clin Rehabil 2006; 20: 860-870.（レベル 2）

VII

亜急性期以後のリハビリテーション診療

Ⅶ 亜急性期以後のリハビリテーション診療

2 亜急性期以後の障害に対するリハビリテーション診療

2-15 痙攣

推奨

1. 亜急性期以後の痙攣に対しては、神経学的異常、脳波異常、複数回の発作があれば抗てんかん薬を投与することは妥当である（推奨度B　エビデンスレベル低）。

2. 抗てんかん薬の種類は、発作型、年齢、副作用などを考慮して選択することは妥当である（推奨度B　エビデンスレベル中）。

3. 急性期に投与が開始された抗てんかん薬は、その後の発作の有無や脳波異常を評価しながら、漸減中止を検討することが妥当である（推奨度B　エビデンスレベル低）。

解　説

　脳卒中後に痙攣が出現する頻度は、全脳卒中患者のうちで約7％と報告されており、高齢患者ほどその頻度が高くなる[1]。特に、亜急性期以後に出現した痙攣は症候性てんかんに発展する可能性が高い[2,3]。脳卒中患者においては、痙攣発作が出現した後、迅速に抗てんかん薬の投与を開始することでその再発率が低下する[4]。よって、神経学的異常、脳波異常、発作の回数などを考慮した上で、必要があれば迅速に投薬を開始する。

　脳卒中後痙攣に対する予防薬として、レベチラセタム、カルバマゼピン、ラモトリギン、ガバペンチンなどが使用されるが、これらの抗てんかん薬の間では痙攣予防効果の差異は確認されていない[5-7]。抗てんかん薬による副作用の差異に関しても、一定の見解は得られていない[5-8]。ただし、レベチラセタムについては、他剤と比較してその有効率が有意に高いとの報告がある[8]。

　脳出血患者に対しては、明確な指標なく急性期から抗てんかん薬が投与されることが少なくない[9,10]。脳出血後に一次予防目的（痙攣がない患者に対する痙攣発症予防）で投与開始された抗てんかん薬は、最大12か月間のフォローアップ期間中においては機能予後に影響を与えない[11]が、急性期に処方された抗てんかん薬が漫然と長期的に投与されることは望ましくない。実際には、亜急性期以後における痙攣発作の有無や脳波所見に基づいて、可能な限りで漸減中止を検討するのが良い。

　スタチン製剤の投与が脳卒中後てんかんの発症率を低下させるとの報告があるが[12,13]、その有効性は確立していない。

〔引用文献〕

1) Tanaka T, Ihara M. Post-stroke epilepsy. Neurochem Int 2017; 107: 219–228. （レベル3）
2) Bladin CF, Alexandrov AV, Bellavance A, et al. Seizures after stroke: a prospective multicenter study. Arch Neurol 2000; 57: 1617–1622. （レベル4）
3) Burn J, Dennis M, Bamford J, et al. Epileptic seizures after a first stroke: the Oxfordshire Community Stroke Project. BMJ 1997; 315: 1582–1587. （レベル4）
4) Gilad R, Lampl Y, Eschel Y, et al. Antiepileptic treatment in patients with early postischemic stroke seizures: a retrospective study. Cerebrovasc Dis 2001; 12: 39–43. （レベル3）
5) Gilad R, Sadeh M, Rapoport A, et al. Monotherapy of lamotrigine versus carbamazepine in patients with poststroke seizure. Clin Neuropharmacol 2007; 30: 189–195. （レベル2）
6) Kwan J, Wood E. Antiepileptic drugs for the primary and secondary prevention of seizures after stroke. Cochrane Database Syst Rev 2010: CD005398. （レベル1）
7) Brigo F, Lattanzi S, Zelano J, et al. Randomized controlled trials of antiepileptic drugs for the treatment of post-stroke seizures: a systematic review with network meta-analysis. Seizure 2018; 61: 57–62. （レベル1）
8) Consoli D, Bosco D, Postorino P, et al. Levetiracetam versus carbamazepine in patients with late poststroke seizures: a multicenter prospective randomized open-label study (EpIC Project). Cerebrovasc Dis 2012; 34: 282–289. （レベル2）
9) Naidech AM, Beaumont J, Muldoon K, et al. Prophylactic Seizure Medication and Health-Related Quality of Life After Intracerebral Hemorrhage. Crit Care Med 2018; 46: 1480–1485. （レベル3）
10) Srinivasan S, Shin H, Chou SH, et al. Seizures and antiepileptic drugs in patients with sponataneous intracerebral hemorrhages. Seizure 2013; 22: 512–516 （レベル3）
11) Angriman F, Tirupakuzhi Vijayaraghavan BK, Dragoi L, et al. Antiepileptic Drugs to Prevent Seizures After Spontaneous Intracerebral Hemorrhage. Stroke 2019; 50: 1095–1099. （レベル1）
12) Lin FJ, Lin HW, Ho YF. Effect of Statin Intensity on the Risk of Epilepsy After Ischaemic Stroke: Real-World Evidence from Population-Based Health Claims. CNS Drugs 2018; 32: 367–376. （レベル3）
13) Lin HW, Ho YF, Lin FJ. Statin use associated with lower risk of epilepsy after intracranial haemorrhage: A population-based cohort study. Br J Clin Pharmacol 2018; 84: 1970–1979. （レベル2）

付録

表1　Japan Coma Scale（JCS）

Ⅲ. 刺激をしても覚醒しない状態（3桁の点数で表現）
（deep coma、coma、semicoma）

300. 痛み刺激にまったく反応しない。
200. 痛み刺激で少し手足を動かしたり顔をしかめる。
100. 痛み刺激に対し、払いのけるような動作をする。

Ⅱ. 刺激すると覚醒する状態（2桁の点数で表現）
（stupor、lethargy、hypersomnia、somnolence、drowsiness）

30. 痛み刺激を加えつつ呼びかけを繰り返すと辛うじて開眼する。
20. 大きな声または体を揺さぶることにより開眼する。
10. 普通の呼びかけで容易に開眼する。

Ⅰ. 刺激しないでも覚醒している状態（1桁の点数で表現）
（delirium、confusion、senselessness）

3. 自分の名前、生年月日が言えない。
2. 見当識障害がある。
1. 意識清明とは言えない。

注　R：Restlessness（不穏）、I：Incontinence（失禁）、A：Apallic state または Akinetic mutism

たとえば　30R または 30不穏 とか、20I または 20失禁 として表す。

太田富雄，和賀志郎，半田肇，他. 急性期意識障害の新しいgradingとその表現法.（いわゆる3-3-9度方式）　第3回脳卒中の外科研究会講演集 1975；p61-69.

表2　Glasgow Coma Scale（GCS）

1. 開眼（eye opening、E）	E
自発的に開眼	4
呼びかけにより開眼	3
痛み刺激により開眼	2
なし	1
2. 最良言語反応（best verbal response、V）	**V**
見当識あり	5
混乱した会話	4
不適当な発語	3
理解不明の音声	2
なし	1
3. 最良運動反応（best motor response、M）	**M**
命令に応じて可	6
疼痛部へ	5
逃避反応として	4
異常な屈曲運動	3
伸展反応（除脳姿勢）	2
なし	1

正常では E、V、M の合計が15点、深昏睡では3点となる。

参考：Teasdale G, Jennett B. Assessment of coma and impaired consciousness. A practical scale. Lancet 1974；2：81-84.

付録

表3-1　National Institutes of Health Stroke Scale (NIHSS)

意識水準
気管挿管、言語的障壁あるいは口腔外傷などによって評価が妨げられたとしても、患者の反応をどれか1つに評価選択する。痛み刺激を加えられた際に患者が反射的姿勢以外にはまったく運動を呈さない場合のみ3点とする。

0：完全に覚醒。的確に反応する。
1：覚醒していないが簡単な刺激で覚醒し、命令に答えたり、反応したりできる。
2：注意を向けさせるには繰り返す刺激が必要か、あるいは意識が混濁していて（常同的ではない）運動を生じさせるには強い刺激や痛み刺激が必要である。
3：反射的運動や自立的反応しかみられないか、完全に無反応、弛緩状態、無反射状態である。

質問
検査日の月名および年齢を尋ねる。返答は正解でなければならず、近似した答えは無効。失語症、混迷の患者は2点。気管内挿管、口腔外傷、強度の構音障害、言語的障壁あるいは失語症によらない何らかの問題のために患者が話すことができなければ、1点。最初の応答のみを評価し、検者は言語的あるいは非言語的手懸りを与えてはならない。

0：両方の質問に正解
1：一方の質問に正解
2：両方とも不正解

命令
開閉眼を命じ、続いて手の開閉を命じる。もし手が使えないときは他の1段階命令に置換可。実行しようとする明らかな企図はみられるが、筋力低下のために完遂できないときは点を与える。患者が命令に反応しないときはパントマイムで示す。外傷、切断または他の身体的障害のある患者には適当な1段階命令に置き換える。最初の企図のみを評価する。

0：両方とも可能
1：一方だけ可能
2：両方とも不可能

注視
水平運動のみ評価。随意的あるいは反射的(oculocephalic)眼球運動を評価。カロリックテストは行わない。共同偏視を有しているが、随意的あるいは反射的にこれを克服可能なら1点、単一のⅢ、Ⅳ、Ⅵの麻痺を有するときは1点とする。すべての失語症患者で評価可能である。眼外傷、眼帯、病前からの盲、あるいは他の視野視力障害を有する患者は反射的運動あるいは適切な方法で評価する。視線を合わせ、患者の周りを横に動くことで注視麻痺の存在を検知できることがある。

0：正常
1：注視が一側あるいは両側の眼球で異常であるが、固定した偏視や完全注視麻痺ではない。
2：「人形の目」手技で克服できない固定した偏視や完全注視麻痺

視野
対座法で評価する。視野(上下1/4)で動かしている指あるいはthreatで検査する。患者を励まして良いが、動いている指のほうを適切に向くのなら0点、一側眼の盲や単眼の場合は健常側の視野を評価する。1/4盲を含む明らかな左右差が認められたときのみ1点。全盲はどのような理由であっても3点。

0：視野欠損なし
1：部分的半盲
2：完全半盲
3：両側性半盲(皮質盲を含む)

294

| 麻痺-顔 | 歯をみせるか笑ってみせる、あるいは目を閉じるように命じるかパントマイムで示す。反応の悪い患者や理解力のない患者では痛み刺激に対する渋面の左右差でみる。顔面外傷、気管内挿管、包帯、あるいは他の身体的障壁のため顔面が隠れているときは、できるだけこれらを取り去って評価する。 |

0：正常な対称的な動き
1：鼻唇溝の平坦化、笑顔の不対称
2：顔面下半分の完全あるいはほぼ完全な麻痺
3：顔面半分の動きがまったくない。

| 麻痺-上肢 | 上肢は90°（座位）または45°（仰臥位）に置く。失語症患者には声やパントマイムで示すが、痛み刺激は用いない。最初は非麻痺側から評価する。切断肢や肩の癒合があるときは9点。9点にした理由を明記しておく。 |

0：90°（45°）に10秒間保持可能
1：90°（45°）に保持可能も、10秒以内に下垂。ベッドを打つようには下垂しない。
2：重力に抗せるが、90°（45°）まで挙上できない。
3：重力に抗せない。ベッド上に落ちる。
4：まったく動きがみられない。
9：切断、関節癒合

| 麻痺-下肢 | 下肢は30°（必ず仰臥位）に置く。失語症患者には声やパントマイムで示すが、痛み刺激は用いない。最初は非麻痺側から評価。切断肢や股関節の癒合があるときは9点。9点にした理由を明記しておく。 |

0：30°を5秒間保持可能
1：30°を保持可能も、5秒以内に下垂。ベッドを打つようには下垂しない。
2：重力に抗せるが、落下する。
3：重力に抗せない。即座にベッド上に落ちる。
4：まったく動きがみられない。
9：切断、関節癒合

| 運動失調 | 指-鼻-指試験、踵-膝試験は両側で施行。開眼で評価し、視野障害がある場合は、健側の視野で評価する。筋力低下の存在を割り引いても存在するときのみ陽性とする。理解力のない患者、片麻痺の患者は0点、切断肢や関節癒合が存在する場合は9点。9点とした理由を明記する。全盲の場合は伸展位から鼻に触れることで評価する。 |

0：なし
1：1肢に存在
2：2肢に存在
9：切断、関節癒合

| 感覚 | 知覚または検査時の痛みに対する渋面、あるいは意識障害や失語症患者での痛み刺激からの逃避反応により評価する。半側感覚障害を正確に調べるのに必要な多くの身体部位（前腕、下肢、体幹、顔面）で評価すること。重篤あるいは完全な感覚障害が明白に示されたときのみ2点を与える。従って、混迷あるいは失語症患者は1点または0点となる。脳幹部脳血管障害で両側の感覚障害がある場合、2点。無反応、四肢麻痺の患者は2点。昏睡患者は2点。 |

0：正常
1：痛みを鈍く感じるか、あるいは痛みは障害されているが触られていることはわかる。
2：触られていることもわからない。

言語	これより前の項目の評価を行っている間に言語に関する多くの情報が得られている。絵カードの中で起こっていることを尋ね、呼称カードの中の物品名を言わせ、文章カードを読ませる。言語理解はここでの反応およびこれ以前の評価時の命令に対する反応から判断する。もし、視覚障害によってこの検査ができないときは、手の中に置かれた物品の同定、復唱、発話を命ずる。挿管されている患者は書字するようにする。混迷や非協力的患者でも評価をし、昏睡患者、患者が完全に無言か1段階命令にまったく応じない場合は3点。

0：正常
1：明らかな流暢性・理解力の障害はあるが、表出された思考、表出の形に重大な制限を受けていない。しかし、発語や理解の障害のために与えられた材料に関する会話が困難か不能である。患者の反応から答えを同定することが可能。
2：コミュニケーションはすべて断片的な表出からなり、検者に多くの決めつけ、聞き直し、推測が必要。交換される情報の範囲は限定的で、コミュニケーションに困難を感じる。患者の反応から答えを同定することが不可能。
3：有効な発語や聴覚理解はまったく認められない。

構音障害	もし患者が失語症でなかったら、前出のカード音読や単語の復唱をさせることから適切な発話の例を得なければならない。もし患者が失語症なら、自発語の構音の明瞭さを評価する。挿管、発話を妨げる他の身体的障壁があるときは9点。9点にした理由を明記しておく。患者にこの項目の評価の理由を告げてはならない。

0：正常
1：少なくともいくつかの単語で構音が異常で、悪くとも何らかの困難は伴うものの理解し得る。
2：構音異常が強く、検者が理解不能である。
9：挿管、身体的障壁

消去現象と無視	これより前の項目を評価している間に無視を評価するための十分な情報を得られている。もし2点同時刺激を行うことを妨げるような重篤な視覚異常がある場合、体性感覚による2点同時刺激で正常なら評価は正常とする。失語があっても両側に注意を向けているようにみえるとき、評価は正常とする。視空間無視や病態失認の存在は無視の証拠として良い。無視は存在したときのみありと評価されるので、評価不能はあり得ない。

0：正常
1：視覚、触覚、聴覚、視空間、あるいは自己身体に対する不注意。1つの感覚様式で2点同時刺激に対する消去現象。
2：重度の半側不注意あるいは2つ以上の感覚様式に対する消去現象。一方の手を認識しない、または空間の一側にしか注意を向けない。

参考：Brott T, Adams HP Jr, Olinger CP, et al. Measurements of acute cerebral infarction: a clinical examination scale. Stroke 1989; 20: 864-870.
Lyden P, Brott T, Tilley B, et al. Improved reliability of the NIH Stroke Scale using video training. NINDS TPA Stroke Study Group. Stroke 1994; 25: 2220-2226.
Lyden P. Using the National Institutes of Health Stroke Scale: A Cautionary Tale. Stroke 2017; 48: 513 519.
森悦朗訳，一部改訳．
日本脳卒中学会 脳卒中医療向上・社会保険委員会，静注血栓溶解療法指針改訂部会. 静注血栓溶解（rt-PA）療法　適正治療指針　第三版　2019年3月. 脳卒中 2019；41：205-246.

付録

表3-2 National Institutes of Health Stroke Scale（NIHSS）評価時の注意点

A. 一般的注意事項

1. リストの順に施行する。
2. 逆に行ったり評点を変更してはならない（間違った答えを修正しても最初に言った答えについて評点する）。
3. 評点には患者がなしたことを反映させる。患者ができるだろうと医師が推測したことではない。
4. 検査を施行している間に記録する（記入シートなどを利用）。
5. 特に指示されている部分以外では、患者を誘導してはならない（すなわち、何度も命令を繰り返すと患者は特別に努力をしてしまう）。

B. 各項目での注意事項

1. 意識障害：失語症の患者に対して、「質問」では2点を与える。「命令」では、パントマイムで示しても良い。それでもできなければ2点。
2. 視野：部分的半盲は1点。1/4盲、または同時刺激に片方を無視することがあれば1点とされている。
3. 顔面麻痺：普通脳卒中の場合には顔面の半分だけであるが、この場合、末梢性の顔面麻痺が3点と一番高くなる。顔面麻痺が検者間で最も一致率が悪いと報告されている。
4. 上下肢の運動：失語症の患者でも評点する。9点は合計点には加えない。
5. 感覚：まったく正常であれば0点。まったくわからないのは2点。その中間はすべて1点。
6. 言語：失語がなければ0点。軽度〜中等度の失語は1点。重度の失語は2点。まったくの失語や昏迷は3点。
7. 構音障害：挿管をしている場合は9点となるが合計点には加えない。
8. 無視：失語があっても、両側に注意を向けているようにみえれば0点。視野刺激で問題があったときには1点。

日本脳卒中学会 脳卒中医療向上・社会保険委員会，静注血栓溶解療法指針改訂部会．静注血栓溶解（rt-PA）療法　適正治療指針　第三版　2019年3月．脳卒中 2019；41：205-246.

表4　日本版modified Rankin Scale（mRS）判定基準書（mRS信頼性研究グループ）

	modified Rankin Scale	参考にすべき点
0	まったく症候がない	自覚症状および他覚徴候がともにない状態である。
1	症候はあっても明らかな障害はない：日常の勤めや活動は行える。	自覚症状および他覚徴候はあるが、発症以前から行っていた仕事や活動に制限はない状態である。
2	軽度の障害：発症以前の活動がすべて行えるわけではないが、自分の身の回りのことは介助なしに行える。	発症以前から行っていた仕事や活動に制限はあるが、日常生活は自立している状態である。
3	中等度の障害：何らかの介助を必要とするが、歩行は介助なしに行える。	買い物や公共交通機関を利用した外出などには介助*を必要とするが、通常歩行†、食事、身だしなみの維持、トイレなどには介助*を必要としない状態である。
4	中等度から重度の障害：歩行や身体的要求には介助が必要である。	通常歩行†、食事、身だしなみの維持、トイレなどには介助*を必要とするが、持続的な介護は必要としない状態である。
5	重度の障害：寝たきり、失禁状態、常に介護と見守りを必要とする。	常に誰かの介助*を必要とする状態である。
6	死亡	

* 介助とは、手助け、言葉による指示および見守りを意味する。
† 歩行は主に平地での歩行について判定する。なお、歩行のための補助具（杖、歩行器）の使用は介助には含めない。

参考：van Swieten JC, Koudstaal PJ, Visser MC, et al. Interobserver agreement for the assessment of handicap in stroke patients. Stroke 1988; 19: 604-607.
篠原幸人，峰松一夫，天野隆弘，大橋靖雄：mRS 信頼性研究グループ. modified Rankin Scale の信頼性に関する研究−日本語版判定基準書および問診表の紹介．脳卒中 2007；29：6-13.
Shinohara Y, Minematsu K, Amano T, Ohashi Y. Modified Rankin Scale with expanded guidance scheme and interview questionnaire: Interrater agreement and reproducibility of assessment. Cerebrovasc Dis 2006; 21: 271-278.

付録

表5 CHADS$_2$スコア

	疾患		点数
C	Congestive heart failure	心不全	1
H	Hypertension	高血圧	1
A	Age ≧ 75 years	75歳以上	1
D	Diabetes mellitus	糖尿病	1
S$_2$	Stroke or TIA	脳梗塞・TIA	2
合計			

参考：Gage BF, Waterman AD, Shannon W, et al. Validation of clinical classification schemes for predicting stroke：results from the National Registry of Atrial Fibrillation. JAMA 2001；285：2864-2870.

表6 modified Ashworth Scale（mAS）

グレード	内容
0	筋緊張の亢進がない。
1	軽度の筋緊張亢進があり、屈伸運動を行うと"引っかかり"とその消失もしくは関節可動域の最終域におけるわずかな抵抗が認められる。
1+	軽度の筋緊張亢進があり、屈伸運動を行うと"引っかかり"とそれに続くわずかな抵抗が関節可動域の1/2未満の範囲で認められる。
2	よりはっきりとした筋緊張亢進が関節可動域全域で認められるが、関節を他動的に動かすことは容易である。
3	著明な筋緊張亢進があり、関節を他動的に動かすことは困難である。
4	関節は硬く固まっており、他動的に動かすことはできない。

Modified Ashworth Scale (MAS) by Bohannon RW, Smith MB: Developed in 1987, Modified from Ashworth Scale developed in 1964. （Public Domain）
日本脳卒中学会脳卒中ガイドライン委員会訳.

付録

表7 Brunnstrom Recovery Stage（BRS）

上肢	stage Ⅰ	随意運動なし（弛緩性麻痺）。
	stage Ⅱ	筋緊張が高まり連合反応として、共同運動が不随意に出現。
	stage Ⅲ	筋緊張がさらに高まり、共同運動が随意的に出現。
	stage Ⅳ	筋緊張が減少し始め、共同運動から逸脱した分離運動が出現。 1. 手背を腰の後方につけることが可能。 2. 肘関節を伸展したまま、上肢を前方水平位まで挙げることが可能。 3. 肘関節を90°屈曲したまま、前腕を回内・回外することが可能。
	stage Ⅴ	筋緊張がさらに減少して、共同運動からさらに逸脱した分離運動が可能。 1. 肘関節を伸展かつ前腕を回内したまま、上肢を横水平位まで挙げることが可能。 2. 肘関節を伸展したまま、上肢を前方から頭上まで挙げることが可能。 3. 肘関節を伸展したまま、前腕を回内・回外することが可能。
	stage Ⅵ	筋緊張の亢進がなくなり、分離運動を自由に行うことが可能。協調運動を正常に行うことが可能。
手指	stage Ⅰ	随意運動なし（弛緩性麻痺）。
	stage Ⅱ	手指の屈曲が最小限の範囲で随意的に可能。
	stage Ⅲ	手指の集団屈曲が可能。随意的な手指の伸展はできないが、反射による伸展ができることがある。鈎形握りができるが、離せない。
	stage Ⅳ	手指の伸展が狭い範囲で半ば随意的に可能。横つまみが可能であり、母指の動きでそれを離すことも可能。
	stage Ⅴ	手指の集団伸展が可能。対向つまみ、円柱握り、球形握りが可能であるが、拙劣で実用性が低い。
	stage Ⅵ	手指の伸展が全可動域にわたって随意的に可能。手指の分離運動も可能であるが、健側よりは多少拙劣である。すべてのつまみが上手にできる。
下肢	stage Ⅰ	随意運動なし（弛緩性麻痺）。
	stage Ⅱ	筋緊張が高まり、下肢の随意的な運動が最小限の範囲で出現。
	stage Ⅲ	筋緊張が最大となり、下肢屈曲もしくは伸展の共同運動が出現。座位もしくは立位で、股・膝・足関節の屈曲が可能。
	stage Ⅳ	1. 座位で足を床上で滑らせながら、膝関節を90°以上屈曲することが可能。 2. 座位で踵を床につけて膝関節を90°屈曲したまま、足関節の背屈が可能。
	stage Ⅴ	1. 立位で股関節を伸展したまま、膝関節の屈曲が可能。 2. 立位で足を少し前方に出して膝関節を伸展したまま、足関節の背屈が可能。
	stage Ⅵ	座位もしくは立位で、骨盤挙上による範囲をこえて股関節の外転が可能。座位で、内側・外側ハムストリングスの交互収縮により、足関節の内がえし・外がえしを伴った下腿の内旋・外旋ができる。

参考：Brunnstrom S. Motor testing procedures in hemiplegia. Based on sequential recovery stages. Phys Ther 1966; 46: 357-375.
Sawner KA, LaVigne JM. Brunnstrom's Movement Therapy in Hemiplegia: A Neurophysiological Approach. 2nd ed.
Philadelphia: Lippincott; 1992.
日本脳卒中学会脳卒中ガイドライン委員会訳．

Japanese Guidelines for the Management of Stroke 2021

脳卒中治療ガイドライン 2021

2021年7月15日　第1版　第1刷
2022年5月20日　第1版　第2刷

編集　　日本脳卒中学会　脳卒中ガイドライン委員会

発行　　株式会社協和企画
　　　　〒107-8630
　　　　東京都豊島区東池袋3-1-3
　　　　ワールドインポートマートビル8階
　　　　https://www.kk-kyowa.co.jp/
　　　　＊お問い合わせは上記ホームページの〈お問い合わせフォーム〉
　　　　　からご連絡ください。

印刷　　株式会社アイワード

©本書の内容を無断で複写・複製・転載することを禁ずる。
転載許諾、二次利用などの申請については、日本脳卒中学会ホームページ
(https://www.jsts.gr.jp/) を参照してください。

ISBN978-4-87794-222-9